Carlene Thompson
Fürchte, was du siehst

Kriminalroman

Aus dem Amerikanischen
von Irmengard Gabler

Fischer Taschenbuch Verlag

Veröffentlicht im Fischer Taschenbuch Verlag,
einem Unternehmen der S. Fischer Verlag GmbH,
Frankfurt am Main, Dezember 2007

Die amerikanische Originalausgabe erschien 2005
unter dem Titel ›Share no Secrets‹ im Verlag
St. Martin's Press, New York, N. Y.
© 2005 by Carlene Thompson
Für die deutsche Ausgabe:
© S. Fischer Verlag GmbH, Frankfurt am Main, 2006
Dieses Werk wurde im Auftrag von St. Martin's Press durch
die Literarische Agentur Thomas Schlück GmbH,
30827 Garbsen vermittelt.
Druck und Bindung: Clausen & Bosse, Leck
Printed in Germany
ISBN 978-3-596-16928-3

Dank an Pamela Ahearn, Stefanie Lindskog,
Jennifer Weis und Keith Biggs

Besonderen Dank an Debbie und Morgan Long,
die Besitzer des Iron Gate

Prolog

Julianna Brent räkelte sich träge auf den kühlen Satinlaken und stieß in Erinnerung an die vorausgegangene Lust ein kleines wohliges Stöhnen aus, ehe sie die bernsteinfarbenen Augen öffnete. Durch einen schmalen Spalt zwischen den Vorhängen zeigte sich ein schmaler Schimmer. Es war noch nicht Morgen, doch bald würde sich öde Helligkeit über die Welt breiten und der Romantik den Garaus machen. Ihr kam ein Kinderlied in den Sinn, das ihre Mutter früher immer gesungen hatte, wenn sie nicht einschlafen wollte, und sie summte es vor sich hin:

Bunt, bunt, bunt sind
alle meine Kleider.
Bunt, bunt, bunt ist
alles, was ich hab.
Doch wenn Mond und Stern'
am Himmel stehn
Und kleine Kinder
schlafen gehn
dann können sie im Traum
den großen Regenbogen schaun.

Julianna lächelte über die einfachen Verse und sog tief den Jasminduft der Kerzen ein, die rings um das Bett brannten. Sie liebte den Duft von Jasmin und freute sich am Funkeln der Flammen auf den kristallenen Kerzenhaltern. Der Kerzenschein fiel auf das Glasfigürchen eines langhaarigen Mädchens im geblümten Kleid, das Julianna mit siebzehn von ihrer Freundin Adrienne geschenkt bekommen hatte. Julianna hing an dem zierlichen Stück und hatte das Mädchen Daisy getauft, nach der Heldin in Henry James' Roman *Daisy Miller*, den sie im letzten Jahr der High School im Literaturkurs gelesen hatte. Julianna hatte das Figürchen immer bei sich. Es machte dieses schöne, aber unpersönliche Hotelzimmer etwas persönlicher.

Sie nahm das bauschige Kopfkissen und begrub ihr Gesicht darin. Sein Geruch hing noch im Bezug, ein klarer, aufregend männlicher Geruch, der sie an zahllose romantische Begebenheiten erinnerte und ihren Körper wieder zum Leben erweckte. Dabei war sie müde und sollte längst schon zu Hause sein.

Aber sie wollte nicht zurück in die Einsamkeit. Sie wollte hier liegen bleiben und ihre aufgewühlten Gefühle auskosten, als wäre es das letzte Mal.

Sie schreckte auf. Das letzte Mal? Wie kam sie ausgerechnet jetzt auf diese unseligen Worte? Eine böse Vorahnung? Sicher nicht. Julianna glaubte nicht an Vorahnungen. Und die Angst, ihn nie mehr wiederzusehen, war schlicht grotesk. Also kein böses Omen. Keine böse Vorahnung. Das waren Begriffe aus dem Wortschatz ihrer Mutter, beschrieben deren Überzeugungen. Nein, der Satz sollte nur eine ...

... eine Warnung sein.

Ja, eine Warnung. Schließlich war eine außereheliche Beziehung grundsätzlich heikel, denn sie konnte nicht nur die Frau ihres Geliebten unglücklich machen, sondern auch ihr selbst gefährlich werden. Deshalb war unbedingte Vorsicht geboten, und dass sie noch immer in diesem Bett lag, obwohl draußen schon der Morgen graute, war alles andere als vorsichtig.

Doch Julianna war erschöpft. Satt, aber erschöpft. Der gestrige Tag war lang, ermüdend und anstrengend gewesen. Sie hatte sich kaum ausruhen können, bevor sie hierher gekommen war, um sich mit ihm zu treffen. Nur noch ein klein wenig schlafen …

Julianna wurden die Lider schwer. Und wenn sie sich noch ein bisschen ausruhte? Was wäre schon dabei? Das Hotel stand leer, es war seit knapp einem Jahr geschlossen. Außer Claude Duncan, dem Hausmeister, wohnte kein Mensch hier, und der konnte von Glück sagen, wenn er bis zum Vormittag seinen Rausch ausgeschlafen hätte und imstande wäre, ein paar lustlose Runden zu drehen.

Julianna glitt sanft hinüber ins Reich des Schlafs. Das Zimmer verblasste, ihre Gedanken versanken im Nebel. Und langsam kehrte der Traum zurück, den sie seit einem Monat jede Nacht träumte: Sie lief über eine endlose Wiese aus weißen, rosa und gelben Blumen. Sie hatte ihn Lottie erzählt, ihrer Mutter, und war überrascht gewesen, wie besorgt diese plötzlich schien. »Was ist denn?«, hatte sie gefragt. »Was ist mit meinem Traum, Mama?« Lottie hatte Julianna das glänzende Haar aus dem Gesicht gestrichen und ihre Tochter einmal mehr mit ihrem großen esoterischen Wissen verblüfft. »In der griechischen Mythologie«, sagte sie, »stand eine Wiese für Traurigkeit. Davon zu träumen, galt als böses Omen.« Sie schüttelte den Kopf: »Der Traum bedeutet nichts Gutes, Julianna. Er will dir sagen, dass du mit diesem Mann vom rechten Weg abgekommen bist. Er bringt dir Unglück, mein Liebling, gib auf dich Acht …«

Die Worte ihrer Mutter hatten Julianna zwar zu denken gegeben, aber ihren Liebhaber hatte sie deswegen trotzdem nicht aufgegeben. Schließlich gründeten Lotties Bedenken nur auf einem Traum, und Träume waren nicht zwangsläufig bedeutsam. War sie wach, konnte sie den Traum verdrängen. Doch sobald sie schlief, kehrte der Traum zurück. So wie jetzt.

Julianna hörte nicht, wie die Zimmertür sich leise öffnete.

Sie merkte nicht, dass sich jemand heimlich über den hellblauen Teppich vors Bett schlich und auf sie herunterstarrte – auf das kastanienbraune Haar, das sich üppig über die Kissen ergoss, den samtigen Teint, die rundlichen Schultern und vollen Brüste. Hass loderte in diesen Augen, Hass, der mit jeder Sekunde bösartiger wurde.

Tief in Juliannas Innerem flackerte ein Warnsignal auf. Sie öffnete die Augen, wollte schreien, doch die Überraschung verschlug ihr die Stimme. Angstvoll fuhr sie auf, um dem Bösen, das ihr drohte, zu entkommen.

Doch sie sah nur noch, wie ein Arm eine Keramiklampe, die vorher auf dem Nachttisch gestanden hatte, hochhob, und noch bevor sie auch nur einen Laut äußern konnte, krachend auf ihren Kopf niedersausen ließ. Sie fiel bewusstlos zurück aufs Kissen und musste gnädigerweise das Grauen nicht mehr miterleben, das nun folgte.

Fünf Minuten später sah sich Juliannas Angreifer im Zimmer um. Auf dem Nachttisch stand noch immer die kleine Glasfigur, nur zogen sich jetzt Blutspritzer über ihr zart geblümtes Kleid. Der Angreifer starrte ein paar Minuten voller Genugtuung auf die reglose Schönheit, ehe er aus dem Zimmer schlüpfte und Julianna für immer über die schöne, endlose Wiese wandern ließ.

Eins

1

Die Irokesen nannten den Fluss »Ohio«, was die Franzosen mit *belle rivière*, ›schöner Fluss‹, übersetzten. Später gaben Linguisten zu bedenken, dass das indianische *Ohio* eigentlich ›funkelnder‹, ›großartiger‹ oder ›weißer Fluss‹ bedeute. Trotzdem blieb der Ohio für die meisten Menschen, die an seinen Ufern lebten, ›der schöne Fluss‹, ein passender Name, der sich bis in die Gegenwart erhalten hat.

Adrienne Reynolds stieg auf einen niedrigen Hügel mit Ausblick auf den majestätischen Strom. Hinter ihr ragte die weiße Silhouette eines hundert Jahre alten georgianischen Hotels auf; es trug wie der Fluss den Namen *La Belle Rivière* und wurde von den Bewohnern in Point Pleasant, West Virginia, vertraulich das *Belle* genannt. Sie setzte die Sonnenbrille ab und genoss die reizvolle Aussicht, für die dieses Hotel berühmt war.

Adrienne liebte den Fluss. Sie war Malerin und hingerissen von seinen Farben. Sie changierten von mattem Smaragdgrün, wenn das Wasser niedrig stand und man lange Gräser unter der Wasseroberfläche wogen sah, oder hellem, milchigem Braun bei leichtem Regen, der sanft den Schlick aufwirbelte, bis hin zu dunkler Schokolade, wenn ein Sturm im trüben Schlamm des Flussbetts wühlte. Ganz besonders mochte sie den Ohio an kühlen Sommermorgen wie diesem, wenn der Nebel noch über dem Wasser lag und langsam zerfiel, bis glitzernde Sonnenstrahlen die gläserne Wasserfläche durchbohrten. Sie blickte sich um. Das Sonnenlicht glitzerte schon in den Fensterscheiben des dreistöckigen Hotels, das über seinem Namensvetter thronte.

Adrienne war in Point Pleasant geboren und aufgewachsen. Die Stadt lag in üppiger Landschaft nur zwei Meilen vom Hotel entfernt. Sie hatte nie davon geträumt, einmal von hier fortzuziehen und an Orten zu leben, die mehr Aufregung boten. Trotzdem war sie gleich nach dem College ihrem jungen Ehemann Trey Reynolds nach Nevada gefolgt, wo er als Musikclown in einem kleinen Casino in Las Vegas auftrat und sich dort fast fünf Jahre über Wasser hielt. Sosehr Adrienne ihren Mann liebte, so wenig konnte sie sich an die neue Heimat gewöhnen. Jeden Tag blickte sie trostlos auf den flachen Streifen heißen Sands, die stacheligen Kakteen, die ausgedörrten Eidechsen, die über ihren Vorgarten huschten, und in den endlosen Himmel. Ortsansässige beschrieben diesen Himmel als schillernd türkis. Für sie sah er eher wie ein ausgebleichter Fetzen Denim aus mit einem gleißend weißen Loch darin, das die Sonne darstellte. Ihr Mann erfuhr nicht, wie oft sie, kaum dass er das Haus verlassen hatte, um zur Probe ins Casino zu fahren, in Tränen ausgebrochen war vor lauter Heimweh nach dem breiten Ohio und den üppig bewachsenen blaugrünen Appalachen.

Adrienne besserte das spärliche, unregelmäßige Einkommen ihres Mannes mit dem Verkauf von Skizzen und Bildern auf. Ihre Tochter Skye war gerade fünf, und Adrienne hatte langsam Fuß gefasst in der Kunstszene vor Ort, als das unberechenbare Schicksal Trey in einen noch unbekannteren Club abseits des allseits beliebten *Las Vegas strip* verbannte. »Ich glaube kaum, dass dort irgendjemand unter achtzig ist«, hatte Trey sich mit trostloser Stimme beklagt. »Die verschlafen doch meine Songs. Schnarchen, wenn ich singe! Es ist erniedrigend. Dabei verdiene ich nicht mal genug für uns drei.« Er seufzte und starrte ins Leere. »Ich will euch das nicht länger zumuten. Wir gehen wieder nach Hause. Ich steig in Dads Firma ein.«

Und so hatte Trey Reynolds seinen selbstzerstörerischen Traum von der großen Casino-Karriere aufgegeben, und sie waren wieder nach West Virginia gezogen. Adrienne wusste, wie sehr Trey diese Niederlage zu schaffen machte. Obwohl sie sein Durchhaltevermögen bewunderte, war sie doch überglücklich gewesen, wieder nach Point Pleasant zurückzukehren. Schon nach einem Jahr verkaufte sie ihre Arbeiten in einer Galerie vor Ort, der French Art Colony, und lehrte Kunst an der Zweigstelle der Marshall University. Ihr Glück hatte sich verzehnfacht. Und sie war nach wie vor hingerissen von ihrer Heimat, besonders an einem so schönen Morgen wie diesem. Sie kam auch jetzt noch gern hierher zu diesem alten Hotel, obwohl Trey nicht mehr da war, um die Schönheit mit ihr zu teilen.

Bald würde die Temperatur steigen, voraussichtlich bis 28 Grad, doch noch legte der Dunst des frühen Morgens sich klamm auf ihr langes, honigbraunes Haar und verursachte ihr, trotz der Jeansjacke, eine Gänsehaut.

»Ich schraub die Thermoskanne auf«, rief ihre vierzehnjährige Tochter Skye. »Willst du auch Kaffee? Mir ist kalt!«

»Du hättest ja nicht mitzukommen brauchen. War gar nicht nötig.«

»Mir gefällt's hier, besonders so frühmorgens, wenn noch alles im Nebel liegt«, behauptete Skye enthusiastisch. »Es erinnert mich an Camelot und all die verwunschenen Orte in meinen Märchen. Was ist nun, willst du Kaffee?«

»Ja, gern.« Adrienne blieb noch ein paar Minuten am Ufer stehen, um die Atmosphäre auszukosten, als ihr der Duft von starkem Kaffee in die Nase stieg, für sie ebenso unwiderstehlich wie für Odysseus der Gesang der Sirenen. Skye hielt ihr einen Becher hin, Adrienne nahm einen Schluck und lächelte. »Du hast den guten genommen.«

»Royal Vintner, den magst du doch so gern.«

»Willst du mir etwa beichten, dass du ungezogen warst?«

Skye sah sie vorwurfsvoll an. »Natürlich nicht, außerdem bin ich zu alt, um ungezogen zu sein. Du tust ja so, als wär ich erst sieben.«

Adrienne runzelte die Stirn. »Ich bitte vielmals um Verzeihung, mein Fehler. Hast du was verbockt und versuchst mir deshalb Honig ums Maul zu schmieren?«

Skye musste lachen, und ihr Jungmädchengesicht im milden Sonnenlicht war hübsch anzusehen. »Nein, ich bin doch nicht du, Mom. Ich verbock noch nichts mit vierzehn.«

»Hab ich doch auch nicht.«

»Tante Vicky ist da anderer Meinung.«

»Meine große Schwester war schon immer die Wohlerzogenheit in Person. Die hat noch nie irgendetwas falsch gemacht.«

»Trotzdem mochten eure Eltern dich lieber.«

»Behauptet Vicky. Wären sie noch am Leben, würden sie dir etwas anderes erzählen.« Adrienne sah sich um, blinzelte in die Sonne, die durch den Nebel schien. »Die Straße ist noch immer gesperrt. Der Unfall muss ja ziemlich schlimm sein.«

»Vielleicht wollte jemand im Nebel überholen.«

»Man sollte an dieser Stelle überhaupt nicht überholen, Nebel hin oder her. Die Strecke ist viel zu unübersichtlich.«

»Hoffentlich hat es keine Toten gegeben. Aber du erfährst ohnehin bald, was passiert ist. Mit dem Sheriff auszugehen, hat doch gewisse Vorteile, Mom.« Skye zwinkerte schelmisch. »Wie ernst ist das denn mit euch?«

»Der Kaffee tut wirklich gut, aber du siehst noch immer verfroren aus, Skye«, sagte Adrienne, um das Thema zu wechseln. »Warum holst du dir nicht deinen Pulli aus dem Auto?«

»Du willst mir also nicht verraten, was du von Sheriff

Flynn hältst? Dabei hab ich dir heute Morgen extra deinen Lieblingskaffee gekocht!« Skyes hyazinthblaue Augen, ein Vermächtnis ihres Vaters, blitzten unter langen Wimpern. »Er ist schrecklich nett, Mom, und Daddy würde wollen, dass du glücklich bist.«

Trey würde aber auch wollen, dass ich verliebt bin, dachte Adrienne traurig. Er würde wollen, dass mein Leben fröhlich und leidenschaftlich ist, nicht nur sicher und gemütlich wie mit Lucas. Doch das sagte sie nicht. »Na schön, verlegen wir die Fragestunde auf später«, lenkte Skye vergnügt ein. »Jetzt will ich Brandon finden. Er ist in den Wald gelaufen. Ich höre ihn bellen.«

»Wahrscheinlich jagt er einem Streifenhörnchen hinterher. Und wäre zu Tode erschrocken, wenn es sich plötzlich zu ihm umdrehen würde. Ganz ehrlich, ich hab noch nie einen so feigen Hund erlebt! Dabei ist der Kerl fünfzig Kilo schwer!«

»Ach Mom, Brandon ist eben ein sanfter Riese.«

»Na los, dann geh ihn retten, bevor ihn eine Maus attackiert, ich hol mir inzwischen Fotoapparat und Skizzenblock aus dem Auto. Ich muss unbedingt ein Bild von diesem Haus malen, bevor es verschwunden ist. Bis dahin sind es nur noch ein paar Wochen.«

»Bevor Ellen Kirkwood es abreißen lässt, meinst du wohl«, sagte Skye bitter. »Was für eine Verschwendung. Kann Kit denn gar nichts dagegen unternehmen?«

»Kit« alias Kitrina Kirkwood, Ellens Tochter, war die eine von Adriennes zwei besten Freundinnen. Sie war klug, verquasselt, sturköpfig und eine leidenschaftliche Gegnerin des Abrissprojekts, aber das alte Hotel gehörte nun einmal Ellen, und die war unerbittlich. Kit hatte Adrienne erzählt, sie habe den Kampf um das Haus verloren. Sie hing sehr daran und hätte es gern geerbt, deshalb hatte sie Adrienne gebeten, ihr ein Bild von dem Gebäude zu malen, das sie in ihr elegantes Restaurant im Stadtzentrum hängen wollte, dem Iron Gate.

»Ich versteh nicht, warum Mrs. Kirkwood so erpicht darauf ist, das Hotel abreißen zu lassen«, quengelte Skye weiter, während sie sich den Pulli überzog, den sie eben noch großzügig verschmäht hatte.

»Ellen ist davon überzeugt, dass ein Fluch darauf liegt. Schon ihre Mutter glaubte fest daran. Und fairerweise muss man sagen, dass es hier auch schon eine Menge unerklärlicher Todesfälle gab. Dass Jamie letztes Jahr im Pool ertrunken ist, hat Ellen den Rest gegeben.« Adrienne dachte an den hübschen Jungen, den Ellen Kirkwood als Säugling adoptiert hatte. »Sie konnte den Anblick des Hauses einfach nicht mehr ertragen.«

»Ihr Mann will auch nicht, dass sie's abreißen lässt.«

»Gavin ist aber nicht der Eigentümer, und ich glaube kaum, dass er viel Einfluss hat auf Ellen. Nicht mehr als Kit jedenfalls, auch wenn sie und Gavin sich ausnahmsweise mal einig sind.«

»Warum verkauft Mrs. Kirkwood das Hotel nicht einfach?«

Adrienne runzelte die Stirn. »Na, weil's nicht anständig wäre, ein Haus zu verkaufen, auf dem ein Fluch liegt.«

Skye grinste. »Stimmt, ethisch wär das nicht.«

»Wir sollten uns nicht lustig machen über Ellen«, fügte Adrienne schuldbewusst hinzu. Sie mochte die Frau, trotz ihrer Marotten.

»Ein bisschen tut ihr nicht weh«, sagte Skye. »Es macht den Gedanken ein wenig erträglicher, dass von diesem schönen alten Haus in ein paar Wochen nur noch ein Schutthaufen übrig sein wird.«

»Du hast Recht«, seufzte Adrienne. »Ich höre Brandon bellen. Er ist in den Wald gelaufen, links von uns.«

»Und ich muss ihn retten. Bin gleich wieder da.«

Eigentlich war Adrienne ganz froh, eine Weile allein zu sein. Sie musste sich konzentrieren, die passende Perspektive für ihre Skizzen finden. Wenn Skye und Brandon zurückkämen, wäre es wieder vorbei mit der Ruhe. Sie hatte die beiden zu Hause lassen wollen, aber Skye wollte sie unbedingt begleiten. Als Adrienne sich gesträubt hatte, Brandon mitzunehmen, hatte Skye sie daran erinnert, dass der Hund zu wenig Auslauf bekam, und ihr damit prompt ein schlechtes Gewissen eingeredet. Er hätte mindestens fünf Kilo zu viel auf den Rippen, so Skye. Ein Herumtollen im Wald täte ihm nur gut. Damit hatte sie ihre Mutter überredet. Nur leider hatte der Hund es mit seinem Herumgetolle ein wenig übertrieben.

Adrienne holte ihre Kamera aus dem Auto, eine nagelneue Olympus, die sie erst vorige Woche gekauft hatte. Sie hatte zwar schon ein paar Übungsfotos damit gemacht, aber jetzt würde sie zum ersten Mal ernsthaft damit fotografieren, und sie freute sich darauf, das neue Zoomobjektiv endlich auszuprobieren.

Sie fotografierte das Hotel von allen Seiten, die lang gezogenen Balkone in jeder Etage, die den Gästen die Möglichkeit boten, vor die Zimmer zu treten und über den Fluss zu schauen, die hohen Glaskuppeln, das rote Schindeldach, den großen Uhrenturm mit den römischen Ziffern und die eisernen Wetterfahnen mit den schwarzen Hähnen obenauf. Die Wetterfahnen regten sich nicht. Eine steife Brise hätte den Nebel rasch aufgelöst, dachte Adrienne, doch im Augenblick gefiel ihr der Dunst, der das Hotel umhüllte wie ein Schleier, und Adrienne ging ans Werk. Sie hatte sich für die Vorskizze grobkörniges Skizzenpapier mitgebracht, dazu einen 3B Graphitstift. Sie ging zur Ostseite des Hotels, wo die Morgensonne am hellsten schien, setzte sich auf einen der schmiedeeisernen Gartenstühle und zückte ihren Zeichenstift.

Sonnenlicht schimmerte durch den restlichen Dunst und verlieh dem Gebäude ein verwunschenes Aussehen. Skye hatte Recht, dachte Adrienne. Das *Belle Rivière* wirkte wie aus einem Märchen, ließ an schöne Frauen denken, die in anmutigen Kleidern die breiten Stufen herunter in den Garten schritten, gut aussehende Begleiter in eleganten Anzügen an ihrer Seite, mit erlesenen Manieren und prall gefüllten Portemonnaies. Ein schöner Traum, dachte Adrienne und seufzte.

Bis vor wenigen Jahren hatte das Haus seinen Glanz bewahrt und galt als eines der schönsten Hotels im ganzen Land. Es hatte Staatsmänner, Filmstars und königliche Hoheiten aus dem Ausland beherbergt. Vor zehn Jahren diente es als Kulisse für Modeaufnahmen mit Adriennes Freundin Julianna Brent, einem hochbezahlten Model, das in Point Pleasant aufgewachsen war. Wie schön Julianna in den prächtigen Abendroben ausgesehen hatte, in denen sie vor dem Hotel posierte. Ellen Kirkwood hatte das Haus liebevoll erhalten, ganz im Sinne seines Erbauers, dessen Urenkelin sie war.

Ein scharfes Krächzen zerriss die Stille des Morgens und holte Adrienne aus ihren Gedanken. Über ihr, auf einer Telefonleitung, saßen drei glänzende schwarze Krähen. Wieder krächzte eine, ein durchdringendes, irritierendes Geräusch. Der Späher, dachte Adrienne, er warnt die übrigen. Den Rest der Meute.

Eine vierte Krähe ließ sich auf der Leitung nieder. Sie war größer als die übrigen. Ihr folgten noch zwei der schwarzen Vögel. Am Ende drängten sich sechs Krähen aneinander und schienen böse auf sie herabzustarren.

Ein alter Abzählreim kam ihr in den Sinn, und sie ertappte sich dabei, ihn laut aufzusagen:

Eins für Unglück,
Zwei für Glück.
Drei für Gesundheit,
Vier für Brot;
Fünf für Krankheit,
Und sechs für Tod.

18

Die letzte Zeile versetzte ihr einen Stich. Sechs Krähen saßen auf der Telefonleitung, sechs für Tod. Sie fröstelte und griff nach dem Becher, der neben ihr auf der Bank stand. Aber auch der Kaffee war kalt geworden. Angewidert verzog sie das Gesicht und stellte ihn beiseite. Dann schüttelte sie den Kopf, ärgerlich über sich selbst, weil sie sich vor ein paar Vögeln gruselte. Sie hatte Krähen noch nie gemocht, aber gefährlich waren sie nur in Hitchcocks Film *Die Vögel*.

»Fort mit euch«, rief sie ihnen zu. Eine reckte den Kopf und stieß ein besonders hässliches Krächzen aus. »Ihr macht mir keine Angst, wisst ihr das? Ihr geht mir nur auf den Geist!«

»Kraa. Kraa. *Kraa*!«, erwiderten alle sechs im Chor, als hätten sie verstanden und wären entrüstet.

»Haltet den Schnabel!«, rief sie und sah sich verstohlen um. Hoffentlich hatte Skye sie nicht gehört. Sie musste sie ja für verrückt halten, wie sie hier die Vögel anschnauzte. Adrienne wandte sich wieder dem Gebäude zu, fest entschlossen, die lärmenden Fieslinge auf der Leitung zu ignorieren und sich ihrem Bild zu widmen.

Da hatte sie plötzlich das merkwürdige Gefühl, beobachtet zu werden. Na ja, dem war ja auch so, dachte sie. Die Krähen hatten sie im Visier wie eine Beute. Doch so unsympathisch ihr die Viecher auch waren, wusste sie genau, dass nicht deren kleine Knopfaugen ihr dieses mulmige Gefühl bereiteten. Sie spähte hinüber zum Wald und nahm eine flüchtige Bewegung wahr. Skye oder Brandon, überlegte sie. Andererseits würde keiner von beiden so lange hinter einem Baum ausharren.

»Wer ist da?«, rief sie. Keine Antwort. Brandon war viel zu aufgedreht, um längere Zeit so stillzuhalten. Außerdem war er im Gegensatz zu der huschenden Gestalt nicht über eins fünfzig hoch. Und Skye hätte geantwortet. Claude Duncan, der Hausmeister, ebenso. Vielleicht waren es Teenager, die sie von dort aus belauerten, obwohl es noch zu früh war für solchen Quatsch. Sie dachte an den Unfall, der in der Nähe passiert war. Vielleicht war ein Passant vom Anblick des Hotels heraufgelockt worden und hatte einen Morgenspaziergang unternommen, obwohl das Betreten des Grundstücks ohne die Erlaubnis von Kit oder Ellen Kirkwood verboten war.

Wieder bemerkte Adrienne den Schatten einer Bewegung. Ihr wurde unbehaglich zumute, und ein plötzlicher Impuls ließ sie die Kamera aufnehmen und ein paar Fotos machen. Sollte sich herausstellen, dass im Hotel eingebrochen worden war und Möbelstücke fehlten oder beschädigt waren, hätte sie den Schuldigen vielleicht auf dem Foto.

Sie saß noch ein paar Minuten reglos da, die Kamera einsatzbereit. Dann kam ihr jäh der Gedanke, dass jemand es auf sie oder Skye abgesehen haben könnte. Sofort war sie hellwach und auf der Hut. Irgendetwas stimmte hier nicht.

»Skye, komm zurück!«, schrie Adrienne schrill. Gleich darauf hörte sie ganz in der Nähe Skye nach Brandon rufen.

»Skye, lass den Hund laufen und komm! Ich glaube, im Wald ist jemand.«

»Stimmt. Brandon und ich.« Skyes Stimme klang gereizt. »Ich komme, sobald ich ihn gefunden habe.«

Adrienne war ärgerlich, weil ihre Tochter ihr nicht gehorchte, aber wenigstens war sie nicht weit entfernt. Wahrscheinlich war es tatsächlich Skye gewesen, die sie durch den dünner werdenden Nebel hatte huschen sehen. Die Einsamkeit vor dem verlassenen Hotel hatte sie wohl überreagieren lassen.

Da es unvernünftig gewesen wäre, Skye in den Wald nachzulaufen, redete Adrienne sich ein, dass sie sich alles nur eingebildet hatte. Nachdem sie den Fotoapparat in die Innentasche ihrer Jacke gesteckt hatte, damit er ihr nicht verloren ging, blickte sie weit nach rechts, wo ein weißer Zaun von einem Meter achtzig Höhe einen Pool olympischen Ausmaßes umschloss. Er war vor über einem Jahr trockengelegt worden, als Ellen Kirkwood das Hotel geschlossen hatte, doch Adrienne spürte noch immer das prickelnd kalte Wasser auf der Haut.

Sie und Kit und Julianna hatten an sonnigen Nachmittagen endlose Stunden am Pool verbracht, wobei Julianna mit ihrer tollen Figur im knappen Bikini immer das meiste Aufsehen erregt hatte. Adrienne lächelte beim Gedanken an die vielen giftigen Blicke, die ihre Freundin von eifersüchtigen Ehefrauen geerntet hatte. Die Männer dagegen hatten sie teils mit verhaltener Neugier, teils mit schierer Lüsternheit gemustert. Nicht im mindesten schüchtern, hatte Julianna die Aufmerksamkeit genossen, die sie auf sich zog. Adrienne oder Kit waren zwar ein wenig neidisch gewesen, doch insgesamt überwog doch der Stolz, eine so hübsche Freundin zu haben, die förmlich dazu auserkoren schien, einmal von den Titelseiten glamouröser Zeitschriften zu lächeln.

An warmen Sommerabenden, nach einem Nachmittag voll von Schwimmen und Sonnenbaden, waren die drei in Kits rotem Cabriolet durch die Stadt gefahren. Sie hatten in kurzen Hosen und Trägerhemden ihre Sonnenbräune zur Schau gestellt, mit den Jungs geflirtet, die sich an Straßenecken versammelt hatten, und immer wieder in ohrenbetäubender Lautstärke Juliannas Lieblingssong gehört, *Sweet Dreams* von den *Eurythmics*. Sechzehn, beziehungsweise siebzehn waren sie damals gewesen. Eine grandiose Zeit, dachte Adrienne. Wahrscheinlich die schönste, sorgloseste Zeit ihres Lebens. Und unauflöslich mit diesem Hotel verbunden, dessen Tage jetzt gezählt waren.

Sei nicht so negativ, schalt sich Adrienne, während ihr ganz trostlos zumute wurde. Wer wird denn wegen eines alten Hauses so traurig sein! Als gäbe es nichts Schlimmeres.

Eine Krähe reckte den Kopf und musterte mit unverkennbarem Spott das menschliche Wesen da unter ihr, das offenbar mit sich selber redete. Zumindest kam es Adrienne so vor. Sie starrte zurück. Sie konnte mit sich selbst reden, soviel sie wollte. Im selben Moment zerriss lautes Gebell die morgendliche Stille, und alle sechs Vögel flatterten auf.

»Brandon!«, rief Skye. »Wag es ja nicht, das Hotel zu betreten!«

Das Hotel?, dachte Adrienne. Um diese Zeit waren doch alle Türen fest abgesperrt.

Wieder bellte Brandon. Wieder rief Skye nach ihm. »Nein, du bist nass und dreckig! Die bringen uns um, wenn du da reinrennst.« Einen Augenblick blieb alles still, bis auf das Flattern der Vögel, die sich wieder auf der Leitung niederließen. Dann ein vertrautes »Mom, kannst du mal kommen?«

Adrienne ließ Skizzenblock und Stift fallen und folgte Skyes Stimme, zur Westseite des Hotels. Zum Glück hatte sie Turnschuhe angezogen, denn das Gras war noch ganz feucht vom Tau. »Wo bist du, Skye?«

Das schlanke Mädchen mit der modisch zerschlitzten Jeans kam um die Ecke des Hotels gelaufen. »Da drüben steht eine Tür sperrangelweit offen, und Brandon ist ins Haus gerannt. Mrs. Kirkwood bringt uns um, wenn er irgendwas anstellt!«

»Er ist doch kein Vandale!«, sagte Adrienne, erleichtert, dass Skyes Problem nur ein ausgebüxter Hund war. »Er macht bestimmt nichts kaputt.«

»Aber er benimmt sich so komisch.«

»Er ist nur aufgedreht. Reg dich nicht auf, Skye. Wir finden ihn schon.«

Meine Güte, dachte Adrienne. Skye benahm sich ja, als wäre Brandon erst sechs Wochen alt. Aber sie verstand das gluckenhafte Verhalten des Mädchens. Skye hatte Brandon zu ihrem zehnten Geburtstag von ihrem Vater geschenkt bekommen. 24 Stunden später, und der Hund wäre eingeschläfert worden. Dass er aus dem Tierheim gerettet worden war, machte ihn noch wertvoller für das tierliebe Mädchen. In derselben Nacht war Trey bei einem Motorradunfall ums Leben gekommen. Und so war in gewisser Weise der Hund für Skye die letzte Verbindung zu ihrem Vater.

Adrienne folgte Skye durch den Seiteneingang ins Hotel.

Sie drückte auf zwei Lichtschalter, woraufhin zwei Deckenlampen aus Porzellan aufleuchteten.

Brandon bellte in der Ferne. »Beeil dich, Mom! Wenn er in
den Brunnen in der Lobby springt …«

»Er kann sich schlimmstenfalls den Kopf stoßen. Der Brunnen ist leer. Du führst dich ja auf wie eine hysterische Mutter,
Skye. Reg dich ab.«

Sie betraten gerade die Eingangshalle, als fünfzig Kilo Hund
die Wendeltreppe in den ersten Stock hinaufjagten und bell-
ten, was das Zeug hielt. Seltsam, dachte Adrienne, wie mühsam sich Brandon durch den Garten schleppte, wenn man ihn
nachts ins Haus rief. Sie hatte schon eine Arthritis befürchtet,
und heute tollte er herum wie von der Tarantel gestochen.

»Brandon, hierher!«, rief Skye.

»Das kannst du dir sparen«, sagte Adrienne. »Der kommt
nicht freiwillig zurück.«

»Und was ist mit dem Hausmeister?«

»Wenn er oben ist, fängt er Brandon ein. Claude tut ihm
nichts zuleide.«

Immer zwei Stufen auf einmal nehmend, lief Skye die Treppe hinauf. Adrienne spürte plötzlich jedes ihrer sechsunddreißig Jahre, als sie versuchte, es ihrer Tochter gleichzutun. Du
brauchst mehr Training, sagte sie sich. Joggen, Aerobic, Yoga.
Und wozu hast du dir neulich das Pilates-Gerät gekauft? Das
klang alles ziemlich anstrengend.

Der Flur im ersten Stock war dunkler als die Eingangshalle. Eine Deckenleuchte in der Mitte verbreitete einen fahlen
Schein, und ein seltsam süßlicher Duft lag in der Luft. Skye
blieb stehen. »Was riecht denn hier so?«

Adrienne schnupperte. »Blumen. Jasmin.« Sie schnupperte
erneut, ein wenig besorgt. »Ich rieche auch Rauch. Vielleicht
sollten wir wieder nach unten gehen …«

Da bellte Brandon drei Mal, ohrenbetäubend laut. Skye rannte den Flur entlang, rief nach dem Hund. Er bellte erneut.

Er würde uns nicht ins Feuer führen, dachte Adrienne, bekam aber trotzdem Angst, als sie ihre Tochter den Flur entlanglaufen sah. »Skye, warte!«

Das Mädchen blieb abrupt stehen, doch es hatte nicht auf Adriennes Befehl reagiert. Skye starrte in eins der Hotelzimmer, aus dem flackerndes Licht in den düsteren Flur fiel. »Brandon, hierher«, sagte sie leise, während sie in die Knie ging und dem Hund die Hand entgegenstreckte.

Eine Sekunde später war Adrienne an Skyes Seite. Sie warf einen Blick in das Zimmer und sah Kerzen auf den Möbeln stehen. Ihrem Wachs entströmte der schwere, süße Duft von Jasmin. Brandon saß beharrlich am Fußende eines Betts. Mehr konnte Adrienne nicht sehen. Ein üppiger, elfenbeinfarbener Brokatüberwurf war über das Bett gebreitet. Das Kopfende des Betts, das Brandon stur im Blick behielt, entzog sich ihrem Gesichtsfeld. Doch eine innere Stimme riet ihr, das Zimmer zu betreten. Irgendetwas erwartete sie dort drin.

Die Stimme wurde lauter. Ich sollte meine Tochter von der Tür fernhalten, dachte Adrienne mit wachsender Angst. Ich muss sie von hier fortbringen. In diesem Bett liegt nichts Gutes. Skye darf es auf keinen Fall sehen.

Doch ehe Adrienne sie davon abhalten konnte, stand Skye auf und ging ins Zimmer. Sie blieb abrupt stehen, etwa einseinhalb Meter von Brandon entfernt, und ihre Augen weiteten sich, als sie auf das Bett starrte. Brandon sah winselnd zu ihr auf. Skyes versteinerte Miene und das jämmerliche Winseln des Hundes zogen Adrienne fast gegen ihren Willen ins Zimmer. Am Fußende des Bettes blieb sie stehen und traute ihren Augen nicht.

Zwei dicke Kissen in cremefarbenen Satinbezügen lehnten gegen das gepolsterte Kopfbrett. Auf dem einen ruhte der Kopf einer Frau. Sie war leichenblass, doch ihr Gesicht sah friedlich aus, Lippen und Lider geschlossen, das lange, kastanienbraune Haar, glänzend wie Seide, aus der Stirn frisiert.

Es war über den Hals und die linke Schulter gebreitet worden, sodass es Wange und Hals der Frau verbarg, und breitete sich dann fächerförmig aus, wo der linke Brustansatz unter der Zudecke verschwand.

Im flackernden Kerzenlicht bemerkte Adrienne das Schimmern einer Haarspange auf der linken Seite des Kopfes, in der Nähe der Schläfe. Sie war fast fünf Zentimeter lang, wie ein Schmetterling geformt und übersät mit blauen, grünen und rosafarbenen Strasssteinchen, die auf den Flügeln aus hauchzarter Gaze glitzerten. Adrienne hatte die Haarspange schon an die hundertmal gesehen, und in diesem Augenblick wusste sie mit Übelkeit erregender Gewissheit, wer da bleich und totenstill in diesem fürstlichen Bett lag.

Julianna Brent. Dieselbe Julianna, die Adrienne von klein auf kannte. Die schöne Julianna, die für ihr Leben gern gelacht, geflirtet und gesungen hatte. Später würde sich Adrienne daran erinnern, was für ein alberner Gedanke ihr während dieses entsetzlichen Moments in den Sinn gekommen war, in dem sie sich fühlte, als hätte man ihr den Boden unter den Füßen weggezogen:

Julianna Brent würde nie mehr *Sweet Dreams* singen, ihren Lieblingssong.

2

Brandon sprang auf Julianna zu. Er kannte die Frau; sie hatte ihn schon oft gestreichelt und liebevoll hinter den Ohren gekrault. Doch Skye packte den Hund am Halsband und hielt ihn zurück. »Nein, Brandon«, sagte sie tonlos. »Wir dürfen sie nicht stören.« Sie sah mit weit aufgerissenen Augen zu ihrer Mutter auf. »Das ist doch Julianna, nicht?«

Adrienne nickte zögernd. »Ich glaube …« Sie schluckte. »Ich fürchte, ja.«

»O Gott, Mom. Was ist da passiert? Warum?« Skye holte tief Luft. »Du solltest nachsehen, ob sie wirklich tot ist.«

»Das ist sie, Schatz«, sagte Adrienne sanft. Ihre eigene Stimme klang ihr merkwürdig fremd in den Ohren. »Sie bewegt sich nicht, außerdem ist sie so blass …«

»Bei Blutverlust oder Schock wird man auch ziemlich blass. Das weiß ich vom Erste-Hilfe-Kurs. Sie ist vielleicht nur verletzt.« Skye machte einen zögernden Schritt auf das Bett zu. »Wenn du sie nicht anfassen willst, sehe ich nach, ob ihr Herz noch schlägt.«

»Nein«, sagte Adrienne schnell. »Das mach ich schon. Kümmere du dich um Brandon.«

Adrienne bewegte sich steif auf die rechte Seite des Betts und stieß mit der Schuhspitze gegen eine schwere Glasflasche. Wein. Scherben von cremefarbenem Porzellan lagen über den Boden verstreut. Der Fuß einer Stehlampe. Daneben der zerbrochene Schirm und das Stromkabel.

Adrienne blickte in Juliannas Gesicht. Nur ein ganz kleiner Kratzer und ein bläulicher Bluterguss auf der Stirn beeinträchtigten ihre Blässe. Sie betastete Juliannas Hals, um ihren Puls zu fühlen. Als sie dabei sanft das Haar beiseite strich, sah sie direkt unterhalb des linken Ohrs ein großes, ausgefranstes Loch im Hals klaffen. Blut verklebte Juliannas Haar am Hinterkopf und tränkte das Kissen, das sich schon stumpf rot zu verfärben begann. Adrienne schüttelte sich und hielt inne. Sie kämpfte gegen die Übelkeit, die sie überkam, und konzentrierte sich.

Die vielen hundert Krimis, die sie in ihrem Leben gelesen hatte, und die Tatsache, dass sie seit über einem Jahr mit dem hiesigen Bezirkssheriff ausging, hatten sie gelehrt, dass es den Tatort in keiner Weise zu verändern galt. Sie durfte Julianna nicht noch einmal anfassen. Trotzdem musste sie sich vergewissern, ob Julianna auch wirklich tot war, ob sie einen Krankenwagen rufen und sich telefonisch Instruktionen einholen sollte, was sie für ihre Freundin tun konnte, bis Hilfe käme.

Sie hob die Bettdecke aus leichter Baumwolle und das Satinlaken. Julianna war nackt bis zur Taille. Adrienne hob Juliannas linken Arm hoch. Er war kühler als ihr eigener, aber noch weich, also waren die Muskeln unter der Haut noch biegsam. Die Totenstarre war demnach noch nicht eingetreten. Doch als Adrienne Juliannas schlankes Handgelenk befühlte, spürte sie keinen Puls. Sie verschob die Finger wieder und wieder, tastete verzweifelt nach einem Lebenszeichen, und sei es noch so schwach. Nichts.

»Mom?«

»Sie ist tot«, sagte Adrienne tonlos. »Ich bin so gut wie sicher.«

»O nein«, hauchte das Mädchen mit zitternder Stimme. »Wie ist sie gestorben?«

»Sie hat eine tiefe Wunde im Hals. Man hat sie erstochen. Sie hat eine Menge Blut verloren. Du kannst es nicht sehen, von wo du stehst.«

Adrienne trat einen Schritt zurück, die Augen fest auf die Freundin gerichtet. Da wich der Schock von ihr, der sie seither ruhig gestellt hatte. Ihre Hände wurden eiskalt, der Boden unter ihren Füßen schwankte, und sie bekam weiche Knie.

»O Gott …« Adrienne würgte, begann heftig zu zittern. Augenblicklich stand Skye neben ihr, legte den Arm um sie, gab ihr Halt. Mit ihren eins fünfundsechzig war Adrienne genauso groß wie ihre Tochter, doch im Augenblick fühlte sie sich klein und kümmerlich neben Skyes jugendlicher Kraft.

»Es tut mir Leid, Mom.« Skyes Stimme zitterte. »Sie war doch deine Freundin.«

»Seit wir sechs Jahre alt waren. Sie war so schön. Und lustig. Schon damals, als Kind.«

»Ich weiß.« Skye streichelte ihr mechanisch den Rücken. »Ich fand sie große Klasse. Jeder mochte sie.«

Adrienne klammerte sich an ihre Tochter, die Augen fest geschlossen. Dann schlug sie sie auf und sah sich verwirrt um. »Was hat Julianna hier gewollt? Das Hotel ist doch leer. Warum hat sie in diesem Zimmer geschlafen?«

Skye schüttelte den Kopf. »Ich weiß es nicht. Vielleicht fand sie es interessant, oder sie wollte noch einmal hier übernachten, weil das Haus doch abgerissen werden soll. Du weißt ja, was für verrückte Ideen sie manchmal hatte. Total abgefahren.«

»Nein, das war es nicht. Sie war nicht allein«, stellte Adrienne mit plötzlicher Gewissheit fest. »Sie hat die Nacht nicht allein hier verbracht. Sie mag verwegen gewesen sein, aber sie war nicht blöd. Sie wusste doch auch, dass ein verlassenes Hotel ein Magnet ist für Plünderer.«

Adriennes Blick flog frenetisch im Zimmer herum. Sie bemerkte erneut die Weinflasche und das hellgelbe Wachs in den hübschen Behältern aus geschliffenem Glas, in die Juliannas Mutter ihre Kerzen goss.

»Julianna hätte doch nicht allein hier übernachtet, mit all den brennenden Kerzen, um sich mit Champagner zu betrinken«, sagte Adrienne, mehr zu sich selbst als zu Skye. »Sie hat doch gewusst, dass jederzeit Leute einbrechen und ihr Gewalt antun konnten.«

»Vielleicht fühlte sie sich sicher wegen des Hausmeisters.«

»Claude Duncan?« Adrienne lachte ironisch. »Claudes Vater war dreißig Jahre lang Hotelmanager hier und führte den Laden mit eiserner Disziplin. Claude dagegen ist zu gar nichts zu gebrauchen. Ellen Kirkwood hat Claude nach Mr. Duncans Tod nur deshalb als Hausmeister behalten, weil sie das Hotel damals schon schließen wollte und Claude nicht mehr viel Schaden anrichten konnte. Julianna kannte Claude. Sie hätte sich nie und nimmer auf ihn verlassen. Er ist die meiste Zeit sternhagelvoll.«

»Na ja …« Skye sah sie ausdruckslos an und zuckte ratlos mit den Schultern.

»Sie war mit einem Mann hier«, stellte Adrienne fest. »Ihrem Liebhaber.«

Skye machte große Augen. »Ihrem Liebhaber?«

»Die Kerzen. Der Wein. Außerdem ist sie nackt und leicht geschminkt. Und sie hat teures Parfum aufgelegt, *L'Heure Bleue* von Guerlain.«

»Das ist doch komisch, Mom. Warum sollte sie ihren Liebhaber hier treffen? Sie lebt doch allein.«

»Ja, aber in einem Mietshaus, wo der Mann eventuell mit ihr gesehen worden wäre.«

»Na und?« Skye überlegte. »Ach so, dann sollte niemand wissen, mit wem sie zusammen war.« Sie zog die Stirn kraus. »Aber wenn Julianna mit einem Mann hier war, dann hat *der* sie womöglich …«

»Ermordet.«

Skye holte tief Luft und blickte dann zu Boden. Adrienne erkannte plötzlich, dass das Mädchen die Tote nach dem ersten zögerlichen Blick nie direkt angesehen hatte. Und Skyes Gesicht war fast so blass wie das von Julianna. Die meiste Zeit benahm sich Skye wie eine junge Erwachsene und hörte sich auch so an. Trotzdem ist sie erst vierzehn, dachte Adrienne und war wütend auf sich selbst, weil sie dies vorübergehend vergessen hatte. Und ausgerechnet in dieser Krisensituation passe ich nicht auf sie auf, schimpfte sie innerlich weiter. Stattdessen halte *ich* mich an *ihr* fest.

Sie legte den Arm um Skyes Schultern und sagte mit, wie sie hoffte, vertrauenerweckender Stimme: »Na komm, lass uns verschwinden, wir gehen zum Wagen und rufen die Polizei. Die wird schon wissen, was zu tun ist.«

»Sollen wir sie denn einfach hier liegen lassen?« Skyes Augen füllten sich mit Tränen. »Ich meine, so ganz allein und … Ich weiß auch nicht, schutzlos …«

»Schatz, wir können nichts mehr für sie tun.« Und schaden kann ihr jetzt auch keiner mehr, dachte Adrienne, sagte es aber nicht. Diese Worte wären zu schmerzhaft. Mit dem Daumen wischte sie eine Träne von Skyes Wange. »Nimm Brandon an die Leine.«

Brandon ließ es brav geschehen. »Mom, er hat sich so seltsam benommen, hat uns direkt zu ihr geführt. Ob er sie hier oben gewittert hat?«

»Nein. Nicht im ersten Stock. Etwas anderes hat ihn nervös gemacht.« Der Typ im Wald, sagte sich Adrienne erschrocken. Ihm verdanke ich dieses mulmige Gefühl, er ist herumgeschlichen und hat uns beobachtet. Ihre böse Vorahnung war also ausnahmsweise mal richtig gewesen. Ein eiskalter Schauer lief ihr den Rücken hinunter. Sie packte Skye an der Hand. »Beeil dich. Wir bleiben keinen Augenblick länger in diesem Zimmer als unbedingt nötig.«

Adriennes Nervosität wirkte ansteckend. Skye wischte sich die Tränen fort, griff sich Brandons Leine und zog ihn in Richtung Tür. Doch Brandon bellte, setzte sich hin und knurrte leise.

»O Gott, was ist denn jetzt schon wieder?«, stöhnte Adrienne und bekam vor Aufregung fast keine Luft mehr.

Skye beugte sich vor und spähte vorsichtig hinaus auf den Flur. Erschrocken wich sie zurück und schloss leise die Tür. Als sie sich zu Adrienne umdrehte, war sie weiß wie die Wand, und ihr Gesicht bestand nur noch aus riesigen, entsetzten Augen. »Da draußen ist jemand.« Adrienne starrte sie an. »Er kommt den Flur entlang, direkt auf uns zu, und er hat eine Axt in der Hand.«

»Eine Axt?« Adrienne riss den Mund auf und verspürte plötzlich den wilden Drang, loszulachen. »Unsinn, Skye!«

»Ich hab's doch gesehen! Jedenfalls war es eine Waffe, und sie sah aus wie eine Axt.« Skye, die normalerweise nicht zur Hysterie neigte, klang mit einem Mal wie ein verängstigtes kleines Mädchen. »Was tun wir bloß, Mami?«

Adrienne hatte keine Ahnung. Sie hatte schon öfter Angst

gehabt, aber noch nie zuvor um ihr Leben. Sie war nicht darauf vorbereitet und geriet in helle Panik.

Brandon blickte mit seinen klaren, bernsteinfarbenen Augen zu ihr auf und knurrte leise, als wollte er ihr sagen: »Na komm, krieg dich wieder ein!« Sie holte tief Luft, war mit einem Schlag seltsam ruhig. »Sperr die Tür zu«, sagte sie. »Wir schieben die Kommode davor. Und dann nichts wie weg!«

»Weg? Wie denn?«

»Wir springen vom Balkon.«

»Springen?« Skye versagte die Stimme. »Wir sind doch im ersten Stock!«

»Wir schaffen es.«

»Und Brandon?«

»Da ist doch nur Erde und Gras unter uns, kein Beton. Er schafft es auch.«

»Er kann nicht springen, Mom. Er wird sich wehtun!«

Adrienne sah ihre Tochter streng an. »Skye, Julianna ist *ermordet* worden. Verstehst du das? Sie ist noch warm. Der Mörder könnte noch im Haus sein. Vielleicht ist er draußen im Flur und kommt gerade auf uns zu. Jetzt hilf mir mit der Kommode. Das hält ihn auf, und dann springen wir, verdammt, ob mit Brandon oder ohne Brandon!«

Das Mädchen wirkte eingeschüchtert, trottete aber folgsam zur Kommode. Adrienne ging ans andere Ende, und mit vereinten Kräften wuchteten sie das sperrige Möbelteil direkt vor die Tür. Bevor Adrienne durchatmen konnte, sah sie, wie jemand den Türknauf drehte, oberhalb der Kommode.

Sie und Skye waren wie gelähmt. Brandon stieß ein tiefes, bedrohliches Knurren aus. Das Drehen des Knaufs steigerte sich zum Rütteln. »Wer ist da drin?«, hörten sie eine heisere Stimme. »Macht die gottverdammte Tür auf, oder ich schlag sie ein!«

»Jetzt springen wir«, sagte Adrienne und lief hinaus auf den Balkon.

Skye blieb zurück. »Ich hab Angst, Mom.«

Ein heftiger Schlag ließ die Tür erzittern. Wahrscheinlich eine Männerschulter. »Das nächste Mal bin ich drin«, rief er drohend.

»O Gott«, flüsterte Skye.

Adrienne nahm sie bei der Hand und zerrte sie auf die Veranda. »Denk nicht nach. Spring einfach. Es ist unsere einzige Chance.«

Sichtlich verwirrt blieb Brandon zurück, knurrend und bellend. Der Verrückte draußen warf sich ein zweites Mal gegen die Tür. Jeden Moment konnte das Holz splittern. Die Szene war so grotesk wie real. Adrienne hatte noch nie im Leben so viel Angst gehabt. Immer noch Skyes Hand haltend, hievte sie sich auf die Balkonbrüstung und schwang das linke Bein darüber. »Komm schon, Schatz«, drängte sie und zerrte Skye am Pulli. »So hoch ist es doch gar nicht.«

Skye kletterte zu ihr auf die Brüstung, aber ihre Bewegungen waren so steif, dass Adrienne befürchtete, sie könne sich beim Aufprall ernsthaft verletzen. Wer hätte in dieser Situation auch locker und entspannt sein können?

»Sieh nicht hinunter, Schatz«, sagte ihr Adrienne. »Lass dich einfach fallen.«

»Ich kann nicht, Mom.«

Brandon stellte sich auf die Hinterbeine und legte die Vorderpfoten auf die Brüstung. »Schau nur, Brandon hat keine Angst.« Wieder ein heftiger Schlag gegen die Tür. Es hörte sich an, als hätte das Schloss nachgegeben, sodass die Tür gegen die Kommode stieß. »Du musst, Skye. Es ist deine einzige Chance.«

»Nein.« Das Mädchen schüttelte heftig den Kopf. »Nein, nein, nein …«

Wieder die heiseren Drohungen. Dann eine zweite Stimme. Adrienne zog die widerstrebende Skye an sich. Das Pochen gegen die Tür hörte auf. Draußen auf dem Flur schien ein Streit entbrannt zu sein. Dann eine vertraute Stimme: »Adrienne? Bist du das da drin?« Adrienne verhielt sich still, blieb rittlings auf der Brüstung sitzen und hielt die schweißnasse Hand ihrer entsetzten Tochter. »Adrienne, mach die Tür auf! Ich bin's, Lucas!«

Zwei

1

Adrienne konnte es nicht glauben, dass sie tatsächlich die Stimme von Lucas Flynn gehört hatte, dem Bezirkssheriff, mit dem sie seit einem Jahr liiert war. Da rief er sie erneut. Brandon bellte vergnügt und rannte zur Tür. Adrienne wäre vor Überraschung und Erleichterung um ein Haar rücklings von der Brüstung gefallen.

Skye hielt sie noch immer an der Hand. »Das ist ein Trick!«

»Ich kenne die Stimme von Lucas, Skye. Und schau dir Brandon an. Er steht schwanzwedelnd vor der Tür.«

Skye sah, wie ihr Hund an der Kommode hochsprang, die die Tür zum Flur blockierte. »Adrienne!«, rief Lucas und pochte gegen die Tür. »Ich hab dein Auto gesehen. Ich weiß, dass du da drin bist!«

»Ja, ich bin hier. Skye ist auch da«, rief Adrienne atemlos und eilte ins Zimmer zurück. »Da draußen läuft jemand mit einer Axt herum.« – »Das bin ich, Miz Adrienne«, schrie Claude Duncan, der Hausmeister, und seine Reibeisenstimme klang fast freundlich. »Wenn ich gewusst hätte, dass Sie das sind … Dachte, es wär der Mörder. Miz Julianna is nämlich tot. Hab sie vor 'ner knappen halben Stunde gefunden.«

Adrienne und eine etwas weniger steife Skye schoben die Kommode beiseite. »O Gott, Claude, warum haben Sie nicht gleich gesagt, dass Sie das sind?«

»Der Mörder sollte doch nicht wissen, wer ich bin.«

Diese Logik verstand nur Claude selbst. Schließlich hatte er gerade versucht, die Tür einzuschlagen, und damit hätte er seine Identität ohnehin preisgegeben. Doch so funktionierte Claudes Verstand nun einmal.

Adrienne und Skye räumten die Kommode beiseite, öffneten die Tür und standen vor Claude Duncan. Er schwankte ein wenig und hatte sich die Kapuze seiner Windjacke so eng ums Gesicht geschnürt, dass nur seine blutunterlaufenen Augen und die stoppeligen Wangen sichtbar waren. Sein Atem roch nach Bourbon. Claude war noch nie besonders schlau gewesen, nicht einmal zu seinen besten Zeiten. Und jetzt war er wahrscheinlich noch vom gestrigen Abend besoffen. Und hatte eine Axt in der Hand. Skye hatte sich also nicht getäuscht.

Doch Adriennes Blick wanderte rasch weiter zu Lucas. Er besaß kräftige Muskeln, war knappe einsneunzig groß, hatte aufrichtige dunkelgraue Augen und ein hageres Gesicht; er war schon in Jeans und T-Shirt eine imposante Erscheinung. In der Uniform, die Pistole im Halfter, wirkte er regelrecht einschüchternd. Sorgenfalten zerfurchten ihm die breite Stirn, und er schien sich die drahtigen, sandblonden Haare regelrecht zerrauft zu haben, wie immer, wenn er aufgeregt oder durcheinander war. Er zog Adrienne an sich.

»Alles in Ordnung?«

»Ja, ein Glück, dass du hier bist. Skye und ich hatten solche Angst.«

Er drückte sie, wandte sich dann Skye zu und umarmte auch sie. »Du bist ja kreidebleich, Prinzessin«, sagte er und warf einen Blick auf das Bett; seine Miene verfinsterte sich. »O Gott, das ist ja wirklich Julianna Brent.«

»Hab ich doch gesagt«, rief Claude aufbrausend. »Die hat einer abgemurkst!«

»Als ich die Axt sah, dachte ich schon, dass wir jetzt an

der Reihe sind«, sagte Skye. »Mom und ich wären vor lauter Angst beinah vom Balkon gesprungen.«

Lucas warf Claude einen strafenden Blick zu; der blinzelte schuldbewusst und wich einen Schritt zurück. »Was wolltest du denn mit dem verfluchten Ding?«, rief Lucas.

»Das brauch ich zur Verteidigung!«, protestierte Claude. »Ich hab ja schließlich kein Schießeisen so wie ihr Bullen!«

»Du brauchst auch keins!«

»Ganz wie Sie meinen, Sir«, erwiderte Claude sarkastisch. »Hier rennt ja bloß 'n Killer rum, wozu braucht unsereins da 'ne Waffe! Und was hätt ich bitte schön tun sollen, wenn der Killer hier drin auf mich gelauert hätt? Ihn in den Arsch treten?«

»Das ist es ja gerade. Du hättest nicht allein herkommen sollen«, entgegnete Lucas genervt. »Du hättest auf mich warten müssen.«

Claude warf sich in die Brust. Er war erst neunundzwanzig, sah aber wegen der hängenden Augenlider und der aufgeschwemmten Gesichtszüge viel älter aus. Er war kränklich gelb im Gesicht und glänzte vor Schweiß. »Ich bin hier der Hausmeister. Also bin ich für das Haus verantwortlich.«

»Schon, aber keiner erwartet von dir, dass du deshalb dein Leben aufs Spiel setzt.« Lucas' Ton war sanfter geworden. Schließlich kannte er Claude und wusste, dass es keinen Sinn hatte, sich mit ihm zu streiten. Das viele Trinken forderte seinen Tribut. »Du musst auch an Mrs. Kirkwood denken, Claude. Sie wäre am Boden zerstört, wenn dir etwas zustoßen würde.«

»Ja, sie ist nett«, sagte Claude treuherzig und wusste nicht recht, ob ihn die Vorstellung vom eigenen Tod entsetzen oder freuen sollte, zumal Ellen Kirkwood um ihn trauern würde. Adrienne sah ihm an, dass er ziemlich gebechert haben musste. Vermutlich frustrierte ihn die Aussicht, dass das *Belle Rivière* bald nur noch Erinnerung sein würde – und damit auch sein Job, so wie's aussah.

Sie wandte sich an Lucas. »Woher wusstest du, dass wir hier sind?«

»Auf der Straße unten ist ein Unfall passiert. Ich war dort. Der Krach muss Claude aufgeweckt haben …«

»Hat mich fast zu Tode erschreckt«, fiel Claude ihm aufgeregt ins Wort. »Ich war in Null komma nix aus meiner Bude draußen. Dann hab ich gesehen, dass der Nebeneingang offen war. Ich bin nachsehen gegangen, und da hab ich sie gefunden …« Er wies mit dem Kopf auf Julianna. »Konnt's nicht glauben! Aber ich hab ihr nix getan. Ich meine, ich hab sie nicht angerührt oder so. Bin schnurstracks runter zur Unfallstelle. Da sind Bullen, dacht ich mir. Hab um Hilfe gebrüllt, aber sie haben mich weggeschickt. Da ist Sheriff Flynn gekommen. Dem hab ich dann erzählt, was passiert ist, und bin wieder hier hochgehetzt, hab den Tatort bewacht. Wie im Fernsehen. Ich hab Sie für den Killer gehalten, Miz Adrienne, dachte, Sie wollten die Leiche verschwinden lassen. Ich wollte Sie nicht erschrecken.«

Claude war inzwischen sehr zufrieden mit sich. Er würde die nächsten Monate in sämtlichen Spelunken der Stadt mit seinem Heldenmut protzen.

Lucas betrachtete die Tote mit professionellem Blick, und Adrienne kannte ihn gut genug, um Mitleid und Ekel in seinen Augen lesen zu können. »Claude sagte, sie sei tot.«

»Ich fürchte, er hat Recht«, sagte Adrienne vorsichtig. »Ich hätte es nicht tun sollen, ich weiß, aber ich hab sie angefasst. Nur ihren Hals und ihr Handgelenk. Ich hab keinen Puls mehr gefunden. Sie war aber noch warm. Ihr Hals …«

»Hat man ihr die Kehle durchgeschnitten?«, fragte Lucas mit mühsam beherrschter Stimme.

»Nein, durchgeschnitten ist sie nicht. Da ist nur ein Loch. Als hätte man ihr einen spitzen Gegenstand in den Hals gerammt. Einen Eispickel vielleicht. Sie hat eine Menge Blut verloren.« Adrienne war die Kehle wie zugeschnürt. Sie versuchte zu schlucken, konnte aber nicht. Die Stimme versagte ihr fast. »Ich hab die … die Wunde nicht angerührt.«

»Also schön, alle raus hier«, rief Lucas plötzlich in befehlerischem Ton. »Raus, aber bleibt in der Nähe. Ich rufe jetzt die Spurensicherung und den Coroner her, danach hab ich ein paar Fragen an euch.« Er wandte sich an Adrienne: »Tut mir Leid, aber du und Skye, ihr werdet eine Weile hier bleiben müssen. Beim Unfall unten am Fluss sind zwei Menschen gestorben, deshalb verzögert sich alles.«

»Ist schon gut.« Sie versuchte, eine tapfere Miene aufzusetzen. »Wir haben eine Thermoskanne voll Kaffee.« Sie zitterte wieder. »Wir kommen schon klar.«

»Ich pass auf die beiden auf«, sagte Claude.

Lucas sah ihn grimmig an. »Du gehst jetzt brav nach Haus, hörst auf zu saufen, trinkst mindestens zwei Becher starken Kaffee und hörst um Gottes willen auf, die verdammte Axt zu schwingen! Du siehst ja aus wie'n Irrer in 'nem Gruselfilm.«

»Ich hab sie nicht *geschwungen*«, maulte Claude beleidigt vor sich hin.

»Als ich vorhin den Flur entlangkam, hast du sie sehr wohl geschwungen. Jetzt geh schon raus und leg das verdammte Ding weg, bevor du jemandem damit wehtust.«

»Mann«, murmelte Claude. »Ich hab mich bloß schützen wollen. Ihr Bullen wollt alle Waffen für euch allein, und wir Zivilisten stehen da und sollen uns mit bloßen Händen verteidigen. Wohin das führt, sieht man ja an Miss Julianna.«

»Ach halt doch den Mund, Claude«, sagte Lucas gutmütig. Adrienne lächelte ihm zu – ein etwas missglückter Versuch, tapfer zu wirken –, nahm Skyes Hand und führte sie nach draußen. Brandon trottete den beiden brav hinterher, als wäre er der folgsamste Hund überhaupt. Claude bildete das Schlusslicht und keifte über sein verbrieftes Recht, eine Waffe zu besitzen.

Vor dem Haus musste Adrienne den letzten Rest Willensstärke aufbringen, um nicht davonzurennen. Sie konnte nur noch daran denken, wie sie sich mit Skye dem Albtraum im *Belle Rivière* entziehen könnte, wo die schöne Julianna Brent mit klaffendem Loch im Hals im Bett lag. Claude Duncan äugte nervös nach allen Seiten und schwang dann seine Axt.

2

Im Fernsehen inspizierte der Hauptkommissar mindestens einmal pro Woche eine Leiche. Er beugte sich lässig zu ihr hinunter und gab irgendeine schlaue Bemerkung von sich, ehe er sich gelassen an die Untersuchung machte. Doch es war lange her, dass Sheriff Flynn die letzte Leiche gesehen hatte, und während er sich über die schöne, blasse Julianna beugte, fühlte er sich alles andere als lässig, geschweige denn schlau.

Er war seit fünfzehn Minuten allein im Raum. Nachdem er vom Handy aus die nötigen Anrufe getätigt und sich anschließend ein paar Minuten Zeit gelassen hatte, um den Kopf wieder frei zu kriegen, hatte er sich dem Verkehrsunfall unten auf der schmalen Landstraße gewidmet, wo ein Pick-up einen Kleinwagen plattgefahren hatte und zwei Insassen ums Leben gekommen waren. Dann hatte Flynn sich seelisch auf die Bluttat eingestellt, die in diesem eleganten Hotelzimmer begangen worden war.

Dazu hatte er den kleinen Lüster ausgeschaltet und reglos im Zimmer gestanden, kaum atmend, um die Umgebung auf sich wirken zu lassen. Der Morgennebel hatte sich aufgelöst, und helles Sonnenlicht drängte gegen die Fenster, wurde aber von geschlossenen Brokatvorhängen abgehalten. Die einzigen Lichtquellen waren die mittlerweile heruntergebrannten Kerzen. Der Jasminduft im Raum war viel zu stark, um noch angenehm zu sein. Eine Kerze flackerte vor einer kleinen Glasfigur, die auf dem Nachttisch neben Julianna stand. Das Funkeln des facettierten Schliffs hauchte dem Figürchen gleichsam Leben ein.

Traurig betrachtete Lucas die tote Julianna. Ihr Gesicht war von einer überirdischen, fast engelhaften Vollkommenheit, und das Licht der Kerzen zauberte einen goldenen Schimmer auf ihr kastanienbraunes Haar, das sich über ihre samtigen Schultern ergoss. Er wusste, dass die Augen unter den geschlossenen Lidern honigfarben waren, groß und mit langen Wimpern versehen. Erst letzte Woche hatte er in diese unglaublichen Augen gesehen. Sie hatte sich über seinen Schreibtisch gebeugt und ihm gesagt, dass sie sich von jemandem beobachtet, ja verfolgt fühle und um ihr Leben fürchte. Und er hatte nichts unternommen.

Eine Schande, dachte er, während er das liebliche Gesicht betrachtete, aus dem jeglicher Funken Leben gewichen war. Vor drei Jahren – er war noch nicht Sheriff – hatte ihn auf der Riverfront Street ein Typ genervt, der gern sein Freund gewesen wäre und ihm nachgelaufen war wie ein Hund. Während dieser Typ auf ihn eingeredet hatte, war Lucas auf der anderen Straßenseite eine große, geschmeidige Frau aufgefallen, mit langer Mähne und hautenger Jeans. »Julianna Brent ist wieder in der Stadt und stolziert rum wie 'ne Königin«, hatte der Typ mit höhnischer Stimme gesagt. »Hat sich ja schon immer für was Besseres gehalten, aber jetzt ist sie tüchtig auf die hübsche Nase gefallen. Geschieht ihr ganz recht.«

Lucas, der damals erst vier Jahre in Point Pleasant lebte und immer noch als Neuankömmling galt, wurde verziehen, dass er Juliannas Geschichte nicht kannte. Der Typ hatte ihn mit boshaftem Eifer in Kenntnis gesetzt. »Ihr Daddy ist abgehauen und hat sie mit ihrer kleinen Schwester Gail im Stich gelassen, als sie beide noch klein waren. Ihre Mutter Lottie ist verrückt geworden. Total durchgeknallt. Sie hat im *Belle Rivière* irgendwas Übles erlebt, seitdem hat sie nen Knacks weg, aber ich bin nie ganz schlau draus geworden. Na egal, sie hat die Mädels nie schlecht behandelt oder so, das nicht, aber sie hat sich regelmäßig zum Gespött der Leute gemacht. Einmal ist sie fast nackig durch die Stadt gelaufen. Weil's zu heiß wär für Kleider, hat sie gesagt.«

»Julianna war das keine Spur peinlich, dass ihr Dad abgehauen war und dass sie und ihre Schwester mit 'ner total schrägen Mutter in 'ner baufälligen Hütte hausten«, hatte der Typ genüsslich erzählt. »Hat sich aufgeführt wie 'ne Königin, und die Leute haben es ihr durchgehen lassen, weil sie so schön war. Mit achtzehn ist sie dann nach New York abgehauen und Model geworden, wie sie's immer wollte. Sie war 'ne Weile ganz schön gefragt, sagt meine Frau. Ich kenn mich da nicht so aus, hab's nicht so mit der Mode.« Dabei hatte er gewiehert vor Lachen und Lucas den Ellenbogen in die Rippen gerammt.

»Also ist sie nur zu Besuch hier?«, hatte Lucas gefragt.

»Ach woher denn. Sie war auf Drogen. Meine Frau sagt, das tun alle Supermodels.« Lucas dachte an die Frau des Typen – eine stämmige, finster dreinblickende Frau, die in der örtlichen Futtermittelfabrik arbeitete – und hatte so seine Zweifel, ob sie sich tatsächlich in ein Supermodel hineinfühlen konnte. »Julianna hat sich Koks reingezogen, vielleicht sogar Heroin. Die schnupfen auch das Heroin, sagt meine Frau, damit sie keine Einstiche haben. Julianna war also ständig *high*, und bei einem ihrer Shootings ist sie dann durchgedreht. Seitdem hat sie keine Aufträge mehr bekommen, weil sich rumgesprochen hat, dass man sich nicht auf sie verlassen kann. Sie war auf Entzug, und jetzt ist sie wieder hier und ruht sich aus. Sagt *sie*. Ausruhen. Dann lernt sie diesen Maler kennen, diesen Miles Shaw. Lange Haare, seltsame Kleider, hochtrabende Vorstellungen von Kunst. Man kennt ja die Typen. Arbeiten nichts – pinseln nur den ganzen Tag. Er war vorher mit dieser Kirkwood zusammen, der das *Iron Gate* gehört. Unter uns, die hätt auch was Besseres kriegen können! Na, egal, die beiden haben sich jedenfalls getrennt, dann hat Shaw Julianna geheiratet, seitdem ist sie hier in Point Pleasant. Aber wild ist sie noch immer. Ich hab da was läuten hören …«

»Was denn?«, hatte Lucas gefragt.

»Geschichten eben«, sagte der Kerl vage. Offensichtlich wusste er nichts Konkretes, sonst hätte er ihm hundertprozentig alles haarklein erzählt. »Juliannas Schwester, Gail, scheint wenigstens normal zu sein, wenn auch nicht besonders freundlich. Sie bedient in Kit Kirkwoods Restaurant und ist mit diesem Bullen zusammen, Sonny Keller heißt er. Deputy. Ziemlich verlässlicher Typ. Aber Julianna ist anders. Meine Alte sagt, sie erfindet Sachen, nur um sich interessant zu machen. Ich glaube, sie wird mal genauso enden wie ihre Mama.«

Lucas kannte Julianna persönlich erst, seit er mit Adrienne befreundet war. Sie waren sich nur ein paarmal begegnet, zu Hause bei Adrienne. Julianna war charmant gewesen, extrovertiert, ein wenig kokett und gerade im Begriff, sich von Miles Shaw scheiden zu lassen, der mit der Trennung nicht gut zurechtkam. Wenn er sich nicht so dagegen gesträubt hätte, hatte Adrienne Lucas erzählt, wären sie schon vor einem Jahr geschieden worden, weil Julianna die Ehe mit einem begabten Mann, der abends lieber malte als mit ihr um die Häuser zu ziehen, und sie ganz für sich allein haben wollte, langweilig fand. Shaw sei fürchterlich besitzergreifend, hieß es. Wer wäre das nicht bei einer Frau wie Julianna, hatte Lucas gedacht.

Es war jedoch nur ein einziges Mal zu einer öffentlichen Szene gekommen. An einem Samstagabend, als ein betrunkener Miles brüllend und heulend gegen ihre Wohnungstür gehämmert hatte, hatte Julianna die Polizei gerufen. Tags darauf, als Lucas mit Miles gesprochen hatte, war ihm sein Auftritt entsetzlich peinlich gewesen. Er hatte sich noch nie zuvor so danebenbenommen. Lucas war froh, dass Julianna ihren Mann nicht angezeigt hatte, denn sicher war sie nicht ganz unschuldig gewesen an Shaws Ausbruch. Vor etlichen Jahren war Lucas selbst einmal schwer verliebt gewesen und gnadenlos abgeblitzt. Er wusste, wie Shaw sich fühlen musste.

»Wie ist sie gestorben?«

Die weibliche Stimme knallte wie eine Peitsche hinter Lucas. Er drehte sich um und sah Ellen Kirkwood in der Tür stehen, das Gesicht starr, den Blick wild. Hinter ihr drückte sich ihr Mann herum, normalerweise der Inbegriff gut aussehender Zuversicht, doch jetzt, die Schultern leicht hochgezogen, die Augen glasig an Lucas vorbei ins Leere gerichtet, wirkte er fast kleinlaut.

»Julianna Brent ist ermordet worden, Mrs. Kirkwood«, sagte Lucas ruhig.

»Das *weiß* ich doch. Claude hat mich angerufen.«

»Das hätte er nicht tun sollen.«

»Tja, er hat's aber getan. *Wie* ist sie ermordet worden?«

»Wir sind noch nicht sicher.« Die Frau tat einen Schritt nach vorn, auf die Leiche zu, aber Lucas wehrte ab. »Ich muss Sie leider bitten, draußen zu bleiben. Wir müssen Beweisstücke sammeln.«

»Es ist *mein* Hotel«, sagte Ellen Kirkwood herausfordernd. »Ich habe doch wohl Zugang zu meinem eigenen Hotel!«

Lucas' Gesichtsausdruck blieb höflich, obwohl Ellens Ton ihn ärgerte. »Tut mir Leid, Mrs. Kirkwood, doch hier ist ein Mord geschehen. Ich kann Sie nicht hereinlassen, auch wenn es Ihr Hotel ist.«

»Ellen, bitte.« Gavins normalerweise energische Stimme klang dünn und erschöpft. Lucas hatte den Eindruck, als hätten die beiden sich schon die ganze Herfahrt gestritten. Was musste Claude, der Trottel, sie auch anrufen, dachte er. Hätte Gavin Kirkwood seine Frau nicht vom Hotel fernhalten können? Idiot. »Wir müssen den Sheriff seinen Job erledigen lassen«, fuhr Gavin fort, wobei er seiner Frau über den mageren Arm streichelte. »Er muss doch herausfinden, wer die Frau umgebracht hat.«

»Was sagst du immer ›die Frau‹. Du weißt genau, wer sie war!« Gavin errötete. Ellen Kirkwoods feinknochiges, dünnhäutiges Gesicht schien in Stein gemeißelt zu sein, und ihre wintergrauen Augen waren hart wie Feuerstein. »Red nicht mit mir, als wäre ich ein Kind, Gavin. Ich will Antworten. Das ist mein gutes Recht.«

Lucas holte tief Luft. »Das ist es natürlich, Ma'am, aber noch kann ich Ihnen nichts sagen. Ich weiß nicht mal, *wie* sie ermordet wurde, nur, dass sie eine tiefe Stichwunde im Hals hat.« Gavin schloss die Augen, er sah aus, als wäre ihm übel. »Wir haben noch keine Mordwaffe gefunden.«

»Wissen Sie, mit wem sie hier war?«, fragte Ellen. »Mit wem sie es in meinem Hotel *getrieben* hat?«

»Wir wissen noch nicht, ob jemand bei ihr war.«

»Das dürfte doch wohl klar sein. Findest du nicht auch, Gavin?«

Gavin Kirkwood zuckte leicht zusammen, wie ertappt. »Woher soll ich das wissen, Ellen? Lass uns nach Hause fahren, Schatz. Wir sollten nicht hier sein.«

»Ihr Mann hat Recht, Ma'am«, sagte Lucas bestimmt, dabei hätte er Gavin am liebsten geschüttelt. Der Mann benahm sich ja völlig hilflos. »Hier können Sie nichts tun, und noch habe ich keinerlei Informationen für Sie.«

»Ellen bitte«, flehte Gavin. Sein gut aussehendes Gesicht wirkte aschfahl unter der Dauerbräune. »Denk an dein Herz. Du darfst dich nicht aufregen.«

Ellen fuchtelte ungeduldig in der Luft herum. »Ich weiß, dass ich mich nicht aufregen darf. Das brauchst du mir nicht andauernd zu sagen. Aber ich kann nichts dafür. Mein Gott, Gavin, hier ist ein Mord geschehen!«

Lucas, der sich an Ellens angegriffene Gesundheit erinnerte, schluckte seinen Groll hinunter und versuchte sie zu beschwichtigen. »Wir tun, was wir können, Ma'am«, sagte er freundlich. »Wir finden schon heraus, wer sie umgebracht hat und warum. Wir brauchen nur ein wenig Zeit.«

»Zeit.« Plötzlich schien die ganze Energie aus der Frau herauszusickern. Ihre Haltung wurde schlaff, sodass sie mindestens fünf Zentimeter kleiner und zerbrechlich wirkte. Ihre aristokratischen Züge erschlafften, und ihr Blick wurde vage, fast verträumt, als sie sich im Zimmer umsah. »Die Zeit heilt keine Wunden«, sprach sie weiter, und ihre Stimme glich der eines verängstigten, gehetzten Kindes. »Haben Sie vergessen, wo Sie sind? Das hier ist das *Belle Rivière*. Es liegt ein Fluch über diesem Haus. Lottie, Juliannas Mutter, weiß es auch. Wir sind seit unserer Kindheit befreundet, wussten Sie das, Sheriff? Und dieses Haus hat sie fast umgebracht. Jetzt hat es sich ihre Tochter geholt.«

»Dieses Haus ist über hundert Jahre alt«, gab Gavin zu bedenken. »Natürlich sind hier Menschen gestorben. Das heißt aber nicht, dass es hier spukt, Ellen.«

Ellen tat seine Worte mit einer unwirschen Handbewegung ab. »Dass in so einem alten Haus schon Leute gestorben sind, weiß ich auch. Das wäre auch nicht weiter verwunderlich. Aber es waren einfach zu viele Tote.« Sie heftete ihre grauen Augen auf Lucas, und da war ihm, als greife eine kalte Hand nach seinem Herzen. »*La Belle Rivière* ist eins dieser verfluchten Häuser, in dem der Tod Asyl gefunden hat. Ich wollte es abreißen lassen, bevor hier erneut ein Mensch umkommt, aber offensichtlich war ich zu spät dran.« Sie warf einen Blick auf Juliannas erkaltenden Körper und seufzte. »Vermutlich komme ich auch das nächste Mal wieder zu spät, und das Hotel wird mich zerstören, bevor ich es zerstören kann.«

Beinahe zwei Stunden vergingen, bevor Adrienne und Skye endlich nach Hause fahren konnten. Als Adrienne in ihre Auffahrt bog, kam ihr das schieferblaue Steinhaus im Hawthorne Way fremd vor, wie ein ruhiger Hafen, den sie schon vor Tagen, ja Wochen verlassen hatte. Überrascht stellte sie fest, dass es im Flur noch immer schwach nach dem aromatischen Kaffee duftete, den Skye am Morgen aufgebrüht hatte.

Ein Architekt hatte das Haus in den Sechzigern für ihre Eltern entworfen und gebaut. Es war ebenerdig und damals sozusagen der letzte Schrei gewesen. Dann hatten ihre Eltern in den Siebzigern einen Anbau hinzugefügt, noch einen in den Achtzigern und den letzten Anfang der Neunziger. Die Planung hatte ihr Vater übernommen, der keinen Funken architektonisches Talent besaß, dafür aber den eisernen Willen, seine verschrobenen Vorstellungen zu verwirklichen.

So war ein Gebäude entstanden, das keinerlei Stil erkennen ließ. Es wucherte in alle Richtungen, jeder Anbau gleichsam ein Ast, der in extravagantem Winkel aus dem Stamm eines Baumes ragte. Ihre Mutter hatte sich bemüht, die schrille Form mit sorgsam platzierten Sträuchern und üppigen Rhododendronbüschen abzumildern, doch das Grünzeug brachte nur eine mäßige Verbesserung. Die meisten ihrer Nachbarn im Hawthorne Way waren froh, dass das hässliche Haus auf einem viertausend Quadratmeter großen Grundstück stand, sodass der Abstand zu ihren eigenen sorgfältig durchgestylten Villen gewahrt war und deren Wohnwert nicht allzu stark minderte.

Beide Eltern waren vor vier Jahren kurz nacheinander gestorben und hatten das Haus Adrienne und ihrer Schwester Victoria hinterlassen. Vicky lebte in einem eleganten Heim im Kolonialstil, nur drei Meilen von ihr entfernt, doch weder sie noch Adrienne hatten das Haus der Eltern verkaufen wollen, also waren Adrienne und Skye aus ihrem beengten, kleinen

Cottage in ihr sonderbares Elternhaus umgezogen und mochten inzwischen jede seiner absonderlichen Krümmungen.

Adrienne sperrte die Haustür von innen ab, was sie normalerweise nie tat, wenn sie tagsüber zu Hause war. Sie war zittrig, schwach, nervös und etwas orientierungslos, als wäre sie seit vierundzwanzig Stunden auf den Beinen und hätte zudem einen Marathon zurückgelegt. Sie konnte sich nicht erinnern, körperlich schon jemals so ausgelaugt gewesen zu sein wie in diesem Augenblick.

Skye sah sie hilflos an. »Ich möchte mich am liebsten auf die Couch legen, aber ich habe das Gefühl, als hätten wir noch irgendetwas Wichtiges zu erledigen.«

»Und was?«, fragte Adrienne müde.

»Sollen wir Juliannas Mutter anrufen?«

»Die Polizei wird Lottie Brent verständigen. Ich brächte es auch gar nicht übers Herz«, sagte Adrienne. »Sie hat Julianna vergöttert.«

»Und was ist mit Juliannas Schwester?«

»Ich finde, die Polizei oder Lottie sollten mit Gail sprechen. Sie hat mich nie leiden können«, sagte Adrienne. »Sie dachte, ich wär neidisch auf Julianna. Wenn sie die Nachricht von mir bekäme, wäre das womöglich noch schlimmer für sie. Sie ist ganz anders als Julianna.«

»Kit scheint sie aber zu mögen.« Skyes Augen flatterten. »Mom, vielleicht weiß Kit ja noch gar nicht, was mit Julianna passiert ist, und es wäre doch schrecklich, wenn sie's von jemand anderem erfahren würde.«

Adrienne stand eine Weile schweigend da und dachte nach. Skye hatte Recht. Sie sollte Kit anrufen und ihr sagen, dass ihre gemeinsame Freundin tot war. Ermordet. Wie sollte sie Kit nur informieren, ohne sie allzu sehr zu erschrecken? Aussichtslos. Außerdem war Kit schon immer die Stärkste von ihnen gewesen und würde das Ganze vermutlich besser verkraften als sie.

Adrienne sah auf die Uhr. Kurz nach elf. Kit dürfte also schon im Lokal sein und sich auf den Mittagstrubel vorbereiten. Widerstrebend ging sie zum Telefon und wählte die Nummer des Restaurants. Nach zweimaligem Läuten hörte sie eine fröhliche junge Frauenstimme: »*Iron Gate*. Kann ich Ihnen helfen?«

»Ich hätte gern Ms. Kirkwood gesprochen.«

»Tut mir Leid, aber sie ist nicht im Haus. Darf ich mir Ihren Namen notieren, damit sie Sie zurückrufen kann?«

Adrienne wusste, dass Kit sich oft entschuldigen ließ, wenn sie zu beschäftigt war und nicht ans Telefon kommen wollte. »Adrienne Reynolds. Ich bin eine gute Freundin von Kit und habe ihr etwas sehr Wichtiges mitzuteilen. Holen Sie sie ans Telefon, auch wenn sie beschäftigt ist, bitte.«

»Ms. Reynolds, sie ist wirklich nicht im Haus. Ich arbeite jetzt seit einem Jahr hier und habe noch nie erlebt, dass sie um diese Zeit noch nicht da war, aber sie rief an und sagte, sie habe etwas zu erledigen und komme erst nachmittags.« Das Mädchen klang ehrlich. »Tut mir Leid. Aber ich kann eine Nachricht für sie hinterlassen.«

»Ist schon gut. Ich versuch's auf ihrem Handy. Danke …«

»Ich heiße Polly. Gern geschehen. Und viel Glück.«

Adrienne versuchte, Kit unter ihrer Mobilnummer zu erreichen, doch da meldete sich nur der Anrufbeantworter. Sie bat Kit, sie zurückzurufen. Dann rief sie bei ihr zu Hause an und hatte wieder kein Glück.

»Sich so von der Außenwelt abzukoppeln«, sagte Adrienne zu Skye, »das sieht ihr gar nicht ähnlich.«

»Vielleicht hat sie einfach nur beschlossen, blauzumachen – einkaufen zu gehen oder so was, ohne dass jemand sie nervt.«

»Während das Restaurant geöffnet ist? Das glaube ich nicht. Sie glaubt doch, alles würde sofort drunter und drüber gehn, wenn sie sich nicht um alles kümmert.«

»Heute aber anscheinend nicht. Vielleicht ist sie ja krank?«

»Dann wäre sie zu Hause.« Adrienne dachte nach. »Wahrscheinlich hat Ellen sie inzwischen angerufen, und Kit ist bei ihr und hat ihr Handy ausgeschaltet.«

Skye sah sie traurig an. »Heute Morgen hat Mrs. Kirkwood so schlecht ausgesehen und kaum mit uns gesprochen. Jetzt wird sie noch mehr davon überzeugt sein, dass das Hotel abgerissen werden muss.«

»Stimmt, wer an böse Vorzeichen und dergleichen glaubt, ist heute voll und ganz bestätigt worden.«

»Mrs. Kirkwood glaubt daran.«

»Und wie. Und offen gestanden ist mir das Hotel nach dem heutigen Tag auch nicht mehr ganz geheuer.«

Adrienne war in der Tat ein wenig flau zumute, als hätte sie sich an einer schmutzigen, schändlichen Sache beteiligt. Ihre Fingerspitzen kribbelten noch immer leicht, weil sie Juliannas erkaltende Haut berührt hatten, und der Gedanke an das schöne Gesicht ihrer Freundin, das der Tod hatte starr werden lassen, ließ sie frösteln.

Doch sie musste jetzt an Skye denken. Sie durfte nicht schlapp machen und Skye den morgendlichen Schock allein verarbeiten lassen.

Adrienne zwang sich zu einem Lächeln. »Es besteht zwar kaum die Chance, dass das heute noch ein schöner Nachmittag wird, aber Hunger habe ich trotzdem. Wie wär's mit ein paar Sandwiches mit Hühnchensalat?«

Skye wirkte erleichtert, als hätte sie befürchtet, ihre Mutter könne zusammenbrechen, und bemühte sich um eine Imitation übersprudelnder Begeisterung.

»Das wär klasse!«

»Weißt du, Vicky und ich haben uns als Kinder quasi ausschließlich von Sandwiches mit Hühnchensalat ernährt«, erzählte Adrienne, als Skye ihr in die blau und gelb gestrichene Küche folgte, wo über einem der Fenster eine ausladende rot blühende Begonie hing. »Mom sagte immer, wir wären süchtig danach.«

»Bei ihren Empfängen tischt Tante Vicky immer so komische Häppchen auf, die keinen satt machen.«

»Du bist ja neuerdings Stammgast bei den Partys, die sie veranstaltet, seit Philip Gouverneur werden will.«

»Tante Vicky wird allmählich sauer, weil du nie mitkommst.«

»Ich bin für diesen Gesellschaftsschnickschnack nicht zu gebrauchen. Ich neige dazu, immer den falschen Leuten meine ehrliche Meinung zu sagen. Ich weiß nicht, wie es Vicky geht, aber Philip ist mit Sicherheit erleichtert, dass ich nicht komme.«

»Ich darf dabei sein, obwohl ich erst vierzehn bin, weil es Rachel auf diesen Partys immer so langweilig ist. Zwar ist da auch ihr Freund Bruce, aber der redet die ganze Zeit mit anderen Leuten, so wie Onkel Philip. Ich leiste ihr Gesellschaft, sagt sie. Wir kichern dann über alle.«

»Wie nett von euch.«

»Na ja, doch nur, wenn sie's nicht merken, Mom!«

»Das hätte mich auch gewundert. Sonst würden sie dich ja auch nicht einladen. Philip würde es niemals dulden, dass ihm jemand seine Veranstaltungen verpatzt.«

»Rachel sagt, Onkel Philip will irgendwann Präsident der Vereinigten Staaten werden.«

»Das wollte er schon immer. Aber Vicky scheint die Aussicht, First Lady zu werden, nicht sonderlich zu reizen. Als sie Philip heiratete, dachte sie, sie würde es genießen, in der Öffentlichkeit zu stehen. Ich glaube, sie hat ihre Meinung gründlich geändert. Der Stress ist doch größer, als sie dachte.«

Ihr unbeschwertes Geplauder versiegte bald wieder. Die Zeit schien erneut still zu stehen, als Adrienne mit Skye unter der großen Eiche saß, die die gepflasterte Terrasse überschattete, und ihr Sandwich aß. Skye beobachtete, wie hoch oben im Geäst eine Rotkehlchenmutter ihren kreischenden Jungen Würmchen ins Nest trug. »Hoffentlich fällt keins der Kleinen auf die Steine, wenn sie ihre ersten Flugversuche starten.«

»Das passiert so gut wie nie.«

»Vor zwei Jahren war es so«, gab Skye zu bedenken. »Erinnerst du dich an die fürchterlichen Laute, die die Mutter ausstieß, als sie ihr totes Baby sah? Es hörte sich an, als würde sie weinen.« Skye schüttelte sich leicht. »Ich werde meine Luftmatratze unter den Baum legen. Und wenn eins der Babys runterfällt, verletzt es sich nicht.«

»Gute Idee«, pflichtete Adrienne ihr bei. Skye schien das Thema Tod heute nicht mehr loszulassen. Zuerst hatte sie von Ellen Kirkwoods Adoptivsohn Jamie gesprochen, der vorigen Sommer ums Leben gekommen war, jetzt von den kleinen Rotkehlchen. Doch wer konnte es ihr verdenken? Kein vierzehnjähriges Mädchen sollte mit einem so schrecklichen Anblick konfrontiert werden wie Skye heute Morgen.

Adrienne würgte widerwillig einen weiteren Bissen hinunter, als ein fröhliches »Hi, ihr zwei!« sie derart erschreckte, dass ihr das Sandwich aus der Hand fiel.

»Rachel!«, rief sie erstaunt. Sie hatte ihre Nichte schon etliche Wochen nicht mehr gesehen und ihre leisen Schritte auf dem Rasen nicht gehört. »Solltest du nicht im *Point Pleasant Register* sein und schuften wie ein Sklave?«

»Die bilden sich ein, sie könnten die Abendausgabe ohne mich herausbringen.« Rachel zupfte Skye an den Haaren und grinste ihr zu. »Hast du dir blonde Strähnchen machen lassen?«

»Nein, das war die Sonne.«

»Sieht toll aus. Ich wünschte, ich hätte auch so helle Haare.«

»Es ist doch fast die gleiche Farbe«, sagte Skye. »Nur ein paar Nuancen dunkler.«

Rachel Hamilton war zwanzig, groß und schlank, hatte

langes, aschblondes Haar, große, dunkelblaue Augen, dichte Wimpern, eine makellose Haut, ein hübsches Lächeln und Wangenknochen, um die jedes Fotomodell sie beneiden würde. Man hatte ihr tatsächlich schon Modeljobs angeboten, aber sie hatte immer abgelehnt. Ihr Interesse galt eher dem Sport – besonders Tennis – und dem College, wo sie Journalistik als Hauptfach belegt hatte. In diesem Sommer machte sie ein Praktikum beim *Point Pleasant Register*, der örtlichen Tageszeitung.

Skye bewunderte ihre ältere Cousine. Rachel war eine Mischung aus Schönheit, Klugheit und sportlichem Können. Obwohl Vicky immer behauptete, Rachel habe eine doppelt so lange »schwierige Phase« durchlebt wie andere Teenager, konnte Adrienne sich nicht erinnern, dass Rachel überhaupt je eine merkwürdige Phase durchlebt hätte, weder körperlich noch gesellschaftlich. Seit sie sechs Jahre alt war, benahm sie sich tadellos, war die perfekte Tochter von Philip Hamilton, Adriennes politisch ambitioniertem Schwager.

»Wie wär's mit einem Sandwich? Ich hab ein paar zu viel geschmiert.« Adrienne hielt Rachel den Teller hin, und sie nahm sich eins. »Wie geht's meiner Schwester? Ich hab schon seit Tagen nicht mehr mit ihr gesprochen.«

Rachel zuckte die Schultern. »Sie steckt bis zum Hals in Dads Wahlkampagne. Was für eine Hektik! Unser Haus gleicht der Flugüberwachungszentrale der NASA.« Skye kicherte, und Rachel grinste ihr zu. »Dabei ist es bis zur Wahl noch über ein Jahr Zeit. Wie soll das erst im nächsten Sommer bei uns zu Hause aussehen? Gott sei Dank bin ich dann weg.«

»Begleitest du deine Mom und deinen Dad nicht auf ihrer Wahlkampfreise? Nach dem College hättest du doch Zeit«, sagte Skye.

»Das mag schon sein.« Rachels Blick verlor sich in der Ferne, und plötzlich schaute ihr der Schalk aus den Augen. »Oder ich schnappe mir einen völlig unpassenden Kerl und brenne mit ihm nach Cannes oder Venedig durch. Es müsste ein verteufelt hübscher Gigolo sein, der weder unsere Fahne, noch unseren Apfelkuchen noch unseren amerikanischen *way of life* respektiert. Er verbringt seine Tage am Strand und auf seiner Yacht und führt mich jeden Abend in elegante Spielkasinos. Meine Eltern würden ausflippen!«

»*Das* willst du?«, wunderte sich Skye.

»Nein, nicht wirklich.« Adrienne lächelte. »Rachel würde niemals etwas tun, das ihrem Vater missfallen würde, und glaube mir, *das* würde ihm missfallen!«

»Gelinde ausgedrückt«, stimmte Rachel zu. »Aber es wäre schon ein Spaß, mal etwas völlig Schockierendes zu tun.«

»Wart damit bis nach der Wahl«, riet ihr Adrienne. »Wenn du ihm die Kampagne vermasselst, dann streicht er dich womöglich aus seinem Testament. Außerdem glaube ich, dass dein Vater es gern sähe, wenn du Bruce Allard heiraten würdest.«

»Ach, Bruce«, sagte Rachel ohne Begeisterung. »Er ist vier Jahre älter als ich und stammt aus einer der besten Familien der Stadt. Der perfekte Ehemann.«

»Na ja, niedlich ist er schon«, räumte Skye ein.

»Aber sterbenslangweilig«, stellte Rachel fest.

Adrienne sah sie über den Rand ihrer Kaffeetasse vorwurfsvoll an. »Nur weil er nicht davon träumt, von einem Kasino zum nächsten zu jetten, ist er noch lange kein Langweiler. Er arbeitet doch auch bei der Zeitung. Ihr müsstet also einiges gemeinsam haben.«

»Der Verlag gehört doch seinem Vater. Bruce sitzt da nur seine Zeit ab, weil sein Vater möchte, dass er einen Hauch ›Wirklichkeit‹ mitkriegt, bevor er den Laden dann irgendwann mal übernimmt. Zeitungen interessieren ihn kein bisschen. Er redet immerzu von der Börse. *Immerzu.* Kunst ist für ihn Zeitverschwendung, Tante Adrienne. Er kann nicht tanzen. Und er will sechs Kinder.« Rachel blickte Skye entsetzt an. »*Sechs Kinder!* Und was wird dann aus meiner Taille? Und meinen Oberschenkeln? Ich müsste ständig in Schwangerschaftsklamotten rumlaufen und hätte immerzu Babykotze auf der Schulter.« Sie legte die Hand aufs Herz und blickte theatralisch gen Himmel. »Bitte, lieber Gott, erspare mir eine Ehe mit Bruce! Der Gedanke daran ist einfach unerträglich!«

Skye musste lachen, als Rachel in gespielter Verzweiflung die Hände vors Gesicht schlug. Adrienne wusste, dass Skye sich dazugehörig und erwachsen fühlte, wenn Rachel mit ihr über Jungen redete. Und obwohl Rachel sich gerade über einen ihrer Meinung nach sehr netten und anständigen Kerl lustig machte, hatte Adrienne kein schlechtes Gewissen, ein wenig mitzulachen, weil sie froh war, dass Rachel ihre Tochter an einem so traurigen Tag zum Lachen brachte.

Nach der morgendlichen Aufregung war Brandon auf seinem riesigen Hundekissen vor dem Kamin im Wohnzimmer fast ins Koma gefallen. Im Winter lag er da stundenlang und starrte in die Flammen hinter der Abschirmung. Im Sommer starrte er stundenlang in den leeren Kamin. Skye behauptete eisern, ihm gingen dabei tiefgründige Gedanken durch den Kopf. Adrienne dagegen war überzeugt, dass Brandon mit seinem seltsamen Benehmen auf sich aufmerksam machen wollte. Allerdings war er äußerst gesellig, und kaum hörte er durch die offene Terrassentür Rachels Stimme, stand er auf, trappte nach draußen und streckte ihr die Pfote hin.

Rachel schüttelte sie ihm feierlich und sagte: »Wie geht es Ihnen, Sir? Sie sehen heute wieder besonders elegant aus mit Ihrem roten Halstuch.«

»Er ist gestern im Happy Tracks gebadet und getrimmt worden«, sagte Skye lächelnd. »Am Ende binden sie ihm immer ein Halstuch um. Aber er hat es sich heute Morgen zerrissen, als er draußen vorm *Belle* im Wald herumgerannt ist.«

Adrienne sah zu Rachel hinüber, die sich das münzengroße Feuermal neben dem rechten Ohrläppchen rieb, das normalerweise von ihren Haaren verdeckt wurde. Das tat sie nur, wenn sie nervös war, aber ihr Gesichtsausdruck zeigte keinerlei Überraschung, und da verstand Adrienne plötzlich den Grund für den mittäglichen Besuch ihrer Nichte. Drew Delaney, Herausgeber des *Point Pleasant Register*, musste erfahren haben, dass sie und Skye Juliannas Leiche gefunden hatten, und er hatte deshalb Rachel zu ihnen geschickt.

»Rachel, lass mich raten«, sagte sie beiläufig. »Mr. Delaney ist in diesem Augenblick im *Belle Rivière*.«

Rachel nickte widerstrebend und fügte dann etwas selbstbewusster hinzu: »Er ist immerhin Chefredakteur einer Zeitung. Wo soll er denn sonst sein, wenn nicht am Ort des Geschehens?«

»Genau dort, wo er jetzt ist. Doch er hat dich hergeschickt, damit du Skye und mir ein bisschen auf den Zahn fühlst, hab ich Recht?«

»Ja.« Sie errötete leicht. In ihrem Blick lag aufrichtiges Bedauern. »Ich wünschte, ich könnte dir sagen, dass ich mich gesträubt habe, aber so ist es nicht. Der Mord an Julianna Brent ist bisher die größte Sensation, die in diesem Jahr in Point Pleasant passiert ist. Ich schäme mich zwar, dir das zu sagen, weil ich Julianna mochte, auch wenn ich sie kaum kannte, aber ich würde gern einen Knüller daraus machen. Mein Name unter einer solchen Story könnte mir nächstes Jahr einen tollen Job in einer wichtigen Zeitung verschaffen.«

Adrienne war diese Gier der Journalisten nach einer guten Story, die manchmal buchstäblich über Leichen ging, zwar ein Gräuel, doch bewunderte sie Rachels Offenheit. »Hat der Sheriff Mr. Delaney erzählt, dass Skye und ich dort waren?«, fragte sie.

Rachel schüttelte den Kopf. »Der Hausmeister. Ein gewisser Duncan. Er hat heute Morgen angerufen.«

Während sie befragt worden waren, hatte Claude Duncan

sich in sein Cottage auf dem Grundstück zurückgezogen. So, so, dachte Adrienne verärgert, nicht nur Ellen Kirkwood hat der emsige Claude angerufen, sondern auch Drew Delaney.

»Duncan sagte, du und Skye wärt zwar auch im Hotel gewesen, aber gefunden habe *er* die Leiche. Ihr beide wärt ihm nur in die Quere gekommen, als er den Tatort bewachte. Er wollte interviewt und fotografiert werden.« Rachel lächelte. »Drew meinte, Sheriff Flynn sei so sauer auf Claude gewesen, dass er ihn am liebsten umgebracht hätte.«

»Claude ist wahrlich nicht der Hellste. Lucas hatte erstaunlich viel Geduld mit ihm heute Morgen, obwohl Claude es ihm nicht leicht gemacht hat.«

»Er klingt völlig durcheinander.« Rachel hielt inne, und ihre Miene wurde mitleidig. »Ich weiß, dass du seit ewigen Zeiten mit Julianna befreundet warst, Tante Adrienne, und Skye mochte sie auch. »Es muss schrecklich für euch heute Morgen gewesen sein.«

»Das stimmt.« Skyes Stimme war dünn und ängstlich geworden. »Sie lag auf dem Bett und sah so schön und friedlich aus.« Eine flache Falte erschien zwischen Rachels Brauen, während sie sich offensichtlich die Szene in allen Einzelheiten vorzustellen versuchte. »Die Decke war bis zu ihren Schultern hochgezogen. Sie hätte ebenso gut schlafen können. Aber Mom sagte, in ihrem Hals sei ein großes Loch …« Skye holte Luft und wurde blass.

»Das reicht«, sagte Adrienne bestimmt. »Tut mir Leid, Rachel. Ich weiß, du versuchst nur, deine Arbeit zu tun, aber wir sind noch nicht imstande, über die Sache zu reden. Außerdem würde Sheriff Flynn es nicht gern sehen, wenn wir die Angelegenheit schon jetzt mit der Presse besprechen.«

»Er wird irgendwann darüber reden *müssen*.«

»Ja schon, aber nicht jetzt. Der Mord ist doch erst vor ein paar Stunden passiert, Rachel. Die Polizei muss erst herausfinden, was eigentlich passiert ist.«

»Ich hätte die Story lieber schon vorher, bevor die Polizei genug Zeit hatte, sich ihren Reim darauf zu machen.«

Adrienne sah ihre Nichte missbilligend an. »Rachel, du glaubst doch nicht etwa, dass die Polizei in so einem Fall unsauber ermitteln würde!«

»Na ja.« Rachel seufzte. »Sieh mal, Tante Adrienne, ich will der Polizei ja nicht zu nahe treten. Ich will nur möglichst schnell an diese Story herankommen. Julianna tut mir Leid, aber ich muss an meine Karriere denken. Tut mir Leid, wenn ich dich verletzt habe, weil ich nicht so feinfühlig bin, wie du es gern hättest, aber in diesem Fall muss ich in erster Linie Profi sein.«

»Ich versteh dich ja, Rachel«, sagte Adrienne nachsichtig. »Aber Feinfühligkeit ist mindestens so wichtig wie Professionalität. Ich hoffe, du vergisst das nicht.«

Skye sah unbehaglich drein, als befürchte sie jeden Augenblick, dass ihre Mutter und ihre Cousine anfangen würden zu streiten, und sagte dann plötzlich: »Hat Tante Vicky nicht im *Belle* geheiratet?«

»In einer Kirche, aber der Empfang nach der Trauung fand im großen Ballsaal statt«, berichtigte Adrienne. Sie lächelte. »Mom hatte mich zu Miss Addie mitgenommen, die mich frisieren sollte. Dem Ergebnis nach zu urteilen hatte sich Miss Addie im Hinterzimmer volllaufen lassen, um ihre Nerven zu beruhigen. Sie hat mir die Haare komplett ruiniert. Ich hab ausgesehen wie ein Volltrottel und war den ganzen Nachmittag entsetzlich neidisch auf Vicky! Aber ich war auch stolz«, fuhr sie fort. »Vicky und Philip sahen aus wie zwei Filmstars. Zum Glück hatten sie einen Profifotografen engagiert, denn Dad hat zwar an die hundert Aufnahmen gemacht, aber entweder hat er sie verwackelt oder den Leuten die Köpfe abgeschnitten. Ich hol nachher mal das Album und zeig dir die Fotos, Skye. Die professionellen, meine ich. Der Fotograf ist Vicky und Philip wirklich gerecht geworden, *und* dem *Belle*.

Der Tanzsaal sah aus wie in einem Palast. Da war sogar ein Springbrunnen, in dem Champagner sprudelte.«

Skye bekam glänzende Augen. »So was Tolles wird mir bestimmt *nie* passieren.«

»Aber ja«, sagte Rachel lächelnd und hatte selbst leicht glänzende Augen. »Moms Erzählung nach zu urteilen, war es wirklich ein zauberhafter Tag.«

»Obwohl viele glauben, dass ein Fluch auf dem Haus liegt, weil dort schon so viele Katastrophen passiert sind?«

»Ich glaube nicht an so okkulten Kram«, sagte Rachel. »Die vielen Unfälle im *Belle* sind doch nur unglückliche Zufälle gewesen.« Sie nippte noch einmal an ihrer Limonade und verkündete: »Ich fahr hin, sobald wir hier fertig sind.«

»Ich glaube, das ist keine sehr gute Idee«, sagte Adrienne.

»Warum nicht?«

»Wegen der Gewalt. Jemand ist dort ermordet worden, Rachel. Du hast am Tatort nichts verloren.«

Rachel sah sie trotzig an. »Tante Adrienne, ich bin Reporterin. Tatorte gehören zu meinem Job. Meine Güte, was soll ich denn tun, wenn ich später mal den Auftrag bekomme, über einen Mord zu berichten? Gänsehaut kriegen und dankend ablehnen, mit der Begründung, es könnte mich zu sehr beunruhigen?«

»Nein. Aber noch machst du nur ein Praktikum. Und in diesem Fall ist die Ermordete sogar jemand, den du kanntest.«

»Nur flüchtig. Ich war nicht mit Julianna befreundet wie du und Skye. Und in knapp einem Jahr bin ich Vollzeitreporterin. Und ich will *gut* sein, wenn nicht gar *großartig*.«

»Sie wird den Pulitzerpreis gewinnen«, informierte Skye ihre Mutter voller Stolz. »Das ist die höchste Auszeichnung, die ein Reporter erreichen kann.«

»Nun, das ist wunderbar, Rachel, aber du bist erst zwanzig. Du hast noch nicht viel Erfahrung, und bis dahin …«

Das Klingeln eines Handys schnitt Adrienne das Wort ab. »Mein Telefon«, sagte Rachel. »Die brauchen mich wahrscheinlich in der Redaktion.«

»Rachel Hamilton.« Ihr Gesicht leuchtete auf, als sie sagte: »Hi, Drew! Was gibt's?« Nach wenigen Sekunden erlosch ihr Lächeln jedoch wieder. »Aber ich wollte gerade raus fahren zum *Belle*. Ich bin hier bei Tante Adrienne und wollte in ein paar Minuten los.« Wieder ein kurzes Schweigen. »Pläne für den Jahrmarkt? Wen interessiert denn das?« Schweigen. »Na ja, ich weiß, dass sich ein paar Leute dafür interessieren, aber hier geht's um *Mord*. Bruce soll darüber schreiben? Ich weiß, dass er mehr Erfahrung hat als ich, aber seine Schreibe ist längst nicht so gut wie meine.« Skye warf ihrer Mutter einen vielsagenden Blick zu, als Rachels Gesicht hart wurde. »Nein, ich hinterfrage deine Anweisungen nicht. Ich sage nur meine Meinung.« Schweigen. »Okay. Ich treffe mich in zwanzig Minuten mit dem Vorsitzenden des Planungskomitees für den Jahrmarkt. Aber ich finde trotzdem …«

Sie starrte verdutzt auf das Telefon. Offensichtlich hatte Drew Delaney aufgehängt. »Verdammt«, murmelte sie, rot vor Wut. »Bruce. Er will, dass Bruce die Sache im *Belle* übernimmt. Ich glaub's einfach nicht! Warum kann Drew die Geschichte nicht mir überlassen?«

»Ist Drew der niedliche Typ, der deiner Meinung nach aussieht wie George Clooney?«, fragte Skye unschuldig. Rachel wurde rot, und ihr Blick gab Skye eindeutig zu verstehen, sie solle den Mund halten. »Mann, tut mir Leid, dass du die Story nicht machen darfst, Rachel«, sagte Skye rasch, um ihren Schnitzer zu vertuschen.

»Ist ja nicht deine Schuld.« Rachel stopfte das Handy in ihre Handtasche. »Ich dachte nur, Drew würde mir mehr zutrauen.«

»Bruce ist ein Profi«, sagte Adrienne, um den Ärger des Mädchens zu beschwichtigen. »Du bist die kleine Praktikantin, die die Zeitung in ein paar Monaten wieder verlässt. Mit Bruce muss er die nächsten Jahre zusammenarbeiten.«

»Oder er bevorzugt Bruce, weil seinem Vater der Verlag gehört. Der Gedanke, dass Drew sich beeinflussen lässt, gefällt mir zwar nicht, aber vielleicht hast du ja Recht«, sagte Rachel enttäuscht. »Mom behauptet, du kennst Drew etwas genauer.«

Adrienne spürte, wie sie errötete. Dabei war es eine Ewigkeit her, dass sie als Mädchen in Drew verliebt gewesen war. Wie oft hatte sie von ihm geträumt, sich mit kindlicher Leidenschaft nach ihm gesehnt, Tage in Angst verbracht, weil er nicht einmal zu wissen schien, dass es sie gab. Dann – sie war Junior, er Senior an der High School – hatte er plötzlich mit ihr ausgehen wollen. Sie war ganz verrückt nach ihm gewesen, ohne den kleinsten Funken Zweifel. Sie hatten sogar schon von Heirat gesprochen.

Kurz nachdem er die High School beendet hatte, hatte er sich stürmisch von ihr verabschiedet und war nach New York City ans College gegangen. Es hatte ihr schier das Herz gebrochen, und eine Weile hatte sie nur noch für seine Briefe und Anrufe gelebt. Aber die Anrufe kamen immer spärlicher, zuerst zweimal, dann nur noch einmal die Woche, bis sie schließlich ganz aufhörten. Statt der langen Briefe kamen unpersönliche Postkarten. Durch Freunde erfuhr Adrienne, dass er Weihnachten in New York verbracht hatte, und im Sommer darauf hatte er sich mit seinem Charme schon bis in den engeren Kreis einer wohlhabenden Familie vorgearbeitet und am Ende die hübsche Tochter geheiratet. Adrienne war am Boden zerstört gewesen. Wütend. Vernichtet. Und es war ihr peinlich, dass ihr die Erinnerung an Drews Treulosigkeit noch immer einen so schmerzhaften Stich versetzte. Dabei war er ziemlich rasch eine zweite desaströse Ehe mit einem unbedeutenden Sternchen vom Broadway eingegangen, die auch nicht lange hielt. Vor achtzehn Monaten war Drew in seine

Heimatstadt zurückgekehrt und arbeitete seither als Chefredakteur des *Point Pleasant Register*.

Vicky hatte Rachel wahrscheinlich alte Geschichten über Drew erzählt und sie vor seinem umwerfenden Charme gewarnt, den er immer geschickt für seine Zwecke einzusetzen pflegte. Sie bezweifelte jedoch, dass Vicky damit erreicht hatte, was sie wollte. Adrienne fragte sich, ob Rachel für Drew schwärmte. Immerhin schien sie ernsthaft zu glauben, dass sie für die Zeitung und für Drew Delaney unersetzlich sei. Und da würden auch Vickys Predigten Rachels Meinung nicht im Mindesten ändern.

»Tja, dann werde ich mich mal an diese weltbewegende Story über den Jahrmarkt machen«, verkündete Rachel plötzlich und stand auf. »Danke fürs Essen.«

»Es war ja nicht viel. Tut mir Leid, dass wir heute keine fröhlicheren Gastgeber waren«, sagte Adrienne.

Erstaunlicherweise hob Rachel keck den Kopf, und ihr Ärger schien verflogen. »Na ja, wenigstens wird Kit Kirkwood in den nächsten paar Wochen nicht um ihr Erbe gebracht. Die Spurensicherung ist noch eine Weile darin zugange, und Ellen Kirkwood nicht bei bester Gesundheit.« Sie zuckte mit den Schultern. »Wer weiß? Vielleicht kriegt Kit das *Belle* am Ende doch noch.«

Drei

I

Als Rachel gegangen war, stellte Skye die schmutzigen Teller in den Geschirrspüler und wischte unaufgefordert die Küchentheke sauber, ein sicheres Zeichen dafür, dass sie immer noch geschockt war. Danach verkündete Adrienne, sie werde sich eine Weile ins Bett legen, und Skye kuschelte sich an sie, wie sie es seit Jahren nicht mehr getan hatte. Brandon verließ sein Plüschkissen im Wohnzimmer, streckte sich neben die beiden auf den Boden und schnarchte zwei Minuten später.

Skye indes fand keinen Schlaf und starrte an die Decke. »Meinst du, Rachel ist in Drew Delaney verliebt?«, fragte sie ihre Mutter nach ein paar Minuten.

»Hoffentlich nicht. Er könnte ja ihr Vater sein.«

»Du bist mal mit ihm gegangen. Rachel hat's mir erzählt.«

»Das ist schon eine Ewigkeit her.«

»Und dann bist du Daddy begegnet.«

»Ich kannte ihn schon. Ich wusste nur noch nicht, wie sehr ich ihn mochte, bis er mich endlich fragte, ob ich mit ihm ausgehen würde. Ein Jahr später haben wir geheiratet.«

»Dann hattest du ihn wirklich gern!«

»Ja. Ich hab ihn geliebt. Das wird auch so bleiben.«

»Bei mir auch.« Skye nahm eine Strähne von Adriennes Haar und wickelte sie sich sanft um den Finger, wie sie es als Kind oft getan hatte. »Mom, ich glaube, Tante Vicky und Rachel haben Zoff. Sie streiten andauernd.«

Adrienne seufzte. Sie hätte gern ein wenig geschlafen, um dem Schrecken des Morgens zu entfliehen, aber jetzt war nicht der richtige Zeitpunkt, um ihre Tochter abzuwimmeln. »Ich glaube, Vicky hat Probleme damit, dass Rachel erwachsen wird. Sie ist zwanzig. In nicht mal einem Jahr hat sie das College hinter sich. Und sie ist so selbständig und bescheiden. Ich glaube, Vicky hat Angst, ihr kleines Mädchen zu verlieren. Sie versucht sie festzuhalten, und je mehr sie sie hält, desto mehr versucht Rachel, sich loszureißen. Und am Ende streiten sie sich dann.«

»Ach so, das leuchtet mir ein. Aber Mom?«

»Ja?«

»Ich werd mich nie von dir losreißen wollen. Ich werd immer so nah bei dir sein wollen wie jetzt.«

Adrienne lächelte. »Ich wünschte, das wär so, aber eines Tages wirst du es hier mit mir entsetzlich öde finden. Doch das ist ganz natürlich, Schatz. Es gehört zum Erwachsenwerden. Ich versprech dir, dass ich ein bisschen besser damit umgehen werde als Vicky.« Sie schwieg eine Weile und sagte dann: »Wenigstens will ich's versuchen.«

»Ich glaube nicht, dass ich irgendwann nicht mehr gerne mit dir zusammen bin.« Skye gähnte laut. »Ich rede gerne mit dir, aber jetzt bin ich so müde, dass ich kaum noch die Augen offen halten kann. Können wir ein bisschen schlafen?«

Adrienne lächelte. »Aber ja, Süße.«

2

Adrienne erwachte und fühlte sich bleiern schwer, als hätte sie eine Schlaftablette genommen. Sie warf einen Blick auf den

Wecker neben dem Bett und sah, dass drei Stunden vergangen waren. Skye schlief zusammengerollt neben ihr, und Brandon lag noch immer schnarchend neben dem Bett. Adrienne wäre am liebsten wieder eingeschlafen, um den Nachmittag auszublenden, aber wenn sie jetzt nicht aufstand, würde sie heute Abend nicht mehr schlafen können, das wusste sie. Widerstrebend raffte sie sich also auf und schlurfte in die Küche, um Kaffee aufzubrühen.

Der Kaffee trug wenig dazu bei, ihr den Kopf durchzupusten, aber wenigstens war sie imstande, zusammenhängende Sätze zu bilden, als Lucas Flynn sie eine halbe Stunde später anrief. »Wie geht es dir?«, fragte er.

»Ich fühl mich wie gerädert, ich glaube, ich habe noch immer nicht ganz begriffen, was wirklich passiert ist.«

»Einen geliebten Menschen zu verlieren ist schlimm, aber noch schlimmer ist es, wenn der Betreffende jung und voller Leben war und einem Mord zum Opfer fiel. Dann kommt zur Trauer auch noch die Wut.«

»Ich war wütend, als Trey starb, aber das war etwas anderes. Ich war sauer, weil er so dumm war, ein Motorrad zu fahren, mit dem er nicht umgehen konnte. Julianna hat nichts dergleichen getan.«

»Nicht? Sie hat bestimmt nicht ohne Grund im *Belle* übernachtet.«

»Ich glaube, dass sie eine Affäre hatte und wahrscheinlich deshalb umgebracht wurde.« Der Gedanke deprimierte sie noch mehr. »Du klingst erschöpft, Lucas.«

»Das bin ich auch. Das ist das Problem, wenn man in einem relativ ruhigen Bezirk Sheriff ist. Da passiert nicht viel, zum Glück, aber ich hätte auch nicht mehr die Nerven dazu.«

»Hast du schon einen Verdacht, wer mit Julianna die Nacht im *Belle* verbracht haben könnte?«

»Nein. Natürlich ist die Spurensicherung noch zugange. In einem Hotelzimmer nach Spuren zu suchen, ist ein Albtraum, dabei wurde der Raum offiziell schon seit einem Jahr nicht mehr benutzt. Es gibt keinerlei Fingerabdrücke. Nicht einen einzigen. Jemand hat sich ziemlich viel Mühe gegeben, alles sauber abzuwischen.«

»Und was ist mit Claude?« Adrienne trat mit dem schnurlosen Telefon nervös ans Wohnzimmerfenster und sah dem Zeitungsjungen zu, der die Abendausgabe des *Register* in den Briefkasten am Ende der Auffahrt stopfte. »Vielleicht hat *er* ja Julianna ermordet? Natürlich hatte sie keine Affäre mit ihm, Gott bewahre, aber er könnte sie doch aus Eifersucht getötet haben, um sie zu bestrafen.«

»Zugegeben, er wäre der perfekte Mörder. Unberechenbar, unstet, besitzergreifend. Ellen Kirkwood hätte ihn nicht behalten sollen, auch wenn er in dem verlassenen Kasten nicht mehr viel Schaden anrichten konnte. Aber du hast ihn ja heute Morgen erlebt. Wäre er raffiniert genug, um all die Fingerabdrücke wegzuwischen? Außerdem hat Claude ein Alibi. Er hatte Glück gestern Nacht, war in dieser Oben-ohne-Bar vor der Stadt, dem Cat's Meow. Hat da eine junge Lady namens Pandora Avalon abgeschleppt.«

Adrienne blieb stehen. »Sag bloß, das ist ihr richtiger Name.«

»Nein. Sie heißt eigentlich Maud Dorfman. Jedenfalls ging die vierundvierzigjährige Miss Avalon mit Claude nach Hause, um eine ganze Nacht lang ihrer hemmungslosen Lust zu frönen. Sie schwört, bei ihm im Cottage gewesen zu sein, bis ein fürchterlicher Krach sie beide aufgeweckt habe, das war der Unfall heute Morgen. Gleich darauf, sagt sie, habe sie sich schleunigst verkrümelt, weil Claude, verkatert wie er war, in den Nachttopf kotzte. Sie sagte, ich zitiere: ›Ich hab noch keinen Menschen so kotzen sehen. Dachte, gleich kommt ihm der Magen zum Mund rausgeflogen.‹«

»Muss Spaß machen, mit Claude eine Nacht zu verbringen«, sagte Adrienne.

»Ja. Der und seine Axt. Was für ein Trottel. Jedenfalls war er kaum in der körperlichen Verfassung, um Julianna umzubringen. Außerdem hätte er sie nicht erst gekämmt und sorgfältig zugedeckt, bevor er den Hügel hinunterrannte, um mich am Unfallort zu erwischen.«

»Gibt es einen Zusammenhang zwischen Unfall und Mord? Was meinst du?«

»Nein. Fünf Leute waren an dem Unfall beteiligt. Zwei sind noch an der Unfallstelle gestorben, und die anderen drei liegen schwer verletzt im Krankenhaus. Keiner der Überlebenden hat Julianna gekannt.«

»Womit wir wieder bei Claude wären. Ist er ganz und gar unschuldig? Was meinst du?«

»Ich glaube nicht, dass er sie umgebracht hat, aber er weiß mehr, als er zugibt. Allerdings ist das nur so ein Gefühl.«

»Du solltest mit jemandem darüber reden.«

»Vielleicht mit deinem Schwager. Ich bin sicher, dass er unser nächster Gouverneur wird.«

»Das hoffe ich, denn wenn nicht, hat Vicky die nächsten Jahre nichts zu lachen. Philip ist kein guter Verlierer. Er bekommt normalerweise immer, was er will.« Sie seufzte. »Das war eine boshafte Bemerkung.«

»Aber zutreffend. Ich bin zwar kein Fan von Philip Hamilton, aber ich werd wohl trotzdem für ihn stimmen.«

»Hoffentlich nicht meinetwegen.«

»Nein. Nur weil er das kleinere Übel ist.«

Adrienne lachte. »Du musst es ja wissen. Schließlich hast du mal für ihn gearbeitet.«

»Das ist lange her. Damals war ich noch jung und dumm. Ich wünschte, die Leute würden endlich vergessen, dass ich mal im Hamilton-Team war. Übrigens ist er von mir auch nicht sonderlich angetan. Er war strikt dagegen, dass ich Sheriff wurde.«

»Er hat keine Macht über dich. So was kann Philip gar nicht leiden. Leute, über die er keine Macht hat, kann er nicht

ausnutzen, und Leute auszunutzen ist seine Spezialität.«
Adrienne holte tief Luft. »Das Nickerchen, das ich mir eben
mit Skye gegönnt hab, scheint meine Laune nicht verbessert
zu haben.«

»Du hast heute eine gute Freundin verloren. Dagegen hilft
auch ein Nickerchen nichts. Und als sei das alles noch nicht
schlimm genug, wird jetzt auch noch Juliannas Mutter vermisst.«

»Lottie? Sie ist verschwunden?«

»Sie war den ganzen Tag nicht zu Hause, und offenbar hat
keiner sie gesehen.«

»O Gott! Glaubst du, dass ihr auch etwas zugestoßen ist?«

»In ihrem Haus gibt es keine Spuren von Gewalt.«

»Aber ihre Hütte steht mitten im Wald. Sie könnte überall
sein. Vielleicht ist sie verletzt oder sogar tot.«

»Wir haben den Wald schon nach ihr abgesucht. Es gibt
keinen Grund, warum man nicht annehmen sollte, dass sie
einfach nur spazieren gegangen ist. Sie tut das zuweilen.«
Adrienne spürte, dass Lucas besorgter um Lottie war, als er
zugeben wollte. »Wie geht's Skye?«

»Ich bin mir nicht ganz sicher. Sie scheint in Ordnung zu
sein, den Umständen entsprechend, aber Kinder fressen viel in
sich hinein. Als Trey ums Leben kam, war sie über eine Woche
lang traurig, aber gefasst. Dann hatte sie plötzlich Albträume,
heftige Weinanfälle und Depressionen. Es dauerte fast sechs
Monate, bis ich meinen kleinen Sonnenschein zurückbekam.«

»Arme Kleine. Und jetzt das. Ich weiß, dass sie Julianna
mochte.«

»Wer nicht? Sie war schön, amüsant, ein Fotomodell. Skye
schwärmte für Julianna, wie sie übrigens auch Rachel ver-
götterte.«

»Rachel eignet sich wahrscheinlich besser zum Idol. Sie ist
vorbildlich. Julianna dagegen … na ja, über Tote soll man nichts
Schlechtes sagen, aber mit ihren Drogenproblemen …«

»Aber das hatte sie doch hinter sich gelassen. Sie hat ihr früheres Glamourleben aufgegeben, um nicht noch einmal auf diese Schiene zu kommen. Das war mutig.«

»Ja, vermutlich. Übrigens möchte ich euch beide bitten, keine Details vom Tatort preiszugeben, auch nicht an Rachel. Das habt ihr doch nicht, oder?«

»Nein, obwohl Rachel heute Mittag hier war.«

»Gut. Du weißt ja, wie das läuft – wir behalten manche Dinge gern für uns, damit wir den Verrückten, die hier ankommen und den Mord gestehen, mit den Details ein Bein stellen können.«

»So etwas weiß man doch. Wozu hat man schließlich Krimis gelesen! Und Skyes Lippen werden versiegelt sein, wenn sie weiß, dass der Befehl von dir kommt.«

»So ist es brav, Mädels.«

»Frauen, wenn ich bitten darf! Clevere Frauen. Wir alle beide.«

»Zu Befehl!« Sein Lachen klang müde und gestresst. »Ich werd euch jetzt in Ruhe lassen. Sprecht nicht zu viel über den Mord, das belastet euch nur. Seht ein bisschen fern oder lest, wenn das möglich ist. Und schlaft euch aus. Ich ruf euch dann morgen wieder an.«

»Danke, Lucas. Tut mir Leid, dass ich heute Morgen, bei der Vernehmung, so mies gelaunt war.«

»Du brauchst dich nie bei mir zu entschuldigen.« Das stimmte, dachte Adrienne. Lucas war immer freundlich, immer geduldig, immer ehrlich, immer verantwortungsbewusst. Ein guter, verlässlicher Mann. »Hab dich lieb, Adrienne. Gute Nacht.«

»Nacht, Lucas«, sagte sie schnell. Wie gern hätte sie mit einem »Hab dich auch lieb« geantwortet, aber sie konnte es nicht. Sie legte auf, kam sich mies und undankbar vor. Aber wenigstens war sie nicht unehrlich gewesen. Schwacher Trost, dachte sie schuldbewusst. Sie sollten auf meinen Grabstein schreiben:

›Adrienne war eine Zicke, aber sie wusste, was sich gehört.‹ »Mom?« In der Tür stand Skye, noch ganz verschlafen. »Ich hab Hunger, aber ich will nicht hier rumhängen. Das Haus ist heute so einsam und trist. Könnten wir nicht ins Fox auf 'ne Pizza gehen?«

Adrienne dachte an das kleine gemütliche Lokal mit den riesigen Portionen und der Karaokemaschine. »Gute Idee.« Sie sah aus dem Fenster. »Hol dir deine Jacke, die haben ein Gewitter vorhergesagt. Und weck Brandon nicht auf, sonst will er mitkommen.«

»Mann, bin ich fett! Morgen passe ich bestimmt nicht mehr in meine Jeans«, verkündete Skye eine Stunde später und schob sich ein Stück Pizza in den Mund.

»Du kannst ruhig ein paar zusätzliche Pfunde vertragen, Schatz. Du schießt in die Höhe, nimmst aber kein Gramm zu.« Adrienne runzelte die Stirn. »Du würdest doch nichts Ungesundes tun, um so schlank zu bleiben?«

»Willst du wissen, ob ich mir nach dem Essen den Finger in den Hals stecke?« Skye verzog angewidert den Mund. »Nie. Das ist doch eklig. Außerdem gibt's im Fox die besten Pizzen, die ich je gegessen hab. Es wär doch jammerschade um das leckere Essen, wenn man's hinterher wieder ausspuckte.«

»Dann bin ich ja beruhigt«, sagte Adrienne und schob sich genüsslich das letzte Stück Pizza in den Mund.

Es war Karaoke-Nacht, und ein furchtloser Sänger trat ans Mikrophon, blies ein paar Mal hinein, murmelte »Test, Test«, und näherte sich mit jedem Takt etwas mehr dem Song »*You've Lost That Lovin Feeling*« von den Righteous Brothers an. Sein Selbstvertrauen wurde immer größer, seine Stimme immer lauter, nur leider traf er keinen Ton. Nicht einen einzigen.

Skye und Adrienne hatten Mühe, sich das Lachen zu verkneifen. »Weißt du noch, vor ein paar Monaten, als Julianna dich überredet hat, ans Mikro zu treten?«, fragte Skye.

Adrienne verdrehte die Augen. »Leider ja. Ich hatte viel zu viel Bier getrunken. Bitte erinnere mich nicht daran.«

»Ich kann nicht anders.« Skyes Augen glitzerten. »Du hast diesen alten Disco-Song gesungen …«

»›I will survive‹ von Gloria Gaynor.«

»Du hast mit den Armen gerudert und furchterregende Grimassen geschnitten! Und deine Stimme …« Skye fiel fast vom Stuhl vor Lachen. »Mom, du warst so schrecklich!«

»Herzlichen Dank, Schatz. Du hast mich eben an die peinlichste Nacht meines Lebens erinnert. Wie rücksichtsvoll von dir!«

»Für dich war's natürlich peinlich, aber alle anderen hatten einen Riesenspaß. Besonders Julianna. Sie hat mich ständig angestupst, damit ich nicht lache. Ich konnte aber nicht anders. Tut mir Leid. Doch als du noch ein zweites Lied nachschieben wolltest, wäre der Peinlichkeitsfaktor einfach zu groß gewesen.«

»Zum Glück hat Julianna uns gerettet.« Adrienne lächelte verlegen. »Sie musste mir das Mikro fast aus der Hand reißen.« Adrienne schüttelte den Kopf. »Und sie hat ihre Sache mit ›Wild Horses‹ mächtig gut gemacht.«

Skye lächelte. »Du warst ganz schön wütend, aber nach ein paar Minuten warst du drüber weg. Und Juli war wirklich gut. Die Leute wollten noch mehr hören, aber sie hatte dann keine Lust mehr.« Skyes Miene verfinsterte sich. »Ich werd Juli mächtig vermissen.«

»Ich auch, Schatz. Wir hatten eine Menge Spaß in all den Jahren.«

»Ob Kit mittlerweile Bescheid weiß?«

»Ganz sicher, Schatz. Sie ist bestimmt in ihrem Restaurant, aber dort will ich sie nicht behelligen. Ich möchte wetten, dass Kit den ganzen Tag bei ihrer Mutter war und versucht hat, sie zu beruhigen. Und jetzt ist sie hundemüde.«

»Die alte Mrs. Kirkwood hat ziemlich mitgenommen ausgesehen heute Morgen. Und Mr. Kirkwood wirkte irgendwie verängstigt.« Skye griff sich noch ein Stück Pizza und pickte die süßen Pfefferkörner heraus. »Glaubst du, Julianna war mit *ihm* im *Belle*?«, fragte sie zögernd.

»Mit wem? Mit Gavin Kirkwood? Um Himmels willen, wie kommst du denn *darauf*?«

»Weil ich weiß, dass er sich mit anderen Frauen trifft. Ich hab gehört, wie Kit es dir erzählt hat. Ich hab nicht gelauscht, Ehrenwort. Kit hat nur so laut gesprochen, weil sie wütend war, und ich war doch gleich nebenan. Jedenfalls sagte sie, ihre Mutter hätte keinen Kerl heiraten sollen, der vierzehn Jahre jünger sei als sie, und ihre Mutter hätte nicht zulassen dürfen, dass er sie damals adoptierte. Jetzt müsse sie mit seinem Familiennamen rumlaufen. Dabei habe er Ellen nur des Geldes wegen geheiratet und sei pausenlos mit anderen Frauen unterwegs.«

Adrienne hörte fasziniert zu. »Wow, da hast du aber ganz schön viel mitgehört. Und alles behalten.«

»Mom, du weißt doch, dass ich mal Krimis schreiben will. Und ich muss auf solche Details achten. Für meine Schreiberei, weißt du.«

»Natürlich.«

»Na ja, Gavin sieht ja noch ziemlich gut aus für sein Alter«, fuhr Skye in professionellem Ton fort. Adrienne verkniff sich ein Lächeln. Gavin Kirkwood war erst fünfundvierzig. »Er hat einen Schlüssel zum *Belle*, und weil Claude, wie du sagtest, ein beschissener Hausmeister ist, wäre es wirklich einfach für Mr. Kirkwood gewesen, unbemerkt ins Haus zu schleichen. Und du hast auch gesagt, dass Juliannas Liebhaber wahrscheinlich verheiratet ist.«

»Ich hätte das mit dem verheirateten Mann nicht sagen sollen.«

»Du warst erschüttert und hast nicht auf deine Worte geachtet. Aber ich kenn mich aus, Mom. Julianna hatte eine Affäre.«

»So? Faszinierend.« Adrienne nahm noch einen Schluck Eistee. Sie hatte keinen Appetit mehr und überließ den Rest der Pizza Skye. »Wie kommst du eigentlich darauf, dass Julianna mit Gavin liiert sein könnte? Hat sie je so etwas angedeutet?«

»Ach, nein. Ich kann mir auch gar nicht vorstellen, dass sie Kits Mom absichtlich verletzt hätte. Bei einer von Tante Vickys Partys hab ich sie eine Weile miteinander reden sehen. Mr. Kirkwood hat Juli immerzu am Arm angefasst. Rachel hat es auch gesehen und gemeint: ›Was der wohl im Schilde führt?‹« Skye beugte sich vor und flüsterte: »Sie meinte Sex«, erklärte sie ihrer Mutter, der sie nicht halb so viel Erfahrung zutraute wie der intellektuellen Rachel.

»Ach so«, meinte Adrienne feierlich. »Und Julianna? Schien sie Gavin besonders zu mögen?«

»Nnnnein. Nicht wirklich. Sie hat ihn genauso behandelt wie alle anderen – war nett, freundlich, schien an allem interessiert, was er sagte; aber ich konnte sehen, dass sie sich langweilte.« Skye überlegte kurz. »Margaret gegenüber war sie anders. Julianna konnte Margaret nicht leiden, Mom, und die wiederum mochte Juli nicht. Vielleicht war sie neidisch auf Juli, aber Rachel mag sie ja auch nicht. Ich versteh nicht, wie jemand Rachel nicht mögen kann. Sie ist doch soo toll.«

»Mag schon sein«, sagte Adrienne zerstreut, als sie daran dachte, dass Skyes emotionale Nähe zu Rachel noch Probleme bereiten könnte. »Schatz, du weißt doch, dass du Rachel nichts davon erzählen darfst, wie wir Julianna gefunden haben. Die Haarspange, die Kerzen und so weiter.«

»Ein bisschen weiß sie aber schon, von heute Mittag, weißt du nicht mehr?«

»Aber mehr darfst du ihr nicht sagen. Auf keinen Fall.«

»Aber sie ist doch meine Cousine«, protestierte Skye, »und meine allerbeste Freundin. Ich rede mit ihr über alles!«

»Sie arbeitet für die Zeitung, Skye. Sie würde es wahrscheinlich an Drew Delaney weitergeben, und der druckt sämtliche Details sofort in der Zeitung ab. Die Polizei will das nicht. Deshalb möchte Lucas, dass wir diese Informationen für uns behalten, er verlässt sich auf uns.«

»Wirklich?«

»Absolut. Hat er mir selbst gesagt.«

Skye seufzte. »Na schön. Wenn es für Lucas so wichtig ist, dann werd ich es keinem sagen, auch wenn es mir schwer fällt.«

»Sag es *mir*, wenn du mit jemandem reden musst.«

»Aber du weißt doch nichts, was ich nicht auch weiß«, quengelte Skye. »Vielleicht weiß irgendjemand, wer Julianna so gehasst hat, dass er ihren Tod wollte.«

»Das herauszufinden überlassen wir lieber der Polizei«, sagte Adrienne mit Nachdruck. Ein Frösteln überkam sie, als sie die entsetzlichen Ereignisse des Morgens noch einmal Revue passieren ließ. »Jetzt versprich es mir.«

»Also schön, ich verspreche es.« Skye schmollte, bis sich wieder ein begnadeter Sänger ans Mikrophon wagte und mit Schmelz in der Stimme »*Wicked Game*« von Chris Isaak zum Besten gab. Skye blickte nachdenklich zu Adrienne hinüber: »Weißt du noch, heute Morgen, als ich mit Brandon im Wald war? Na ja, ich glaub, da war noch jemand. Ich hatte so ein komisches Gefühl.«

»Ein komisches Gefühl?«

»Genau. Du weißt schon, manchmal fühlt man sich beobachtet, dreht sich um und siehe da, jemand starrt einen an. So war das heute auch, nur hab ich niemanden gesehen. Ach, ich hab mich bestimmt nicht richtig ausgedrückt.«

»Doch, hast du.« Adriennes Herz begann heftig zu klopfen. »Mir ging es nämlich genauso. Ich dachte sogar, ich hätte jemanden hinter einen Baum huschen sehen. Deshalb hab ich ein paar Mal nach dir gerufen. Ich wollte, dass du zurückkommst. Die Sache gefiel mir gar nicht.« Adrienne griff nach

73

ihrer Jacke, die über der Stuhllehne hing, und zog den Fotoapparat aus der Innentasche. »Ich hab die Stelle fotografiert, wo ich diesen Schatten gesehen habe, als Identifikationshilfe für die Polizei, falls sich herausgestellt hätte, dass das Hotel verwüstet oder ausgeraubt worden wäre.«

»Das war richtig clever.« Mr. Wicked Game hatte mittlerweile eine Version von *Where the streets have no name* angestimmt, die Bono von U2 nicht mehr wiedererkennen würde. »Falls es Juliannas Mörder war, der sich im Wald versteckt hat, hast du ihn vielleicht auf dem Foto!« Skye wurde blass. »Mom, dann wären Brandon und ich ja zusammen mit einem Mörder im Wald gewesen!«

Adrienne nickte, wollte sich vor Skye ihr Entsetzen nicht anmerken lassen, die plötzlich sehr ängstlich ausschaute. »Schatz, ich würde den Film gern noch zum Entwickeln bringen. Dann sind die Fotos morgen früh fertig, und ich kann sie Lucas geben. Macht es dir etwas aus, wenn wir gehen?«

»Nein. Ich könnte ohnehin nichts mehr essen. Fahren wir, bevor es anfängt zu regnen.«

Adrienne zahlte rasch die Rechnung, und Skye winkte kurz James Sanders zu, dem Geschäftsführer, ehe sie beide das Lokal verließen. Draußen blickte Adrienne besorgt nach oben. Am Nachmittag war der Himmel noch kornblumenblau gewesen. Jetzt war er fast schwarz. Sie fuhren schnell in die Stadt, aber vor dem Fotoladen war die Straße gesperrt, weil sie frisch geteert worden war. Also parkte sie um die Ecke, eine Straße weiter. Als Adrienne aus dem Wagen stieg, fuhr ihr der Wind in die langen Haare, und sie fasste sie zusammen und packte sie unter den Kragen ihrer Jacke.

Adrienne sah zum Himmel hinauf. »Heute Nacht ist es so weit.«

»Wenn es donnert, fürchtet Brandon sich zu Tode«, rief Skye laut, um den Wind zu übertönen.

»Brandon ist ein fünfzig Kilo schweres Baby. Er klettert in

die Badewanne, wenn er spürt, dass ein Gewitter kommt. Dort fühlt er sich geborgen. Warum, weiß ich auch nicht.«

»Er muss gehört haben, dass man in eine Wanne klettern soll, wenn ein Hurricane kommt. Oder war es ein Erdbeben?«

»Ein Tornado.«

»Na ja, wie auch immer.« Sie eilten vorbei an einem Plattenladen namens Criminal Records, und Skye schielte in die Auslage. »Mom, da sind Sherry und ihre Mutter!«

»Sherry?«

»Sherry Granger. Ich hab dir von ihr erzählt. Sie saß letztes Jahr in Geschichte neben mir. Sie ist semicool.«

»*Semi*cool?«

»Genau. Aber in diesem Jahr sieht es gut aus für sie, weil sie die Zahnspange los ist und ihr Lispeln unter Kontrolle hat. Kann ich kurz zu ihr reingehen, während du zum Fotoladen gehst? Ich hab auf 'ne CD von Matchbox 20 gespart.«

Adrienne gefiel die Vorstellung gar nicht, dass sie ausgerechnet jetzt ihr kleines Mädchen aus den Augen lassen sollte, aber da fing es auch schon an zu regnen.

»Na schön, geh rein, aber bleib bei Sherry und ihrer Mutter. Falls die beiden gehen, bevor ich zurück bin, warte im Laden auf mich.«

»Ist gut.«

»Komm ja nicht auf die Idee, mir bei diesem Wetter entgegenzukommen!«

»Geht klar.«

»Ach, Skye?«

»Was?«

»Wenn du dir Rap kaufst statt Rock, musst du draußen im Zelt schlafen.«

Skye kicherte. »Kein Rap. Gefällt mir genauso wenig wie dir. Bis gleich.«

Damit stürmte Skye in den Laden und steuerte auf die liebe

Sherry zu, die demnächst nicht mehr semicool, sondern voll cool sein würde. Sherry schien sich zu freuen, als sie Skye sah, und die beiden umarmten sich. Beider Lippen setzten sich gleichzeitig in Bewegung, die Mädchen hatten sich zweifellos Weltbewegendes zu berichten. Meine Güte, dachte Adrienne, genau wie Julianna, Kit und ich früher.

Adrienne ging eilig weiter, hoffte, der dunkler werdende Himmel behielte den restlichen Regen für sich, bis sie ihren Film abgegeben und Skye wieder abgeholt hätte. Im selben Moment kam schon der erste bedrohliche Donner. Ein perfektes Ende für einen abscheulichen Tag, dachte Adrienne übellaunig. Sie fürchtete sich vor Blitzen, und Brandon flippte aus, wenn es donnerte. Zweifellos würde er sie und Skye die ganze Nacht wach halten.

Sie bog um die Ecke und ging die Straße entlang, in der sich etwa auf halbem Weg, zwischen zwei leeren Läden, das Photo Finish befand. Seit etwa zehn Jahren machten immer mehr Geschäfte in der Stadtmitte zu. Ihr Vater, der im Stadtrat gesessen hatte, hatte schon vor Jahren gegen die Eigentümer von Gebäuden in der Innenstadt gewettert, deren horrende Mieten die Geschäftsleute dazu trieben, sich im großen Einkaufszentrum vor der Stadt Räume anzumieten. Dad hatte allen Grund zur Sorge gehabt, dachte Adrienne. Die Straße hier war menschenleer, obwohl es Freitagabend war und die meisten Geschäfte bis acht Uhr geöffnet waren.

Der Wind blies ihr einen leeren Styroporbecher vor die Beine. Ein Tropfen traf sie ins Auge. »Verdammt!«, murmelte sie und rieb sich das geschlossene Lid. Das hatte wehgetan, außerdem war jetzt bestimmt ihre Wimperntusche verschmiert.

Adrienne blieb kurz stehen und fummelte in ihrer Handtasche nach einem Tempo. Gerade als sie eins gefunden hatte, hörte sie Schritte hinter sich. Schnelle Schritte. Sie kamen auf sie zu.

Instinktiv wirbelte sie herum. Angst stieg in ihr auf. Der

Wind blies ihr die Haare ins Gesicht, machte sie blind. Ihr Herz schlug wie wild.

Adrienne wollte sich gerade mit einer Hand die Haare aus dem Gesicht streichen, als sie jemand von hinten packte, ihr die Füße wegschlug, sie bäuchlings auf den Gehweg drückte und ihr das Gesicht nach unten drückte. Ihr stockte der Atem. Benommen und in panischer Angst versuchte sie um sich zu treten, aber der Angreifer kniete schwer auf ihrem Rücken, außer Reichweite ihrer strampelnden Beine, und presste ihr die Arme zu Boden. Wieder ein Donnern, näher und lauter diesmal. Da packte eine Hand nach Adriennes Haaren, riss ihr den Kopf nach hinten und schlug ihn dann gegen den Beton. Das Donnern wurde dumpf, und Adrienne wurde zuerst grau, dann schwarz vor Augen.

Vier

1

»Adrienne! Alles in Ordnung? Adrienne, wach auf!«

Trey. Sie hatte verschlafen, und ihr Mann versuchte sie zu wecken, weil sie das Baby füttern musste. »Ich bin schon wach«, murmelte sie. »Du hältst Skye, und ich hol ihr Fläschchen.«

»Nein, Adrienne. Du bist verwirrt. Ich bin Drew. Drew Delaney.«

Drew? Sie schlug die Augen auf und sah verschwommen ein Gesicht über ihrem schweben. »Was tust du denn hier? Wo ist Skye?«

»Du liegst hier im Regen auf dem Bürgersteig. Ich weiß nicht, ob du von selbst umgekippt bist oder ob jemand nachgeholfen hat, jedenfalls hast du eine höllische Beule auf der Stirn und blutest. Wir müssen dich ins Krankenhaus bringen.«

Adrienne wollte sich aufrappeln. Eine Woge der Übelkeit legte sie wieder flach. »Mir ist schlecht.«

»Kein Wunder.« Drew zog ein Handy aus seiner Jackentasche. »Bleib liegen. Ich ruf einen Krankenwagen.«

»Nein, bloß keine Umstände. Ich muss Skye finden.«

»Das ist typisch für dich, dass du dir in einer solchen Situation Gedanken über die Umstände machst. Und Skye finden wir auch.« Der Regen tropfte ihr von seinen dunkelbraunen

Haaren ins Gesicht, als er mit dem Notarzt telefonierte. Sobald er fertig war, zog er seine Jacke aus und schob sie ihr unter den Kopf. »Was ist eigentlich passiert?«

»Jemand hat mich von hinten überfallen, umgeworfen und mir den Kopf aufs Pflaster geschlagen.«

»Straßenräuber! Ich mache dem Stadtrat jetzt schon seit einem Jahr lang die Hölle heiß, weil in dieser Straße die Beleuchtung nicht funktioniert.« Seine großen braunen Augen blickten sorgenvoll zu ihr herab. »War Skye bei dir?«

»Nein. Sie ist im ... ich weiß nicht mehr, wie der Laden heißt. Sie verkaufen CDs.«

»Criminal Records?«

»Genau. Sie sollte dort auf mich warten, bis ich im Photo Finish den Film abgegeben hätte. Drew, könntest du nicht nach ihr sehen? Sie ist ungefähr einsfünfundsechzig groß und hat lange blonde Haare ...«

»Rachel hat sie mir auf einer der Parties deiner Schwester vorgestellt, aber ich geh jetzt nicht nach ihr sehen. Sie ist sicher brav im Laden geblieben, wie du es wolltest. Außerdem will sie bestimmt nicht gern nass werden.«

»Aber du könntest nach ihr sehen.«

»Ich lasse dich auf gar keinen Fall hier allein im Dunkeln liegen, also hör auf zu nerven.«

»O nein«, stöhnte Adrienne, »ich glaube, ich muss mich übergeben. Sieh nicht hin.«

»Um Gottes willen, Adrienne. Seit ich dich kenne, machst du dir Gedanken darüber, wie andere dich sehen. Jetzt ist wirklich nicht der richtige Zeitpunkt für alberne Eitelkeiten.«

Eine Woge der Entrüstung verscheuchte den Brechreiz. Ihre Eitelkeit? Ausgerechnet Drew Delaney, dieser eitle Fatzke, warf ihr nach all den Jahren vor, sie sei eitel?

»Du bist ein solcher Blödmann!«, fauchte sie wütend.

Seine Mundwinkel zuckten. »Ich tue mein Bestes.«

»Gelingt dir ganz gut.«

»Willst du dich noch immer übergeben?«

»Nein.«

»Dann denk immer dran, was für ein Blödmann ich bin. Es scheint zu funktionieren.«

Adrienne schloss die Augen.

Sie hatte rasende Kopfschmerzen und konnte keinen klaren Gedanken fassen. Und sie machte sich Sorgen um Skye. Die fragte sich bestimmt, was ihre Mutter so lange aufhielt. Und wenn das Mädchen beschloss, entgegen ihrer Anweisung nach ihr zu suchen, was dann?

»Drew, ich muss nach Skye sehen«, sagte sie.

»Du wirst schön hier liegen bleiben.«

»Ich kann sie doch nicht in diesem Laden lassen. Jemand hat mich überfallen. Vielleicht ist sie die Nächste.«

Drew seufzte. »Ich kenne den Geschäftsführer. Ich werd ihn anrufen und ihm sagen, er soll auf sie Acht geben, bis jemand sie holen kommt. Vielleicht Vicky oder Rachel.«

»Sie wird sich zu Tode erschrecken, wenn ich nicht dort aufkreuze.«

»Sie ist doch keine hysterische Heulsuse, Adrienne. Wir sagen ganz einfach, dass du dir den Knöchel verstaucht hast und ins Krankenhaus musstest, wo man feststellen will, ob du dir etwas gebrochen hast. Wie klingt das?«

»Na ja, ganz gut«, sagte sie widerstrebend. »Aber sie darf auf keinen Fall erfahren, was wirklich passiert ist.«

»Mütter! Ihr seid richtige Glucken!«, sagte Drew und verdrehte die dunkelbraunen Augen mit den unglaublich langen Wimpern, die sie an ihre Highschoolzeit erinnerten. Sie schloss die Augen. Lange Wimpern. Ausgerechnet jetzt muss dir das auffallen, schalt sie sich. Wahrscheinlich hat dein Hirn einen Schaden davongetragen.

Die folgende halbe Stunde verschwamm in einem Wirbel aus prasselndem Regen und Leuten in Regenmänteln, die sich über sie beugten und sie mit Fragen traktierten. Sie schrien auf sie ein, als höre sie schlecht, wollten wissen, wie es um ihr Sehvermögen stand, ob und wo sie Schmerzen habe, ob sie sich erinnere, wo sie wohne und so weiter. Dann wurde sie in einen Krankenwagen verfrachtet, mit halsbrecherischer Geschwindigkeit ins Krankenhaus transportiert und auf einen Untersuchungstisch gehievt. Grelles Licht blendete sie, während man sie mit weiteren Fragen bestürmte und sich gegenseitig Befehle zubellte. Wenn ich das überleben sollte, dachte Adrienne belustigt, werde ich zu fünfzig Prozent blind und taub sein.

Als Arzt und Schwestern ihr endlich eine kurze Atempause gönnten, kam Drew in den Untersuchungsraum spaziert. »Was so manche Leute alles auf sich nehmen für ein bisschen Aufmerksamkeit«, sagte er scherzhaft.

»Ja, von so einem Auftritt hab ich immer geträumt«, sagte sie schlagfertig. »Hast du Skye gefunden?«

»Klar. Bei deiner Schwester scheint niemand zu Hause zu sein. Dabei sagt Rachel immer, es herrsche ein Betrieb bei ihnen wie im Hotel – überall Menschen. Wie dem auch sei, Skye ist folgsam im Laden geblieben, zusammen mit ihrer Freundin.«

»Sherry Granger.«

»Ja. Ich hab mit Mrs. Granger über deine missliche Lage gesprochen. Sie war aufrichtig bestürzt und sehr besorgt. Sie versprach, Skye zu erzählen, du hättest dir den Knöchel verstaucht, was Skye ihr zweifellos keine Minute abkaufen wird. Jedenfalls hat Mrs. Granger Skye mit nach Hause genommen, wo sie einstweilen bleiben kann.«

»Großartig. Wie kann ich dir nur danken, Drew?«

»Erzähl mir in allen Einzelheiten, wie du Julianna Brent gefunden hast.«

»Kommt nicht in Frage.«

Drew stieß einen übertriebenen Seufzer aus. »Verdammt. Ich hab dich nur gerettet, um dir die Story abzuluchsen.«

»Wie galant von dir.«

»So war ich schon immer.«

Adrienne sah zu ihm auf und brachte ein Lächeln zustande. Als er es erwiderte, sah sie, dass die Linien um seine Augen tiefer geworden waren. Auch von der Nase zu den Mundwinkeln hatte er leichte Falten. Trotzdem sah er noch immer hinreißend gut aus mit seinem dichten, dunkelbraunen Haar, den angegrauten Schläfen und dem verwegenen Blick. Ob die Zeit mit ihr genauso milde verfahren war wie mit Drew?

»Was ist mit dir?«, fragte er abrupt.

»Ah, nichts«, stotterte sie verlegen und schloss die Augen. »Es ist nur mein Kopf. Er tut so weh.«

»Kein Wunder. Köpfe können es nicht leiden, wenn sie gegen Beton gerammt werden.« Er berührte sanft ihre Schläfe, wo Blut ins Haar gelaufen und angetrocknet war. Sie hielt die Augen geschlossen, aber ein kleiner Schauder durchlief sie bei seiner Berührung. »Ich bin halb gestorben vor Angst, als ich dich im Regen auf dem Bürgersteig hab liegen sehn, mit verrenkten Gliedern und bewusstlos«, sagte er sanft. »Du hast so klein und blass ausgesehen. Dann hab ich dich umgedreht und das Blut gesehen …«

»Ich bin wieder da!«, dröhnte der Arzt und zerstörte den intimen Augenblick. Adrienne wusste nicht, ob sie wütend oder erleichtert sein sollte. »Gleich machen wir eine CT von Ihnen, Mrs. Reynolds. Dann sehen wir, was in Ihrer Birne alles abgeht.«

»Geheimnisse des Universums«, bemerkte sie trocken.

Der Arzt brach in bellendes Gelächter aus. »Gut. Ich hab 'ne ganze Menge Fragen, die mir keiner beantworten kann.«

»Kriegt sie was gegen ihr Kopfweh?«, fragte Drew.

»Keine Medikamente, bevor wir nicht den Schaden festgestellt haben«, posaunte er.

»Wie wär's dann mit ein wenig Ruhe?«, fragte Drew.

Adrienne öffnete die Augen und sah, wie der Arzt sich ruckartig Drew zuwandte, der gewinnend lächelte. »Sie haben eine hübsche Stimme, Doc, aber Sie sollten sie ein bisschen leiser drehen.«

»O«, sagte der Arzt und lief leicht rosa an. »Ist wohl ein Überbleibsel aus meiner Zeit als Sänger mit 'ner eigenen Band.«

»Doch nicht etwa die Ravens!«, rief Drew.

»Äh, doch. Sie erinnern sich an uns?«

»Ich hab keinen eurer Auftritte verpasst. Ihr wart toll!« Er schüttelte dem Arzt die Hand. »Es ist mir eine Ehre!«

Der Arzt strahlte, und die Bemerkung von vorhin, zu seiner lauten Stimme, war vergessen. Drew hatte den Arzt mit drei simplen Sätzen versöhnt. Sein Charme funktioniert noch immer, dachte Adrienne. Es war ein einnehmender, gefährlicher Charme.

»Du brauchst nicht bei mir zu bleiben, Drew«, sagte Adrienne. »Das kann hier noch Stunden dauern. Und es geht mir gut.«

»Ich bleibe.«

»Drew, wirklich …«

»Ich bleibe.«

Adrienne seufzte und gab es auf, viel zu müde, erschüttert und wund, um sich zu streiten. Außerdem war ihr Drew Delaneys Anwesenheit ein Trost, auch wenn sie es nicht wahrhaben wollte.

2

Kit Kirkwood warf einen Blick in einen der kleinen Speisesäle im oberen Stockwerk und lächelte. Der elegante Raum mit dem glänzenden Parkettboden, der warmen Holzverkleidung und dem Kamin, über dem das Gemälde einer Klavier spielenden Schönheit hing, wirkte ausgesprochen einladend. Keltische Musik war im Hintergrund zu hören. »Setzen Sie sich doch und trinken Sie ein Gläschen mit uns«, rief ein Gast ihr von einem voll besetzten Tisch zu. Sie schüttelte lachend den Kopf. Sie hatte viel zu viel um die Ohren.

Und schon stand Kits Mitarbeiterin Polly neben ihr. »Was gibt's?«, fragte sie und wusste schon, dass es ein Problem gab.

Polly hatte zwei steile Falten zwischen den dunklen Brauen, ein schlechtes Zeichen. »Tut mir Leid, Sie zu stören, Ms. Kirkwood, aber es gibt ein Problem. Wir haben denselben Tisch zweimal vergeben, und alle anderen Tische sind im Augenblick belegt!« – »Wie konnte das passieren, Polly?«

»*Ich* war das nicht!«, protestierte das hübsche Mädchen entrüstet. »Ich bin jetzt schon ein Jahr bei Ihnen, und noch nie ist mir ein solcher Fehler unterlaufen. Noch nie!«

»Wer ist dann dafür verantwortlich?« Kit versuchte, sich zusammenzureißen. Es war acht Uhr, sie hatte hämmernde Kopfschmerzen, das Lokal war voller hungriger Menschen, ihr temperamentvoller Chefkoch drohte mit Kündigung, ihre Mutter stand kurz vor einem Nervenzusammenbruch, und sie selbst war stark angeschlagen, nachdem sie erfahren hatte, dass eine ihrer besten Freundinnen gestorben war, *ermordet*, um genau zu sein. Bei dem Gedanken krampften sich ihre Magenmuskeln zusammen.

»Was soll ich denn jetzt tun, Ms. Kirkwood?«, fragte Polly gnadenlos weiter. »Die Hansons und ein weiteres Paar wollen Mrs. Hansons Geburtstag feiern. Sie haben sich zum Dessert einen Kuchen bestellt. Familie Myers ist außer sich. Der niedliche Neffe von Mr. Myers ist auch dabei, und Mrs. Myers trägt ein gewagtes Kleid, dessen Ausschnitt fast bis zum Nabel reicht. Sicher ist sie scharf auf den Neffen, auch wenn sie zwanzig Jahre älter ist als er. Diese Frau kennt keine Scham. Andererseits sorgt sie stets dafür, dass Mr. Myers auch ordentlich Trinkgeld gibt, also kann sie sooo schlecht auch wieder nicht sein.«

Kit ließ den Wortschwall geduldig über sich ergehen und sah dabei in Pollys junge, klare Augen. Sie mochte eine Klatschtante sein, aber sie hatte Recht. Sie machte keine Fehler. Für die zwei sich überschneidenden Reservierungen trug ein anderer die Verantwortung. Vielleicht sogar Kit selbst. Sie war in letzter Zeit ziemlich zerstreut.

»Also schön.« Kit musste ruhig Blut bewahren. »Die Gesellschaft der Hansons besteht aus vier Personen, eine davon hat Geburtstag, also werden wir zuerst ihnen einen Tisch besorgen. Setz sie an den Tisch hier oben am Fenster, mit Blick in den Garten. Die Gäste sind schon am Gehen.«

»Den wollten sie ohnehin«, fügte Polly hilfreich hinzu.

»Gut. Familie Myers führen Sie einstweilen an die Bar. Halten Sie sie mit freien Getränken bei Laune. Und Mrs. Myers hört gern Klaviermusik. Alfred soll in zehn Minuten zu spielen anfangen. Er soll Mrs. Myers jeden Musikwunsch erfüllen. Und wenn sie sich nach dem dritten Martini zu ihm auf die Klavierbank setzen will, dann soll er so tun, als sei sie ihm willkommen.«

»Und wenn sie mitsingt?«, flüsterte Polly entsetzt. »Das kann er nämlich nicht ausstehen!«

»Er wird seine Gefühle für sich behalten müssen, wenn er den Job nicht verlieren will. Und lass Troy regelmäßig nach ihnen sehen.«

»Aber Troy ist Ober, kein Barkeeper.«

»Das weiß ich, Polly, aber Troy mit seinem Charme könnte sogar Attila, den Hunnenkönig, becircen. Er soll die Sippschaft bei Laune halten, bis ein Tisch frei wird.« Kit schenkte der hübschen jungen Frau ein strahlendes Lächeln. »An die Arbeit, Polly. Wenn jemand mit diesen Leuten fertig wird, dann Sie. Mit allen sieben.«

»Aber nicht mit acht«, sagte Polly, trotz des Kompliments.

»Alfred wird ganz schön mies drauf sein, wenn Mrs. Myers sich zu ihm setzt.«

»Alfred ist kein Gast, und einen Abend wird er das schon ertragen.« Kit versetzte Polly einen aufmunternden Klaps auf die Schulter. »Na los, junge Dame, Sie haben Ihre Anweisungen.«

Polly stieß einen Seufzer aus und begab sich in die Eingangshalle, wo sieben Personen sich um einen Tisch zankten. Neuankömmlinge sahen sie erschrocken an. Kit hasste solche Szenen in ihrem Lokal. Ihre Kopfschmerzen wurden stärker.

»Äh, Ms. Kirkwood?«

Sie wirbelte herum und sah einen sehr jungen, spindeldürren Service-Jungen mit glühenden Wangen und eine Spur zu viel Gel im drahtigen Haar. »Was ist?«

»Na ja, ich war kurz mal vor der Tür – Zigarettenpause, Sie wissen schon, steht mir ja zu, und da sehe ich diese Frau da rumhängen. Ich hab sie schon mal gesehen. Kann sein, es ist die gleiche, die diese Aromakerzen bringt, die Sie im Foyer verkaufen. Groß ist sie und spindeldürr – sieht aus, als könnte der Wind sie wegblasen. Ich hab sie gefragt, ob ich ihr helfen kann, da sagt sie, ›keiner kann mir jetzt noch helfen‹. Sieht irgendwie verrückt aus …«

Kit schob ihn beiseite und eilte durch die geräuschvolle Küche auf die Hintertür zu. Eine Ballade von Keats kam ihr in den Sinn, als sie Lottie Brent erkannte, in der es hieß: *So streife ich denn allein und blass umher* … Sie saß auf einer zierlichen Gartenbank neben einem Bäumchen, das mit weißen Lichtern geschmückt war, die in der Dämmerung wie Miniatursterne glühten. Lottie starrte hinüber zum Pavillon und der überfüllten Tiki-Bar. »Lottie?«, sprach Kit sie freundlich an und setzte sich zu ihr auf die Bank.

Lottie Brent warf Kit einen erschrockenen, leicht verwirrten Blick zu. »Meine Güte, ich hätte nicht gedacht, dass die dich holen würden.«

»Alle Welt sucht nach dir, Lottie, schon seit heute Morgen.«

»Ich wollte niemanden beunruhigen.« Lottie war zwar schon knappe siebzig, hatte aber noch immer die glockenhelle Stimme eines jungen Mädchens. Und obwohl sie nie über die achte Klasse hinausgekommen war, hatte sie eine sehr blumige Sprache. »Ich wollte mit niemandem reden«, sagte Lottie. »Ich musste nachdenken, bin den ganzen Tag herumgelaufen. Dann habe ich beschlossen, mich in deinen verwunschenen Garten zu setzen. Du solltest gar nicht erfahren, dass ich hier draußen bin, aber ich fühlte mich von diesem Ort angezogen. Ich musste kommen. Es ist so schön hier abends, wie im Märchen.« Als Kit den Garten hatte gestalten lassen, zwischen dem eleganten Restaurant und dem kleineren, ungezwungenen Imbisslokal, hatten die Leute sie ausgelacht. Die Idee mit dem Pavillon, dem Wunschbrunnen und einer von Tiki-Fackeln umrahmten Terrasse erschien ihnen allzu kapriziös. Kaum war der »Garten« fertig, erkannte Kit, dass die Ausgabe sich gelohnt hatte. Kein Mensch lachte mehr darüber. Die Leute gingen vor dem Abendessen noch im kleinen Park spazieren, setzten sich an die Bar, die wie ein Hufeisen geformt und von Fackeln eingerahmt war, bestellten sich einen Aperitif und warfen Münzen in den kleinen Wunschbrunnen – das Geld wurde monatlich herausgefischt und dem Tierheim gespendet. Im Sommer unterhielten sich die Gäste mit Sindbad, einem großen weißen Kakadu, der in der Nähe des Eingangs in einem schmiedeeisernen Käfig thronte und sich auf diese Weise einen beachtlichen Wortschatz zugelegt hatte. Kit hatte ein Vermögen ausgegeben für den Vogel, und Sindbad schien der Überzeugung zu sein, dass er jeden Cent davon wert war.

Kit musterte die alte Frau verstohlen von der Seite. Lottie war noch magerer geworden. Sie hatte dunkle Ringe unter den Augen, und die schmalen weißen Narben auf ihrer Schläfe traten auffälliger hervor als sonst, trotz ihres blassen Teints.

»Sindbad sieht richtig majestätisch aus«, sagte Lottie schließlich. »Weiches, glänzendes Gefieder und eine königliche Haltung.«

Kit bemühte sich um einen unbeschwerten Ton. »Kein Wunder. Er putzt sich ja auch den halben Tag und steht andauernd vor dem Spiegel. Er ist der eitelste Vogel, dem ich je begegnet bin, und außerdem ein unverbesserlicher Schwerenöter.«

Lottie lächelte. »Du hast mich mit deinem Unsinn schon immer zum Lachen gebracht, Kitrina. Aber er hat tatsächlich hinter mir hergepfiffen.«

»Siehst du? Er hat einen ausgezeichneten Geschmack. Bei Mrs. Myers pfeift er nie. Er kann falsche Brüste und blondierte Haare schon von weitem sehen.« Diesmal musste Lottie tatsächlich lachen. Kit nahm ihre Hand. Sie war trocken und kalt, trotz des lauen Abends. Lottie zog rasch den Ärmel ihres Baumwollkleids über eine breite, raue Narbe auf ihrem Handgelenk, die Spur einer Fessel, wie Kit wusste. »Warum gehen wir nicht hinein?«, fragte Kit. »Ich mach dir was zu essen.«

»Danke, Kitrina, aber ich bin nicht hungrig.«

»Möchtest du was trinken?«

»Vielleicht eine Tasse Tee, aber nicht gleich.« Lottie hielt sich an Kits Hand fest. »Du weißt natürlich schon, dass Julianna tot ist.«

»Ja.« Kit brachte kaum mehr als ein Flüstern zustande.

»Sie ist ermordet worden.« Lotties Stimme war ruhig, weich und warm wie Samt. »Ich habe es kommen sehen. Heute.« Kit runzelte die Stirn. »Oh, ich weiß schon, die Leute glauben nicht an meine Vorahnungen und Vorhersagen. Sie halten mich für verrückt. Ich bin immer auf der Suche nach Zeichen, in denen sich Gottes Wille manifestiert, in der Stille der Nacht, im Tumult eines Sturms, oder im gleißenden Sonnenlicht, deshalb meinen die Leute, ich hätte den Verstand verloren. Doch als deine Mutter und ich jung waren, lebte sie mit ihren Eltern im *Belle*, und ich lebte in meiner Hütte, ganz in ihrer

Nähe.« Kit kannte die Geschichte, ließ sie aber trotzdem weitersprechen.

»Wir wurden Freundinnen, Ellen und ich. Wir waren genauso eng befreundet wie du und Julianna es gewesen seid. Deine Mutter hat mich verstanden. Sie hörte mir zu. Und wir hatten beide das unbestimmte Gefühl, dass mit dem Hotel etwas nicht stimmte.«

»Es ist doch nur ein Haus, Lottie«, sagte Kit freundlich. »Steine und Mörtel und Holz.«

»Und da ist noch etwas, Liebes. Dieses Haus hat eine Seele. Ein Gebäude sollte keine Seele haben, aber dieses Haus hat eine. Und sie ist böse.« Lottie schwieg und drückte Kits Hand so fest, dass es wehtat. »Kitrina, ob du's glaubst oder nicht, gegen Morgen hat Gott mich gewarnt, dass Julianna im *Belle* etwas Schlimmes zustoßen würde.«

Kit glaubte nicht an das Übernatürliche, doch das Gerede von unseligen Vorzeichen und bösen Omen machte sie nervös. Solange sie denken konnte, hatte ihre Mutter ihr mit paranormalen Phänomenen in den Ohren gelegen, vor allem im Zusammenhang mit dem Hotel, doch in letzter Zeit hatte Ellen sich so ausschließlich mit dem Thema beschäftigt, dass sie nach Kits Meinung allmählich jeden Sinn für die Realität verlor. Jetzt schien Lottie auf demselben Trip zu sein, und das machte ihr Angst, denn in gewisser Weise lag Lottie ihr mehr am Herzen als ihre eigene Mutter. »Bist du auch sicher, dass du das nicht geträumt hast, Lottie?«, fragte sie fast verzweifelt.

»Ganz sicher, Liebes. Schau nicht so erschrocken drein. Und reagiere bitte nicht wie alle anderen. Du warst nie wie alle anderen. Weder du, noch Julianna, noch Adrienne. Deshalb wart ihr drei wohl auch so gut befreundet. Seelenverwandte. Und keine von euch hat mich je für verrückt gehalten.« Sie sah Kit eindringlich an, die früher so schönen bernsteinfarbenen Augen waren trüb vom grauen Star. Sie muss dringend operiert werden, dachte Kit, aber Lottie hatte kein Geld und würde es nie zulassen, dass jemand für sie die Arztkosten übernahm.

»Heute Morgen, es war noch dunkel, hat mich der Ruf einer Eule geweckt«, fuhr Lottie fort. »Sie war sehr nah, sehr laut. Ich fuhr auf, saß kerzengerade im Bett, holte tief Luft, tastete nach dem Medaillon mit Juliannas Porträt darin und hatte plötzlich ein seltsames Gefühl. Es war eine Mischung aus Angst und Grauen. Und Hilflosigkeit.« Ihre Stimme wurde lauter. »Ich sprang aus dem Bett und überlegte, wie ich meiner Kleinen helfen konnte.« Sie seufzte. »Aber ihr war nicht mehr zu helfen. Jedenfalls nicht in diesem Leben. Vielleicht hat sie im Tod ihren Frieden gefunden.«

Lottie kämpfte mit den Tränen und hustete in ein zartes, besticktes Taschentuch. Doch sogar in ihrer großen Not bewahrte sie Haltung, blieb geduldig und gelassen. Kit hatte Lotties Selbstbeherrschung stets bewundert. Sie war so anders als Ellen, Kits Mutter, die mit den Jahren immer nervöser und ängstlicher geworden war, wenn sie nicht gerade ein anmaßendes Benehmen an den Tag legte.

»Ich dachte, Julianna wäre bestimmt im *Belle*, wo sie oft gewesen war in letzter Zeit. Etwas Böses lauert in diesem Haus. Ich hab es immer gespürt. Eine finstere, greifbar böse Macht. Sie kommt angekrochen wie Nebel, und ehe man sich's versieht, schlüpft sie einem in die Seele. Ich hab Julianna hundertmal gewarnt, aber sie wollte nicht auf mich hören. Sie gab mir einen Kuss und sagte: ›Trotzdem danke, dass du dir Sorgen machst um mich, Mama.‹« Lottie lächelte traurig. »Dann ging sie los und setzte leichtsinnig ihr Leben aufs Spiel.«

»Ja, Julianna war immer risikofreudig gewesen«, sagte Kit.

Lottie erzählte weiter, als hätte sie Kits Worte überhört. »Doch als mich heute Morgen die Eule weckte, da wusste ich, dass ihr Schicksal besiegelt war. Ich mache mir entsetzliche Vorwürfe«, schloss sie mit zitternder Stimme. »Ich habe meine eigene Tochter im Stich gelassen.«

Kit kam sich albern vor, stellte die Frage aber trotzdem: »Als du diese Vorahnung hattest, wusstest du da auch, dass Julianna sich im *Belle* mit einem Mann traf?«

Lottie schwieg.

»Lottie, wenn du weißt, mit wem sie dort zusammen war, dann musst du es der Polizei sagen.«

Argwohn kroch in Lotties getrübten Blick, und Kit wurde unbehaglich zumute. »Die Polizei wird bald herausfinden, ob sie mit einem Mann dort war. Und dann werden sie ihrem Ex-Mann die Schuld an ihrem Tod in die Schuhe schieben.«

»Vielleicht sollten sie das auch. Er war noch immer in sie verliebt. Und er wäre auf jeden neuen Mann, mit dem sie sich einließ, entsetzlich eifersüchtig gewesen.«

Lottie schüttelte den Kopf. »Nein, Liebes. Ich weiß doch, wie sehr du Miles mochtest. Er ist ein sanfter, einfühlsamer Mann, wie du weißt.«

Kit wurde rot, als Lottie auf ihre alten Gefühle für Miles anspielte. Sie hatte ihn innig geliebt, doch er hatte ihre Liebe nicht erwidert, ihr nur freundschaftliche Gefühle entgegengebracht. Miles war Julianna auf den ersten Blick verfallen gewesen. Er hatte sie leidenschaftlich geliebt. Und Lottie täuschte sich. Er war nicht so sanft, wie sie vermutete, innerlich zumindest nicht. Tief in seiner Seele tobten heftige Gefühle. Möglicherweise heftig genug, um Julianna zu töten. Schließlich hatte sie ihn verlassen und sich in einen anderen Mann verliebt.

»Lottie, die Polizei wird Miles ganz bestimmt verdächtigen«, stellte sie fest. »Wahrscheinlich ist er sogar ihr Hauptverdächtiger. Er ist Julis Ex-Mann und hat die Scheidung nicht sonderlich gut verkraftet.«

»Das weiß ich alles, Liebes. Und ich weiß auch, dass Julianna sich in diesem Hotel mit ihrem Liebhaber traf. Diesen Mann hätte sie nicht treffen dürfen. Es war nicht richtig von ihr. Es war das einzige Mal, dass sie so selbstsüchtig und grausam war. Aber ich weiß, dass Miles sie nicht ermordet hat. Trotzdem kann ich nicht zur Polizei gehen.«

»Wenn du etwas weißt, warum gehst du dann nicht einfach zu Lucas Flynn? Er lässt doch mit sich reden. Und er wird dir zuhören.«

Lottie berührte Kits Hand. »Ach, Schatz, da ist so viel, was ich weiß und du nicht.«

Sprachlos und ein wenig ängstlich starrte Kit auf die zarte Frau, als die Hintertür zur Küche aufflog. Ein Service-Junge brüllte: »Wir brauchen Sie, Ms. Kirkwood.«

»Eine Minute!«, rief Kit unwirsch zurück.

»Es ist wichtig!«

Lottie lächelte anmutig. »Geh und kümmere dich um deine Gäste, Schatz. Ich bin wirklich zu müde, um noch weiterzureden. Ich will nur noch eine Weile hier sitzen und meine Gedanken sammeln. Es geht mir gut.«

»Ich hab Gail nach Hause geschickt«, sagte Kit. Lotties jüngere Tochter arbeitete als Bedienung in ihrem Lokal. »Soll ich sie anrufen, damit sie dich abholen kommt?«

»Nein!« Das Wort gellte durch die Nacht. Lottie holte tief Luft und sagte ruhiger: »Ich meine, das ist nicht nötig. Sie wird mir Vorwürfe machen, weil ich den ganzen Tag durch die Gegend gelaufen bin. Wirklich, Kitrina, es geht mir gut hier.«

Kit, normalerweise nicht sehr körperbetont, beugte sich zu Lottie hinüber und drückte ihr einen leichten Kuss auf die Stirn. Da sah sie die rostfarbenen Flecken getrockneten Blutes auf Lotties Kleiderkragen und quer über der Schulternaht. Sie roch auch *L'Heure Bleue*, Juliannas teuren französischen Duft, obwohl Lottie Parfum sonst strikt ablehnte. Kits Herz fing an zu hämmern, aber sie ließ sich nichts anmerken. »Ich geh jetzt und hol dir eine Tasse Tee.«

Auf dem Weg in die Küche dachte Kit an das Blut auf Lotties Kleid und an Juliannas prägnanten Duft, der hartnäckig an Lottie hing. Duft und Flecken konnten kein Überbleibsel von gestern sein.

Lottie musste am Morgen bei Julianna im Hotel gewesen sein. Kit fröstelte, als ihr dies klar wurde.

3

Claude Duncans schlaffe Gestalt schien in der alten Couch zu versinken. Er hatte die Beine von sich gestreckt und ließ den rechten Arm über die Seite baumeln. Ein niedriger Tisch stand neben ihm, beladen mit Zeitungen, Bonbontüten, zwei leeren Pizzaschachteln, benutzten Taschentüchern und einem Notizbuch, in das Claude die ersten 20 Seiten seines Romans geschrieben hatte. Eine halb volle Flasche Bourbon stand neben der Couch.

In Claudes kleinem Fernseher landete eben ein Raumschiff, einem Notruf folgend, auf einem fremden Planeten. Er liebte diesen Film, hatte ihn schon hundert Mal gesehen und sich vorgestellt, *er* wäre dieser gut aussehende, heldenhafte Captain. Er hatte eine besonders fettige Pizza verdrückt, vier Dosen Bier in sich hineingeschüttet, zwei Schokoriegel nachgeschoben und mit etlichen Schluck Bourbon hinuntergespült. Dann war er so zufrieden und glücklich weggedöst wie schon lange nicht mehr.

Und warum auch nicht? Schließlich lief endlich alles nach Plan. Er brauchte sich keine Sorgen mehr darum zu machen, dass er bald seinen Job los wäre. Er könnte sich das demütigende Klinkenputzen sparen, hätte es nicht nötig, potenzielle Arbeitgeber zu beeindrucken, die ihn aus unerfindlichen Gründen immer musterten, als wäre er Dreck an den Sohlen ihrer teuren Schuhe. Nein, Sir, Claude Duncan brauchte nicht auf Jobsuche zu gehen. Claude Duncan hatte *ausgesorgt*.

Eine Weile hatte er mit seinem Gewissen gerungen, weil sein Glück vom Unglück anderer abhing, weil er schließlich aus einer Tragödie Vorteile ziehen würde. Er war zwölf gewesen, als seine Mutter gestorben war, und seine Erinnerung an sie war nicht mehr so klar, aber er wusste noch, dass sie hübsch gewesen war, freundlich, fromm, und ihm beigebracht hatte, sich nicht am Unglück anderer zu weiden. Und genau das tat er jetzt. Sein Vater hätte so etwas nie getan.

Immer wenn Claude an seinen Vater dachte, krampfte sich ihm vor Angst der Magen zusammen. Seine Mutter hatte immer gesagt, ihr Ehemann sei ein guter, gerechter Mensch, aber seinen hohen moralischen Prinzipien könne nur ein Heiliger gerecht werden. Sie hatte dabei gelacht, aber Claude hatte in ihren Worten leise Kritik gewittert. Überall hieß es, sein Vater sei bewundernswert, ein Perfektionist. Kein Mensch hatte je ausgesprochen, was er wirklich war, nämlich moralinsauer, unsensibel, fordernd, selbstgerecht und voller Selbstmitleid. Niemand hatte gehört, wenn er sich bitter über die geistige und moralische Unzulänglichkeit seines missratenen Sohns beklagte. Mr. Duncans Ergüsse zu diesem Thema waren üblicherweise spät nachts erfolgt, hier im Cottage, weitab von den feinen Hotelgästen. Claude war, seit er denken konnte, der Verachtung seines Vaters ausgesetzt gewesen, auch wenn er das Problem nie klar genug umrissen hatte, um es in Worte zu fassen.

Doch seit ein paar Monaten, seit dem Tod des alten Duncan, hatte die Welt für Claude ihren Schrecken verloren. Er würde nie mehr in die kalten blauen Augen seines Vaters blicken, die sich enttäuscht und verächtlich in seine bohrten. Er würde nie mehr nachts im Bett liegen und sich dabei wie eine schleimige, abstoßende Missgeburt fühlen, die in die makellose Welt seines Vaters gestolpert war. Er würde nie mehr im Bett liegen, mit weit aufgerissenen Augen in die Dunkelheit starren und sich wünschen, er könnte am Morgen als neuer Mensch aufwachen, vor den Spiegel treten und wie durch ein Wunder einen neuen Jungen sehen – schön, klug, selbstbewusst. Sein strahlendes Lächeln, die blitzenden Augen, die sportliche Statur mit den breiten Schultern, dazu der umwerfende Charme würden seinen Vater im Handumdrehen für ihn einnehmen. Das Leben war für Claude ruhiger, beständiger geworden seit dem Tod seines alten Herrn. Nachdem er den anfänglichen Schrecken überwunden hatte, war Claude vor Erleichterung fast schwindelig gewesen. Er wusste, dass dieses Gefühl etwas Verwerfliches war, und würde es auch niemals zugeben, aber er konnte nicht anders. Und doch flüchtete er allzu oft aus seinem zwar vaterlosen, aber immer noch öden Leben, indem er sich in »Ich bin Claude und ein Held«-Träumen verlor.

Auch jetzt, auf dem alten Couchwrack, fing Claude Duncan an zu träumen. Zu seiner Enttäuschung merkte er aber gleich, dass es keiner seiner bevorzugten »Helden«-Träume war. Er befand sich zwar in dem großen Raumschiff, das er gerade im Fernsehen gesehen hatte – ein kaltes, graues Etwas, das durch ewige Dunkelheit brauste –, und saß tief in seinen metallenen Eingeweiden, hörte das Kondenswasser tropfen und die Ketten rasseln, die zum Umladen der Fracht gebraucht wurden, doch obwohl er der Captain war, hatte er die Orientierung verloren, und es befiel ihn ein mulmiges Gefühl.

Und er war nicht allein.

In seinem eigenen Raumschiff kauerte der hoch gewachsene, muskulöse Captain Claude zitternd und zähneklappernd in einer Ecke. Seine Crew im oberen Deck verließ sich doch auf ihn. Das tat sie immer, warum auch nicht? In der Vergangenheit hatte er jede bedrohliche Situation in den unendlichen Weiten des Alls glänzend gemeistert. Bis auf diese hier. Schande über ihn, denn diesmal konnte er immer nur »Monster unterm Bett« murmeln, wie ein kleiner Junge. »Sieh nicht hin«, sagte er sich und drückte die Augen fest zu. Fester. So fest, dass hinter den schwarzen Läden seiner Lider Lichter tanzten.

Er stieß ein dünnes, jämmerliches Stöhnen aus. »Nein. Bitte. Ich bin der Captain. Ich hab nichts Schlechtes getan.«

»Nicht?«

Er zuckte zusammen und erstarrte. Hatte er diese Stimme geträumt? Bestimmt. Es war zwar nicht sein gewohnter Raumschifftraum, aber trotzdem ein Traum. Nur diesmal war ein Fremder in seinem Traum. Er gehörte nicht zur Crew, und er konnte ihn auch nicht anfassen. Vielleicht war's ja nur ein Etwas, das mit der Geschwindigkeit einer Stechmücke um ihn herumflirrte oder mit den weiten, lautlos schlagenden Flügeln einer Libelle über ihm schwebte.

Er rief nach Ripley, seiner Stellvertreterin – groß, findig und sehr schlau, obwohl sie eine Frau war –, aber sie rief nur mit entstellter Stimme: »Raus da! Es kommt!«

Claude warf sich gequält hin und her. »Es kommt!«, murmelte er laut. »Es kommt!«

»Ja, es kommt«, intervenierte eine ruhige Stimme, eine Stimme, deren sanfter Klang nicht in den Traum passte. »Aber du brauchst keine Angst zu haben.«

»Hab aber Angst«, heulte Claude, noch immer strampelnd und so betrunken, dass er nicht aufwachen konnte. »Hab aber Angst!«

»Du fürchtest dich vor dem Unbekannten. Aber das Unbekannte ist nicht immer schlecht.« Eine starke Hand schloss sich um Claudes linken Unterarm und hielt ihn fest. »Schlechte Muskelspannung, Claude. Du bewegst dich zu wenig.«

»Ich tu 'ne Menge, 'ne Menge, ich tu alles, was ich tun soll!«

»Das stimmt nicht ganz, oder?« Vage spürte Claude, wie sich etwas Kaltes, Spitzes in die dünne Haut unterhalb des Ellbogens bohrte. Eine Flüssigkeit durchströmte seinen Arm, wie brennendes Eis, zuckendes Quecksilber, wurde immer wärmer, immer schneller, sprudelte wie Gift durch seinen Körper.

»Was tust du da?«

»Ich hab dir eine Beruhigungsspritze gegeben.«

Sogar in seiner Benommenheit erkannte Claude die tödliche Bedrohung. »Muss aufstehen!«, rief er und fing an, betrunken um sich zu schlagen. »Muss aufstehen! Muss hier raus!«

Er richtete sich auf, versuchte, sich aus der Couch zu stemmen, wurde aber zurückgestoßen und unten gehalten. Er riss sich los, versuchte erneut, sich aufzurappeln, doch sein Körper gehorchte ihm nicht. Die fremden Hände ließen ihn los, und er rutschte zwischen Sofakante und Tisch zu Boden. Er schnappte nach Luft, hatte das Gefühl, als säße ihm jemand auf der Brust. »Du bist nicht von dieser Welt, stimmt's?«, keuchte er, und der Speichel tropfte ihm übers Kinn.

»So was wie mich hast du noch nie gesehen.«

»Es ist das *Belle*. Es hat dich vor langer Zeit hergeholt.«

»Ja, ich gehör zum *Belle Rivière*.«

Claude holte rasselnd Luft und spürte etwas Feuchtwarmes im Schritt. Entsetzt erkannte er, dass er sich bepisst hatte, und absurderweise war ihm das peinlich.

Der Jemand beugte sich über ihn. »Ein kleines Missgeschick, Claude?«

Er versuchte sich auf das fremde Gesicht zu konzentrieren, aber er war zu benommen. Wahrscheinlich hatte es gar kein Gesicht hinter diesem seltsamen Schleier, den es aufhatte. Das alles war gar kein Traum. Er hatte es mit einer übernatürlichen Macht zu tun, dachte er, die ihr schreckliches Gesicht hinter einem Schleier verbarg und versuchte, ihn mit dieser einschmeichelnden Stimme zu umgarnen. Aber diese Stimme konnte von einem Moment auf den andern hart und schneidend werden, er musste ihr gehorchen, wie der Stimme seines Vaters.

Falls er nicht brav war, setzte es Prügel. So sicher wie das Amen in der Kirche.

Mittlerweile war Claude so schläfrig, dass er kaum spürte,

wie die Kreatur den restlichen Bourbon auf ihm verteilte, bis auf den letzten Tropfen. Ein paar Minuten vergingen. Dann floss noch mehr Flüssigkeit, noch mehr Bourbon? Seine Zunge, mittlerweile trocken vor Angst, schoss heraus, um ein letztes Mal den süßen Nektar zu schmecken.

Und während seine Zunge eifrig die Flüssigkeit erforschte, die für Claude Duncan lebensnotwendiger war als Blut, zündete die Kreatur ein langes Streichholz an und starrte auf Claudes durchnässten Körper, seinen zerzausten Bart und die flinke Zunge. »Wie wär's mit einem Lied?«, fragte das Wesen. »Ich kenne nur dieses eine.«

Mittlerweile war Claude viel zu entsetzt, um noch vernünftig denken zu können. Er lag nur schlapp da, ein Sack Blut und Knochen, und zitterte. So war das nicht geplant. Endlich hatte ich's geschafft, dachte er mit vagem Trotz. Endlich sollte sich das Blatt für mich wenden. So war das nicht geplant!

Die Stimme begann zu singen wie Annie Lennox: »*Sweet dreams.*« Nach ein paar Takten brach sie ab. »Kennst du den Song, Claude? Juliannas Lieblingssong. Sing mit«, forderte sie ihn munter auf und warf ein brennendes Streichholz auf Claude Duncans alkoholgetränktes Gesicht. Und noch eins, und ein drittes und so weiter. »*Sweet dreams are made …*«

Kurze Zeit später brachte ein noch nicht mausetoter Claude ein paar klägliche Quieker zustande, die Schreie sein sollten. Doch seine Stimme war ihm in der heftigen Hitze verloren gegangen. Als Claude sich schließlich nicht mehr bewegte, nicht einmal mehr zu erkennen war, ließ die Kreatur ihn liegen und sang ungeniert weiter »*Sweet Dreams*«, bis ihre Stimme in der kühlen Dunkelheit weit jenseits der lodernden Hölle des Hausmeisterhauses verklungen war.

Fünf

1

»Aber ich kann nicht im Krankenhaus übernachten«, erklärte Adrienne einer sehr jungen Schwester mit sanften blauen Augen, die ihre Unsicherheit verrieten.

»Sie waren eine Weile bewusstlos, Mrs. Reynolds«, erwiderte die Schwester, Bestimmtheit vortäuschend. »In diesem Fall müssen wir leider darauf bestehen, Sie über Nacht zur Beobachtung hier zu behalten.«

»Wie heißen Sie?«

»Wie ich heiße?«

Bestürzung flackerte in den unschuldigen Augen des Mädchens auf, als erwarte sie, verpetzt zu werden. »Äh, Miss Leary.«

»Nun, Miss Leary, bin ich gegen alle Eventualitäten gefeit, wenn jemand die ganze Nacht bei mir am Bett sitzen bleibt?«

»Die Gegenwart einer Schwester hilft immer«, sagte Miss Leary mechanisch, weil ihr Adriennes Sarkasmus offenbar entgangen war. »Sie regen sich nur wieder auf, Mrs. Reynolds.« Miss Leary musste hilflos zusehen, wie Adrienne die Bänder ihres Nachthemds löste. Sie stand kurz davor, sich in ihrem ungerechten Zorn auf das gesamte Krankenhauspersonal den abgetragenen, fadenscheinigen Fetzen vom Leib zu reißen. In der Notaufnahme war es eiskalt. Sie wollte ihre Kleider zurückhaben. »Wenn Ihnen kalt ist, Mrs. Reynolds, dann bringe ich Ihnen eine Decke. Die hält Sie warm«, sagte Miss Leary flehentlich. »Bitte zerreißen Sie das Hemd nicht. Der Arzt wird in ein paar Minuten hier sein, und bis dahin können Sie mit Mr. Reynolds sprechen. Er wartet draußen und macht sich fürchterliche Sorgen.«

»Mein Mann ist tot«, stellte Adrienne nüchtern fest.

Das Mädchen wurde rot, sah verlegen in die Krankenakte. Da regte sich in Adrienne gegen ihren Willen ein Funken Mitleid. Das arme Mädchen konnte nicht älter sein als einundzwanzig und hatte noch nicht viel Erfahrung mit nervenden Patienten.

»Tut mir Leid, Miss Leary«, lenkte sie daher ein. »Ich bin müde und besorgt, und mein Kopf tut höllisch weh.«

»Draußen im Flur wartet wirklich dieser Mann. Er hat Sie hergebracht und scheint sich große Sorgen um Sie zu machen. Deshalb dachte ich, er sei *Ihr* Mann.«

Drew, dachte Adrienne. »Wir sind nur Freunde. Er hat mich nach dem Überfall auf der Straße gefunden. Er heißt Drew Delaney und ist Chefredakteur der hiesigen Tageszeitung.«

»Was Sie nicht sagen!«, flüsterte Miss Leary ehrfürchtig.

»Wenn Sie mir nun freundlicherweise diese dürftige Möchtegerndecke überwerfen, dann kann er von mir aus reinkommen.«

Miss Leary schien vor Erleichterung den Tränen nah. Der alten Kuh auf dem Untersuchungstisch ging offenbar die Puste aus, und sie bekäme keinen Anschiss, weil sie ihre Patienten nicht im Griff hatte. »Natürlich können Sie eine Decke haben, Mrs. Reynolds. O Mann, sogar Ihre Haare sind nass. Kein Wunder, dass Sie frieren.« Sie förderte eine Decke zutage und drapierte sie mit flinken Händen um Adrienne herum.

»Der Regen hat eine Weile aufgehört und vor etwa zwanzig Minuten wieder angefangen«, sagte sie mit ihrer professionellen »Beruhigungs«-Stimme, während sie mit der Decke hantierte. »Bei Regen wird's hier grundsätzlich kalt, sogar im Sommer, und besonders in der Notaufnahme. Ich hab selbst immer einen Pulli an, sehen Sie?«

»Hübsches Blau«, sagte Adrienne, bemüht, ihr schnippisches Benehmen von vorhin wieder gutzumachen.

»Oh, danke. Meine Mutter hat ihn mir gestrickt.« Miss Leary stopfte Adrienne die Decke unters Kinn, als wäre sie alt und gebrechlich. Adrienne reckte den Kopf, der einzige Teil ihres Körpers, den sie noch frei bewegen konnte, und lauschte auf die Stimme, die über Lautsprecher nach Dr. Gorman und Dr. Price verlangte. Miss Leary sah besorgt drein. »Ich hab vorhin gehört, dass sie einen Mann mit schrecklichen Verbrennungen reingebracht haben. Ich hasse Verbrennungen.«

»Im Feuer zu sterben, muss ein schrecklicher Tod sein«, sagte Adrienne. »Wissen Sie, wer es ist?«

»Nein. Hoffentlich muss ich nicht assistieren. Ich hab immer Angst, dass mir schlecht wird, wenn der Betreffende gar zu scheußlich aussieht.« Sie lächelte nervös. »Das muss anders werden, ich weiß, sonst werd ich nie eine gute Schwester, und ich will die beste sein.« Sie trat einen Schritt zurück und besah sich ihr Werk. »So. Jetzt wird Ihnen gleich schön warm. Ich hol Ihnen Mr. Reynolds rein, ich meine Mr. Delano. Oder wie auch immer. Er sieht sehr gut aus. Oh, sagen Sie ihm das bloß nicht. Ist mir so rausgerutscht.« Miss Leary errötete wieder und suchte das Weite.

Im nächsten Augenblick kam Drew herein, musterte sie ausführlich und sagte: »Sei mir gegrüßt, Nanook aus dem Norden. Willst du eisfischen gehen?«

Adrienne bemühte sich vergebens, die Decke zu lockern. »Ich hab den Fehler begangen zu sagen, mir wär kalt, da hat mir eine liebe Schwester diese Zwangsjacke verpasst.«

»Soll ich dich befreien?«

Adrienne dachte an ihr dünnes Hemd, das auf dem Rücken klaffte. »Nicht nötig. Wenigstens ist mir jetzt warm.«

»Kein Wunder. Du steckst ja auch im Kokon.« Er runzelte die Stirn. »Wie um alles in der Welt hat sie das geschafft?«

»Ich hab keine Ahnung, aber sie hat's gut gemeint, Drew. Und sie findet dich gut aussehend, was ich dir gar nicht sagen dürfte. Aber lass sie ja in Ruhe! Sie ist bestimmt nicht älter als Skye.«

Drew grinste. »Alle Welt scheint zu glauben, ich wäre hinter jedem Rock her, dabei stimmt das gar nicht. Dich finde ich allerdings noch immer sehr reizvoll. Besonders mit den triefnassen Haaren, der aufgeschlagenen Stirn, der miesen Laune, mangelnden Dankbarkeit und dem grauenhaften Geschmack in Sachen Mode. Ich hab mich nur deshalb von dir fern gehalten, seit ich wieder in der Stadt bin, weil es hieß, dass du mit dem furchterregenden Sheriff Flynn ausgehen sollst.«

Immer noch der alte Charmeur, dachte Adrienne. Immer am Scherzen, um tiefere Gefühle zu verbergen. Sie war überrascht. Er schien ja tatsächlich noch etwas für sie zu empfinden. Hinter seinem Lächeln sah sie aufrichtige Besorgnis in seinen dunkelbraunen Augen. »Es geht mir gut, Drew. Wirklich. Ich will nur hier raus und zu meiner Tochter.«

»Deiner Tochter geht's gut.«

»Ist sie schon bei Vicky?«

»Nein. Philip und Vicky sind auf einer Party, und Rachel ist mit der großen weißen Hoffnung der Allards ausgegangen …«

»Bruce.«

»Genau, Bruce, einer meiner furchtlosen Streiter. Wie dem auch sei, sie werden in ein paar Stunden zu Hause sein. Margaret wird dich und Skye abholen.«

»Margaret?«

»Margaret Taylor, der Pitbull, Philips Wahlkampfmanagerin. Ich glaube nicht, dass Vicky schon weiß, dass man dich überfallen hat. Und wir können doch auch nicht zulassen, dass dieser Vorfall eine von Philips politischen Smalltalk-Runden verdirbt.«

»Ich will so bald wie möglich hier raus.«

»Tja, der Pitbull ist hier, um Sie zu retten«, sagte eine freundliche weibliche Stimme. Eine Frau stand in der Tür. Ihr schwarzes Haar war wie immer zu einem glänzenden französischen Knoten geschlungen, ihr dezentes Make-up schmeichelte ihrem olivfarbenen Teint, und die mandelförmigen Augen waren so klar wie die eines Teenagers. Sie trug einen salbeigrünen Leinenanzug, perfekt geschnitten und ohne die kleinste Knitterfalte. »Ich war erschrocken, als ich hörte, was Ihnen zugestoßen ist«, sagte sie. »Ist alles in Ordnung mit Ihnen, Mrs. Reynolds?«

Die Frau hatte natürlich gehört, dass Drew sie einen Pitbull genannt hatte. Adrienne fand das entsetzlich peinlich, aber Drew blieb souverän.

»Ja, ich sehe bestimmt verheerend aus. Und bitte nennen Sie mich Adrienne.«

Drew grinste, durchschaute Adriennes Freundlichkeit als Vertuschung ihres schlechten Gewissens. Von irgendwoher schien er zu wissen, wie sehr sich Vicky über Margaret ärgerte, und nahm an, dass sie mit ihrem Groll auch Adrienne angesteckt hatte. »Ich habe draußen mit Ihrem Arzt gesprochen«, fuhr Margaret leutselig fort. »Er sagte, Sie seien fest entschlossen, nach Hause zu gehen. Er könne Sie nicht zwingen, hier zu bleiben, auch wenn es ihm lieber wäre. Ich werd Ihnen beim Anziehen helfen und Sie nach Hause fahren. Beziehungsweise zu Ihrer Schwester. Der Arzt sagt, Sie sollten heute Nacht nicht allein sein.« Sie wandte sich an Drew und sagte kühl: »Würden Sie uns kurz entschuldigen, Mr. Delaney?«

Drew lächelte. »Adrienne, ich überlasse dich fähigen Händen.«

»Vielen, vielen Dank für alles«, sagte sie. »Wenn du nicht gekommen wärst …«

»Das bin ich aber, also keine düsteren Grübeleien. Sag Skye einen schönen Gruß von mir.« Er wandte sich an Margaret, und sein Lächeln wurde höflich. »Ms. Taylor.«

»Mr. Delaney.« Auch Margarets Lächeln war frostig, die dunklen Augen kalt. »Eines muss ich Ihnen sagen, wo Sie schon mal hier sind, Ihr Leitartikel über Philip in der gestrigen Ausgabe war ziemlich unfair, finden Sie nicht?«

»Wenn ich das fände, hätte ich ihn nicht gedruckt. Aber lassen Sie uns ein andermal darüber reden. Fahren Sie jetzt Mrs. Reynolds nach Hause und sorgen Sie bitte dafür, dass sie es bequem hat. Sie hat Schlimmes durchgemacht.«

Als Drew aus dem Zimmer ging, spürte Adrienne den wilden Drang, ihn zurückzurufen. Aus irgendeinem Grund wollte sie mit Margaret nicht allein sein. Die Frau machte ihr Angst, was natürlich lächerlich war. Sie waren schließlich beide gebildete, erfolgreiche Frauen, doch irgendwie fühlte Adrienne sich in Margarets Gegenwart ungewaschen und pummelig. Die nur knapp einssechzig große Margaret wirkte einschüchternd mit ihrer perfekten Haltung, den unvermeidlichen Highheels und dem schimmernden schwarzen Haarknoten, der ihr, die doch erst zweiunddreißig Jahre alt war, ein würdevolles, reifes Aussehen verlieh. Dann war da ihre Körpersprache, Anmut und Arroganz verströmend, und ein ebenso bezauberndes wie flüchtiges Lächeln, das die Leute für sie einnahm, obwohl ihre Augen davon unberührt blieben. Mit der etwas spitzen Nase und den schmalen Lippen war sie zwar keine natürliche Schönheit wie Julianna oder Rachel, aber sie war zweifellos ein auffälliger Typ und verströmte einen kühlen, kontrollierten Sexappeal.

Sie näherte sich Adrienne, und eine winzige Sorgenfalte wagte sich auf ihre Stirn. »Mr. Delaney hat mich schon von dem Überfall auf Sie informiert, Sie brauchen mir also nichts zu erklären. Im Augenblick halte ich es für das Beste, wenn Sie nicht mehr an das Erlebnis denken.« Sie lächelte. »Ich lasse Sie allein, dann können Sie sich anziehen. Es sei denn, Sie brauchen Hilfe.«

Adrienne warf einen Blick auf Margarets makellosen, teuren Anzug und dachte an ihre alte Jeans, das T-Shirt und die abgetragene regennasse Jeansjacke. »Ich komme schon zurecht, aber trotzdem danke.«

»Schon gut«, sagte Margaret in einer Weise, die Adrienne verriet, dass sie sehr wohl wusste, warum man ihre Hilfe zurückwies. »Ich bring Sie rasch hier raus, und dann holen wir Skye. Sicher geht es Ihnen gleich besser, wenn Sie sie sehen.«

»Und zwar hundert Prozent besser.« Adrienne rutschte vom Untersuchungstisch. »Ich bin nur froh, dass sie nicht dabei war.«

»Wahrscheinlich wären Sie gar nicht erst überfallen worden, wenn sie bei Ihnen gewesen wäre.«

Adrienne sah sie an. »Wie meinen Sie das?«

»Der Angreifer hätte es mit zwei Frauen aufnehmen müssen. Das hätte ihn bestimmt abgeschreckt. Und Skye scheint mir ein kräftiges, aufgewecktes Mädchen zu sein. Sie hätte gekämpft.«

Im Gegensatz zu mir. Adrienne kochte innerlich, rang sich aber trotzdem ein Lächeln ab. »Genau, Sie haben Recht. Zwei gegen einen«, sagte sie und konnte sich nicht verkneifen, nachzuschieben: »Aber ich kann mich normalerweile ganz gut behaupten.«

»Ja, Philip sagte einmal, Sie wären schon immer sehr rauflustig gewesen.« Margaret musterte sie geringschätzig, als halte sie es für wahrscheinlich, dass sich Adrienne gern in abgelegenen Straßen und miesen Spelunken herumtrieb und schon etliche Raufereien hinter sich hatte. Adrienne sah ein, dass gegen diese Frau nicht anzukommen war. Margaret hatte viel zu viel Übung darin, jemanden mit einem Blick und einer treffsicheren Bemerkung zu vernichten. Mit Vicky sprang sie wahrscheinlich genauso um, dachte Adrienne.

»Wir konnten Sheriff Flynn nicht erreichen, deshalb ist ein Deputy hier, der Sie vernehmen möchte«, fuhr Margaret fort. »Ich geb Ihnen ungefähr zehn Minuten Zeit zum Anziehen, dann schicke ich ihn herein. Ihre Jacke ist völlig durchnässt. Ziehen Sie sie nicht an, Sie erkälten sich sonst. Ich hab einen trockenen Regenmantel im Wagen, den Sie überziehen können. Ich hätte Ihnen einen Föhn mitbringen sollen. Ihre Haare werden schon ganz krisselig.«

Sprach's und fegte aus der Tür, ließ Adrienne mit Stirnverband und feuchten Krisellöckchen im kalten Zimmer stehen. Die zog sich das fadenscheinige Hemd über den Kopf und schlüpfte in die klamme Jeans, deren Knie beim Sturz schmutzig geworden waren. Sie fühlte sich nicht mehr wie ein Überfallopfer, das Mitleid verdiente, sondern wie eine schlampige Nervensäge, die absichtlich allen den Abend verdarb. Diese Margaret Taylor!, dachte Adrienne verärgert. Sogar wenn sie hilfsbereit ist, beschmuddelt sie einem das Selbstwertgefühl.

In der Eingangshalle des Krankenhauses blieb Drew Delaney vor einem Getränkeautomaten stehen und steckte zwei Münzen in den Schlitz. Eine Dose Coke fiel scheppernd heraus, er machte sie auf und stillte seinen Durst in tiefen Zügen. Es war ein langer Abend gewesen, und er war müde. Er lehnte sich gegen den Automaten und merkte, dass ihm der untere Rücken wehtat. Du wirst alt, Delaney, dachte er, obwohl er das nie zugeben würde.

»Adrienne Reynolds soll auf offener Straße überfallen worden sein. Wie geht es ihr?«, hörte er einen Mann fragen, nur einen Meter von ihm entfernt, aber vom Getränkeautomaten verdeckt. Die Stimme klang vertraut.

»Ein bisschen zerrupft ist sie schon«, antwortete eine Frau. Margaret Taylor, dachte Drew. Dieser schnippische Tonfall war unverkennbar. »Es hätte schlimmer ausgehen können; zum Glück ist Drew Delaney aufgetaucht und hat den Helden gespielt.«

»Du scheinst enttäuscht, dass es nicht schlimmer war. Klingt so.« Wer zum Teufel war das nur?, fragte sich Drew. Tiefe, glatte Stimme. So bekannt. »Wär es dir lieber gewesen, man hätte sie umgebracht?«

»Natürlich nicht. Ich bin doch kein Monster, Gavin.«

Gavin Kirkwood! Drew war auf den Gesellschaften der Hamiltons nicht aufgefallen, dass Gavin und Margaret mehr verband als nur eine höfliche Bekanntschaft, doch hier gingen sie sehr vertraulich miteinander um. Er drückte sich gegen die Wand und hoffte, keiner von beiden würde sich dem Getränkeautomaten nähern und ihn sehen.

»Weiß Kit, was mit Adrienne passiert ist?«, fragte Margaret.

»Nein. Sonst wäre sie längst hier. Ich hab es ihr noch nicht erzählt, wollte sie nicht beunruhigen.«

»Kümmert es dich denn, ob sie beunruhigt ist?«

»Natürlich. Du wirst es nicht glauben, aber es ist so.«

»Stimmt, ich glaube es dir nicht.«

»Glaub doch, was du willst«, sagte Gavin.

Margaret lachte leise. »Was denn, Gavin, es sollte dir nicht egal sein, was ich denke. Vergiss nicht – du hast eine Menge zu verlieren.«

Kurz war es still, dann zischte er: »Du bist ein Monster!«

»Ach, was du nicht sagst.«

»Hör zu, Margaret, ich lasse mir von dir nicht mehr auf der Nase herumtanzen.«

»Ach nein?«

»Nein. Unser Arrangement ist hiermit aufgehoben.«

Margaret schien kurz darüber nachzudenken, ehe sie mit leiser Stimme drohte: »Unser Arrangement, wie du es nennst, ist erst dann aufgehoben, wenn ich es sage.«

»Sonst?«

»Sonst geh ich zu deiner reichen Frau und sag ihr alles. Ist es das, was du willst, Gavin? Das ist keine leere Drohung.

Du bist ein Nichts ohne Ellen. Nur sie kann dir so ein Leben bieten. Das könntest du dir in einer Million Jahre nicht leisten!«

Drew wartete auf eine wütende Erwiderung von Gavin, doch da kam nichts. Er sah Gavin Kirkwood fast vor sich, gut aussehend zwar, aber ohne Rückgrat, wie er mit offenem Mund im Flur stand und so verzweifelt wie vergebens nach einer schlagfertigen Antwort suchte.

»Dein Schweigen bedeutet wohl Zustimmung«, sagte Margaret munter. »Wenigstens sollte es das, wenn du weißt, was gut für dich ist. Gute Nacht, Gavin. Lauf heim zu Ellen, wo man dich braucht. Oder wenigstens erwartet. Ich hab alles unter Kontrolle, und so wird es auch bleiben. Ich lasse mir weder von dir noch von irgendjemandem dazwischenfunken.«

Margaret marschierte am Getränkeautomaten vorbei, den Blick stur geradeaus gerichtet. Drew war sicher, dass sie ihn nicht gesehen hatte. Fünf Minuten später sah er draußen auf dem Parkplatz Gavin Kirkwood reglos am Steuer seines Jaguars sitzen. Er ließ den Kopf hängen und starrte trostlos ins Leere.

2

»Tut mir Leid, dass ich Ihnen den Abend verdorben habe«, sagte Adrienne, als sie in Margarets nagelneuem Thunderbird saß. »Ich bin sicher, Sie hatten Besseres zu tun als für mich und Skye den Chauffeur zu spielen.«

»Seien Sie nicht albern.« Margaret lächelte. »Ich war gerade dabei, lästigen Papierkram zu erledigen, um mich abzulenken, bis Philip mir Bescheid gäbe, wie der Abend verlaufen ist.«

Philip, nicht etwa *Vicky* und Philip, dachte Adrienne leicht angesäuert. Vicky hatte sich Margarets besitzergreifende Art, was Philip anbelangte, also nicht eingebildet.

Der Regen hatte nachgelassen. Doch obwohl es nur noch leicht tröpfelte und Adrienne sich Margarets trockenen Regenmantel umgehängt hatte, fror sie. Nebel war aufgezogen, verlieh dem Schein der Straßenlampen etwas Gespentisches, und dicke Wolken verbargen den Mond und die Sterne. Ein trostloser, einsamer Abend.

»Ich weiß nicht, wo diese Mrs. Granger wohnt, die Skye mit nach Hause genommen hat«, sagte Adrienne schließlich, um die Stille zu füllen.

»Drew Delaney hat mir die Adresse gegeben. Ich glaube sogar, er hat vor einer Stunde bei den Leuten angerufen, um Skye Bescheid zu sagen.«

»Wie aufmerksam von ihm!«

»Übertreiben Sie mal nicht. Er ist Reporter, und das ist heute schon das zweite Ereignis, an dem Sie beteiligt sind. Er dürfte seine Gründe haben, warum er sich bei Ihnen einschleimt. Bestimmt hofft er, dass Sie dann eher bereit sind, mit den Einzelheiten über den Mord an Julianna Brent herauszurücken.«

Adrienne war unangenehm berührt, zumal sie ja wusste, dass Margaret Recht haben könnte, was Drews Motive betraf. Und doch war die Sorge in seinen Augen, nachdem er sie auf der Straße gefunden hatte, echt gewesen.

»Ich habe Sie gekränkt«, bemerkte Margaret. »Das tut mir Leid. Ich hatte vergessen, dass Sie und Drew mal ein Paar waren.«

Blöder Philip. Wozu musste er Margaret mit solch pikanten Details versorgen, dachte Adrienne. »Unsinn! Wir sind nur ein paar Mal miteinander ausgegangen, als ich noch auf der High School war, mehr war da nicht.« Sie schwieg. Was mochte Margaret von dieser Überreaktion halten? »Tut mir Leid, dass ich Sie angefahren habe. Aber ich habe Kopfschmerzen.«

»Sie werden sich gleich besser fühlen, wenn Sie ein Aspirin genommen haben, die feuchten Klamotten los sind und im warmen Bett liegen.«

Sie saßen schweigend nebeneinander, bis sie das Haus der Grangers erreichten. Als sie in die Einfahrt bogen, sagte Margaret: »*Ich* werde Skye holen. Wenn Sie selbst zur Tür gehen, stellt man Ihnen womöglich Fragen, die Sie lieber nicht beantworten wollen.«

»Sie haben Recht. Aber wenn Mrs. Granger ist wie ich, dann wird sie Skye nicht jemandem anvertrauen, den sie nicht kennt.«

»*Sie* kennt Mrs. Granger ebenso wenig wie mich, Adrienne.«

Diese Frau hatte die enervierende Angewohnheit, immer Recht zu haben, dachte Adrienne gereizt. Kein Wunder, dass sie Vicky in den Wahnsinn trieb.

Die Grangers bewohnten ein heimeliges, zweistöckiges Backsteinhaus. Adrienne blieb im Wagen sitzen, während Margaret Skye holen ging. Die Tür ging auf, und das Licht einer Laterne fiel auf eine pummelige Frau, offenbar Mrs. Granger, denn sie nickte, schlug die Hände zusammen, lächelte, lehnte sich aus der Tür, winkte Adrienne zu und verschwand dann im Haus. Einen Augenblick später kam Skye aus der Tür gerannt, rief Mrs. Granger etwas über die Schulter zu und lief zum Auto. Adrienne stieg aus, und das Mädchen warf sich in ihre Arme.

»O Mom, alles in Ordnung? Mrs. Granger hat behauptet, du hättest dir den Knöchel verstaucht, aber ich wusste, dass das nicht stimmt. Was ist passiert? Hat jemand das Photo Finish ausgeraubt? Ich hab mir nämlich gedacht, dass du eine Kugel abgekriegt hättest, weil du einem Räuber die Waffe abnehmen wolltest.«

»Du lieber Himmel!« Adrienne lachte verblüfft. »Ich wusste ja gar nicht, dass du mir so viel Mut zutraust! In Wirklichkeit bin ich gar nicht bis zum Photo Finish gekommen. Jemand hat mich schon auf dem Weg dorthin überfallen.«

110

»Überfallen?« Skye sah sie verdutzt an. »Ich dachte, so was passiert nur in so Städten wie New York City.«

»Wie's aussieht, wird das jetzt auch in Point Pleasant, West Virginia, Mode.«

Skye berührte zart Adriennes Stirnverband. »Was ist da drunter? Schlimm?«

»Ein Kratzer. Nicht schlimm. Ein paar Stiche.« Vier, um genau zu sein, aber sie wollte die Situation herunterspielen. »Der Typ hat mir die Beine weggeschlagen, und ich bin mit dem Kopf auf den Bürgersteig geknallt. Ansonsten hab ich nur ein paar Schrammen und blaue Flecke.«

Skye umarmte sie vorsichtig. »Ich bin so froh. Aber Mrs. Granger hätte mir die Wahrheit sagen sollen. Dann hätte ich nicht den Teufel an die Wand zu malen brauchen.«

»Mrs. Granger kann nichts dafür, die Geschichte mit dem verstauchten Knöchel war meine Idee. Ich vergesse immer wieder, dass du kein kleines Mädchen mehr bist. Deshalb möchte ich alles Schlimme von dir fern halten.«

Margaret saß längst wieder am Steuer.

»Also los, meine Damen. Höchste Zeit, dass wir zu den Hamiltons fahren.«

»Zu Tante Vicky?«, fragte Skye. »Warum?«

»Der Angreifer hat mir die Tasche gestohlen«, sagte Adrienne. »Er hat die Schlüssel zu unserem Haus. Bei Tante Vicky sind wir sicherer, bis die Schlösser ausgetauscht worden sind.«

»Aber Brandon!«, rief Skye. »Er ist ganz allein!«

»Ich bin sicher, dass es ihm gut geht«, sagte Margaret leichthin. »Du kannst ja morgen früh nach ihm sehen.«

Skye war empört. »Morgen früh! Er hatte noch gar nichts zu fressen. Er ist seit heute Morgen nicht mehr draußen gewesen. Noch dazu fürchtet er sich bestimmt so ganz allein in dem dunklen Haus. Wir müssen hin und ihn holen.«

»Skye, Hunde sind ziemlich anspruchslos«, sagte Margaret

111

mit Nachdruck. »Er wird dich wahrscheinlich nicht mal vermissen.«

Das genügte. Skye wurde rot. Sie würde ihren Hund *nicht* alleine lassen, und wenn sie zwei Meilen zu Fuß laufen müsste, um ihn zu holen. »Wenn wir bei Tante Vicky übernachten, dann kommt Brandon auch mit.« Skye hörte sich an wie eine selbstbewusste Fünfundzwanzigjährige, die keine Widerrede duldete. »Ms Taylor, bitte fahren Sie uns heim, damit ich Brandon holen kann.«

»Skye wirklich, du benimmst dich albern …«

»Skye hat Recht«, sagte Adrienne und wurde mit einem dankbaren Lächeln belohnt. »Entweder der Hund kommt mit, oder wir schlafen zu Hause.«

Margaret seufzte, starrte geradeaus und murmelte schließlich: »Also meinetwegen.« Sie war gründlich angenervt. Adrienne war es egal, sie empfand sogar ein bisschen Schadenfreude. Vicky und Rachel würden begeistert sein, wenn sie erfuhren, wie Skye sich über Margarets eisernen Willen hinweggesetzt hatte.

Nachdem sie Brandon geholt hatten – Margaret zuckte zusammen, als der große, schwarze Hund mit dem langen Fell auf die fleckenlosen hellen Lederpolster sprang –, fuhren sie zu Vickys Haus. Beim Anblick des Gebäudes rutschte Adriennes Laune endgültig in den Keller. Zwar wusste sie, dass ihr eigenes Heim architektonisch ein Albtraum war – ein Mischmasch aus aufeinander prallenden Stilen, Farben und Mustern –, doch gegen Vickys weißes Herrenhaus kam es ihr vor wie ein schillerndes, lebendiges Wesen. Nichts, aber auch gar nichts ermunterte einen Gast, dieses Reich zu betreten, in dem Blassrosa, frostiges Blau und reines Weiß den Ton angaben, auf dem teuren Teppich die Schuhe abzulegen und sich auf ein Sofa mit steifer Rückenlehne und Brokatbezug zu lümmeln.

Das Haus hatte Philips wohlhabender Großtante Octavia

gehört, die ihn großgezogen hatte, nachdem seine Eltern schon früh verstorben waren, und die steife, frostige Gegenwart der alten Dame füllte noch immer jeden Raum. Philip hatte nicht erlaubt, dass Vicky an der Einrichtung etwas veränderte, sie durfte allenfalls altersschwache Möbel durch identische ersetzen. Ein bekannter Innenarchitekt hatte das Haus in seiner Kolumne als ein Sanktuarium von urtümlicher Schönheit beschrieben. Adrienne fand es in etwa so gemütlich und aufbauend wie einen Eispalast. Ein paar billige Läufer, ein paar welke Topfblumen, eine aufgeschlagene Fernsehzeitschrift und ein beliebiges Foto in einem billigen Rahmen wären schon eine deutliche Verbesserung.

Doch das kam natürlich nicht in Frage. Octavia Hamilton hatte nie gewollt, dass es in ihrem Haus so aussah, als lebten hier gewöhnliche Menschen mit gewöhnlichen Leben, und ihr Neffe schien fest entschlossen, diese Tradition fortzuführen. Die einzige Veränderung, die Philip vorgenommen hatte, seit seine Großtante gestorben war, war ein hoch aufragender Fahnenmast vor dem Haus, der eine riesige amerikanische Flagge trug. Bei ihrem Anblick hatte Adrienne immer das Gefühl, als käme sie in ein Regierungsgebäude, nicht zum Haus ihrer Schwester.

Da noch immer niemand zu Hause war, sperrte Margaret die Hintertür auf, und sie betraten die große, schneeweiße Küche. Sie zeigte auf ein kleines Zimmer zur Linken. »Der Hund kann in der Wäschekammer bleiben.«

»In der Wäschekammer!« Skye war entsetzt. »Er ist es gewohnt, neben meinem Bett zu schlafen.«

Margaret lächelte schmallippig. »Bei dir zu Hause. Aber nicht in diesem Haus. Du weißt, dass dein Onkel Tierhaare nicht ausstehen kann und dass deshalb Rachel auch nie ein Haustier hatte.«

»Umso schlimmer!« Skye sah Margaret vorwurfsvoll an. »Rachel erzählte mir, wie sehr sie sich ein Tier gewünscht hätte, als sie klein war. Ich finde nicht, dass man ihr ein eigenes Haustier hätte vorenthalten dürfen, nur weil ihr Dad Angst hatte, Tierhaare auf die Möbel zu kriegen.«

»Und Urin und Kot auf die alten Teppiche«, entgegnete Margaret.

»Hunde kriegt man stubenrein«, behauptete Skye. »Brandon würde nie ins Haus pinkeln, nicht, Mom?«

»Nein, bestimmt nicht«, sagte Adrienne sanft. »Er ist wirklich gut erzogen, Margaret. Außerdem sind wir hier im Haus meiner Schwester, und ich weiß, dass sie nichts gegen Hunde hat. Wenn wir gegen die Regeln verstoßen, werde ich vor Philip auch dafür gradestehen, keine Sorge!«

Zorn flackerte auf in Margarets dunklen Augen. Dann sagte sie mit mühsam beherrschter Stimme: »Wie Sie richtig bemerkt haben, ist dies nicht mein Haus, doch hat man mich angestellt, um Mr. Hamiltons Anweisungen zu befolgen. Deshalb muss ich darauf bestehen, dass Sie den Hund einstweilen in der Wäschekammer lassen. Sie können die Angelegenheit ja später mit Philip besprechen.«

Und was war mit Vicky?, dachte Adrienne. Hatte sie hier denn gar nichts zu sagen? Doch ein Streit mit Margaret würde den Abend nur noch schlimmer machen.

Adrienne gab Skye ein Zeichen. Das Mädchen warf ihr einen vorwurfsvollen Blick zu und führte den großen Hund in die kleine Kammer. Margaret seufzte. »Jetzt ist sie beleidigt. Gut, dass ich keine Kinder habe. Ich kann nicht mit ihnen umgehen.«

Das klang fast wehmütig, und Adrienne hatte eine Spur Mitleid mit ihr. Vielleicht war ihr ja nach all den Jahren, in denen sie politische Kampagnen geleitet, Dutzende von Leuten herumkommandiert und die Verantwortung für Erfolg oder Niederlage eines Kandidaten übernommen hatte, nicht mehr bewusst, dass sie auf andere wirkte wie ein befehlswütiger General, was nicht gerade die beste Voraussetzung war für eine warmherzige Beziehung zu Teenagern. Adrienne fragte sich, ob Margaret schon immer so herrisch und selbstsicher gewesen war.

Skye kam aus der Wäschekammer und zog mit tragischer Miene die Tür hinter sich zu. »Schatz, eine Nacht da drin wird Brandon nicht umbringen«, sagte Adrienne. »Es ist ja nicht, als müsste er bei Eis und Schnee im Freien übernachten.«

»Aber er ist es gewöhnt, bei mir zu sein. Er versteht es nicht.«

»Er hat es doch schön.« Margarets Stimme klang eine Spur freundlicher. Sie bemühte sich also. »Ich führe Sie jetzt in die Gästezimmer. Welche wollen Sie denn?«

»Ich will bei Mom schlafen, ich brauch kein eigenes Zimmer«, sagte Skye sofort. »Wir nehmen das Zimmer neben Rachels. Es hat den größten Fernseher.«

Margaret sah zweifelnd drein. »Ich glaube nicht, dass deine Mutter schon fernsehen sollte …«

»Fernsehen kann ich immer«, log Adrienne, als sie sah, wie Skyes Miene sich verfinsterte. Das Mädchen hatte heute schon genug durchgestanden: zuerst ein Mord, dann ein Überfall auf ihre Mutter und zuletzt noch Brandon in der elenden Wäschekammer gefangen, ohne Kissen, ohne Spielsachen, ohne Kauknochen. »Wirklich, Margaret, ich kann sowieso erst einschlafen, wenn ich ein wenig ferngesehen habe. Es hat ja auch keinen Sinn, zwei Zimmer durcheinander zu bringen.«

Zwanzig Minuten später lag Skye quer über dem breiten Bett und sah sich einen Krimi an, als Adrienne aus dem Badezimmer kam. Sie hatte sich ein Bad einlaufen lassen, und das heiße Wasser hatte die Verspannung in Nacken und Schultern ein wenig gelockert. Sie hatte Unmengen Badeöl verbraucht und etliche Vanilleduftkerzen um die Wanne platziert. Kerzen, die Lottie Brent gegossen hatte. »Deine Schwester ist Mutters beste Kundin«, hatte Julianna Adrienne vor ein paar

Jahren erzählt. »Und sie hat viele ihrer Freundinnen dazu gebracht, ihr welche abzukaufen. Ich bin Vicky sehr dankbar.
Mama braucht das Gefühl, sich ihren Lebensunterhalt selbst
verdienen zu können, mit möglichst wenig Hilfe von mir und
von Gail.«

Eine Welle der Traurigkeit erfasste Adrienne. Nie mehr
würde sie in Juliannas schönes Gesicht schauen, nie mehr
ihr mädchenhaftes Lachen hören. Sie war fort. Von Julianna
Brent war nur ihre kalte, blasse Leiche im Leichenschauhaus
geblieben. Es schien ihr schier unmöglich.

»Mom, geht's dir gut?« Skye sah sie erschrocken an. »Ist dir
schlecht?«

Ja, mir ist schlecht bei dem Gedanken, dass meine Freundin
tot ist, dachte Adrienne. *Ermordet.* »Ist schon gut, Schatz. Nach
dem heißen Bad geht's mir schon viel besser.«

»Du riechst gut – nach Vanille –, aber du bist schrecklich
blass.«

»Ich hab ziemlich viel von Vickys Badeöl ins Wasser gekippt. Und morgen früh hab ich meine normale Gesichtsfarbe
wieder, du wirst schon sehen.«

»Hoffentlich.« Skye seufzte. »Mom, heute war der zweit-
schlimmste Tag in meinem ganzen Leben. Der schlimmste
war der, an dem Daddy gestorben ist.«

Adrienne setzte sich zu ihrer Tochter aufs Bett und legte
den Arm um sie. »Ich weiß, Kleines. Für mich auch. Aber er ist
jetzt vorbei. Der ganze schreckliche Albtraum ist vorbei.«

Adriennes Worte sollten überzeugend klingen, obwohl sie
selbst daran zweifelte, denn sie hatte das unerklärliche, aber
sichere Gefühl, dass der Albtraum gerade erst begonnen hatte.

116

»Grundgütiger, Adrienne, du siehst ja aus, als hätte dich jemand zusammengeschlagen!«

Philip Hamilton – eine elegante Erscheinung im Smoking, das hellbraune Haar tadellos gelegt, jede Falte strategisch platziert, was dem vornehmen Gesicht zugleich Jugendlichkeit und Weisheit verlieh – sah missbilligend auf Adrienne herunter, die mit einem Kissen im Rücken im Bett saß. »Was ist bloß los mit dir?«, fuhr er wütend fort. »Was treibt dich nachts allein auf die Straße?«

»Philip, ich muss dir etwas gestehen: Ich geh heimlich anschaffen.« Adrienne konnte nicht anders. Wieder einmal war ihm seine Ehre – die er durch den »zwielichtigen« Überfall auf sie befleckt sah – wichtiger als ihre Gesundheit. »Die Arbeitszeiten sind zwar nicht gerade günstig in diesem Metier, aber solange der Rubel rollt, nimmt man so einiges in Kauf! Dass ich dabei hie und da zusammengeschlagen werde, gehört eben zum Berufsrisiko.«

Philip schaute sie wütend an, als Vicky den Raum betrat: »O bitte, Adrienne, keine Albernheiten. Das kann er nicht ausstehen.« Vicky sah gestresst aus, die Wangen hochrot und die blauen Augen dunkel vor Sorge. »Margaret hat uns erzählt, was passiert ist. Sie meinte zwar, du wärst nicht schlimm verletzt, aber auf mich machst du keinen so guten Eindruck.«

»Ich komm schon wieder in Ordnung. Ich hab nur ein paar blaue Flecke und eine Platzwunde auf der Stirn.«

»Wer war das und warum?«, wollte Philip wissen.

»Ich hab nicht gesehen, wer es war. Der Angreifer kam von hinten. Was das Warum angeht, nehm ich an, dass jemand auf den vielen Zaster aus war, den ich immer mit mir rumtrage.«

In Wirklichkeit hatte sie den Verdacht, dass der Angreifer es auf ihren Fotoapparat abgesehen hatte, doch das würde sie tunlichst für sich behalten, sonst hätte Philip noch einen

Grund mehr, sie anzublaffen, weil sie sich als Hobbydetektivin betätigte. Zum Glück war Skye nebenan in Rachels Zimmer. Die war vor ungefähr einer halben Stunde von ihrer Verabredung mit Bruce heimgekommen.

»Margaret sagt, sie hätte Drew Delaney bei dir im Krankenhaus gesehen«, fuhr Philip sie an.

»Drew Delaney hat mich gerettet«, erwiderte sie entrüstet. »Er hat den Angreifer verjagt, den Krankenwagen gerufen, dafür gesorgt, dass Skye in guten Händen war, und ist bei mir im Krankenhaus geblieben, bis Margaret mich abgeholt hat.«

»Delaney ist nur geblieben, weil er Informationen wollte«, behauptete Philip mit Nachdruck. »Ich hoffe, du hast ihm nicht einen Haufen Blödsinn über mich erzählt.«

»Um ehrlich zu sein, rede ich andauernd von dir, Philip. Immer nur von dir. Tag und Nacht, immerzu denk ich an dich ...«

»Bitte!«, rief Vicky schrill und fuhr sich mit der Hand durch das kurz geschnittene Haar, das so aschblond wie das von Rachel war. »Ihr benehmt euch wie zänkische Sechsjährige. Philip, du bist entsetzlich unsensibel. Und Adrienne, du musst dich immer gleich angegriffen fühlen.«

»Er hat angefangen!«, erwiderte Adrienne bockig und konnte selbst nicht glauben, wie sie sich benahm. Philip sah aus, als habe er ein »Stimmt nicht!« auf den Lippen. Doch da trafen sich ihre Blicke, und ein langsames, ungewolltes Grinsen kroch in Philips gut aussehendes Gesicht, und da musste auch Adrienne gegen ihren Willen lachen. »Sie hat Recht, Philip. Wir führen uns auf wie die Kinder. Ich schäme mich für uns beide.«

»Ich schäme mich auch«, sagte Philip zu ihrem Erstaunen. »Ich muss mich bei dir entschuldigen. Tut mir Leid. Es war ein sehr langer Tag, und ich bin ziemlich erledigt. Ich hab meine miese Laune an dir ausgelassen.« Er seufzte. »Gott, ich muss was trinken.«

»Ich auch«, sagte Vicky.

»Du hattest genug.« Es hörte sich an, als redete er mit einem Kind, und Vicky wurde rot. Philip wandte sich mit gezwungenem Lächeln an Adrienne: »Ich lass euch zwei Schwestern allein. Tut mir wirklich Leid, was dir passiert ist. Zum Glück bist du nicht schlimmer verletzt.«

Nachdem er gegangen war, setzte Vicky sich aufs Bett und nahm Adriennes Hand. Die ihre war feucht und zittrig. »Du bist doch wirklich in Ordnung, oder? Du tust nicht nur so?«

»Die hätten mich doch nicht aus dem Krankenhaus gelassen, wenn ich nicht in Ordnung wäre«, sagte Adrienne und verschwieg, dass sie den gut gemeinten Rat des Arztes nicht beachtet hatte. »Du siehst ganz schön mitgenommen aus, Vicky. Tut mir Leid, dass ich mit Philip gestritten habe.«

»Du hast ja nicht angefangen, sondern er. Er war schon den ganzen Tag so mies gelaunt, und die Party heute Abend war einfach scheußlich. Öde Gastgeber, noch ödere Gäste, und viel zu viele Menschen auf engem Raum. Von der Klimaanlage will ich gar nicht erst sprechen. Mein schönes Seidenkleid ist völlig durchgeschwitzt. Mein Make-up ist verschmiert und meine Haare eine Katastrophe. Ich sehe aus wie eine Vogelscheuche.«

Sie klang entnervt und den Tränen nah. Anfangs hatte Vicky das Gesellschaftsleben an Philips Seite genossen. Aber das war lange vorbei. In den vergangenen Jahren sah sie nur noch mitgenommen und müde aus.

»Wir hatten alle einen schrecklichen Abend. Wir sollten zu Bett gehen und schlafen.« Adrienne lächelte ihrer Schwester zu. »Morgen früh sieht alles wieder viel besser aus.«

»Das muss es auch«, sagte Vicky dumpf, die hübschen Augen ganz verquollen. »Das muss es ganz einfach.«

4

Adrienne wusste nicht, was sie aus dem Schlaf gerissen hatte. Sie hatte einen wunderschönen Traum gehabt, war mit Julianna und Kit im riesigen Pool des *Belle Rivière* geschwommen. Dann war sie aus dem Schlaf geschreckt und augenblicklich auf der Hut, wie ein Tier, das Gefahr wittert. Sie setzte sich auf und zog sich die Decke an die Brust, als könne die sie beschützen. Doch wovor?

Musik.

Sie hörte vertraute Musik. Laut. Vibrierend. Annie Lennox sang *Sweet Dreams*, gespenstisch, zombiemäßig.

»Skye?«, flüsterte Adrienne. Dann lauter: »Skye?«

Sie tastete nach ihr, aber die andere Seite des Betts war leer. Obwohl sie wusste, dass Skye nicht da war, knipste sie die Nachttischlampe an und sah noch einmal nach. Die Laken waren kaum zerknüllt, das bauschige Kissen kalt.

»Skye!« Adrienne sprang aus dem Bett und stolperte beinahe über ihre eigenen Füße. Die Musik dröhnte weiter. Dieser Song, den sie einmal gemocht hatte, erinnerte sie nur noch an den grausamen Mord an ihrer Freundin. »Skye, wo bist du?«

Ihre Tochter hörte bestimmt nicht mitten in der Nacht im Haus ihrer Tante einen Song aus den Achtzigern. Wer dann? Und wo war Skye?

Adrienne nahm sich nicht die Zeit, einen Bademantel überzuziehen. Sie rannte hinaus auf den Flur und wäre beinahe mit Rachel zusammengestoßen, die aus ihrem Zimmer auftauchte. »Was geht da ab?«, fragte Rachel verdutzt.

»Ist Skye bei dir im Zimmer?«

»Nein. Ich dachte, sie würde bei dir schlafen.«

Die Tür am Ende des Flurs flog auf, und Vicky kam herausgelaufen, wobei sie sich unbeholfen den Gürtel ihres Bademantels zuband. »Rachel, du weckst ja das ganze Haus auf mit deiner Musik!«

»Das kommt nicht von mir«, rief Rachel entrüstet. »Es ist zwei Uhr morgens.«

Philip kam auf den Flur gestolpert, mit wirrem Haar und knittrigem Pyjama. »Was soll der Krach?«, donnerte er Rachel an. »Ich werde morgen in diesem gottverdammten Weiberclub zum Lunch erwartet. Ich brauche meinen Schlaf!«

Rachels Gesicht wurde rot vor Ärger. »Was gibst du mir die Schuld? Ich hab die Musik nicht laufen lassen. Sie kommt von unten. Vielleicht hat Skye sie angemacht.« Ihre Augen wurden schmal. »Oder Margaret.«

»Sei nicht albern!«, schalt Philip. »Margaret ist schon vor Stunden nach Hause gefahren, sie würde nie so was Dummes tun!«

Rachel sah auf. »Und ich schon?«

Adrienne ging zur Treppe. »Streitet euch ruhig weiter«, warf sie über die Schulter zurück. »Ich werde nachsehen, was los ist. Skye hat die Musik nicht angestellt, irgendein anderer hat sie laufen lassen. Aber vielleicht ist sie ja in Gefahr, falls es jemanden interessieren sollte.«

Sie rannte so schnell sie konnte die gewundene Treppe hinunter. Wenigstens bellt Brandon nicht, dachte sie. Vielleicht hieß das ja, dass niemand eingebrochen war. Brandon würde einen Eindringling verbellen.

Außer der große Hund war in die Wäschekammer gesperrt und unfähig, sie vor einer Gefahr zu warnen. Der blöde Philip und seine starren Hausregeln, dachte Adrienne wütend.

Im Wohnzimmer brannte eine zierliche Lampe auf einem Porzellanfuß, und im Lieferanteneingang zwischen Küche und Speisesaal war die Deckenlampe eingeschaltet. Adrienne rannte quer durch das Esszimmer auf ein kleines Zimmer zu, das mit einem verschnörkelten Schreibtisch und zwei zierlichen Stühlen mit Brokatbezug aus der Zeit von Ludwig XV. ausgestattet war; drei der Wände wurden von gewaltigen Teppichen geschmückt, die den kleinen Raum schier erdrückten. Es war Großtante Octavias so genannter Morgenraum. Hier hatte sie Haushaltskonten durchgesehen, Dankesbriefe verfasst und Einladungen geschrieben. Vicky hasste dieses Zimmer, besonders den vermutlich unbezahlbar wertvollen, aber hässlichen grau-beigen Läufer, auf dem ein tragbarer CD-Spieler stand, aus dem gerade die letzten Takte von *Sweet Dreams* dröhnten. Neben dem Gerät brannten zwei Jasminduftkerzen, genau wie in dem Hotelzimmer, in dem Juliannas Leiche gelegen hatte. Vor den Kerzen lagen blutrote Glasscherben.

Sechs

1

Einen Moment lang war es still, eine Stille, in die hinein Adrienne schrie: »Skye? Wo bist du?«

Sie hörte ein dumpfes Pochen. Dann noch eins. Es kam von der anderen Seite des Flurs, aus der Küche. Vicky und Philip standen inzwischen reglos in der Tür des Morgenraums und starrten auf den CD-Spieler wie auf eine Giftschlange. Adrienne fegte zwischen den beiden hindurch in die Küche und ignorierte die Kälte des glatten weißen Vinylbodens unter den bloßen Füßen. »Skye?«

»Hier drin!« Das Pochen kam aus der Wäschekammer am hinteren Ende der Küche. Ein Stuhl war unter den Türknauf geklemmt worden und versperrte sie. Adrienne rückte den Stuhl beiseite und riss die Tür auf. Skye kam auf sie zu, doch Brandon war schneller, warf sich Adrienne entgegen, sprang an ihr hoch und legte ihr die großen Pfoten auf die Schultern, während er ihr unter ekstatischem Winseln das Gesicht ableckte.

»Mom, wir hatten ja solche Angst!«, heulte Skye. Brandon wich nicht von der Stelle, gab kleine Geräusche von sich, als sei ihm das Grauen ihrer Lage bewusst. Adrienne umarmte ihn, nahm seine Pfoten und stellte ihn sanft auf den Boden, wobei sie tröstende Laute von sich gab. Erst als er sich ein wenig beruhigt hatte, machte er ihr Platz, sodass sie sich um ihre Tochter kümmern konnte, die sie genauso stürmisch umarmte.

»Ich konnte nicht schlafen mit Brandon ganz allein hier unten, ich musste immerzu daran denken, wie verängstigt und einsam er sein musste«, erklärte Skye. »Also ging ich runter. Wir haben uns zusammengekuschelt und sind eingeschlafen. Plötzlich hat Brandon gebellt. Da hörten wir ein Geräusch an der Tür. Wir waren noch nicht ganz wach, aber ich wusste, dass etwas nicht in Ordnung war. Ich hielt Brandon die Schnauze zu, weil ich dachte, jemand sei eingebrochen, und weil ich Angst hatte, der Betreffende würde mich und Brandon umbringen, wenn er bellte. Dann fing die Musik an! Wir haben erst versucht, aus dem Zimmer zu kommen, als wir dich schreien hörten.«

»Du hast genau das Richtige getan«, sagte Adrienne.

Skye brachte ein schwaches Lächeln zustande. »Was ist denn passiert? Waren wirklich Einbrecher im Haus?«

»Ich weiß es noch nicht. Gehen wir zu den anderen. Sie sind im Morgenraum.«

Adrienne unternahm keinen Versuch, Brandon erneut in die Wäschekammer zu sperren. Er hatte Angst und brauchte Skye in seiner Nähe. Zur Hölle mit Philip.

Die Hamiltons standen noch immer an derselben Stelle, nur Rachel beugte sich über den CD-Spieler, drückte den Ausschaltknopf, ging in die Knie und blies die Kerzen aus. »Ich hasse Jasminduft. Mom, hast du die von Lottie Brent gekauft?«

»Nein«, sagte Vicky schwach. »Ich kaufe nur Vanille.«

Rachel hob eine rote Glasscherbe auf. »Mein Windspiel!«, rief sie. »Ich hab es bei dem Gewitter von der Veranda genommen, weil der Wind so stark war.«

Die schönen, handbemalten Glöckchen aus venezianischem Glas, dachte Adrienne. Philip hatte sie auf einer Europareise für Rachel erstanden, als sie fünfzehn war, und sie hatte sehr daran gehangen. Zuweilen hatte sie nur fasziniert zu ihnen hinaufgeschaut und bewundert, wie das Licht durch das rubinrote Glas sickerte.

Rachel machte sich daran, die Scherben aufzusammeln, und fragte mit zittriger Stimme: »Warum tut jemand so etwas?«

»Zunächst einmal gilt es herauszufinden, wie ein Fremder überhaupt ins Haus kommen konnte«, sagte Philip. Er drehte sich zu Vicky um. »Hast du die Alarmanlage eingeschaltet?«

»Ja, natürlich.« Vicky zögerte. »Ich glaube es wenigstens.«

»Du glaubst es?« Philips Miene wurde hart. »Wie kann man nur etwas so Wichtiges vergessen?«

»Ich war so müde, und Margaret erzählte uns von Adriennes Unfall. Ich rannte gleich nach oben, um sie zu sehen. Ich war aufgeregt und weiß es einfach nicht mehr!« Philip sah seine Frau an, als wäre sie nicht ganz richtig im Kopf. »Ehrlich, Vicky, wo hast du in letzter Zeit bloß deine Gedanken?«

Vicky schien in ihrem hübschen Kimono zusammenzuschrumpfen, und Adrienne packte die Wut. »Vicky ist nicht die Einzige in diesem Haus«, fauchte sie Philip an. »Warum konntest *du* den Alarm nicht einschalten?«

Philip warf ihr einen stählernen Blick zu. »Weil das Vickys Aufgabe ist. Ich nahm an, sie hätte es getan.«

»Ach, nun hört schon auf!«, rief Rachel, und Tränen liefen ihr übers Gesicht. »Ihr zwei streitet euch nur noch. Ich habe es satt. Und sollten wir nicht durchs Haus gehen und nachsehen, ob irgendetwas fehlt? Oder ob der Einbrecher noch hier ist?«

»Wir sollten Sheriff Flynn anrufen«, sagte Skye.

»Er ist Bezirkssheriff, und wir befinden uns noch innerhalb der Stadtgrenzen«, sagte Adrienne. »Hier ist die Stadtpolizei zuständig.«

»Lucas würde trotzdem kommen, wenn du ihn darum bittest, Mom«, widersprach Skye.

Philip drehte sich um, um ihr einen wütenden Blick zuzuwerfen, und entdeckte Brandon neben ihr. »Bring diesen

Hund auf der Stelle nach draußen oder in die Wäschekammer.«

»Nein.« Skye hielt Philips Blick stand. »Wenn noch jemand im Haus ist, kann Brandon uns beschützen.«

Adrienne wusste zwar sehr genau, dass das Beschützen nicht unbedingt Brandons stärkste Seite war, aber sie war so stolz auf Skye, die dem schrecklichen Philip die Stirn bot, dass sie kein Wort dazu sagte.

Philip sah das Mädchen noch eine Weile an, deutlich überrascht, und verkündete dann mit dröhnender Stimme: »Ich werde jetzt das Haus durchsuchen.«

Vicky packte ihn am Arm. »Nein. Wenn noch jemand hier ist, könnte er dir etwas antun. Wir warten auf die Polizei. Wo bleiben die eigentlich so lange? Sollten die nicht gleich kommen, wenn der Alarm losgeht?«

»Der Alarm muss eingeschaltet sein, damit er losgehen kann.« Philip war jetzt so wütend, dass er durch gefletschte Zähne sprach. »Ich sehe mich nur ein wenig um. Vicky, du rufst die Polizei. Skye, bring den Hund wieder …« Er stockte. »Halt den Hund von mir fern. Rachel, geh in dein Zimmer, wenn du nicht aufhören kannst, wegen des Windspiels zu lamentieren.«

»Haben Sie auch Befehle für mich, Sir?«, fragte Adrienne bissig.

Philip sah sie aus schmalen Augen an. »Du hast für heute genug Ärger gemacht. Geh wieder ins Bett.«

»Nicht, wenn die Polizei herkommt. Ich setze Kaffeewasser auf.«

»Na schön. Und back ruhig noch ein paar Kekse dazu. Dann veranstalten wir eine Party.«

Adrienne suchte nach einer schlagfertigen Erwiderung, um sie Philip um die Ohren zu hauen, als ihr auffiel, wie schlecht er aussah – grau, ausgezehrt, zehn Jahre älter als vorige Woche. Die Situation zehrte an seinen Nerven – vielleicht ängstigte sie ihn sogar –, doch da war noch irgendetwas anderes. Sie sah eine Ader auf seiner Schläfe pochen. Stand ihm ein Schlaganfall bevor? Hatten auch gesunde Mittvierziger Schlaganfälle?

»Sei vorsichtig, Philip«, sagte sie in einem Anflug von Sorge. Er sah sie erschreckt an. »Es könnte noch jemand im Haus sein. Nimm Brandon mit.«

»Brandon!«, rief Skye. »Nein! Er könnte verletzt werden!«

»Anscheinend wollen hier manche Leute lieber mich opfern als den Hund«, sagte Philip stirnrunzelnd zu Adrienne.

»Wenn man bedenkt, wie du dich aufführst, ist das auch kein Wunder«, erwiderte Adrienne.

Rachel ließ ein Stück Glas von ihrem kaputten Windspiel fallen und ging nach oben. Skye wollte ihr nach, stutzte aber. »Ich glaube, sie will allein sein«, flüsterte sie Adrienne zu, als Philip den Flur hinunterging. »Ihr Vater hat sie gekränkt. Er war richtig gemein zu ihr. So kenne ich ihn gar nicht.«

»Er ist aufgeregt.«

»Mom, manchmal verstehe ich nicht so recht, warum Tante Vicky ihn eigentlich geheiratet hat. Er ist ein solcher Nörgler, wenn keiner dabei ist, den er für wichtig hält.«

»Ich weiß, mein Schatz. Aber er war nicht immer so. Als Vicky und er verlobt waren, war er charmant und lustig. Eine Spur arrogant vielleicht, aber trotzdem sympathisch. Er mochte sogar mich.« Skye grinste. »Ich begreife nicht, was in ihn gefahren ist. Aber wir wollen uns jetzt nicht über Philip Gedanken machen. Du und Brandon bleibt hier und beschützt Vicky und mich.«

»Ich brauche einen Drink«, sagte Vicky plötzlich, nachdem sie den Anruf bei der Polizei getätigt hatte. »Willst du auch einen, Adrienne?«

»Nein. Die haben mir im Krankenhaus irgendein Schmerzmittel verpasst. Und du solltest auch nichts mehr trinken. Die Cops könnten den Alkohol in deinem Atem riechen.«

»Zur Hölle mit ihnen.« Adrienne und Skye folgten Vicky in die Küche und sahen ihr zu, wie sie ein Glas Orangensaft mit zwei Spritzern Wodka versah und sich einen großen Schluck genehmigte.

Fünfzehn Minuten später kamen zwei Deputies. Das ganze Haus war hell erleuchtet, von innen und von außen, und ein paar Nachbarn spähten neugierig zu ihnen herüber, obwohl es schon halb drei Uhr morgens war. Vicky mischte sich einen zweiten Drink und setzte sich an den Küchentisch. Der Schreck, der eben noch ihre blauen Augen geweitet hatte, war einer glasigen Gleichgültigkeit gewichen. Adrienne rief Lucas an und setzte Kaffee auf, während Skye vor dem kleinen Fernseher in der Küche hockte und sich demonstrativ einen alten Film ansah, um nicht im Weg zu sein.

Als die Deputies das Haus durchsuchten, folgte Philip ihnen auf dem Fuß und bellte Kommandos. Adrienne wusste, dass sie jemandem mit weniger Einfluss als Philip Hamilton gesagt hätten, er solle sich hinsetzen und sie in Ruhe ihre Arbeit erledigen lassen. Genau das tat Lucas Flynn, als er ankam. Er nahm Philip beiseite und sprach ein ernstes Wort mit ihm. Nach ein paar Minuten wich die Anspannung aus Philips starrem Gesicht. Für einen Mann wie ihn war es vermutlich eine große Erleichterung, den Bezirkssheriff im Haus zu wissen.

Kurz darauf sprach Lucas unter vier Augen mit Adrienne: »Ich hab erst gegen elf Uhr erfahren, was dir heute Abend auf der Straße passiert ist. O Gott, es tut mir so Leid.«

»Ich werd's überleben. Aber ich bin eigentlich nur deshalb hier, weil ich annahm, ich sei hier sicherer als zu Hause. So kann man sich täuschen.«

Lucas zuckte mit den Schultern. »Du konntest ja nicht ahnen, dass so etwas passieren würde. Der Alarm war nicht eingeschaltet, und es gibt keinerlei Hinweise auf einen Einbruch. Wie erklärst du dir das?«

»Meinst du denn, einer von uns hat das angezettelt? Wen von uns haben Sie in Verdacht, Sheriff?«

»Jemanden, der Windspiele kaputt schlägt und mitten in der Nacht laute Musik hört? Passte eigentlich auf keinen von Euch.«

»Ist nichts gestohlen worden?«

»Philip zufolge nicht.«

»Lucas, die Sache ist noch seltsamer, als es den Anschein hat. Diese Kerzen haben denselben Duft wie die in Juliannas Hotelzimmer. Und der Song, der so laut gespielt wurde, war *Sweet Dreams* von den Eurythmics, Juliannas Lieblingssong seit zwanzig Jahren. Sie hat ihn andauernd gesungen.« Plötzlich spürte Adrienne Juliannas lange, kühle Finger im Nacken. Und eine entsetzliche Angst befiel sie.

»Lucas, jemand wusste, dass ich die Kerzen mit Juliannas Leiche in Verbindung bringen würde. Und er wusste außerdem, dass ich *Sweet Dreams* mit Julianna assoziiere«, sagte sie eindringlich. »Der Song war keine beliebige Wahl.«

Er sah sie besorgt an. »Warum wurde er dann in *diesem* Haus gespielt?«

»Weil mich jemand beobachtet und weiß, dass ich heute Nacht hier schlafe.« Ohne nachzudenken, griff sie nach seiner Hand. »Lucas, dieser Song ist eine Drohung; und sie galt *mir*.«

2

Obwohl die Polizei nach einer Stunde aus dem Haus war und alle wieder zu Bett gingen, bezweifelte Adrienne, dass einer von ihnen würde schlafen können. Um sechs Uhr früh waren alle schon wieder auf den Beinen, alle bis auf Vicky, jeder mehr oder minder mies gelaunt, nur der unverwüstliche Brandon schien den nächtlichen Aufruhr höchst unterhaltsam gefunden zu haben. Seine Stimmung wurde noch besser, als um sechs Uhr dreißig Mrs. Pitt, die Haushälterin, kam und nicht nur für die Menschen Frühstück machte, sondern auch ihn mit Schinken und Rühreiern verwöhnte.

Als sich Adrienne gerade ein noch warmes Stück Kuchen in den Mund schob, kam Margaret herein, ein gut gekleideter Wirbelwind, stellte Fragen zum Einbruch, machte sich Notizen und schärfte ihnen im Kommandoton ein, was die Reporter, die sie als »Geier« betitelte, erfahren durften und was nicht.

Rachel sah sie säuerlich an. »Gut zu wissen, dass ich in Ihren Augen ein Geier bin, Margaret.«

»Keineswegs, Rachel, Sie machen doch nur ein Praktikum, Sie sind noch keine richtige Journalistin«, erwiderte Margaret kalt und verächtlich.

Rachel warf scheppernd die Gabel auf ihren Teller und rückte ihren Stuhl vom Tisch. »Mir reicht's.« Sie funkelte Margaret böse an. »Vom Frühstück und von Ihnen. Was mich betrifft, können Sie …«

Adrienne fiel ihr lautstark ins Wort. »Mrs. Pitt, würden Sie so nett sein und eine Kanne Kaffee aufbrühen, damit ich ihn Vicky aufs Zimmer bringen kann?« Mit einem tödlichen Blick auf Margaret stampfte Rachel aus dem Zimmer. »Und vielleicht auch ein paar von diesen köstlichen Biskuits.«

Mrs. Pitt nickte lächelnd. Sie war eine Frau mittleren Alters mit dem Gemüt eines Engels. Nur wenn sie wütend war, sah ihr Gesicht aus, als hätte sie in eine Zitrone gebissen. »Ich geh gleich zu ihr rauf«, sagte sie, während sie eine Thermoskanne und ein Frühstückstablett aus dem Schrank holte. »Mrs. Hamilton ist verrückt nach meinem Kuchen.«

»Wo ist Vicky?«, fragte Margaret. »Ist sie krank?«

Adrienne ärgerte sich über ihren Ton. »Vicky war müde nach der Party letzte Nacht, und der Einbruch hat ihr den Rest gegeben. Sie hat keine Minute geschlafen.« Adrienne hatte keine Ahnung, ob Vicky geschlafen hatte oder nicht, aber sie musste ihre Schwester vor Margaret in Schutz nehmen. »Sie bleibt noch eine Weile im Bett und ruht sich aus.«

Margaret schnaubte ungeduldig, doch bevor sie die Chance hatte, etwas zu sagen, schaltete Philip sich ein. »Ich fühle mich auch nicht ganz auf der Höhe. Wir wollen uns diesen Morgen frei nehmen, Margaret.«

Sie sah ihn an, als hätte er ihr gerade befohlen, nackt auf dem Tisch zu tanzen. Ihre Augen weiteten sich, der Kiefer klappte nach unten, ihr ganzer Körper schien vor Schreck wie erstarrt. »Den Vormittag frei nehmen? Den ganzen Vormittag?« Er nickte. »Hast du denn das Mittagessen im Frauenclub vergessen, Philip? Wir müssen deine Rede noch mal durchgehen. Und ich will dich auf Touren bringen wegen der neuen Kläranlage in Baker County.«

»Wenn es eins gibt, worüber ich heute Morgen auf keinen Fall reden will, dann ist das eine Kläranlage«, stöhnte Philip, während er sich die dritte Tasse Kaffee einschenkte. »Und ich beherrsche meine Rede, auch wenn ich die eine oder andere Statistik, die du hinzugefügt hast, etwas abkürzen werde.«

»Willst du damit sagen, dass Frauen Statistiken langweilig finden?«, fragte Margaret spitz.

»Ich will damit sagen, dass Statistiken bei Anlässen wie diesem grundsätzlich nichts zu suchen haben. Es ist ein Lunch, Margaret, keine Firmenvorstandssitzung.«

Margaret presste die sorgfältig angemalten Lippen ärgerlich aufeinander. Ihr schlanker Fuß im hochhackigen Wildlederschuh stampfte unwirsch auf den Vinylfußboden. »Vielleicht ist dir so in etwa einer Stunde mehr nach Arbeiten zumute?«

»Mag sein«, sagte Philip lässig. »Aber ich glaube es nicht. Schließlich reisen wir übermorgen schon in den Norden. Nach diesem Lunch heute brauche ich den Nachmittag und den Abend zum Ausruhen. Es war sehr hektisch in den vergangenen Monaten.« Adrienne fiel auf, dass er todmüde aussah, als wäre seine ganze natürliche Dynamik über Nacht aus ihm herausgesickert.

»Vicky wird sich aufraffen und mit uns in den Norden reisen, nicht wahr?«, fragte Margaret eigensinnig. »Es ist wichtig, dass sie an deiner Seite ist.«

»Sie weiß das und wird natürlich mitkommen«, sagte Philip. »Rachel bleibt hier, sie muss ja arbeiten, also eine Sorge weniger für dich, da ihr beide ja offenbar nicht miteinander auskommt.«

Margaret sah beleidigt aus. »Ich bemühe mich wirklich, mit Rachel auszukommen. *Sie* ist das Problem.«

»Wie auch immer.« Philip warf einen Blick auf seine übereifrige Assistentin. »Da du schon so schön in Schwung bist heute Morgen, Margaret, sei doch so gut und fahr Adrienne und Skye nach Hause.«

»Sie nach Hause fahren?« Margaret konnte ihren Ärger jetzt kaum noch verbergen. »Die ganze Strecke?«

Philip verlor allmählich die Geduld. »Nein, Margaret, wirf sie einfach an der nächsten Straßenecke raus, dann können sie den Rest nach Hause trampen. Natürlich die ganze Strecke.«

»So habe ich das doch nicht gemeint. Ich habe nur so viel zu tun.« Margaret seufzte. »Na schön. Wenn du heute nicht arbeiten willst, muss ich mich eben irgendwie anderweitig beschäftigen.« Sie hielt inne, und ihr Blick fiel auf Brandon, der versuchte, die letzten Krümel aus dem Napf zu lecken, und ihn dabei quer durch die Küche schob. »Soll ich den Hund auch mitnehmen?«

»Ich glaube kaum, dass Skye die Absicht hat, ihn hier zu lassen.« Philip brachte ein kleines Lächeln für Skye zustande. »Also, ja, der Hund ist auch dabei. Und bald. Adrienne und Skye können es nicht erwarten, wieder heimzukommen. Wir haben ihnen keine sehr friedliche Nacht geboten.«

»Nun gut«, sagte Margaret kurz angebunden. Sie warf einen

kurzen Blick knapp über Adriennes Kopf hinweg. »Kann's losgehen?«

Adrienne hatte zwar noch nicht vorgehabt zu gehen, aber Philip schien es ziemlich eilig zu haben, sie und Skye loszuwerden. Und vor allem Brandon. Er konnte seine Ungeduld kaum verbergen. »Ich bin noch nicht mal angezogen, Margaret«, sagte Adrienne. »Gib uns zwanzig Minuten.«

Exakt dreiundzwanzig Minuten später verfrachtete Margaret sie in ihr Auto. Der Regen hatte schon vor Stunden aufgehört. Der Himmel war wolkenlos, und in der Morgensonne wirkten Gräser und Blumen wie neu belebt. »Ist das nicht ein schöner Morgen?«, rief Adrienne, als sie aus der Auffahrt bogen.

»Kann sein«, sagte Margaret lustlos.

»Ich finde auch, dass der Morgen schön ist, Mom«, sagte Skye pflichtgemäß.

Adrienne warf einen Blick auf Margarets versteinerte Miene. »Tut mir Leid, wenn wir Ihnen Umstände machen. Ich würde gern für die Reinigung der Sitze aufkommen, falls Brandon dort seine Haare hinterlassen hat.«

»Nicht nötig«, sagte Margaret kurz angebunden. Ihre Pläne für den Vormittag waren geplatzt, und sie disponierte nur ungern um. Flexibilität ist nicht gerade ihre starke Seite, dachte Adrienne, amüsiert und ärgerlich zugleich. »Ein langhaariger Hund ist allerdings ziemlich unappetitlich«, fügte Margaret hinzu. »Wenn man schon unbedingt einen Hund haben muss, dann sollte es wenigstens ein Pudel sein. Die haaren nämlich nicht.«

»Na, das freut doch den Pudel«, schoss Adrienne spitz zurück. Margarets Kiefer mahlten, doch Adrienne fiel nichts ein, um ihren Worten den Stachel zu nehmen.

Danach war nur noch Brandons Keuchen zu hören. Adrienne atmete erleichtert auf, als die ungemütliche, drei Meilen lange Fahrt zu Ende war und sie in ihre Straße einbogen, doch da sah sie zwei Streifenwagen vor dem Haus parken.

»O Gott, was ist denn jetzt schon wieder?«, entfuhr es Margaret.

Adrienne beugte sich nach vorn, als könne ein genaueres Hinsehen die Unglücksboten vertreiben. Doch die Polizeiwagen blieben, wo sie waren. Sie sah Lucas vor dem Haus stehen.

»Mom?«, sagte Skye unsicher vom Rücksitz.

»Lucas ist hier«, antwortete Adrienne. »Alles wird gut.«

Adrienne wusste nicht, was los war, aber den Sheriff in der Nähe zu wissen, senkte ihren Angstpegel doch erheblich. Margaret bog in die Auffahrt und seufzte. »Ich werde warten, bis wir wissen, was los ist.«

»Das brauchen Sie nicht, Margaret. Ich bin sicher, Sie können nicht helfen.«

»Aber ich muss Philip auf dem Laufenden halten.«

»Ach so. Sie bleiben nicht uns zuliebe, sondern wegen Philip«, bemerkte Adrienne spitz, »er hat oberste Priorität.«

»Dafür werde ich bezahlt«, sagte Margaret kühl.

Hoffentlich ist dein Interesse rein beruflich, dachte Adrienne, sagte aber nichts. Jetzt war nicht der Zeitpunkt, um mit Margaret Streit anzufangen.

Als Adrienne aus dem Wagen stieg, kam Lucas auf sie zu. Er sah müde aus und ein wenig starr um den Mund, wie immer, wenn er unter Stress stand. »Was ist passiert?«, platzte sie heraus, ehe er etwas sagen konnte.

»Ein Deputy ist heute Morgen hier vorbeigefahren. Er wusste, dass du überfallen wurdest und die Nacht bei deiner Schwester verbringst. Als daher die Haustür weit offen stand, hielt er an, um nach dem Rechten zu sehen. Er weiß, dass wir miteinander ausgehen, also rief er nicht nur seine Kollegen her, sondern auch mich. Für eine gründliche Bestandsaufnahme war noch keine Zeit, aber dein Haus wurde gefilzt.«

»Gefilzt?«

»Durchsucht. Es ist kein großer Schaden entstanden, Van-

134

dalismus können wir demnach als Motiv für den Einbruch ausschließen; Diebstahl kommt auch nicht in Frage, weil weder die Fernsehgeräte noch der Videorecorder oder die Stereoanlage fehlen.«

»Durchsucht«, wiederholte Adrienne, und verfiel dann in sekundenlanges Schweigen, um die Information zu verarbeiten. Dann fiel der Groschen. »Der Fotoapparat! Jemand sucht nach der Kamera, mit der ich vor dem Hotel einige Bilder geknipst hab!«

Lucas zog die Augenbrauen in die Höhe. »Welche Kamera denn?«

Adrienne ging zu Margarets Wagen, machte die Hintertür auf und zog ihre Jeansjacke heraus. »Sie war durchnässt, deshalb hat Margaret mir ihren Regenmantel geborgt. Ich hab meine Jacke auf den Rücksitz geworfen und sie dort vergessen.« Sie griff in die Innentasche. »Hier ist sie!« Sie hielt ihre Olympus in die Höhe und rief triumphierend: »Sie war die ganze Nacht in Margarets Wagen. Nicht bei mir zu Hause und auch nicht bei Vicky!«

Lucas starrte sie fragend an und sagte dann: »Willst du dich bitte ein wenig beruhigen und mir dann erklären, was dieser Fotoapparat mit der Sache zu tun hat?«

»Du bist zu aufgeregt, Mom. Ich werd's ihm erzählen.« Skye klang bemerkenswert reif und gefasst. Sie stand neben ihrer Mutter und hielt Brandon fest an der Leine. »Gestern Morgen vor dem *Belle Rivière* ist Brandon in den Wald gelaufen, und ich wollte ihn wieder einfangen. Mom meinte, sie hätte außer mir noch jemanden im Wald gesehen. Also hat sie Fotos gemacht.«

»Warum?«, fragte Lucas.

»Weil sie dachte, der Betreffende wäre ein Dieb, und wenn sie ein Foto von ihm hätte, könntest du ihn identifizieren und fangen. Ich hatte übrigens auch irgendwie das Gefühl, als wär da jemand …«

135

Adrienne fiel ihr ins Wort. »Nachdem wir Julianna gefunden hatten, dachte ich, ich hätte vielleicht gar keinen Einbrecher fotografiert, sondern den Mörder. Ich wollte den Film gerade zum Entwickeln bringen, als ich überfallen wurde. Ich glaube, der Angreifer hatte es auf diesen Film abgesehen.«

»Weil der Angreifer der Mörder war«, fügte Skye unnötigerweise hinzu.

»Glaubst du denn, der Betreffende hat letzte Nacht das Haus der Hamiltons überfallen, nachdem er den Fotoapparat in deiner Tasche nicht gefunden hatte?«, fragte Lucas.

»Ja. Und davor oder danach hat er mein Haus durchsucht. Da nichts gestohlen wurde, ergibt das durchaus einen Sinn.«

Lucas nickte langsam. »O ja, das meine ich auch.« Er streckte die Hand aus. »Ich werde diesen Apparat an mich nehmen und den Film entwickeln lassen. Solange du das Ding mit dir herumträgst, bist du in Gefahr.«

Adrienne gab ihm ihre Kamera. »Tut mir Leid, dass ich es dir nicht schon gestern gesagt habe. Ich war völlig konfus, nachdem wir Julianna gefunden hatten.«

»Ich bin zwar nicht der Meinung, dass du Beweisstücke zurückhalten wolltest«, sagte Lucas lächelnd, »aber du hast dir damit eindeutig ein paar Probleme eingehandelt.«

»Juliannas Mörder kann doch gar nicht wissen, dass ich dir den Fotoapparat gegeben habe, außer er beobachtet mich. Trotzdem bin ich froh, ihn los zu sein.« Adrienne warf einen düsteren Blick auf ihr Haus. »Vielleicht sollte ich mal lieber reingehen und mir den Schaden ansehen.«

Die blühenden Büsche zu beiden Seiten der Haustür leuchteten in der Morgensonne. Adrienne sog den betörenden Blütenduft in sich ein, als könne er sie stärken. Die Vorstellung, dass ein Fremder ihre persönlichen Dinge durchwühlt hatte, war fast noch verletzender als der Überfall letzte Nacht.

Nach der Nacht in Vickys Haus, wo alle Farben aufeinander abgestimmt waren, war der Anblick ihrer bunten Wohnung fast ein Angriff auf die Sehnerven. Das Wohnzimmer war geradezu eine Farbexplosion: gelbe, blaue, pink- und pfirsichfarbene Möbel – einige modern, einige alt, einige Marke Eigenbau, wie beispielsweise der gläserne Kaffeetisch. Kissen lagen auf dem Boden. Schubladen standen offen, ihr Inhalt war zu Boden geworfen. Illustrierte und Bücher lagen auf einem Haufen, eine Topfpflanze war umgestoßen, die Erde auf dem Teppich verstreut. Der Raum war ein einziges Chaos, aber zu Bruch gegangen war offenbar nichts. Dasselbe galt für Küche und Esszimmer, doch Adriennes Sorge galt in erster Linie einem Zimmer. Ihrem Atelier.

Sie eilte den Flur entlang zu dem mittelgroßen Raum mit den großen Fensterflächen, in dem sie ihr Atelier eingerichtet hatte. Sie rechnete mit einer Katastrophe. Stattdessen stand vor den Fenstern eine Staffelei mit der frischen Leinwand, die sie vor kurzem aufgezogen und grundiert hatte. Für das Bild von *La Belle Rivière*. Das Ölgemälde, das sie beim Sommerfest in der French Art Colony zeigen wollte, stand auf einer zweiten Staffelei, neben der Wand. Es trocknete dort schon seit zwei Wochen und war zu ihrer großen Erleichterung unbeschädigt. Auf einem langen Arbeitstisch lagen all ihre Tuben mit Ölfarbe noch immer ordentlich nebeneinander. Es gab kein Anzeichen dafür, dass außer ihr noch jemand im Zimmer gewesen war, bis auf die eindeutig durchwühlten Schubladen ihres Arbeitstisches und eine Skizze von Skye, die unversehrt auf dem Boden lag.

»Jemand hätte sich hier austoben können«, bemerkte Lucas. »Der Eindringling scheint ein Kunstliebhaber zu sein.«

»Zum Glück. Ich könnte das Bild dort nicht mehr rechtzeitig ersetzen fürs Fest, und ich habe mir nun einmal dieses Motiv in den Kopf gesetzt.« Sie sah es sich aus der Nähe an, um sicherzugehen, dass der ungeladene Gast sich nicht etwa durch ein kleines Zeichen in der feuchten Farbe verewigt hatte. Hatte er nicht.

Ein wenig beruhigt ging Adrienne vom Atelier in ihr Schlafzimmer. Der Anblick verschlug ihr die Sprache. Dieser Raum
war nicht so sanft behandelt worden wie das Atelier.

Ein kleiner Stuhl blockierte den Eingang. Lucas schob ihn
beiseite und sagte: »Diesen Raum hab ich noch nicht über-
prüft. Besser, du lässt mich vor.«

»Hier versteckt sich doch keiner.« Adrienne warf einen
Blick in das sonnendurchflutete Zimmer. Duftige Vorhänge
wehten in der leichten Brise, die durchs offene Fenster kam.
»Wenn noch jemand hier gewesen wäre, als die Polizei kam,
wäre er doch durchs Fenster geflohen.«

Sie trat ins Zimmer und sah sich um. Sämtliche Schubladen
in der Eichenholzkommode waren herausgezogen und der
Inhalt auf den Boden gekippt. Unterwäsche, Nachthemden,
Strumpfhosen und Socken lagen überall verstreut. Decke
und Laken waren vom Bett gerissen, Matratze und Gitter aus
dem Rahmen gestoßen. Schuhe und Schachteln aus ihrem
Schrank waren quer durchs Zimmer geschleudert worden,
als hätte der Eindringling sich vor Frust nicht mehr zu helfen
gewusst.

»Ich hoffe, du hattest nichts Wertvolles hier drin«, sagte
Lucas.

»Zum Glück ist mein umfassender Besitz an Schmuck und
Pelzen in Tresorräumen sehr sicher verwahrt«, sagte Adrienne
leichthin, obwohl ihr das Durcheinander im Zimmer mehr zusetzte, als sie zugab.

Sie ging langsam auf die Frisierkommode zu, die völlig leer-
geräumt war. Ihre kleine Schmuckschatulle und das silberne
Toilettenset, bestehend aus Bürste und Spiegel, ein Geschenk
ihrer Mutter, war zu Boden gefegt. Der Spiegel war zerbrochen, und neben den Scherben lag ihr zerbrochener Parfum-
flakon. Ein starker Rosenduft stieg ihr in die Nase, als sie sich
danach bückte.

»So viel zum neuen Eau de Toilette, das ich mir diese Woche geleistet habe«, sagte sie übellaunig. »Zum Glück hab ich nicht das teure Parfum genommen.«

»Was ist schon ein zerbrochener Spiegel und eine kaputte Flasche Eau de Toilette, der Schaden könnte viel schlimmer sein«, erinnerte sie Lucas.

»Du hast Recht. Ich sollte dankbar sein …«

Da entdeckte sie etwas, das sie mitten im Satz innehalten ließ. Ihre Augen weiteten sich, und Lucas folgte ihrem Blick. Auf dem großen Spiegel oberhalb der Frisierkommode stand in roter Farbe eine Botschaft:

Geh weg oder stirb!

Sieben

1

»O Gott«, keuchte Adrienne. »Ist das Blut?«

Lucas inspizierte die Schrift aus der Nähe, achtete penibel darauf, weder die Auflage der Frisierkommode noch den Spiegel zu berühren. Endlich sagte er: »Kein Blut. Die Konsistenz ist wächsern.«

Adrienne kam vorsichtig näher. Und erkannte die Farbe. »Lippenstift. Persisch Rot. Er lag auf der Kommode.«

Lucas sah sich im Zimmer um. »Ich sehe ihn nirgends liegen. Bist du sicher, dass es dein Lippenstift ist?«

»Ja. Die Farbe war mir im Tageslicht zu grell, aber die Hülse fand ich hübsch, also hab ich ihn auf die Kommode gestellt.«

»Die Hülse könnte hier, in diesem Durcheinander liegen.«

Adrienne drehte sich zu ihm um. »Lucas, du tust ja gerade so, als gäbe es nichts Wichtigeres als diesen Lippenstift. Ist dir etwa der Sinn der Botschaft entgangen?«

»*Geh weg oder stirb.* Klingt ziemlich melodramatisch. Als wollte dir jemand Angst einjagen.«

»Ich bin froh, dass du es so gelassen nimmst!«

»Wenn du Wörter wie gelassen benutzt, bist du sauer«, sagte Lucas. »Ich nehme die Botschaft nicht auf die leichte Schulter, Adrienne. Ich verliere nur nicht gleich die Nerven. Und das solltest du auch nicht.«

»Natürlich nicht. Es ist ja auch nicht weiter tragisch, wenn man heimkommt und auf dem Spiegel eine Morddrohung findet. Warum zum Teufel rege ich mich überhaupt auf?«

Lucas legte ihr die Hände auf die Schultern und sah ihr tief in die Augen. »Vertraust du mir? Ich weiß, was ich tue, glaube mir.«

»Ich glaube dir ja, aber …«

»Kein Aber. Es *könnte* eine Drohung sein. Doch mein Instinkt sagt mir, dass der Eindringling dir nicht wirklich schaden wollte, sonst hätte er weit mehr kaputt geschlagen. Wer immer dein Haus durchwühlt hat, war ziemlich moderat, bis er in dieses Zimmer kam; hier hat ihn wahrscheinlich die Wut gepackt, weil er nicht das gefunden hat, wonach er suchte. Und diese Drohung klingt fast, als hätte ein Kind sie geschrieben.«

»Du findest also, die Sache ist nicht der Rede wert.«

»Das habe ich nicht gesagt.« Er sah sich noch einmal um, offensichtlich in Gedanken, und sagte schließlich: »Ich finde, du und Skye solltet ein paar Tage in Vickys Haus bleiben, nur vorsichtshalber.«

»Tja, daraus wird leider nichts. Philip und Vicky gehen morgen früh auf Wahlkampftour. Nur Rachel bleibt zu Hause, und ich glaube kaum, dass Vicky einverstanden wäre, wenn Rachel meinetwegen auch zur Zielscheibe würde. Außerdem ist bei ihnen ja auch eingebrochen worden.«

»Weil die Alarmanlage nicht eingeschaltet war. Du hast nicht mal eine Alarmanlage.«

»Ich werd heute eine installieren lassen.«

»Adrienne, möglicherweise geht das nicht so schnell«, sagte Lucas. »Wenn du entschlossen bist, dich von Rachel fern zu halten, um sie nicht in Gefahr zu bringen, dann solltest du Point Pleasant für eine Weile verlassen.«

»Point Pleasant verlassen? Aber ich unterrichte doch! Und ich brauche den Job. Wenn ich einfach verschwinde, bin ich ihn sehr wahrscheinlich los!«

»Du unterrichtest doch nur zwei Klassen.«

»Trotzdem, die Kurse haben schon angefangen. Wenn es nur um ein paar Tage ginge, wäre es nicht so schlimm, aber bis Juliannas Mörder gefunden ist, können Wochen vergehen. So lange kann ich nicht weg, Lucas.« Er sah noch immer skeptisch drein, aber sie ahnte schon, dass sie sich in dieser Sache auf die Hinterbeine stellen musste. Mit ihrem Lehrauftrag bestritt sie den Lebensunterhalt für sich und ihre Tochter. Sie holte tief Luft und sagte mit gespielter Zuversicht: »Und außerdem, selbst wenn der Mörder nicht auf den Fotos wäre, die ich gemacht habe, kann er doch unmöglich annehmen, ich hätte ihn zwar gesehen, würde ihn aber nicht verraten.«

»Warum denn nicht?«

»Weil er weiß, dass ich Angst vor ihm habe und ihn am liebsten hinter Gittern wüsste. Aber wenn ich ein paar Tage geschwiegen habe, wird er doch wohl merken, dass er nichts von mir zu befürchten hat.«

»Und in der Zwischenzeit?«

»In der Zwischenzeit wirst du deinen beträchtlichen Einfluss als Sheriff geltend machen und darauf bestehen, dass man mir noch heute eine Alarmanlage einbaut. Skye und ich werden besonders vorsichtig sein. Ich werd meine Tochter nicht aus den Augen lassen. Das wird sie zwar in den Wahnsinn treiben, dafür hab ich ein besseres Gefühl. Rachel, Skye und ich sind in Sicherheit, und bald ist alles wieder in schönster Ordnung.«

»Da bin ich mir nicht so sicher, Adrienne«, sagte Lucas nach kurzem Zögern. »Da ist etwas, das ich dir noch nicht erzählt habe.«

Sie hätte sich am liebsten die Ohren zugehalten wie ein Kind, zwang sich aber, ihm zuzuhören. »Was ist es denn?«

»Claude Duncan ist gestern bei einem Brand ums Leben gekommen. Deshalb bin ich auch nicht zum Krankenhaus gekommen, als ich von dem Angriff auf dich hörte. Ich war in seinem Haus. Es war schrecklich. Das Cottage brannte wie Zunder, Adrienne, und ich möchte wetten, dass es kein Unfall war.«

2

Der Geruch nach verkohltem Holz hing über den Trümmern wie eine tiefe Wolke und verpestete die saubere Morgenluft. Ein Schleier aus Asche dämpfte die Farben der umliegenden Sträucher und Blumen, und das verbliebene Gras um den Brandort war niedergedrückt und nass vom Löschwasser, mit dem man erfolglos versucht hatte, die Flammen einzudämmen, die das Cottage des Hausmeisters verzehrt hatten.

Drew Delaney konnte den Atem nicht mehr länger anhalten. Er sog die beißende Luft ein, die ihm die Tränen in die Augen trieb. Sein Magen rebellierte, wenn er an den Mann dachte, der in diesem Inferno sein Ende fand.

Claude Duncan.

Einer der Verlierer der Stadt. Eine Witzfigur. Drew erinnerte sich, wie er als Siebzehnjähriger an einem schwülheißen Sommertag in der silberfarbenen Corvette seines Onkels vom Hotelgelände gebraust war. Er war besonders gut drauf gewesen, weil er sich für den Abend mit Adrienne verabredet hatte, dem hübschesten Mädchen der Stadt. Zu diesem Zweck hatte er sich eigens den heißen Schlitten geliehen. O ja, der Tag würde fabelhaft werden.

Dann hatte er den schlaksigen Jungen mit dem strähnigen Haar gesichtet, der die Straße langtrottete. Drew hatte ihn sofort erkannt, es war Claude Duncan, der Sohn des Hotelmanagers. Er war etwa elf, mager und schlaksig und ließ den Kopf hängen, als sei ihm jeder Funken Lebensfreude abhanden gekommen. Ohne recht zu wissen, was er tat, hatte

Drew neben ihm angehalten. »He, Claude, wo soll's denn hingehen?«

Claude war erschrocken und beteuerte nervös: »Ich hab nichts Böses vor. Ehrlich.«

Drew hatte gelacht. »Das hab ich auch nicht angenommen. Ich wollte doch nur wissen, wohin du gehst?«

»Ach so, na ja, ich muss zur Apotheke, Medizin besorgen für meine Mom. Sie ist krank, und Dad hat zu tun.«

Drew hatte den Jungen entgeistert angestarrt. Die Apotheke war vier Meilen entfernt. Sein Vater erwartete von ihm, dass er in dieser Hitze eine Strecke von acht Meilen *zu Fuß* zurücklegte? Wahrscheinlich. Der alte Duncan war Drews Ansicht nach ein Arschloch erster Güte. »Na, fährst du mit?«

»Ich?« Claude hatte die Corvette angesehen, als wäre sie eine Art Superraumschiff. »In diesem Wagen?«

»Na klar. Spring rein. Ich fahr dich in null Komma nichts zur Apotheke.«

Claude war unbeholfen eingestiegen und sah sich mit großen Augen um. »Das ist der coolste Wagen, den ich je gesehen habe, Mr. Delaney«, hatte er voller Ehrfurcht festgestellt. »Gehört er Ihnen?«

»Nein, meinem Onkel. Aber irgendwann hab ich selber so einen. Und nenn mich Drew. Ich bin noch viel zu jung, um Mr. Delaney genannt zu werden.«

»O, ja, Sir. Drew. Ich werd's mir merken. Aber vor meinem Dad muss ich Sie Mr. Delaney nennen. Es ist eine seiner Regeln.«

Scheiß auf seine Regeln, hätte Drew am liebsten gesagt, verkniff es sich aber. Wenn er Claude gegen seinen Vater aufhetzte, brächte er ihm nur Ärger ein.

Drew hatte vor der Apotheke im Wagen auf Claude gewartet und sich in den bewundernden Blicken von ein paar hübschen Mädchen gesonnt. Als Claude aus dem Laden gekommen war, hingen seine Schultern nicht mehr, war sein

Gang fast keck. Drew fand, dass er Claude nicht kurzerhand zu seinem Vater zurückfahren konnte, und nahm ihn ins Dairy Queen mit, wo sie sich beide ein paar Schokoshakes schmecken ließen. Anschließend hatte er die Musik voll aufgedreht und war ein paar Mal durch die Stadt gebraust, um mit dem Wagen anzugeben. Claude hatte am Ende sogar gelacht, und da war Drew bewusst geworden, dass er ihn in all den Jahren, wo er den Pool des *Belle* hatte benutzen dürfen, weil er ein Freund von Kit Kirkwood war, nicht ein einziges Mal hatte lachen sehen.

Nach einer guten Stunde waren sie wieder zum Hotel zurückgefahren, viel schneller als Claude den Weg hätte zu Fuß zurücklegen können. Der Junge war ausgestiegen und hatte sich überschwänglich bei Drew bedankt. »Ehrlich, das war der beste Tag in meinem ganzen Leben!«, hatte er freudestrahlend gesagt. Dann hatte er die Tüte mit den Medikamenten für seine krebskranke Mutter aus dem Wagen genommen und war fröhlich auf das kleine Cottage zu gelaufen.

Als Drew vor knapp zwei Jahren nach Point Pleasant zurückgekommen war, war er fassungslos, was aus dem treuherzigen Jungen von damals geworden war. Sein Wille war völlig gebrochen worden, zweifellos von dem untadeligen Mr. Duncan, den Kit Kirkwoods Mutter nur deshalb ertragen hatte, weil er ihr Hotel so reibungslos führte. Drew hatte Claude hin und wieder ein paar Drinks spendiert und eine Weile mit ihm geplaudert, aber es war deprimierend gewesen. Claude war nicht sonderlich gesprächig gewesen, wenn er nüchtern war; der permanente emotionale Missbrauch, dem er ausgesetzt war, und der viele Alkohol hatten seine Gefühlswelt durcheinander gebracht und seinen Verstand angegriffen. Wenn er getrunken hatte, war er entweder deprimiert und selbstmitleidig oder ein lächerlicher Aufschneider. Drew tat es unendlich Leid, was aus Claude geworden war.

Und jetzt war der arme Junge, noch keine dreißig, tot.

Drew war noch bei Adrienne im Krankenhaus gewesen, als sie Claude letzte Nacht mit entsetzlichen Verbrennungen eingeliefert hatten. Seine Haut wies zu achtzig Prozent Verbrennungen zweiten und dritten Grades auf. Eine der Krankenschwestern hatte es Drew im Vertrauen erzählt. Selbst wenn Claude das Krankenhaus lebend erreicht hätte, so die Schwester, wären seine Überlebenschancen gleich null gewesen. Claudes Pupillen seien verengt gewesen, was auf Drogeneinwirkung schließen lasse. Hoffentlich, schloss sie, habe Claude es »überstanden«, bevor ihn die Flammen erfasst hätten.

Claudes Tod konnte auch ein Zufall sein, dachte Drew. Schließlich waren im *Belle* über die Jahre unverhältnismäßig viele Menschen gestorben. Doch zwei in weniger als vierundzwanzig Stunden? Das war sogar für das *Belle* ein wenig ungewöhnlich. Möglicherweise gab es zwischen den Toten einen Zusammenhang. Nur was verband Julianna Brent mit Claude Duncan?, überlegte Drew. Sicher keine Romantik. Auch keine Geschäftsbeziehung. Etwas, was sie beide wussten? Nur was? Die Identität von Juliannas Liebhaber? Aber nein, Claude hätte ein solches Geheimnis keinen Tag für sich behalten können. Wenn er gewusst hätte, wer ihr Liebhaber war, dann hätte er seinen Namen in der ganzen Stadt herumposaunt. Nein, Claude kannte den Namen von Juliannas Liebhaber nicht. Was verband sie dann miteinander?

Drew schloss die dunklen Augen und schüttelte den Kopf. Manchmal überforderte ihn sein journalistisches Interesse. Seine Mutter hatte es einmal als stinknormale Neugier bezeichnet und ihn davor gewarnt, seine Nase immer in anderer Leute Angelegenheiten zu stecken. Doch bis jetzt war immer alles gut gegangen, außerdem hatte er im Hirn noch keinen Schalter gefunden, um seine Neugier auszuknipsen.

Gelbes Polizeiabsperrband umgab die Überreste des Cottages. Deputy Sonny Keller, untersetzt, mittleren Alters, mit hochrotem Gesicht, kam auf ihn zu geschlendert. »Die Straße zum Hotel ist gesperrt, Delaney, Sie dürften gar nicht hier sein.«

»Ich bin durch den Wald gelaufen, außerdem steh ich doch niemandem im Weg«, erwiderte Drew freundlich.

»Sheriff Flynn will hier oben keine Souvenirjäger sehen.«

»Ich hatte nicht die Absicht, mir etwas anzueignen. Außerdem scheint nicht mehr viel übrig zu sein.«

Keller schüttelte den Kopf. »Es war ein fürchterliches Durcheinander. Es wäre überhaupt nichts mehr übrig, wenn nicht jemand kurz vor dem zweiten Wolkenbruch vom Highway aus die Feuerwehr alarmiert hätte. Der Regen ist das einzige, was Claude gerettet hat.«

»Tja, für einen kurzen Todeskampf.« Drew schauderte. »Was hat den Brand verursacht? Schon irgendeine Idee?«

Keller sah ihn argwöhnisch an. »Ich kenn Ihr Spiel. Sie sind imstande und drucken jedes Wort, das ich hier sage. Flynn hat uns eingeschärft, unser Wissen für uns zu behalten.«

»Dann wissen Sie schon, wodurch das Feuer verursacht wurde?«

»Das habe ich nicht gesagt.«

»Schade«, sagte Drew in gespielter Enttäuschung. »Ich dachte, *falls* jemand etwas weiß, dann Sie, Keller. Sie haben doch die meiste Erfahrung.«

»Nun ja, ich weiß ja auch etwas.« Drew hatte geahnt, dass Sonny Keller den Mund nicht würde halten können, wenn er sich an der Ehre gepackt fühlte, ganz egal, was Lucas Flynn angeordnet hatte. »Flynn hat für heute Nachmittag einen Brandstiftungsexperten herbestellt.« Keller flüsterte fast und sah sich verstohlen um, obwohl niemand in der Nähe war. »Ist das zu glauben? Wir brauchen keinen Klugscheißer, der hier oben rumschnüffelt. Der Fall ist doch klar wie Kloßbrühe: Claude, dieser Volltrottel, hat im Suff die Whiskeyflasche umgestoßen und eine brennende Zigarette in die Pfütze geschmissen. *Voilà!*«, schloss er triumphierend.

»Hmmm.« Drew nickte feierlich, als denke er darüber nach. Dann sagte er: »Aber Claude konnte 'ne Menge vertragen. Wenn er wirklich so besoffen gewesen wäre, dann hätte der restliche Whiskey in der Flasche nicht mehr genügend Zunder gegeben, um mit einem brennenden Glimmstängel aus Versehen das ganze Haus abzufackeln. Wie erklären Sie sich das, Keller?«, fragte er in gespielter Verwirrung.

Sonny Keller stutzte, sichtlich verstört. Da hatte ihm dieser Drew seine unkomplizierte Lösung vermasselt! Er holte tief Luft und sagte mit gespielter Tapferkeit: »Tja, meiner Meinung nach genügt auch schon eine kleine Menge Alkohol. Die Zigarette hat den Schnaps zum Brennen gebracht und das Feuer sich dann im ganzen Haus ausgebreitet. O ja, das ist die Antwort.«

»Mag sein«, sagte Drew beiläufig, »aber ich hab Claude flüchtig gekannt, deshalb hat die Sache meiner Ansicht nach zwei Haken: Erstens, Claude hat nicht geraucht. Seine Mutter ist an Lungenkrebs gestorben, und er hat geschworen, nie eine Zigarette anzufassen. Dieses Versprechen hat er gehalten. Hatte nie Zigaretten bei sich und auch keine von anderen angenommen. Zweitens, der Arzt, der ihn untersucht hat, bevor er starb, sagte, Claude sei bedröhnt gewesen. Nun weiß ich aber zufällig, dass Claude panische Angst hatte vor Drogen. Von Alkohol konnte er nicht genug kriegen, aber er hätte nie freiwillig irgendein Rauschmittel zu sich genommen.« Drew sah den immer finsterer dreinblickenden Deputy fragend an. »Und das alles sagt mir, Keller, dass gestern jemand kräftig nachgeholfen hat, um Claude Duncan ins Jenseits zu befördern.«

Ein Altar. Das war's – ein verdammter Altar für Julianna Brent.

Gail Brent stand in der Hütte ihrer Mutter Lottie. Sie hasste diesen Ort. Lottie hatte ihr Leben lang hier gewohnt und nannte ihn »bescheiden«. Gail nannte ihn eine Müllhalde, was Lottie kränkte und Juli wütend machte. Doch es war eine Müllhalde, dachte Gail trotzig. Es war klein, primitiv, voller Trödelkram und selbstgezimmerten Möbeln ihres Großvaters, mit verblichenen Flickenteppichen auf den schäbigen Holzdielen, die keine noch so dicke Lackschicht präsentabel machte. Und um dem Ganzen wirklich die Krone aufzusetzen, waren die Wände voll geklebt mit Fotos von Julianna aus den vergangenen sechzehn Jahren: Julianna auf dem Catwalk oder auf irgendeiner Titelseite. Keins von Gails erstklassigen Schulzeugnissen hatte einen Platz hier gefunden. Lottie hatte sie nur lächelnd angesehen, mechanisch gelobt und in einen billigen Aktenordner gelegt. Mit der Zeit war Gail sich vorgekommen wie eine Voodoo-Puppe, weil Lottie ihr jedes Mal, wenn sie wieder ein neues Foto von Julianna an die Wand pinnte, einen Nadelstich versetzt hatte.

Gail sah auf die Uhr, es war noch früh am Morgen, erst zehn vor acht, doch Lottie war nicht zu Hause. Gail war sicher, dass ihre Mutter seit mindestens vierundzwanzig Stunden nicht zu Hause gewesen war. Da war kein Essensgeruch, kein Fenster stand offen, und die Katze auf der vorderen Veranda miaute hungrig. Warum blieb Lottie so lange fort? Streunte sie wieder einmal durch die Gegend? Oder hatte ihre Abwesenheit, angesichts von Juliannas Ermordung, einen tieferen Sinn?

Gails Blick fiel auf ein besonders hinreißendes Foto von ihrer Schwester, das sie in einem tannengrünen, paillettenbesetzten Kleid zeigte, das rötliche Haar hochgesteckt, der goldbraune Blick unschuldig und kokett zugleich. Gail gestand sich nur ungern ein, dass sie ihre Schwester schön fand, und musste sich andauernd mit ihr messen. Kein Vergleich, dachte sie verdrossen, als sie vor einen kleinen Spiegel trat, um sich zu betrachten.

Ihr Haar war schulterlang, ein glänzendes, natürliches Dunkelblond. Meine Haare sind echt toll, dachte Gail. Ihr Freund Sonny Keller hatte ihre Haare einmal, als er angetrunken war, mit honigfarbenem Satin verglichen. Er liebte ihre Haare und ihre großen Brüste, obwohl sie selbst sie eigentlich zu groß fand und sie allmählich nach unten sackten, obwohl sie erst zweiunddreißig war und nie ein Kind gestillt hatte. Und trotz ihrer geraden weißen Zähne packte Gail beim Anblick ihres rundlichen Gesichts mit den Hamsterbacken, den trüben blauen Äuglein, der Stupsnase und dem plumpen Hals die übliche Depression.

Als sie noch ein Kind war, hatte Lottie ihr oft gesagt, wie niedlich, ja hübsch sie doch sei, wenn sie lächle, doch Gail wusste genau, dass Lottie log. Sie wusste, dass Lottie sie hasste, weil sie nach Butch kam, ihrem Vater, einem untersetzten, ungebildeten, aber bodenständigen Mann, den Lottie mit ihren Verrücktheiten aus dem Haus getrieben hatte. Gail hatte in ihrem Vater eine Güte gesehen, die außer ihr niemandem aufgefallen war, und sie wusste genau, dass ihr Vater sie geliebt hatte, auch wenn Juli seine ganze Aufmerksamkeit und Zuneigung beansprucht hatte. Julianna und Lottie waren froh, als Butch ging. Noch jetzt, nach all den Jahren, wurde Gail wütend bei dem Gedanken. *Froh!* Sie dagegen war am Boden zerstört gewesen.

Gail biss unwillkürlich die Zähne zusammen bei dem Gedanken und ließ rasch wieder locker. Sie wollte sich nicht die schönen Zähne ruinieren, indem sie wieder anfing zu knirschen wie früher als Kind. Doch in letzter Zeit schien sie es nicht verhindern zu können. Sie verachtete Juliannas neueste Affäre. Sie kam ihr schmutzig vor, und wenn sie religiös gewesen wäre, was sie nicht im Mindesten war, hätte sie sie als Sünde bezeichnet. Was ihr, Gail, aber besonders sauer aufstieß, war das Unfaire daran. Wieder einmal hatte Juli gekriegt, was sie wollte, wie *alles* nur immer für sie da war!

Ich hätte schon vor Jahren etwas dagegen unternehmen müssen, schalt sich Gail. Julianna hatte einem Mann, der sie geliebt hatte, sehr wehgetan. Währenddessen hatte Gail im Stillen einen Plan ausgeheckt. Doch wie üblich hatte sie gezögert, aus lauter Angst, die Initiative zu ergreifen, bevor sie nicht jedes ihrer fiktiven Szenarien abgeklopft und die undichte Stelle gefunden hatte. Unterdessen hatte die Situation sich zugespitzt und war schließlich eskaliert. Und um dem allen die Krone aufzusetzen, war Julianna jetzt für den Mann, den Gail mehr liebte als ihr Leben, wahrscheinlich zur Heiligen aufgestiegen.

Während sie spürte, wie ihr heiße Tränen der Trauer und Enttäuschung aus den trüben blauen Augen über die Wangen liefen, schob sie eine schwere Truhe beiseite und legte ein verkratztes Brett frei. Gail griff sich eins der Küchenmesser ihrer Mutter, fuhr damit in eine kaum sichtbare Ritze und zeichnete die Umrisse des kurzen Bretts nach. Immer wieder, vorsichtig, um den abgenutzten Lack nicht zu beschädigen. Nach fast drei Minuten schob sie die Klinge in einen Spalt und hob ein zwanzig mal fünfundzwanzig Zentimeter großes Brett auf. Sie legte es beiseite, fasste in die Öffnung darunter und holte einen samtenen Beutel heraus, der eine besonders schöne Flasche Crown Royal enthalten hatte. Ihr Vater hatte sie von seinem Boss bekommen, der zu Weihnachten immer die Spendierhosen anhatte. Weder die Stimmung des Bosses noch der Whiskey hatten lange gehalten, aber Gail hatte den Beutel liebevoll aufbewahrt, ein geheimes Versteck dafür ausgetüftelt, wann immer sie hier drin alleine war, und es benutzt, um jahrelang ihre Andenken darin zu hüten.

Gail wusste, dass Lottie nicht in der Nähe war – sie spürte

die Abwesenheit von Lotties »Aura« –, trotzdem spähte sie über die Schulter, bevor sie den Inhalt des samtenen Säckchens auf den Boden kippte. Sie lächelte, als sie die Haarspange sah, die ihre Mutter gebastelt hatte – eigentlich waren es zwei gewesen, eine für sie und eine für Juli. Zwei fast fünf Zentimeter lange Spangen, geformt wie Schmetterlinge, mit winzigen Steinchen aus blauem, grünem und pinkfarbenem Strass, die auf den durchsichtigen Flügeln schimmerten. Sie nahm einen Diamantohrstecker in die Hand. Der Mann, in den Julianna eine Weile verliebt gewesen war und den Gail angebetet hatte, hatte ihn fast ständig getragen, bis er eines Tages von seiner Kommode verschwunden war. Das letzte Stück in ihrem Samtbeutel war das Bild ihres Liebsten, eine kleine Skizze, die sie gemacht hatte, nicht sehr gut, aber doch erkennbar. Deshalb hatte sie auch das Gesicht ausradiert, nur für den Fall, dass ihr Versteck entdeckt würde. Außerdem brauchte sie kein Bild, um sich an ihn zu erinnern. Es war ihr unauslöschlich ins Gedächtnis gebrannt.

Gail hätte ihre Schätze am liebsten mit nach Hause genommen, traute sich aber nicht. Sie stand zwar nicht unter Mordverdacht, aber man konnte nie vorsichtig genug sein. Sie wischte jeden Gegenstand ab, steckte ihn dann wieder in die samtene Hülle und versenkte diese in ihrem Versteck. Dann schob sie sorgfältig die Truhe an ihren Platz zurück und verließ das Cottage.

Auf der Veranda sah Gail sich um. Eine wütende Morgensonne hatte den Himmel und die Luft sauber geleckt. Calypso, die kleine Katze ihrer Mutter, stieß neben ihr ein winziges, erbärmliches Hungermiauen aus. Gail sah sich die Katze kurz an und schenkte ihr ein schiefes Lächeln: »Wir haben's alle nicht leicht, Mieze«, sagte sie und ging zielstrebig auf ihren kleinen weißen Wagen zu. Die Katze sah ihr kläglich hinterher.

»Du lieber Himmel, ist hier ein Tornado durchgefegt?« Kit Kirkwood besichtigte das Durcheinander in Adriennes Wohnzimmer. »Es wird ewig dauern, bis hier wieder Ordnung herrscht.«

»Nicht wirklich.« Adrienne stemmte ein schweres Sitzkissen wieder zurück auf die Couch. »Nur ein paar Kleinigkeiten sind zu Bruch gegangen. Der Rest ist nur *durcheinander geschüttelt* worden, wie Lucas es nennt.«

»Lass mich beim Aufräumen helfen.«

»Ich komm schon klar. Skye hilft mir.«

»Und wenn ich auch dazu helfe, geht's noch schneller.«

Kit hatte dunkelbraunes Haar, dem ein sündhaft teurer Schnitt eine zerzauste Lässigkeit verlieh. Sie trug eine Caprihose, Sandalen, ein T-Shirt, einen Hauch Lipgloss und ein wenig Mascara. Ohne ihr Abend-Make-up – dunkler Lippenstift, Wangenrouge und Eyeliner –, das sie im Restaurant auflegte, sah sie mindestens fünf Jahre jünger aus. Normalerweise hatte Kit ein breites, anmutiges Lächeln im Gesicht, aber heute blieben ihre haselnussbraunen Augen ernst.

»Ich frage mich, was zum Teufel in dieser Stadt abgeht«, sagte sie und hob eine Lampe auf. »Langsam hat man das Gefühl, als wäre man in eine Episode der *Twilight Zone* geraten.«

»Das war doch schon immer so. Vergiss nicht, auf Point Pleasant liegt angeblich ein alter indianischer Fluch.«

»Jetzt klingst du wie meine Mutter.«

»Mir kommt ihr Glaube an das Übernatürliche allmählich gar nicht mehr so seltsam vor.« Adrienne setzte das letzte Kissen wieder auf die Couch und trat einen Schritt zurück, die Hände in die Hüften gestemmt. »Julianna wird ermordet, und wir machen Witze. Was ist bloß in uns gefahren?«

»Das ist der Schock.« Kit stellte die Lampe auf einen Tisch und drückte dann Adrienne an sich. »Als wir Teenager waren, da dachte ich, ich sei Durchschnitt, du etwas Besonderes und Julianna die Allergrößte. Sie war so schön, so lebendig, so lustig, dass sie … ich weiß auch nicht … irgendwie unsterblich wirkte. Das klingt blöd, aber selbst ihr Drogenproblem hat sie heil überstanden. Und sie hat uns nie vergessen. Sogar auf dem Höhepunkt ihrer Karriere verging kein Monat, in dem ich nicht mit ihr telefonierte.«

»Ich weiß«, sagte Adrienne traurig. »Als Trey und ich in Las Vegas waren, hab ich oft mit ihr geredet. Mir war elend zumute, und ich machte mir Sorgen, ob wir über die Runden kämen, besonders nachdem ich Skye bekommen hatte und ich versuchte, meinen Collegeabschluss nachzuholen. Ich hab Juli geschrieben, doch lange Ferngespräche konnte ich mir damals nicht leisten. Sie verstand es, ohne dass ich viel erklären musste. Sie rief mich an und redete eine Ewigkeit. Ihre Telefonrechnungen müssen gigantisch gewesen sein. Aber es ging mir immer besser, nachdem ich mit ihr geredet hatte. Na ja, wenn ich mit dir geredet hatte, natürlich auch. Es ist nur, dass Julianna …«

»… ein aufregenderes Leben führte als ich. Wir konnten beide daran teilhaben.«

Adrienne stiegen Tränen in die Augen. »Ich vermisse sie.«

»Ich auch. Nichts wird je wieder so sein, wie es war.«

»Die arme Lottie.« Adrienne seufzte. »Wie kommt Gail damit klar?«

Kit nahm den Arm von Adriennes Schulter und zuckte die Achseln. »Sie ist immer noch die Alte. Völlig neutral. Man würde nie erraten, dass vor kurzem ihre Schwester ermordet wurde. Gestern kam sie zur Abendschicht, als wär nicht das Geringste passiert. Ich wollte ihr den Abend frei geben. Sie meinte, das wär nicht nötig. Ist das zu glauben? Aber ich hab sie trotzdem nach Hause geschickt. Ich war so wütend darüber, dass der Tod ihrer Schwester sie offenbar völlig kalt ließ, dass ich ihr am liebsten eine geschmiert hätte.«

»Kein Wunder. Aber irgendwas muss sie doch gefühlt haben. Julianna war ihre einzige Schwester.«

»Auf die sie fürchterlich eifersüchtig war. Sie hat weder Julis Schönheit, noch ihren Charme, noch ihre Ambitionen. Gail sieht ganz passabel aus, ist nett, wenn ihr danach ist, und tüchtig. Das war's auch schon. Ich habe Julianna zuliebe versucht, mich mit ihr anzufreunden – hab ihr sogar einen Job gegeben –, aber ich kann sie einfach nicht begreifen. Ich glaube, sie ist eine der kältesten Personen, die ich kenne.«

Adrienne schob den schweren Kaffeetisch wieder auf seinen Platz. »Gail war am Boden zerstört, als ihr Vater die Familie verließ. Sie schämte sich auch für ihre Armut. Juli war es egal.«

Kit schob am anderen Ende des Tisches mit. »Ich liebe diese Glasplatte, aber sie wiegt eine Tonne«, keuchte sie. »Was sagt denn Lucas zu alledem?«

»Meinst du die Einbrüche, Claudes Tod oder den Mord an Julianna?«

»Alles.«

»Ich glaube nicht, dass er schon viel weiß. Juliannas Leiche ist immer noch in der Gerichtsmedizin in Charleston. Dort wird die genaue Todesursache festgestellt. Claude wird auch dort untersucht.«

»Claude? Der ist doch verbrannt.«

»Irgendwas hat wohl nicht gestimmt. Lucas hat es nur angedeutet, aber er glaubt nicht an einen Unfall.«

»Noch ein Mord?«, rief Kit. »Jesusmaria, daran hab ich noch gar nicht gedacht.« Sie sank schwer auf ein Kissen. »Läuft denn hier ein Wahnsinniger durch die Gegend?«

»Sieht ganz danach aus.«

»O Gott.«

Sie zuckten beide, als es an der Tür klingelte. Keine regte sich. Da rief ein Mann: »Adrienne? Ich meine, Mrs. Reynolds? Ich bin Rod, von Rod's Schlüsseldienst. Der Sheriff hat mich gebeten, persönlich herzukommen, weil Sie mich kennen. Ich bin hier, um Ihre Schlösser auszutauschen und eine Alarmanlage einzubauen.«

Adrienne atmete auf und ging an die Tür. Sie öffnete sie einen Spalt und sah Rod draußen stehen, den sie seit der Schulzeit kannte. Er grinste, und sie lächelte zurück. »Rod, nett, dich zu sehen.«

»Freut mich auch, Mrs. Reynolds.«

»Rod, seit wann bin ich denn Mrs. Reynolds für dich?« Sie machte die Tür weit auf. »Wir sind doch miteinander zur Schule gegangen.«

Rods übergroße Zähne leuchteten im hageren, wettergegerbten Gesicht, ein beredtes Zeugnis von den vielen Stunden, die er im Freien verbrachte. Sein Vater hatte eine kleine Farm besessen und Rod als Junge so hart arbeiten lassen, dass es eine Schande war. Nachdem Rod die Farm übernommen hatte, führte er sie ganz allein weiter, weil er seine Söhne nicht genauso einspannen wollte wie sein eigener Vater ihn. »Also, Adrienne, du bist wieder mal verdammt hübsch heute.«

»Ja, mein Verband steht mir ausgezeichnet.« Sie lächelte. »Die dunklen Augenringe sind auch sehr kleidsam, finde ich.«

»Um dieses Gesicht zu ruinieren, ist schon ein bisschen mehr nötig als ein Verband und dunkle Augenringe, obwohl es mir natürlich schrecklich Leid tut, was dir passiert ist. Gott, es heißt ja, du hättest Julianna Brents Leiche gefunden.« Adrienne nickte, hoffte, er würde sie nicht nach den Einzelheiten fragen. »Da überfällt dich einer, und jetzt ist auch noch bei dir eingebrochen worden.« Er schüttelte bekümmert den Kopf, und tiefe Furchen traten zwischen seine schweren, sonnengebleichten Augenbrauen. »Ein Glück, dass du bei deiner Schwester bleiben konntest, obwohl, bei der soll ja auch eingebrochen worden sein. Dabei hab ich den Hamiltons doch diese tolle Alarmanlage eingebaut. Die teuerste, die wir haben. Ich versteh's nicht.«

»Die war nicht eingeschaltet, Rod.«

Er wirkte erleichtert und verärgert zugleich. »Na gut, dann bin ich froh, dass die Alarmanlage in Ordnung war, aber warum, zum Teufel, gibt jemand ein Vermögen aus für so eine tolle Alarmanlage und schaltet sie dann nicht ein?«

»Es war ein Versehen. Philip und Vicky waren auf einer Party gewesen und hatten natürlich nicht damit gerechnet, bei ihrer Rückkehr Gäste im Haus vorzufinden, nämlich Skye und mich und unseren Hund. Ich hatte einen Schlag auf den Kopf bekommen und musste im Krankenhaus genäht werden.« Sie versuchte, unbeschwert zu lächeln. »Deshalb waren wir gestern Nacht alle ein bisschen neben der Spur. Ich bin ziemlich sicher, dass sie den Alarm zum ersten Mal vergessen haben.«

»Puh. Das klingt schon besser«, sagte Rod. »Wär mir peinlich, 'ne Menge Geld für 'ne Alarmanlage berechnet zu haben, die nicht hält, was sie verspricht.«

»Und mit mir redest du gar nicht, Blitzschlag-Rod?«

Rod drehte sich um und sah Kit, und sein Grinsen wurde noch breiter. Adrienne war sicher, dass dieser Mann mehr Zähne im Mund hatte als normale Menschen. »Kit Kirkwood, seit fast zwanzig Jahren hat mich keiner mehr so genannt!«

Skye war ins Zimmer gekommen. »Hallo. Warum heißen Sie denn Blitzschlag-Rod?«

Rods Augen leuchteten. Er erzählte die Geschichte gern. »Als ich drei war, da bin ich ausgebüxt und während eines Gewitters über eine Wiese gerannt. Als meine Mutter mich entdeckte, fuhr eineinhalb Meter von mir entfernt ein fetter Blitz in den Boden. Sie ist umgekippt vor Schreck.«

Skye verschlug es den Atem. »Kein Wunder! Waren Sie verletzt?«

»Kein bisschen. Ich hab mich angeblich schiefgelacht. Beim

nächsten Mal war ich dreizehn. Da fand ich es schon nicht mehr so komisch; ich war während eines Gewitters auf dem Fahrrad unterwegs, als direkt vor mir ein Telefonmast vom Blitz getroffen wurde und auf die Straße krachte. Die Drähte flogen überall rum, wanden sich wie Schlangen und versprühten mächtig fiese Funken.«

»Meine Güte, Sie ziehen das Unglück ja magisch an«, sagte Skye in ehrfürchtigem Ton.

»Skye!«, entfuhr es Adrienne.

Rod lachte. »Ist schon gut, Adrienne. Sie hat Recht. Blitzschläge sind meine Spezialität und haben mir einige Berühmtheit eingebracht. Aber Gott hält seine Hand über mich, Schatz.« Er wandte sich wieder Adrienne und Kit zu. »Tja, ist das nicht nett? Natürlich, die Umstände sind zwar nicht so berauschend, aber so krieg ich doch mal zwei der hübschesten Mädels aus meiner Abschlussklasse zu Gesicht. Ich war in euch beide verknallt, aber sagt es bloß nicht meiner Frau.«

»Du warst doch in mindestens zwanzig Mädels verknallt«, sagte Kit amüsiert. »Aber Carrie ist genau die Richtige für dich. So lieb und hübsch. Nur schrecklich schüchtern.«

»Sie ist jetzt nicht mehr halb so schüchtern. Und sie ist mit den Jahren sogar noch hübscher geworden. Und 'ne gute Mutter ist sie auch.«

In diesem Moment kam Brandon herein und reagierte augenblicklich auf Rods dargebotene Hand. »Hunde wissen immer, wann jemand sie gut leiden kann«, erklärte Rod. »Von meinen zwei Jungs hat jeder 'nen eigenen Hund. Braun und Weiß.«

»Und wie heißen sie?«, fragte Skye.

»Na, Braun und Weiß«, sagte Rod verblüfft. »Und wie heißt dieser dicke Kerl hier? Blackie?«

»Brandon«, sagte Skye bereitwillig.

Rod schien ein wenig verwirrt zu sein. »Na ja, Brandon ist

ein schöner Name. Ausgefallen, aber … ausgefallen.« Er warf Skye einen flüchtigen Blick zu. »Was meinst du, ob Brandon mir wohl helfen möchte, die Schlösser auszutauschen?«

»Und wie! Darf ich zusehen? Ich hab so was noch nie gesehen.«

»Ich will nicht, dass ihr beiden, du und Brandon, Rod in die Quere kommt«, sagte Adrienne.

Rod schüttelte den Kopf, dass seine sonnengebleichte Tolle wackelte, als hätte sie ein Eigenleben. »Kinder nerven mich nie, Adrienne. Sie machen mir Freude. Ich hätt'n Dutzend, wenn meine Frau mir nicht klipp und klar gesagt hätte, dass wir auf keinen Fall mehr bekämen als vier. Nummer drei ist schon unterwegs – in ein paar Monaten ist es so weit. Nummer drei kriegt natürlich auch seinen Hund.« Er wandte sich an Skye: »Vielleicht findest du einen Namen für ihn, auch so was Schickes wie Brandon.«

»An was dachten Sie denn, Mr. …«

»Sag einfach Rod, Süße. Ich dachte an 'nen Beagle, den wollten wir dann Schlappi nennen.«

»Schlappi!«, rief Skye entsetzt, wobei sie kurz ihre guten Manieren vergaß. »Na ja, Schlappi ist schon ganz nett, aber vielleicht fällt uns noch was Besseres ein.«

Adrienne sah Kit an. »Höchste Zeit für eine Pause. Wie wär's mit Eistee oder Kaffee? Du siehst blass aus.«

»Ich brauch 'nen Kaffee. Möglichst stark.«

»Rod?«

»Kaffee wär toll. Was meine zwei Assistenten hier trinken, weiß ich nicht.«

»Um die werd ich mich kümmern«, sagte Adrienne. »Nimm sie nicht gar zu stark ran.«

Rod begann mit Skye zu plaudern, und ihre Stimmen verfolgten Adrienne und Kit in die Küche. »Kannst du dir vorstellen, dass er wirklich in uns verknallt war?«, murmelte Kit. Adrienne flüsterte zurück: »Ich glaube schon, aber damals

159

wollten wir ihm auf keinen Fall zu nah kommen, weil wir eine Heidenangst hatten, vom Blitz erschlagen zu werden.«

Sie verkniffen sich das Lachen, bis die Küchentür ins Schloss gefallen war. Im selben Augenblick prusteten sie los wie Teenager. Der Anlass war zwar eigentlich gar nicht so komisch, aber das Gelächter war ein gutes Ventil für ihre Anspannung und die trüben Gedanken.

Adrienne kramte zwei Taschentücher hervor, und sie wischten sich die Lachtränen fort. »Du sollst deinen Kaffee haben«, sagte Adrienne, »aber ich besitze keine so schicke Kaffeemühle wie du. Ich kann dir also nicht die Qualität bieten, die du gewohnt bist.«

»Wenn ich allein bin, mach ich mir offen gestanden auch nicht die Mühe. Ich bin mit allem zufrieden.«

Während der Kaffee am Durchlaufen war, fuhr sich Kit mit den Fingern mehrmals durchs dunkle Haar. Wenn Kit an ihren Haaren herumzupfte, war das ein sicheres Zeichen, dass sie nervös war. »Weißt du, mit wem Julianna ein Verhältnis hatte? Mit wem sie im *Belle* gewesen sein könnte?«, fragte sie plötzlich.

»Nein. Aber Skye tippt auf deinen Stiefvater.«

Kit riss Mund und Augen auf. »*Gavin?* Wie kommt sie denn darauf?«

Adrienne nahm zwei Tassen aus dem Schrank. »Sie geht auf Philips Partys und leistet Rachel Gesellschaft, weil die sich alleine langweilen würde. Tja, und da haben die beiden angeblich beobachtet, wie Gavin Julianna befingerte.«

»Gavin befingert *alle* jungen Frauen«, sagte Kit verächtlich. »Hat Skye noch mehr gesehen?«

»Nur dass Gavin einen Schlüssel zum Hotel hat; damit hätten die beiden sich Zugang verschaffen können für ihre heimlichen Schäferstündchen.« Adrienne goss Kaffee in die Tassen und gab eine davon Kit. »Ich erzähl dir das nur, weil ich nicht glaube, dass Julianna und Gavin ein Paar waren. Bestimmt ist sie nur deiner Mutter zuliebe höflich zu ihm gewesen. Nur wird deine Mutter das Gerücht mitkriegen und es womöglich glauben.«

»Darauf kannst du wetten«, seufzte Kit. »Ehrlich, wie sie den Blödmann all die Jahre ertragen hat bei seinen vielen Seitensprüngen ist mir ein Rätsel. Ich weiß ja, dass sie anfangs verrückt nach ihm war, aber jetzt liebt sie ihn nicht mehr. Nachdem er das erste Mal fremdgegangen war, blieb sie nur bei ihm, damit ich nicht ohne Vater aufwachsen müsste, das hat sie mir selbst gesagt«, sagte Kit spöttisch. »Gavin war nie ein Vater für mich. Auch nicht für Jamie. Dann hat er Jamie sterben lassen …«

Kit verstummte. Sie hatte ihren kleinen Adoptivbruder, der letzten Sommer im Hotelpool ertrunken war, sehr gern gehabt. Schließlich sagte sie: »Jamies Tod hat Mutter den Rest gegeben. Und wenn Gavin auch nur einen Penny ihres Vermögens abbekommen will, kann er Mutter nicht verlassen. Sie würde ihn auf keinen Fall freiwillig ziehen lassen, womöglich mit einer hübschen Abfindungssumme. Und er ist zu geldgierig und zu schwach, um mit leeren Händen zu gehen. Mutter bestraft ihn wegen der Sache mit Jamie, indem sie bei ihm bleibt und ihm das Leben zur Hölle macht. Manchmal könnte einem Gavin fast Leid tun.« Kit holte Luft. »Fast.«

»Falls Lucas Gavin verdächtigen sollte, hat er mir nichts davon gesagt.« Adrienne trank einen Schluck Kaffee. »Natürlich nicht. Kein Mensch könnte Lucas Flynn nachsagen, er hätte ein loses Mundwerk. Ich weiß nur, dass er sich um Lottie Sorgen macht. Man hat sie noch immer nicht gefunden. Vielleicht weiß sie noch nicht einmal, dass Julianna tot ist.«

»Doch, sie weiß es.«

Adrienne sah Kit überrascht an. »Du hast sie gesehen?«

»Gestern Abend, im Restaurant.« Kit hatte ihre Handtasche mit in die Küche genommen und fischte nach einem Päckchen Zigaretten und ihrem goldenen Feuerzeug. Adrienne trommelte mit den Fingern ungeduldig auf den Küchentisch, während Kit sich die Zigarette anzündete, genüsslich daran zog und langsam den Rauch ausstieß. Endlich sagte Adrienne: »Also, willst du mir jetzt von Lottie erzählen oder nicht?«

»Wenn du in diesem Ton mit mir sprichst, erfährst du gar nichts.«

Sie waren schon viel zu lange befreundet, um einander einen Anflug von Ärger zu verübeln, schon gar nicht bei der derzeitigen Nervenbelastung. Außerdem bemerkte Adrienne, wie Kits Finger zitterten, als sie die Zigarette zum zweiten Mal zum Mund führte.

»Lottie kam letzte Nacht zum Restaurant«, sagte Kit endlich. »Sie setzte sich in den Garten und besah sich die Lichter in den Bäumen. Sie sagte, in meinem ›Zaubergarten‹ ginge es ihr gleich ein wenig besser.« Kit nahm einen Schluck Kaffee und zog erneut an der Zigarette. »Sie sagte, sie sei gestern Morgen mit der Gewissheit aus dem Schlaf geschreckt, dass Juli etwas zugestoßen sei. Eine Eule habe geschrien, ein böses Omen. Das *Belle Rivière* sei verflucht, sagte sie wie meine Mutter, und Juli habe sich ausgerechnet dort mit jemandem getroffen. Wer es war, wollte sie nicht sagen, sie schien es aber zu wissen.«

Kit holte tief Luft und sah in die leuchtend roten Begonien vor dem Fenster, als könne sie Adrienne nicht in die Augen sehen. »Sie hat mehr vor sich hin geredet als normal, doch wirklich beängstigend war, dass sie Blutflecken auf dem Kleid hatte und nach *L'Heure Bleue* duftete.«

»Juliannas Parfum«, murmelte Adrienne.

Kit nickte. »Und du weißt ja, wie penibel Lottie auf Sauberkeit bedacht ist. Hätte sie sich geschnitten und Blut aufs Kleid gebracht, dann hätte sie es gewaschen. Außer es war Julis Blut, und sie hat's gleichzeitig mit dem Parfumduft abbekommen.« Kits Augen waren weit vor Angst. »Adrienne, sie war gestern früh im *Belle*. Sie hat Julis Leiche *berührt*. Und aus irgendeinem Grund hat sie die Polizei nicht gerufen.«

Adrienne war entsetzt, dass Lottie ihre schöne Tochter tot gesehen hatte. Dann wurde ihr erst bewusst, was Kits Worte wirklich bedeuteten. »Lottie wusste, dass Julianna ermordet worden war, verständigte aber nicht die Polizei? Worauf willst du hinaus? Dass *sie* Juli getötet hat?«

»Ich weiß es doch nicht«, sagte Kit verzweifelt. »Was Julianna getan habe, sagte sie, sei falsch gewesen. Und du weißt doch, wie seltsam Lottie ist.«

Adrienne hatte Lottie immer sehr gemocht, und so sträubte sich alles in ihr gegen Kits Theorie. »Kit, Lottie ist exzentrisch. Genau wie *deine* Mutter.« Kit sah sie vorwurfsvoll an. »Immer sachte! Du weißt doch, wie merkwürdig die beiden sind und wie sie sich gegenseitig beeinflussen. Und sie hatten beide traumatische Erlebnisse im *Belle*. Sie hassen dieses Hotel, alle beide. Doch wer exzentrisch ist, muss noch lange kein Mörder sein. Du glaubst doch wohl nicht, dass Lottie ihre eigene Tochter umgebracht hätte!«

»Aber nein.« Kit drückte die Zigarette aus. »Ich frage mich nur, warum sie die Polizei nicht gerufen hat? Und letzte Nacht ist sie einfach verschwunden, als ich ihr Tee holen wollte. Heute Morgen fuhr ich zu ihr. Sie war nicht da. Ihre Katze Calypso saß auf der Veranda und miaute ganz jämmerlich. Sie war hungrig, und du weißt so gut wie ich, dass Lottie ein Tier niemals hungern lassen würde, weshalb ich annehme, dass sie seit gestern früh nicht mehr zu Hause war …«

»Lucas erzählte mir, sie hätten Lottie gestern bis in den Nachmittag hinein gesucht. Heute Morgen hab ich vor lauter Schreck prompt vergessen, ihn nach ihr zu fragen.« Adrienne runzelte die Stirn. »Natürlich ist sie schon öfter ein paar Tage von zu Hause fortgeblieben, aber nicht unter diesen Umständen.« Sie seufzte. »Ich sollte nach Calypso sehen.«

»Ich hab sie mit zu mir genommen.«

»Calypso ist bei dir?«

»Weil Lottie sie so gern hat.« Kit gab sich immer möglichst taff. Die Leute sollten auf keinen Fall merken, was für ein weiches Herz sie hatte. »Ich hab sie in meine Wohnung gebracht und ihr eine Dose Thunfisch und ein Schüsselchen Milch hingestellt. Auf dem Heimweg werd ich bei Wal-Mart ein Katzenklo und Katzenfutter besorgen.«

»Und Katzenminze und einen Kratzbaum.«

»Gute Idee. Und vielleicht noch ein paar Leckerlis.«

Adrienne grinste. »Du hast noch nie ein Haustier gehabt, Kit. Bist du sicher, dass du Calypso behalten willst? Du könntest doch einfach jeden Tag zu ihrer Hütte fahren und sie füttern, bis Lottie wiederkommt.«

Kit sah sie ernst an. »Das ist das Problem, Adrienne. Ich habe dieses dumpfe Gefühl im Bauch, dass wir Lottie nicht wiedersehen werden.«

5

In dieser Nacht lag Adrienne wach und zählte im Geiste sämtliche Punkte auf, die dafür sprachen, dass sie in Point Pleasant blieb. Erstens, ihr Job. Sie hatte den Lehrauftrag seit drei Jahren und gute Chancen, Ende dieses Sommers einen Vollzeitjob zu übernehmen. Außer sie ließ mitten im Semester, wenn niemand verfügbar wäre, der für sie einspringen konnte, ihre Kurse sausen. Damit hätte sie nicht nur jede Aussicht auf einen Vollzeitjob vertan, der ihre Geldsorgen lösen würde, sondern sich vermutlich auch um ihren Teilzeitjob gebracht. Nein, dieses Risiko konnte sie nicht eingehen. Sie hatte für eine Tochter zu sorgen.

Außerdem konnte sie es sich auch finanziell nicht leisten, für unbestimmte Zeit mit Skye in ein Motelzimmer zu ziehen und Brandon in einer Hundepension unterzubringen.

164

Kit wohnte in einer eleganten, aber kleinen Zweizimmer-wohnung über ihrem Restaurant. Sie hatte nicht genügend Platz für sie beide, auch wenn sie sie bestimmt gern bei sich aufgenommen hätte. Und wenn sie zu den Hamiltons zogen, brachten sie Rachel in Gefahr.

Nein, sie hatte keine andere Wahl, als hier zu bleiben. Und sie hatte Vorkehrungen getroffen. Sämtliche Türen und Fenster hatten neue Schlösser, und das Haus verfügte seit dem Nachmittag über eine erstklassige Alarmanlage. Das Geld dafür hatte sie sich von Vicky geliehen. Adrienne hatte beschlossen, dass sie Skye von jetzt an nicht mehr allein im Haus lassen würde, vor allem nicht nachts. Lucas hatte im Augenblick nicht genügend Leute, um rund um die Uhr auf sie Acht zu geben, aber ein Streifenwagen würde drei- bis viermal pro Nacht nach dem Rechten sehen.

Alles sprach dafür, hier zu bleiben, in ihrem Haus, doch dann kamen ihr die Worte in den Sinn, die jemand auf ihren Spiegel geschmiert hatte: GEH WEG ODER STIRB. Eine Morddrohung, mit blutrotem Lippenstift geschrieben.

Adrienne warf einen Blick auf die Uhr neben dem Bett. Viertel nach eins. Seit elf versuchte sie zu schlafen. Sie stand auf, ging in die Küche, goss sich einen Becher Milch ein und stellte ihn in die Mikrowelle. Als die Milch warm war, versetzte sie ihr einen Schuss Brandy, nahm den Becher mit ins Wohnzimmer und ließ sich in ihren großen, roséfarbenen Sessel fallen. Ein kleines Nachtlicht neben der Haustür war die einzige Lichtquelle. Ihr Schein fiel zum Fenster herein, wurde aber kläglich schwach, bis er die Straße erreichte. Und ausgerechnet heute Abend, dachte sie, war die große, kräftige Straßenlampe vor ihrem Grundstück im Hawthorne Way ausgefallen und würde erst im Laufe der Woche repariert werden.

Mehr Licht, dachte Adrienne, während sie sich in ihren Stuhl kuschelte. An diese Vorsichtsmaßnahme hatte sie bei

Tageslicht nicht gedacht. Sie würde gleich morgen anrufen und sich zwei stärkere Nachtlichter in den Hof stellen lassen, eins vor dem Haus, eins dahinter. Vielleicht sogar drei Lampen. Bei dem grellen Licht würden die Nachbarn sich beschweren, aber ihre Sicherheit war ihr wichtiger als nörgelnde Nachbarn.

Ihr Grübeln wurde von Scheinwerfern unterbrochen, die sich durch die Dunkelheit bohrten. Ein Wagen – ein Wagen, der langsamer wurde, als er an ihrem Haus vorbeifuhr. Mit angehaltenem Atem starrte sie hinaus auf die Straße. Da entdeckte sie die neongelben Streifen auf der silbernen Karosserie. Polizei, die nach dem Rechten sah, genau wie Lucas es versprochen hatte.

Adrienne entspannte sich, ein wenig beruhigt. Sie trank einen Schluck warme Milch mit Brandy. Sobald der Becher leer wäre, würde sie wieder zu Bett gehen. Sie brauchte ausreichend Schlaf, weil sie morgen früh eins ihrer Bilder in die Kunstgalerie schaffen musste. Sie wollte sich am Wettbewerb beteiligen, dessen Gewinner auf dem Sommerfest nächste Woche ermittelt würden. Am Abend musste sie dann unterrichten. Es ginge um die Beurteilung von Kunstwerken, ein Thema, das sie schon so viele Male gelehrt hatte, dass sie die Stunde zwar aus dem Ärmel schütteln konnte, aber ein wenig Motivation musste sie immerhin aufbringen. Verströmte sie Langeweile, würden die Studenten bald ihre Vibrationen aufnehmen und das Interesse verlieren.

Ein weiteres Paar Scheinwerfer durchbohrte die Nacht. Einer der Nachbarn, vermutete Adrienne. Der Streifenwagen war schließlich erst vor wenigen Minuten vorbeigefahren. Wer mochte der Nachtschwärmer sein?, dachte sie und behielt neugierig das Auto im Blick, das im Schritttempo an ihrem Haus vorbeikroch. Sie erkannte es nicht. Es war kleiner als die Wagen in der Nachbarschaft. Und es fuhr ungewohnt *langsam*.

Adrienne lief es kalt den Rücken hinunter. Sie kannte sich nicht aus mit Autotypen, aber es schien ein zweitüriges Modell zu sein, mit langer Motorhaube und kurzem Kofferraum. Die Leute in der Nachbarschaft bevorzugten eher die großen Geländewagen, die enorm viel Benzin verschlangen. Obwohl sie die Dinger hässlich fand, hatte sie sich auch einen gekauft, um ihre Malutensilien und einen häufigen Fahrgast, nämlich Brandon, zu transportieren. Adrienne strengte ihre Augen an, um das ungewohnte Auto genauer zu betrachten. Wegen der schlechten Beleuchtung konnte sie nicht sagen, ob der Lack dunkelgrün, blau oder schwarz war. Obwohl es nicht anhielt, missfiel ihr die Vorstellung, dass um 1.40 Uhr nachts ein unbekannter Wagen im Schritttempo an ihrem Haus vorbeifuhr.

»Noch vor zwei Tagen hätte ich keinen Gedanken daran verschwendet«, murmelte sie, als sie nach dem Telefon tastete, um Lucas anzurufen. Dann stutzte sie. Er hatte erschöpft ausgesehen heute Morgen. Er brauchte seinen Schlaf. Außerdem, Vorsicht und Verfolgungswahn waren zweierlei.

Trotzdem blieb sie in ihrem Stuhl sitzen, während die Milch langsam kalt wurde und eine Haut bildete. Das einzige Geräusch im Raum war das Ticken der Uhr auf dem Kaminsims. Während Minute um Minute verstrich, wurden ihr die Lider schwer. Kurze Zeit später fuhr sie auf und sah, dass sie zwanzig Minuten geschlafen hatte. Fast eine halbe Stunde war vergangen, seit sie den dunklen Wagen gesehen hatte.

Stöhnend streckte sie die steifen Beine aus und schüttelte sie. Kleine Nadelstiche peinigten ihre Unterschenkel, als das Blut wieder zirkulierte. Im selben Moment näherten sich zwei Scheinwerfer. Sie erstarrte, ignorierte das lästige Kribbeln und sah, wie der dunkle zweitürige Wagen erneut vorüberglitt.

Und diesmal sah Adrienne ein verschwommenes Gesicht. Der Fahrer schien direkt in ihr Wohnzimmer zu starren.

Acht

1

»Ich habe eben die Fotos abgeholt, die du vor dem *Belle Rivière* geknipst hast«, sagte Lucas. Adriennes Finger klammerten sich fester um den Hörer. »Ich fürchte, sie helfen uns nicht weiter.«

»Wie schade!«, rief sie aus. »Ich hatte aber jemanden vor der Linse, Lucas!«

»Ich sagte ja auch nicht, dass nichts darauf zu sehen ist. Ich sagte nur, dass sie uns nicht weiterhelfen. Man erkennt definitiv eine verschwommene Gestalt, die teilweise von Bäumen verdeckt ist. Ob es sich dabei um einen Mann oder um eine Frau handelt, lässt sich nicht feststellen.«

»Dann lass es doch vom Computer vergrößern. Das geht, ich hab's im Fernsehen gesehen.«

»So etwas funktioniert im Fernsehen, aber kaum jemals in der Wirklichkeit. Wir versuchen es natürlich, aber ich bin nicht sehr optimistisch.«

»Ach, verdammt.« Adrienne stand am Küchenfenster und sah hinaus zu ihren Stiefmütterchen.

»Lucas, ich weiß aber genau, dass die Gestalt auf den Fotos Juliannas Mörder ist.«

»Das kannst du überhaupt nicht wissen!«, sagte Lucas geduldig. »Ich habe Juliannas Obduktionsbericht noch nicht erhalten. Wir kennen ihre genaue Todeszeit nicht. Warum hätte der Mörder sich noch im Wald herumtreiben sollen, wenn Julianna schon eine halbe Stunde tot war, als ihr sie gefunden habt?«

»Ich weiß es nicht.« Sie überlegte. »Vielleicht hatte es etwas mit dem Unfall auf dem Highway zu tun. Der Tumult an der Unfallstelle hat womöglich verhindert, dass der Mörder sich aus dem Staub machte.«

»Warum flüchtete er dann nicht hügelaufwärts? Warum blieb er weiter in der Nähe des Hotels, als er euch ankommen sah? Mit dem Hund?«

»Na ja …«

»Na ja was?«

»Lass mir Zeit. Ich finde schon einen Grund.«

Lucas lachte. »Ruf mich an, wenn es soweit ist. Lass uns die Fotos mal vergessen. Hast du letzte Nacht gut geschlafen?«

»Nein. Und weil ich nicht schlafen konnte, hab ich mich ins Wohnzimmer gesetzt und etwas gesehen, das mir zu denken gab.« Sie erzählte ihm von dem dunklen Wagen mit der langen Motorhaube und dem kurzen Kofferraum.

»Kurzer Kofferraum? Das heißt kurzes Heck.«

»Und wie heißt dieses Ding auf dem Kofferraum, das aussieht wie ein schmales Regal?«

»Ein Spoiler. Ich nehme nicht an, dass du das Nummernschild lesen konntest?«

»Das hätte ich dir doch längst gesagt!«

»Deine Beschreibung des Wagens war gut. Nur leider gibt es etliche Modelle mit dieser Karosserieform. Den Fahrer konntest du nicht erkennen?«

»Nein, nur als verschwommene Gestalt. Wie auf den Fotos. Meine Welt besteht nur noch aus huschenden Schatten.«

»Offen gestanden bin ich ganz froh, dass du von der Person vor dem *Belle* kein gestochen scharfes Foto geknipst hast. Das Wissen könnte dir gefährlich werden. Nachdem ich mir die Fotos angesehen hatte, sagte ich Hal vom Photo Finish, wo und wann du sie gemacht hast und dass sie uns nicht weiterhelfen. Hal erzählt alles weiter. Ich gebe die Information jedem Plappermaul in der Stadt. Sofern der Killer aus unserer Gegend ist, wird er bald wissen, dass du ihn nicht erkannt hast und auch das Foto ihn nicht identifizieren kann.« Er hielt inne. »Aber die Vorstellung, dass derselbe Wagen nachts ein paar Mal im Schritttempo an deinem Haus vorbeifährt, gefällt mir gar nicht. Wie oft war es denn, zweimal?«

Adrienne musste zu ihrer Schande gestehen, dass sie gegen drei in ihrem Sessel eingeschlafen war. »Ich hätte wach bleiben und aufpassen müssen.«

»Du warst erschöpft.«

»Das bin ich noch. Außerdem hab ich von der Nacht im Sessel einen steifen Nacken.«

»Dann ruh dich heute aus.«

»Das geht nicht. Ich muss mein Bild zur French Art Colony bringen, für das Fest. Außerdem muss ich einkaufen gehen, und unterrichten muss ich auch. Der Gedanke, dass das Leben einfach so weitergeht, obwohl mehrere Menschen grausam ermordet wurden, ist schon seltsam.«

»Das Leben geht vielleicht weiter, aber anders als vorher.« Lucas' gedämpfte Stimme klang besorgt. »Du musst mehr denn je auf der Hut sein. Ich meine es ernst, Adrienne. Geh absolut kein Risiko ein, dir und deiner Tochter zuliebe.«

2

»Gibt es denn unheimliche Geschichten über diesen Ort?«, fragte Skye. »Ich meine, soll es da spuken oder so was?«

»Du liebe Güte, nein.« Adrienne besah sich die altehrwürdige Steinfassade der French Art Colony mit ihren dicken weißen Säulen. »Ich wüsste nicht, welcher Geist hier sein Unwesen treiben sollte.«

»Schade«, murmelte Skye enttäuscht. »Point Pleasant hat eine Menge Gebäude, in denen es spukt. Die Art Colony ist doch nur gegenüber in Gallipolis, auf der anderen Seite des Flusses. Wieso haben *wir* alle Gespenster abgekriegt? Das *Belle Rivière* wird doch bald abgerissen, vielleicht ziehen seine Geister dann hierher um?«

»Seit wann glaubst du denn an Geister?« Adrienne nahm vorsichtig das Ölgemälde vom Rücksitz des Wagens, das mit einer Plane zugedeckt war. »Nicht mal als du klein warst, hast du an Geister und Monster geglaubt. Du warst das mutigste Kind, das ich je erlebt habe.«

»Ich bin immer noch mutig«, sagte Skye beschwichtigend. »Es ist nur spaßig, sich vorzustellen, dass es in Häusern spukt. Ist die French Art Colony genauso alt wie das *Belle Rivière*?«

»Noch älter.«

»Siehst du, da haben wir's. In Filmen und Büchern stehen Geister immer auf alte Häuser. Kein Geist, der etwas auf sich hält, würde sich in unserem Haus herumtreiben. Es ist viel zu neu und hat noch dazu nur eine Etage. Aber dieses Bauwerk wär ein Traum für jeden Geist.«

»Du solltest Gespenstergeschichten schreiben, Skye. Vielleicht wirst du ja der nächste Stephen King, dann wären wir unsere Geldsorgen los.« Adrienne stieß sich den Kopf an einem Fenster, als sie das Bild aus dem Wagen hievte. Müdigkeit und Hitze zehrten an ihr. »Schatz, bitte hör jetzt auf, über Geister nachzugrübeln, hilf mir lieber.«

»Bin schon da.« Zwei Minuten später war das Bild unversehrt aus dem Wagen gehoben. »Was würdest du bloß ohne mich anfangen?«

»Ich will es nicht wissen.« Adrienne strich sich das lange Haar aus dem Gesicht, wünschte, sie hätte sich einen Zopf geflochten, und war sich des Verbands bewusst, der ihre Stirn zierte. »Sag bloß nichts über Geister, wenn wir hineingehen. Ich glaube, heute ist Miss Snow hier, und sie hat panische Angst, etwas könnte den Ruf der Art Colony besudeln.«

»Ich fände es cool, einen Geist in der Art Colony zu haben.«

»Sie aber nicht. Sie hält gar nichts für cool, was nicht in einem Benimmbuch steht.«

Die French Art Colony war zunächst eine großzügige Residenz gewesen. Ein schmiedeeiserner Gitterzaun führte rings um das gepflegte Grundstück. Adrienne und Skye gingen über den gepflasterten Gehweg auf das Gebäude zu und die Stufen hinauf zur ausladenden Veranda. Wie Adrienne befürchtet hatte, versah heute Miss Snow, das aktivste Mitglied der Kunststiftung, ihren Dienst. Sie öffnete eine Flügeltür und ließ sie eintreten, ein steifes Lächeln im pergamentenen Gesicht, wo es Knitterfältchen verursachte. Die Frau war groß, weißhaarig, spindeldürr, hatte einen dunklen, starren, farblosen Blick und kleidete sich normalerweise in Marineblau, Braun oder gedecktes Rot. Sie erinnerte Adrienne an die ominöse Haushälterin Mrs. Danvers im Roman *Rebecca*.

»Guten Morgen, Mrs. Reynolds.« Miss Snows Stimme war genauso kalt wie ihr Name. Sie sah Skye verächtlich an. »Sie haben Ihr Kind mitgebracht.«

Adrienne rang sich ein Lächeln ab. »Ich wünschte, Sie würden Adrienne zu mir sagen. Und Skye ist schon vierzehn. Kein Kind mehr. Sie war mir heute eine große Hilfe.«

»Soso, na dann ...« Miss Snow schien nicht überzeugt.

Adrienne spürte Skye hinter sich knistern und sagte mit lauter, überschwänglicher Stimme: »Ich bringe mein Bild!«

»Das sehe ich«, erwiderte Miss Snow in verächtlichem Ton. Die übrigen Stiftungsmitglieder waren ausgesucht freundlich und unprätentiös, bestanden sogar darauf, bei ihren Vornamen genannt zu werden. Miss Snows Vornamen kannte Adrienne nicht einmal. Wahrscheinlich, argwöhnte sie, hatte man die Frau Miss Snow getauft. Warum in drei Teufels Namen musste sie ausgerechnet *heute* hier arbeiten, dachte Adrienne ärgerlich, wo sie so gar keine Lust hatte, den Dünkel dieser Frau zu ertragen?

Sie standen alle drei unbeholfen in der Tür. Endlich sagte Miss Snow: »Das Bild muss schwer sein. Dann kommen Sie mal herein damit. Öl- oder Wasserfarben?«

Adrienne hatte schon seit zehn Jahren nicht mehr mit Wasserfarben gearbeitet. »Öl.«

»Oje. Schon wieder. Wir haben so viele Ölbilder.« Sie seufzte. »Tja, ich glaube, der Vorsitzende hat ihm einen hübschen Platz im ersten Stock zugedacht.« Miss Snow beugte sich über einen kleinen Tisch und blätterte in einem Ordner. »Ja, zweiter Stock, der Raum rechts. Ihr Bild wird links vom Kamin hängen. Wie lautet der Titel?«

»*Herbstlicher Exodus.*«

Miss Snow ging noch einmal ihre Papiere durch. »Ja, hier steht's.« Jetzt ist es offiziell, dachte Adrienne säuerlich. Der Titel ist bestätigt. »*Herbstlicher* … was immer, hängt links vom Kamin.«

»*Herbstlicher Exodus.*« Adrienne konnte sich den scharfen Unterton nicht verkneifen. »Links. Ich glaube, das kann ich mir merken.«

»Mom, darf ich hier unten bleiben und mir die anderen Bilder ansehen?«, fragte Skye.

»Sicher«, sagte Adrienne. Miss Snow machte ein Gesicht, als stelle sie sich vor, wie Skye mit klebrigen Fingern die Exponate betatschte. Skye wandte sich nach links, auf das sonnige Musikzimmer zu. »Ich werd hier anfangen.«

»Finger weg vom Flügel«, warnte Miss Snow streng und trabte ängstlich hinter Skye her. »Er ist eine Antiquität. Ebenso der Lüster!«

»Meine Güte, Miss Snow, wie soll ich denn ohne Leiter an den Lüster rankommen«, lachte Skye.

Eins zu null für Skye, dachte Adrienne grinsend. Miss Snow war der einzige Mensch, den das Mädchen absichtlich provozierte.

Adrienne hob ihr Bild wieder auf und steuerte auf die wunderschöne frei tragende Treppe zu. Obwohl diese auf einer Seite fest in der Mauer verankert war, verfügte die Seite mit dem Handlauf über keinerlei Stütze, wodurch der Eindruck entstand, als winde sie sich durch luftige Höhen bis hinauf in den dritten Stock. Adrienne hatte immer eine schöne Frau im Abendkleid vor Augen, die anmutig die reizvollen Stufen herunterschwebte.

Manchmal wurden in der Art Colony Hochzeiten gefeiert, und Adrienne malte sich aus, wie Skye eines Tages im atemberaubenden weißen Kleid auf der Treppe stand. Das hat aber noch zehn Jahre Zeit, sagte sie sich. Mindestens. Ihr kleines Mädchen sollte sich nicht so früh in Verpflichtungen stürzen wie sie, als sie mit einundzwanzig Trey Reynolds geheiratet hatte, bevor sie beide wirklich erwachsen gewesen waren.

Adrienne hängte das Bild an den ihm zugewiesenen Platz, trat einen Schritt zurück und betrachtete ihr Werk. Auf der Karte, die der Vorsitzende bereits angebracht hatte, stand: »Adrienne Reynolds, *Herbstlicher Exodus*, Öl auf Leinwand, 55 × 66 cm.« Es war eins der größten Bilder, das sie je gemalt hatte, und auch eins der besten. Sie hatte das Motiv vorigen November entdeckt: Eingesäumt von einer Reihe riesiger Blaufichten, trieben auf einem großen Teich etwa zwanzig Kanadagänse. Als sie näherkam, breiteten zehn der großen Vögel, die sich fürs Leben banden, die Flügel aus und erhoben sich anmutig in die Luft. Dabei kontrastierte das braune Gefieder mit den weißen Streifen seitlich auf den schwarzen Köpfen hinreißend mit dem weichen Goldschimmer des verblassenden Herbstnachmittags. Ein Hauch von Gelb verlieh den schneebedeckten Ästen ein wenig Leuchtkraft, und ein graublauer Streifen am Horizont deutete an, dass sich allmählich der Abend auf die Landschaft senkte. Sie hatte die flinke, fließende Bewegung der Vögel und das Ineinandergreifen von Licht und Schatten gut wiedergegeben, fand sie, lächelte stolz und gestattete sich eine kleine Hoffnung auf eine Platzierung im Wettbewerb.

Adrienne setzte einen Fuß auf die Treppe, im Begriff, hinunterzugehen, und stutzte. Irgendetwas zog sie hinauf in den dritten Stock, ein Sog, dem sie nicht widerstehen konnte. Langsam stieg sie die frei tragende Treppe hinauf und ließ dabei die Hand über das kühle, glattpolierte Holz des Handlaufs gleiten. Das ist ein Fehler, dachte sie. Das wird mich verstören. Das wird wehtun. Aber sie konnte nicht anders.

Als sie den dritten Stock erreichte, wandte Adrienne sich nach rechts, hielt kurz inne und trat dann durch eine Tür. Sie hielt den Atem an. Der Raum hatte einen offiziellen Namen, doch seit vier Jahren hieß er für die meisten nur der »Julianna-Saal«, wegen des lebensgroßen Porträts am anderen Ende – ein Porträt von Julianna, geschaffen von dem außerordentlich talentierten Maler, mit dem sie verheiratet gewesen war, Miles Shaw.

Adrienne schaltete das Licht nicht ein. Das war auch gar nicht nötig. Ein Sonnenstrahl fiel durch eins der hohen Fenster direkt auf das Porträt, als hätte die Natur selbst für die beste Beleuchtung gesorgt. Miles hatte das Gemälde der French Art Colony gestiftet, damit es niemals verkauft würde. In den vergangenen vier Jahren war es zu einer der größten Attraktionen der Einrichtung geworden. Und mit gutem Grund, dachte Adrienne.

Das Porträt zeigte Julianna schräg von vorn, das Gesicht frontal dem Betrachter zugewandt. Sie trug ein schwarzes Satinkleid mit dunklem Spitzenbesatz. Mit meisterhaftem Strich hatte Miles jeden Filigranfaden der komplizierten ebenholzfarbenen Spitze über dem blauschwarzen Satinstoff herausgearbeitet. Das tiefe Dekolleté ließ die Rundung von Juliannas

Brüsten erahnen. Ihre Hände waren unterhalb der Taille lose gefaltet, den linken Mittelfinger zierte ein großer Platinring mit einer tahitischen Perle. Das lange, rotbraune Haar mit den kupferfarbenen Lichtern fiel ihr in weichen Wellen über die linke Schulter, unter einem herrlichen, mit schwarzer Spitze besetzten Florentiner Hut.

Doch der Glanzpunkt des Porträts war Juliannas Gesicht. Die kühle Grace-Kelly-Perfektion wurde abgemildert durch die Andeutung eines schalkhaften Lächelns und das Liebesversprechen in den sherryfarbenen Augen, die den Betrachter durch den Saal zu verfolgen schienen. Kein Zweifel, dachte Adrienne, Miles Shaw hatte ein Meisterwerk geschaffen. Und wichtiger noch, er hatte ein unglaubliches Porträt von Julianna Brent gemalt, das die Jahrhunderte überdauern konnte.

Miss Snow musste die Musikanlage eingeschaltet haben, um Skye davon abzuhalten, auf dem alten Flügel zu spielen, was dem Mädchen ohnehin nicht eingefallen wäre. Als Adrienne wie gebannt vor dem Porträt stand, umgab sie das Volkslied *Greensleeves*, wunderschön gesungen von der Gruppe Blackmore's Night:

> *O weh, mein Lieb', tust Unrecht mir*
> *grob fort zu stoßen mich im Streit*
> *so lange hielt ich treu zu Dir*
> *voll Glück an Deiner Seit'.*
> *Greensleeves war all mein Freud'*
> *Greensleeves war mein Entzücken*
> *Greensleeves war mein gülden Herz*
> *Und wer außer Lady Greensleeves ...*

»Hätte ich das Porträt lieber *Greensleeves* nennen sollen anstatt *Julianna*?«

Adrienne zuckte zusammen, fuhr herum und sah Miles Shaw nur einen Meter hinter sich. Als Julianna ihr damals

Miles vorstellte, hatte sie gedacht, dass er mit Sicherheit der augenfälligste Mann war, der ihr je untergekommen war. Seine Mutter war eine Shawnee, und er hatte ihr glänzendes schwarzes Haar geerbt, das er zu einem taillenlangen Pferdeschwanz gebunden trug, den wunderschönen hellbraunen Teint und die hohen Wangenknochen. Er war über eins neunzig groß, hatte eine leicht schiefe Adlernase – ein schlecht verheilter Bruch –, sinnlich gewölbte Lippen und die schwärzesten Augen, die Adrienne je gesehen hatte. Seine Schultern waren breit wie die eines Bodybuilders, die Taille schlank, und er bewegte die langen Beine mit tänzerischer Anmut. Er trug enge Jeans und ein langärmeliges schwarzes Hemd. Um seinen Hals hing an einer Lederschnur ein großer Türkis, in einer Fassung aus oxidiertem Silber, ein Geschenk von Julianna zu seinem siebenunddreißigsten Geburtstag.

Er wirkte älter, fand Adrienne, als noch vor einem Jahr, wo sie ihn zuletzt gesehen hatte. Falten umzogen die beeindruckenden Augen, und die Wangen waren tiefer eingesunken. Seine Stimme hatte einen bei seiner Größe überraschend sanften, fast einschmeichelnden Klang, als wollte er sein Gegenüber darin einhüllen. Julianna hatte Adrienne erzählt, dass sie Miles vor allem seiner Stimme wegen so anziehend fand.

»Ich dachte immer, das Lied *Greensleeves* handle von einer Frau, die Menschen wissentlich wehtut«, sagte Adrienne, die endlich ihre Stimme wiedergefunden hatte. »Julianna war nicht so.«

»Manche Menschen haben zwei Seiten.«

»Ja, aber ich kannte Julianna fast dreißig Jahre …«

»Viel länger als ich. Vielleicht auch besser als ich.« Miles zog eine Augenbraue hoch. »Vielleicht aber auch nicht.«

Adrienne tat einen unbehaglichen Schritt zurück, weg von Miles, und wandte sich wieder Juliannas Porträt zu, um ihren Rückzug zu verbergen. »Wirklich ein schönes Bild«, sagte sie lahm.

»Julianna war meine Muse. Für eine Weile.«

»Wie schade, dass es nicht geklappt hat zwischen euch.«

»Was mich betrifft, hätte es geklappt. Sie empfand das offensichtlich anders«, sagte Miles sardonisch.

Seine Nähe und das Thema der Unterhaltung machten Adrienne zunehmend nervös. Doch sie konnte nicht einfach aus dem Zimmer laufen. Sie musste auf Miles' Bemerkungen reagieren. »Julianna war eine rastlose Seele, Miles. Ich glaube nicht, dass sie für die Ehe geschaffen war.«

»Wirklich nicht? Mit keinem Mann?«

Das war keine Frage. Es war eine Herausforderung. »Nein, ich glaube mit keinem. Ehrlich.« Ein anderes Lied tönte durch den Raum, der immer kleiner und heißer zu werden schien, je näher Miles auf sie zukam.

Miles warf einen Blick auf das Porträt. »Als ich es malte, dachte ich, ich hätte ihre Seele eingefangen.«

»Hast du auch.«

»Ich habe eingefangen, was sie damals ausstrahlte. Provokation. Aber auch Unschuld. Das war nicht unbedingt die wirkliche Julianna.«

»Du hast das Bild einer schönen Frau eingefangen. Sie war nicht vollkommen, Miles, aber wer ist das schon? Sie besaß jedenfalls Wärme, Mitgefühl und Freude. Das sehe ich alles in diesem Porträt.«

»Du schwitzt ja.« Miles berührte sanft ihren Stirnverband. »Und du hast dir wehgetan. Besser gesagt, jemand hat dir wehgetan. Ein Straßenräuber. Das hab ich gehört.«

»Ja. Vorgestern Nacht. Er hat meine Handtasche ergattert, einen billigen Lippenstift, einen alten Kamm und zehn Dollar.« Was ein unbeschwertes Lachen hätte sein sollen, hörte sich an wie ein Angstblöken. »Philip ist wütend auf mich. Schlechte Publicity und so.«

Miles' Gesicht wurde hart. »Philip Hamilton ist ein aufgeblasener Narr, der nur mit sich selbst beschäftigt ist.«

»Oh!« Der schiere Hass in seiner Stimme erschreckte Adrienne. »Nun ja, ich tröste mich mit dem Gedanken, dass er meine Schwester und meine Nichte gern hat. Und das tut er zweifellos. Er hat nur ein übertrieben großes Ego. Vielleicht gehört sich das so für einen Politiker. Man muss schon eine Menge Selbstvertrauen haben, um das Gouverneursamt anzustreben, bei all den Reden, die man halten muss, und all den Leuten, die einen pausenlos anstarren und, na ja, allem eben …«

Ihr ging die Luft aus. Miles' Finger berührten noch immer ihren Verband. Seine intensiven Augen erforschten die ihren. Er beugte sich zu ihr hinunter, und einen aufregenden Moment lang dachte sie, er wolle sie küssen. Seltsamerweise überkam sie ein Anflug von Panik, sie stand da wie angewurzelt, und das Herz schlug ihr bis zum Hals, als wäre sie ein gefangenes Tier.

»Ich störe ungern, aber ihr wisst ja, wie aufdringlich wir Zeitungsfritzen sind.«

Miles nahm seine Hand von ihrer Stirn. Als er beiseite trat, sah Adrienne Drew Delaney. Er stand lässig gegen den Türrahmen gelehnt, doch seine Züge waren angespannt, die dunklen Augen schmal. »Ich möchte euch beide um eine kleine Stellungnahme zu der Gala bitten, die demnächst hier stattfinden soll.«

Adrienne widerstand dem Drang, sich in Drews liebende Arme zu flüchten, wie damals als Teenager. Doch das war lange her. Er hatte sie damals wahrscheinlich nicht geliebt und tat es auch jetzt nicht. Und doch war sie überglücklich, ihn zu sehen. Mit weichen Knien ging sie auf ihn zu.

»Manchmal bin ich lieber Reporter als Chefredakteur.« Drew ergriff die feuchte Hand, die sie ihm entgegenstreckte, und schüttelte sie, als träfen sie sich zum ersten Mal. In Anbetracht der Tatsache, dass sie sich schon so lange kannten, war es eine unnatürliche Geste, und Drew musste sie als Versuch ihrerseits werten, ihr Unbehagen zu überspielen.

Miles schien förmlich zu vibrieren vor Feindseligkeit. »Ich hätte schwören können, dass Sie sich angesichts der beiden Mordfälle für unser bescheidenes Fest nicht interessieren würden.«

»Mordfälle?«, wiederholte Drew unschuldig. »Ich dachte, das einzige Mordopfer wäre Julianna Brent.«

Miles wurde rot. »Ich rede von Claude Duncan. Jemand hat mir erzählt, er wäre ermordet worden, aber wer das war, weiß ich nicht mehr.«

»Schade, zumal der Betreffende mehr zu wissen scheint als die Polizei.«

Adrienne wurde stutzig. Es bestand in der Tat der Verdacht, dass Claudes Tod kein Unfall war, doch Lucas hatte noch keine öffentliche Stellungnahme abgegeben. Hatte Miles wirklich eine Quelle? Oder schlimmer noch, wusste er aus erster Hand, dass Claude ermordet worden war?

»Leider weiß ich nicht mehr über Juliannas Tod als alle anderen«, sagte Miles, während er auf den Ausgang zusteuerte. »Den Hurensohn, der meine Exfrau umgebracht hat, würde ich zu gern in die Finger kriegen. Ich würde ihm einen langsamen, qualvollen Tod bereiten, wie er's verdient!«

Miles' Worte waren böse, klangen aber wenig überzeugend. Adrienne wusste, dass er Julianna einmal leidenschaftlich geliebt hatte, doch seiner Stimme war nichts mehr von dieser Liebe anzumerken.

»Tja, sensationelle Mordfälle treiben natürlich die Auflagenzahlen in die Höhe, aber wir wollen nicht, dass der *Register* zum Boulevardblatt verkommt«, sagte Drew ironisch. »Aus diesem Grund erhält die Gala in der Art Colony eine Menge Raum. Ein wenig Klasse kann nicht schaden, was meinen Sie?«

»Obwohl sich das Gebäude in Ohio, nicht in West Virginia befindet?«, fragte Miles ein wenig spöttisch.

Drew ignorierte den Unterton.

»Wir bringen nicht nur Neuigkeiten aus West Virginia.«

»Ist der *Register* kein Abstieg im Vergleich zur *New York Times*?«, fragte Miles.

»Ich mag den gemütlicheren Rhythmus.«

»Gemütlich ist gut.« Miles ließ nicht locker. »Vermutlich haben Sie noch Verbindungen zur *Times*, obwohl Sie dort in Ungnade gefallen sind. Wenn Sie gewollt hätten, wäre Juliannas Name in die Klatschspalten gekommen, was das Interesse an ihr neu belebt und sie vielleicht sogar wieder auf den Laufsteg gebracht hätte.«

Drew presste die Lippen aufeinander. »Ich verstehe nicht ganz, wie Sie auf diese Idee kommen, Miles. Woher wollen Sie überhaupt wissen, dass Julianna wieder auf den Laufsteg wollte?«

»Julianna war Julianna. Sie stand gern im Mittelpunkt, war aber seit ein paar Jahren nicht mehr gefragt. Mit Sicherheit vermisste sie den Rummel, der um sie gemacht wurde.« Miles zuckte mit den Schultern. »Und sie hat noch keine Hilfe abgelehnt, wenn sie sie kriegen konnte.«

»Wenn ich den Einfluss hätte, den Sie mir zutrauen, Miles, dann würde ich mir selbst einen Auftritt verschaffen, und Sie würden mich auf dem Cover von *Vanity Fair* sehen«, sagte Drew leichthin. »Vielleicht braucht Ihr Spionagenetzwerk eine Auffrischung. Konzentrieren Sie sich lieber auf Gavin Kirkwood. Der könnte sich als interessanter erweisen.«

Mittlerweile war Miss Snow auf der obersten Stufe der dritten Etage angelangt, mit Skye im Schlepptau. Skyes Augen waren weit aufgerissen, Miss Snows Lippen nur noch ein schmaler Strich, ihre Wangenknochen dagegen leuchtend rot. »Mir war nicht bewusst, dass sich alle Welt hier oben versammelt«, keifte sie. »Ich dachte, die Interviews würden unten im Salon stattfinden, bei Tee und Gebäck. Oder noch besser in der Küche, wo wir nichts schmutzig machen würden.«

»Dürfen die Leute auf dem Fest ihren Tee im Salon trinken?«, fragte Skye harmlos. »Oder müssen sie in der Küche bleiben?«

»Offizielle Gäste können essen, wo immer sie wollen«, verkündete Miss Snow.

Drew grinste. »Ich hoffe wirklich, es gibt gegrillte Schweinerippchen. Die esse ich so gern.«

»Und Sardinen!«, meldete Skye sich begeistert zu Wort. »Mit Meerrettichsauce und Bier!«

Miss Snow sah sie erschrocken an. »Lässt man dich etwa schon Bier trinken?«

»Nie mehr als zwei oder drei Flaschen pro Tag«, entgegnete Skye artig. »Mom sagt, es kurbelt die Kreativität an.«

Nicht einmal Miles konnte sich ein Grinsen verkneifen. Adrienne war teils erschrocken, teils bewunderte sie die Verwegenheit ihrer Tochter, Miss Snow aber ließ nicht mit sich spaßen. Sie warf Skye einen vorwurfsvollen Blick zu und wandte sich an Drew. »Ich dachte, Sie wollten ein Interview führen, Mr. Delaney.«

»Ich brauche wirklich nur ein paar kurze Stellungnahmen von den Wettbewerbsteilnehmern.«

»Dann bin ich aus dem Schneider«, sagte Miles. »Ich nehme heuer nicht am Wettbewerb teil. Sie sollten Adrienne interviewen.«

»*Ich* gehöre zum Vorstand«, erinnerte Miss Snow. »Ich kann Ihnen alles Wissenswerte über unsere Sammlung sagen.«

»Ich weiß, Miss Snow«, sagte Drew galant. »Ich komme gleich auf Sie zurück. Nur vorher möchte ich Adrienne und Skye gern zum Wagen begleiten.«

»Ich glaube nicht, dass Ms. Reynolds schon gehen möchte«, sagte Miles, den Drews dominantes Verhalten zu irritieren schien.

»O doch, leider«, warf Adrienne ein. »Ich habe noch viel zu erledigen heute.«

Auf dem gepflasterten Gehweg vor dem Gebäude atmete

Adrienne erleichtert auf. Drew warf ihr einen verstohlenen Blick zu und fragte: »Was hat Miles Shaw von dir gewollt?«

»Ich bin nicht sicher, aber er hat sich ziemlich eigenartig benommen. Miles und ich waren zwar noch nie eng befreundet, aber Feinde waren wir auch nicht. Heute hatte ich fast Angst vor ihm.«

»Er macht mir immer Angst«, sagte Drew. »Ich würde ihm alles zutrauen.«

Adrienne sah ihn an. Seine dunklen Augen waren ebenso intensiv wie die von Miles, doch fehlte ihnen das Bedrohliche, Bedeutsame. Das Sonnenlicht betonte die tiefen Lachfalten und das kleine belustigte Zucken seiner Mundwinkel. Adrienne wurde warm ums Herz bei seinem Anblick. Verlegen nahm sie seinen Arm, als sie weiter der Straße zuschlenderten. Dann entdeckte sie den Wagen, der vor dem Eingang geparkt war.

»Was für ein Modell ist das?«, rief sie schrill.

Drew sah sie überrascht an. »Ein Camaro.« Adrienne sah den dunkelblauen, zweitürigen Wagen mit der langen Motorhaube, dem kurzen Heck und dem Spoiler forschend an. Er erinnerte sie an den Wagen, der letzte Nacht ein paar Mal an ihrem Grundstück vorbeigeschlichen war.

»Gefällt er dir?«, fragte Drew. »Er gehört mir.«

3

Lucas Flynn wollte eine Zigarette. Er hatte vor sechs Wochen das Rauchen aufgegeben und sich mit Nikotinpflastern beholfen, doch die funktionierten heute nicht. Er war ein Nervenbündel und reizbar wie der Teufel, also beschloss er, der Enthaltsamkeit ein Ende zu setzen. Sobald er die Obduktionsberichte gelesen hätte, die ihm gerade auf den Schreibtisch geflattert waren, würde er sich nach draußen schleichen und eine Marlboro rauchen. Vielleicht auch zwei. Wahrscheinlich drei.

Was Lucas an seinem Job am wenigsten mochte, waren die Obduktionsberichte: Die nüchternen, wissenschaftlichen Beschreibungen von klaffenden Wunden, Toxinen im Blut oder strangulierten Leichen, denen fast der Kopf abgetrennt worden war, degradierten menschliche Wesen zu seelenlosen Fleischhaufen, ähnlich den armseligen Fröschen, die im Biologieunterricht von gelangweilten Schülern seziert wurden. Doch die Berichte waren nun einmal notwendig, und je schneller er sie las, desto rascher konnte er wieder in die Welt der Lebenden zurückkehren und sich deren einfachen Freuden wie dem Rauchen widmen. Und einem herzhaften Lunch. Er beschloss, sich mit einem Essen im Iron Gate Grill zu belohnen.

Er griff sich einen Stoß Papiere, setzte die Lesebrille auf, die sein Optiker ihm vor einem Monat verpasst hatte und die er leidenschaftlich hasste, und las den Bericht über Julianna Brent, sechsunddreißig. Sie hatte kein Kind geboren und schien bei bester Gesundheit gewesen zu sein, als man ihr einen Schlag auf den Kopf und eine tiefe Stichwunde in die linke Halsschlagader beigebracht hatte.

Der Schlag auf den Kopf war mit dem schweren Fuß der Keramiklampe ausgeführt worden, wusste Lucas, deren Scherben er neben dem Hotelbett gefunden hatte. Der Bluterguss auf Juliannas Schläfe war klein gewesen, zum einen, weil sich an Stellen, wo die Haut sich fest über den Knochen spannte, nicht so leicht blaue Flecke bildeten wie auf loser Haut, zum anderen, weil schon bald nach dem Schlag der Tod eingetreten war. Die Stichwunde ließ sich nicht so leicht analysieren. Ein spitzer Gegenstand war ihr mit enormem Kraftaufwand in den Hals gestoßen worden. Da die Ränder der Wunde glatt waren, konnte man davon ausgehen, dass die Waffe rund und spitz gewesen sein musste. Der Tiefe der Wunde nach zu urteilen, musste sie etwa siebeneinhalb Zentimeter lang gewesen sein. Möglicherweise war sie auch etwas kürzer, in diesem Fall wäre sie mit besonderer Wucht ins weiche Halsgewebe getrieben worden.

Der massive Blutverlust wies darauf hin, dass Julianna noch gelebt hatte, als die Karotis durchstochen wurde. Doch wies ihr Körper keinerlei Spuren eines Kampfes auf, weshalb davon auszugehen war, dass jemand sie mit einem Lampenfuß bewusstlos geschlagen und dann mit einem spitzen Gegenstand erstochen hatte. Sie war verblutet.

Lucas hörte auf zu lesen und starrte auf die gelbbraune Wand gegenüber, wo sich Aktenschränke aneinander reihten. Er sah Julianna auf dem Hotelbett liegen, das schöne Gesicht friedlich, wenn auch fast übernatürlich weiß, das Haar über die klaffende Wunde im Hals gebreitet, an der rechten Schläfe die Schmetterlingsspange mit den glitzernden Strasssteinchen. Jemand hatte sie grausam ermordet und dann drapiert, sogar Laken und Decke über ihren nackten Körper gebreitet.

Forensischen Psychologen zufolge wies der Umstand, dass eine Leiche nach der Ermordung zugedeckt worden war, auf eine zerrissene Mörderpersönlichkeit: Während er seinem Opfer einerseits so sehr den Tod wünschte, dass er es persönlich abschlachten musste, verspürte er im Nachhinein den Zwang, ihm ein wenig Würde zurückzugeben, indem er es bedeckte.

Doch Juliannas Mörder hatte keinen inneren Kampf ausgefochten. Lucas wusste das. Er hoffte nur, dass niemand außer ihm dahinter käme. Die Tatsache, dass man Juliannas Leiche bis zum Hals mit einem Satinlaken zugedeckt und ihr das Haar gekämmt hatte, war der Presse nicht bekannt. Doch Rachel Hamilton arbeitete bei der Zeitung. Außerdem war sie mit den Personen verwandt, die Julianna gefunden hatten und den liebevollen Zustand beschreiben konnten, in dem der Mörder sie zurückgelassen hatte. Er vertraute darauf, dass Adrienne diese Details für sich behielte. Doch was war mit Skye? Würde sie gegenüber ihrer geliebten Cousine den Mund halten können?

Lucas merkte, dass er fast fünf Minuten lang gedankenverloren auf seine Aktenschränke gestarrt hatte. Innerlich stöhnend nahm er sich den Obduktionsbericht zu Claude Duncan vor.

Er starrte einen Moment lang auf die getippte Seite, ohne die Schrift zu erkennen, sah nur Claudes aufgedunsenes, triefäugiges Gesicht, als er an dem betreffenden Morgen mit seiner Axt vor dem Zimmer im *Belle Rivière* gestanden hatte, in dem lächerlichen Bemühen, den Tatort zu bewachen. *Lächerlich*. Ein Wort, das die meisten für Claude bereithielten. Lächerlich. Absurd. Dumm. Jämmerlich. Abschaum. Und sie hatten wohl Recht, dachte Lucas. Im Großen und Ganzen hatte Claude Duncan nicht viel getaugt. Doch wer sollte sich die Mühe machen, ihn zu beseitigen? Außer, er hatte irgendetwas gewusst. Sicher war Claude einfach nur zur falschen Zeit am falschen Ort gewesen. Hatte Pech gehabt.

Der erste Teil des Berichts lieferte wenig Neues; Lucas hatte sich das meiste schon bei der Besichtigung des Tatorts zusammengereimt. Über fünfzig Prozent von Claudes Körper waren mit Verbrennungen dritten Grades überzogen; sie zerstörten das Gewebe, legten die Struktur darunter frei. Verbrennungen zweiten Grades betrafen weitere dreißig Prozent. Die Hitze des Feuers hatte das Gewebe zerstört, sodass die Haut auf Claudes ganzem Körper aufgeplatzt war.

Er hatte eine Schädelfraktur, die kein Schlag auf den Kopf verursacht haben konnte, da sonst Knochenfragmente *in* den Schädel gedrungen wären. Sein Hirn wies Läsionen auf, nichts Ungewöhnliches bei Brandopfern und ein Resultat des Drucks, der durch die große Hitze im Kopf entstand. Beide Verletzungen konnten auch von der intensiven Hitze der Flammen verursacht worden sein und bewiesen nicht, dass jemand Claude getötet und anschließend Feuer gelegt hatte, um das Verbrechen wie einen Unfall aussehen zu lassen. Diese Schlussfolgerung unterstützte die Tatsache, dass der Kohlenmonoxydgehalt in seinem Blut etwa fünf Prozent betrug und dass in seinen Atemwegen Kohlepartikel gefunden worden waren.

Verwirrend war nur, dass bei den meisten Feuertoden die Kohlenmonoxydkonzentration im Blut zehn Prozent überschritt und sich mehr Kohlepartikel in den Atemwegen befanden als bei Claude. Er musste während des Brandes noch am Leben gewesen sein, hatte aber nicht mehr normal geatmet.

Lucas runzelte gedankenverloren die Stirn. Er war sicher, dass Claude beim Ausbruch des Feuers betrunken gewesen war, doch Trunkenheit setzte normalerweise nicht die Atmung herab. Also musste es für Claudes Zustand eine andere Erklärung geben.

Die erbrachte das toxikologische Gutachten. Abgesehen von einer beachtlichen Menge Alkohol hatte man in Claudes Blut Oxymorphon-Hydrochlorid nachgewiesen, ein halbsynthetisches Opioid mit morphinartiger Wirkung.

Lucas kannte die wichtigsten Auswirkungen der Opioide: Sie verlangsamten beispielsweise die Atmung und unterdrückten den Hustenreflex, was erklären würde, warum Claudes Blut eine weitaus geringere Kohlenmonoxydkonzentration aufwies und sich weniger Kohlepartikel in den Atemwegen befanden als zu erwarten gewesen wäre. Er hatte nicht normal geatmet und die geringe Menge an Kohlestaub, die er hatte einatmen können, nicht mehr ausgehustet.

Lucas wusste auch, dass Opioide sedativ wirkten.

»Sedativ«, sagte er laut. »Muss sehr praktisch sein, ein Opfer so weit auszuschalten, dass es zwar nicht mehr imstande ist, davonzulaufen, aber noch atmet, damit man seine Ermordung als Unfall tarnen kann.«

»Brauchen Sie etwas, Sheriff?«

Lucas sah auf zu Naomi, seiner kessen neuen Sekretärin, die die nervige Angewohnheit hatte, pausenlos seine Gedankengänge zu unterbrechen. »Nichts, danke.«

»Na ja, Sie haben vor sich hin geredet. Ich dachte, Sie meinen mich, möchten irgendetwas. Kaffee vielleicht.«

»Nein, danke.«

»Okay.« Naomi hatte sich während dieses Gesprächs zentimeterweise ins Zimmer geschoben und stand jetzt nah genug, um ihm über die Schulter schauen zu können. »Ist das ein Obduktionsbericht?«

»Ja«, sagte Lucas irritiert.

»Neuigkeiten?«, fragte sie, und ihre blauen Augen blitzten vor Neugier.

»Ja, und ein paar sehr interessante dazu«, entgegnete er ungehalten. Er brauchte unbedingt eine Zigarette, außerdem ging ihm ihre unverhohlene Neugier gehörig auf den Geist. Er stand auf.

»Interessante Neuigkeiten über Julianna Brent?«, fragte Naomi ungeniert weiter.

»Ja, *und* über Claude Duncan.«

»Ach *der*«, sagte sie gleichgültig. »Haben sich denn noch pikante Details herausgestellt? Ich meine, was das tote Fotomodell betrifft?«

Lucas warf ihr einen vernichtenden Blick zu und beschloss, dass sie ihm nicht nur auf die Nerven ging. Er konnte sie nicht ausstehen. Ganz klar. »Tut mir Leid, nichts, was Sie zufrieden stellen könnte.« Naomi sah ihn nachsichtig an, die Beleidigung schien ihr völlig entgangen zu sein. »Wenn man mich braucht, ich bin für zehn Minuten draußen.« Sie konnte die Augen nicht von den Obduktionsberichten lassen, deshalb nahm er sie an sich. »Ich werde sie draußen weiter lesen, bei Tageslicht.«

»Ach so, na schön. Aber ich könnte sie für Sie einordnen.«

»Nein, danke.«

»Tja, wie Sie wollen.«

»So will ich es.« Das werden definitiv drei Zigaretten, dachte Lucas mit einem letzten Blick auf das nervende, naiv dreinschauende Mädchen mit den Raubvogelaugen. Außerdem werde ich zu verhindern wissen, dass du jemals die Chance bekommst, auch nur einen flüchtigen Blick in diese Berichte zu werfen, dachte er, und wenn ich sie in einen Safe sperren muss.

Naomi hatte ein aufdringliches Eau de Toilette aufgelegt, das Lucas' Atemwege reizte, und sie schien ihr silberglasiertes mausbraunes Haar mit einer Art Sekundenkleber fixiert zu haben. Sie trat nicht zur Seite, und so musste er sich gegen den Türstock drücken, um beim Vorbeigehen nicht ihren Körper zu streifen. »Genießen Sie Ihre Zigarette, Sheriff. Sie arbeiten so hart, Sie haben sich wirklich ein Päuschen verdient, auch wenn Rauchen nicht gesund ist.« Sie lächelte einschmeichelnd und gurrte: »Vielleicht kriege ich irgendwann die Chance, es Ihnen abzugewöhnen. Das Rauchen, mein ich.«

Mit eiserner Willenskraft bezwang Lucas ein Schaudern. Und beschloss, dass Naomi nächste Woche um die gleiche Zeit nicht mehr hier arbeiten würde.

4

»Henri de Toulouse-Lautrec ist vor allem wegen zweierlei berühmt«, sagte Adrienne zu ihren Kunststudenten. »Erstens war er ein Zwerg, besser gesagt kleinwüchsig. Zweitens führte er in den Nachtlokalen und Bordellen von Paris ein Leben, das bei vielen als zügellos oder wild galt.«

»Klingt sympathisch«, sagte grinsend ein ungehobelt aussehender Bursche in der hinteren Reihe. »Das mit den Nachtclubs und den Hurenhäusern, mein ich, nicht den Zwergenteil.«

Ein junger Mann im vorderen Drittel murmelte aufgebracht: »Sie hat von Bordellen geredet, nicht von Hurenhäusern, Blödmann. Außerdem war Toulouse-Lautrec ein großer Künstler. Deshalb solltest du dich an ihn erinnern.«

»Was war das, Dummsocke?«, rief der Grinser herausfordernd.

»Er hat nur darauf hinweisen wollen, dass Toulouse-Lautrec ein großer Künstler war«, sagte Adrienne schnell. Die beiden benahmen sich wie Hund und Katze, als wären sie nicht etwa im College, sondern bestenfalls in der siebenten Klasse. »Toulouse-Lautrec war mächtig von Degas und Gauguin beeinflusst, entwickelte aber seinen eigenen Stil – den eines Graphikers. Dies ist auch der Grund, warum sich seine Werke so gut für Lithographien oder für Poster eignen. Wir wollen uns ein paar ansehen.«

»Klasse. Kann's gar nicht erwarten, wie steht's mit dir, Dummsocke?«, kam es laut aus der hinteren Reihe.

Dummsocke seufzte gepeinigt. Adrienne biss die Zähne zusammen, dämpfte das Licht und schob ein Dia in den Projektor. »Der Titel des Bildes lautet *Im Moulin Rouge*. Auf den ersten Blick scheint es eine heitere Szene zu zeigen. Doch bei genauerem Hinsehen erkennt man, dass die Personen auf dem Bild nicht wirklich glücklich sind. Interessant ist auch die Gestalt des kleinen Bärtigen im Hintergrund, der neben dem hoch gewachsenen Mann steht. Das ist Toulouse-Lautrec selbst. Er malte sich in sein eigenes Bild!«

Sie sah sich um. Was hatte sie erwartet? Ehrfürchtiges Staunen? Atemlose Verzückung? Die Klasse war still. Dummsocke starrte in grimmiger Konzentration auf das Dia, während Blödmann geräuschvoll gähnte. Tapfer kämpfte Adrienne sich weiter durch die Diavorführung, mit der sie ihre Studenten hatte faszinieren wollen, und warf einen verstohlenen Blick auf ihre Tochter.

Skye saß müde in der hinteren Reihe. Das Mädchen war

zwiespältig gewesen, was ihre Anwesenheit im Kurs betraf. Ein College-Seminar zu besuchen, gab ihr einerseits die Gelegenheit, sich erwachsen und intellektuell zu fühlen. Andererseits leitete ihre Mutter diesen Kurs, und das war peinlich. In der ersten Stunde hatte sie noch ganz munter ausgesehen und sich sogar Notizen gemacht. Jetzt, in der zweiten Stunde, machte sie sich weder Notizen, noch beobachtete sie die anderen Studenten, sondern hatte vor Langeweile ganz glasige Augen. Schließlich gingen weder Zettelchen durch die Reihen, noch wurde Kaugummi gekaut, was in weiterführenden Schulen verboten war, und keiner der Jungen war niedlich, unter achtzehn und an einer Vierzehnjährigen interessiert.

Um dem Elend die Krone aufzusetzen, lief gerade Skyes Lieblingsserie im Fernsehen. Adrienne hatte zwar den Videorecorder programmiert, wurde aber von Skye belehrt, dass aufgezeichnete Serien ihre »Unmittelbarkeit« verloren hätten. Das hatte sie bestimmt von Rachel aufgeschnappt. Doch angesichts der erschreckenden Vorfälle der letzten Zeit würde Adrienne ihre Tochter abends keinesfalls alleine lassen, auch wenn der Kurs um neun Uhr zu Ende war, noch vor Skyes Schlafenszeit. Sie fragte sich sogar, ob sie ihr kostbares Mädchen je wieder guten Gewissens unbeaufsichtigt zu Hause lassen könnte.

»Das war echt interessant, Mom«, sagte Skye, als sie über den beleuchteten Parkplatz zu ihrem Wagen gingen.

»Danke, Schatz.« Obwohl es ein paar Mal so aussah, als würdest du vor Langeweile gleich bewusstlos vom Stuhl kippen, dachte Adrienne. »Weißt du, diese Typen, die sich gegenseitig beschimpft haben, sind keine typischen Studenten.«

»Das dachte ich mir schon. Die hätten eher in meine Klasse gepasst. Ich hab nicht auf sie geachtet. Nur auf dich.«

»Vielleicht möchtest du ja bald mal ein bisschen mit Farben experimentieren?«

191

»Äh … ich glaube, ich komme mehr nach Daddy als nach dir. Ich will Schriftstellerin werden.«

»Dein Dad war doch gar kein Schriftsteller.«

»Damals in Vegas hat er seine Nummern selbst geschrieben. Hat er mir erzählt.«

Adrienne erinnerte sich ungern an die tranigen Sketche, die Trey geschrieben hatte und zum Totlachen fand. »Ich dachte, du würdest dich eher fürs Krimischreiben interessieren.«

»Das tu ich ja auch«, versicherte Skye. »Sei nicht böse, dass ich keine Künstlerin werden will. Ich habe nun mal kein Talent zum Malen.«

Adrienne legte den Arm um Skye. »Ich bin nicht böse. Mein Vater wollte, dass ich Ärztin werde, aber das war nichts für mich. Ich bin meinem Herzen gefolgt. Das ist immer das Beste.«

»Für Daddy nicht. Sein Traum von der großen Komiker-Karriere hat sich als Katastrophe erwiesen. Ich glaube, es hat ihm das Herz gebrochen, nicht?« Die Reife ihrer Tochter verblüffte Adrienne. Einen Moment lang wusste sie nicht, was sie ihr antworten sollte. Dann sagte sie zögernd: »Dein Vater hatte zwar kein Talent zum Musikclown, aber er hatte viel Charisma. Nachdem wir nach Point Pleasant zurückgekehrt waren, verkaufte er Möbel im Geschäft deines Großvaters, und er war ausgezeichnet darin.«

»Zum Glück. Trotzdem tut es mir Leid, dass Daddy nicht das tun konnte, wozu er sich berufen fühlte.« Sie holte tief Luft. »Und dass ich mich nicht mehr so klar an ihn erinnere wie früher.«

Was sollte sie darauf antworten, fragte sich Adrienne. Sie konnte schlecht sagen, dass auch sie manchmal Schwierigkeiten hatte, sich Treys Bild vor Augen zu führen. Oder dass sie sich manchmal fragte, ob sie ihn wirklich so sehr geliebt hatte oder sich womöglich nur eingebildet hatte, die Ehe mit diesem gut aussehenden, charmanten Jungen könne sie über ihre alberne Schwärmerei für Drew Delaney hinwegtrösten. Sie durfte seinem Charme nicht noch einmal erliegen, vor allem nicht, nachdem sie heute sein Auto gesehen hatte und sich fragen musste, was er eigentlich im Schilde führte.

»Ich wollte dich nicht traurig machen wegen Daddy«, sagte Skye.

»Keine Angst.« Adrienne drückte Skye an sich. »Daddy ist vor vier Jahren gestorben. Es ist doch ganz natürlich, dass unsere Erinnerung an ihn ein bisschen verblasst. Sonst wären wir doch immerzu traurig. Aber du hast deinen Daddy sehr lieb gehabt. Und das wusste er auch. Das allein zählt.« Skye schenkte ihr ein kleines, erleichtertes Lächeln.

»Da ist ja unser Wagen«, sagte Adrienne. »Das nächste Mal kommen wir früher, dann brauchen wir nicht ganz hinten zu parken. Das mag ich nämlich nicht, auch wenn der Parkplatz gut beleuchtet ist.«

Das College war zum Glück nur etwa zehn Minuten von ihrem Haus entfernt. Adrienne fühlte sich ungewohnt müde nach ihrem Unterricht in der angeblich so unkomplizierten Klasse. Doch als sie sich dem Haus näherten, stand zu ihrer Überraschung ein kleiner, roter Wagen in der Auffahrt, unterhalb des neuen Nachtlichts, das der Elektriker am Nachmittag in der Nähe der Straße angebracht hatte.

»Das ist Rachels Wagen!«, sagte Skye aufgeregt.

Die junge Frau saß auf den Verandastufen, das Kinn in die Hände gestützt. »Ich dachte schon, ihr zwei kommt gar nicht mehr heim.«

»Was ist denn los?«, fragte Adrienne besorgt. »Alles in Ordnung mit Vicky und Philip?«

»Klar. Die sind wieder mal auf Wahlkampfreise. Ich hab vor etwa drei Stunden mit ihnen telefoniert. Dad hat seine Rede geprobt. Langsam glaube ich, der kann schon gar nicht mehr normal sprechen. Er lässt einen Satz nach dem anderen ab und begleitet sie alle mit weit ausladenden Gesten. Richtig eigenartig.« Skye kicherte. »Na ja, ich hab mich irgendwie einsam gefühlt so ganz allein in dem großen Haus, da dachte ich, ich komm mal vorbei und besuche meine zwei Lieblingsmenschen. Ich hatte allerdings vergessen, dass du ja heute unterrichten musstest, Tante Adrienne.«

Adrienne spürte den traurigen Unterton in Rachels sonst so lebhafter Stimme. »Schön, dass du hier bist, Rachel, aber nach dem Einbruch bei uns solltest du lieber nicht allein hier draußen sitzen.«

»Wir hatten doch auch einen. Außerdem hast du das Grundstück ausleuchten lassen wie einen Parkplatz.«

»Ja, hell ist es schon, aber ich wollte eben auf Nummer sicher gehen.« Brandon äugte mit hängender Zunge aus dem Fenster. Er war ganz vernarrt in Rachel. »Wir wollen reingehen und es uns gemütlich machen.« Sie deutete auf ihre hochhackigen Pumps. »Welcher Teufel hat mich da bloß wieder geritten?«

»Ich bin so froh, dass du da bist!« Skye nahm Rachels Hand, während Adrienne die Vordertür aufsperrte und Zahlen in die neue Alarmanlage tippte, an die sie sich erst gewöhnen musste. »Was ist nicht alles passiert in den vergangenen Tagen, und wir hatten noch keine Gelegenheit, darüber zu reden! Warst du heute nicht mit Bruce verabredet?«

»Er wollte ins Kino, aber ich hatte keine Lust. Bruce ist ganz okay, aber ich will nicht so viel Zeit mit ihm verbringen wie er mit mir.« Rachel grinste und tippte Skye auf die Nase. »Du bist viel lustiger als der alte Bruce Allard.« Sie beugte sich hinunter und umarmte einen freudig erregten Brandon. »Und du bist viel hübscher!«

Nachdem Adrienne und Rachel mit vereinten Kräften die Alarmanlage eingeschaltet hatten, wurde Adrienne die verhassten Pumps los und machte es sich anschließend mit den Mädchen in der Küche bequem. Wie düster Rachel zumute war, wurde klar, als sie um heiße Schokolade bat, schon immer ihr größter Seelentröster. Prompt verlangte auch Skye heiße Schokolade, obwohl sie kurz zuvor noch Durst auf Limonade gehabt hatte, weil es für Juni ungewöhnlich heiß war. Adrienne musste schmunzeln, wie sehr Skye ihre schöne, ältere Cousine imitierte. Sie war froh darüber. Rachel gab ihr ein gutes Beispiel.

»Wie geht's im Job?«, fragte Adrienne Rachel, während sie sich auch eine Tasse heiße Schokolade eingoss, die sie eigentlich nicht wollte.

»Ganz gut, obwohl ich viel lieber über den Brent-Mord berichten würde.«

»Ich muss dich warnen, ich habe noch keine neuen Nachrichten von Sheriff Flynn.«

Rachel wurde rot. »Ich bin nicht deswegen gekommen, Tante Adrienne. Versprochen. Der Mord will mir nur nicht aus dem Kopf.«

Adrienne setzte sich mit den Mädchen an den Küchentisch. »Rachel, der Mord an Julianna Brent ist für den *Register* die größte Sensation seit Jahren. Du bist als Journalistin bestimmt sehr begabt, aber du hast noch nicht mal deinen College-Abschluss! Drew denkt sicher, du hättest nicht genügend Erfahrung, um die Story zu übernehmen. Außerdem gäbe es mit Sicherheit böses Blut, wenn die anderen Reporter, die schon seit Jahren für die Zeitung arbeiten, erfahren würden, dass ein Grünschnabel die Story bekommt.«

Rachel nahm einen Schluck heiße Schokolade, ignorierte ihren kleinen Marshmallow-Schnurrbart und sagte: »Wahrscheinlich hast du Recht, Tante Adrienne.«

Skye nickte. »Manchmal hat Mom richtig gute Ideen.«

»Danke, Liebes«, sagte Adrienne.

»Und was ist mit Claude Duncan?«, fragte Rachel. »Vielleicht hat jemand das Feuer ja absichtlich gelegt.«

»Wer hat das behauptet?«, fragte Adrienne in scharfem Ton.

»Na ja, Sheriff Flynn hat den Tatort angeblich von einem Brandstiftungsexperten untersuchen lassen. Und vielleicht hat Claude ja etwas gesehen. Dann wäre es doch ganz logisch, wenn er ermordet worden wäre.«

»Wenn er wirklich etwas gesehen hat, warum hat er es dann nicht der Polizei erzählt?«

»Ich weiß es nicht. Er war nicht besonders schlau. Vielleicht war ihm nicht klar, wie wichtig seine Beobachtung war, aber das hat der Killer entweder nicht gewusst oder er hat befürchtet, dass Claude früher oder später ein Licht aufgehen könnte.«

»Mann, klasse Idee!« Skye sah ihre Mutter an. »Ich muss mir allmählich Notizen machen, wenn ich Krimis schreiben will. Obwohl ich über den Mord an Julianna lieber nichts schreiben möchte.«

»Danke, Schatz. Julianna war schließlich meine Freundin. Wenn du sicher bist, dass du Krimis schreiben willst, dann halte dich lieber an fiktive Charaktere.«

Es klingelte. Brandon bellte, und die drei Frauen erschraken. Schließlich zuckte um Rachels Mund ein Lächeln. Sie sagte: »Ich glaube kaum, dass Mörder oder Diebe an der Tür klingeln. Es ist wahrscheinlich Sheriff Flynn, Tante Adrienne.«

Natürlich, dachte Adrienne. Wenn sie hier bleiben wollte, durfte sie nicht jedes Mal in Ohnmacht fallen, wenn jemand sie besuchen wollte. Außerdem hatte sie Lucas seit dem Morgen nicht mehr gesprochen. Er kam wahrscheinlich vorbei, um nach ihnen zu sehen.

Doch vor der Tür stand nicht Lucas, sondern Bruce Allard – groß, gut aussehend, blond, braun gebrannt, und schenkte ihr ein gewinnendes Lächeln. »Hallo, Mrs. Reynolds. Ich hab Rachels Wagen vorne stehen sehen und hätte gern mit ihr gesprochen, wenn es Ihnen nichts ausmacht.«

Rachel tauchte an Adriennes Seite auf. »Was ist denn, Bruce?«, fragte sie, noch bevor Adrienne etwas sagen konnte.

»Du hast gesagt, du hättest keine Lust, ins Kino zu gehen, also hab ich uns einen Film ausgeliehen, den können wir uns zu Hause ansehen.« Er hielt die DVD hoch. »*Chicago*. Einer deiner Lieblingsfilme.«

Rachel starrte ihn an und sagte dann tonlos: »Ich hab ihn schon fünfmal gesehen.«

»Das dachte ich mir schon, deshalb hab ich auch *Mulholland Drive* ausgeliehen.«

»Warum sehen wir ihn nicht alle gemeinsam *hier* an?«, schlug Adrienne vor. Rachel wollte nicht mit Bruce allein sein, sonst hätte sie ihm nicht abgesagt.

Bruces Strahlemann-Charme bröckelte, und ein zorniges Funkeln trat in seine blauen Augen, das allerdings im Nu wieder verschwand. Adrienne dachte schon, sie hätte es sich eingebildet, als Rachel sagte: »Ich glaube nicht, dass der Film das Richtige wäre für Skye.«

Skye sah beleidigt drein und protestierte entrüstet: »Ich bin doch kein kleines Kind mehr!«

Rachel zwinkerte ihr zu, und sie beruhigte sich, erkannte, dass Rachel sie nur vorgeschoben hatte, um ihnen Bruce nicht den ganzen Abend zuzumuten. »Na schön, Mr. Allard, Sie haben gewonnen.« Rachels Stimme klang müde. »Wir fahren zu mir und sehen uns den Film an.«

»Rachel, wenn du lieber hier bei uns bleiben und keinen Film ansehen willst, wird Bruce das sicher verstehen«, sagte Adrienne, und ihr Ärger auf Bruce nahm zu.

»Rachel und ich waren verabredet, Mrs. Reynolds.« Bruces Miene war freundlich, aber seine Stimme duldete keine Widerrede. Aus Adriennes Ärger wurde handfester Zorn. Dass der verwöhnte Spross einer der wohlhabendsten Familien der Stadt selbstsicher war, war ihr bekannt, doch heute Abend führte er sich reichlich arrogant auf. Rachel hatte ihre Verabredung bereits abgesagt und eben versucht, ihn sanft abzuwimmeln. Doch Bruce schien fest entschlossen, dreist seinen Willen durchzusetzen. Kein sonderlich attraktiver Zug.

Rachel hatte ihre Tasche geholt und war auf dem Weg nach draußen, als Adrienne Bruces Wagen entdeckte, der hinter dem von Rachel stand.

»Ihr Auto gefällt mir, Bruce«, sagte sie. »Was für ein Modell ist das?«

»Ein GTO«, antwortete Bruce voller Stolz. »Sie haben nach zwanzig Jahren wieder angefangen, welche zu bauen. Er hat 350 PS. Ich komme in fünf Sekunden von 0 auf 100.«

»Ach hör schon auf, hier rumzulabern; geh'n wir«, sagte Rachel mit gezwungenem Lachen. Sie gab Adrienne einen flüchtigen Kuss auf die Wange.

Doch Adrienne schien die ungewohnte Liebesbezeugung ihrer Nichte kaum zu bemerken. Ihre ganze Aufmerksamkeit galt Bruces GTO – schwarz, zweitürig, mit langer Motorhaube, kurzem Heck und Spoiler. Auch dieser Wagen konnte in der vergangenen Nacht an ihrem Haus vorbeigefahren sein.

Neun

1

»Warum in Gottes Namen hast du die Katze auf dem Arm?
Du bist doch allergisch gegen Katzen!«

Kit Kirkwood blickte auf und sah ihre Mutter Ellen in blauer
Leinenhose und weißer Seidenbluse; Letztere hatte ihr vorigen
Sommer noch wie angegossen gepasst und war ihr jetzt mindestens eine Nummer zu groß. Ellens Teint war teigig, trotz
des sorgfältigen Make-ups, und ihre frostigen grauen Augen
lagen tiefer in den Höhlen als sonst und waren von dunklen
Schatten umgeben, die kein Concealer verstecken konnte.
Mein Gott, wie alt sie geworden ist, seit im letzten Jahr Jamie
gestorben ist, dachte Kit. Sie sieht zehn Jahre älter aus.

»Ich habe meine Katzenallergie schon vor zwanzig Jahren
überwunden«, sagte Kit ruhig und streichelte die Katze, die
bei Ellens schriller Stimme zusammengezuckt war. »Und das
hier ist nicht irgendeine Katze, sondern Lotties Calypso. Er-
kennst du sie denn nicht?«

»Calypso?« Ellen kniff die Augen zusammen. Kit war sicher, dass ihre Mutter eine Brille brauchte, sich aber strikt
weigerte, eine zu tragen. Sie wollte schließlich auf keinen
Fall zu alt aussehen an der Seite ihres gut aussehenden Ehemanns Gavin, der immerhin vierzehn Jahre jünger war als sie.
»Warum hast du Lotties Katze?«

Kit saß in ihrem Pavillon vor dem Iron Gate Grill. Sie würde das Lokal erst in zwei Stunden öffnen und nutzte den klaren, lauen Morgen, um sich zu entspannen. »Mutter, warum kommst du nicht herein und setzt dich zu mir?«

»Ich will mir die Hose nicht schmutzig machen.«

»Die Stühle sind heute Morgen sauber gewischt worden. Trinken wir ein Glas?«

»Um diese Zeit?« Ellen versuchte, ein überraschtes Gesicht aufzusetzen, aber Kit wusste genau, dass ihre Mutter nicht zufällig vorbeigekommen war. Sie kannte die leicht schrullige Art und Weise, wie ihre Mutter sich um heikle Themen herumdrückte. »Na ja, ein paar Minuten hätte ich Zeit«, sagte Ellen. »Und ein Drink wird mich nicht umbringen, meine ich.«

Ellen betrat den Pavillon und setzte sich so sachte auf den Stuhl, als befürchte sie, er könne unter ihr explodieren. Kit winkte einem Kellner und bestellte zwei Mimosas.

Ellen betrachtete verächtlich die Bar mit ihrem Südpazifik-Flair. »Ich wünschte, du würdest dir das Ding wieder vom Hals schaffen, Kit.«

»Warum? Die Leute stehen auf so was.«

»Es ist respektlos. Schließlich befindet sich gleich nebenan die Auffahrt zur Silver Bridge.«

Schon wieder die alte Silver Bridge, dachte Kit und stöhnte innerlich. Sie war noch nicht auf der Welt gewesen, als die Brücke zwischen West Virginia und Ohio eingestürzt war. Ellen hatte die Geschichte so oft erzählt, dass Kit fast das Gefühl hatte, sie selbst, nicht ihre Mutter habe in jener Schreckensnacht am 15. Dezember 1967 von ihrem Wagen aus hilflos mitansehen müssen, wie die Brücke eingestürzt war und den Weihnachtsverkehr in den eisigen Fluten des Ohio River versenkt hatte. Sechsundvierzig Menschen waren gestorben, darunter zwei enge Freunde von Ellen. Das Brückenunglück beschwerte Ellens Geist fast so sehr wie die unselige Vergangenheit des *Belle Rivière*.

Der Kellner servierte die Mimosas und eilte davon. Ellen

sah ihm nach. »Warum steht ihm das Haar so steil vom Kopf ab?«

»Haargel.«

»Du solltest es ihm verbieten. Er sieht ja aus, als sei er mit dem Finger in die Steckdose geraten.« Ellen fuhr sich durchs eigene Haar – kurz geschnitten, sorgfältig gestylt, tiefbraun gefärbt wie das von Kit – und nippte an ihrem Glas. Wie so oft wechselte sie rasch das Thema und fragte: »Warum hat Lottie dir Calypso gegeben?«

»Hat sie nicht. Ich hab die Katze zu mir genommen, weil Lottie vermisst wird.«

Ellen merkte auf. »Vermisst? Warum sagt mir das keiner?«

»Du warst gestern nicht in der besten Verfassung, Mutter.«

»So weggetreten war ich auch wieder nicht! Ich muss doch erfahren, dass meine beste Freundin verschwunden ist!« Obwohl Ellen und Lottie sich gesellschaftlich in völlig unterschiedlichen Sphären bewegten, standen sie sich noch genauso nah wie in der Kindheit. »Vielleicht brauche ich mich gar nicht aufzuregen«, sagte Ellen hoffnungsvoll. »Lottie geht schließlich jedes Jahr ein wenig auf Wanderschaft.«

»Diesmal ist es anders. Ihre Tochter ist ermordet worden. Ich glaube kaum, dass sie nach Juliannas Tod Lust hat, durch die Lande zu streifen.« Kit hielt inne, kraulte die kleine Calypso unterm Kinn und löste ekstatisches Schnurren aus. »Lottie war gestern Abend hier. Sie wollte nicht ins Restaurant kommen, also haben wir uns hier draußen auf eine Bank gesetzt. Sie schien mir sehr gefasst – zu gefasst, wenn man bedenkt, wie sehr sie Juli vergöttert hat. Sie schien außerdem vor irgendetwas Angst zu haben. Ich ging hinein, um ihr Tee zu holen, doch als ich zurückkam, war sie weg. Ich fuhr daraufhin zu ihrer Hütte, doch dort scheint sie schon eine Weile nicht mehr gewesen zu sein. Calypso hatte großen Hunger, also hab ich sie mit nach Hause genommen.«

Ellen wirkte ehrlich besorgt. »Lottie würde niemals ein Tier vernachlässigen. Hier stimmt etwas nicht. Wir müssen Lottie suchen gehen!«

»Das tut die Polizei bereits, Mutter.«

Ellen schnaubte verächtlich. »Die werden sich bestimmt kein Bein ausreißen, möchte ich wetten. Sie haben mit dem Mord an Julianna schon genug am Hals. Um die arme Lottie kümmert sich wieder mal keiner. Wie geht's Gail?«

»Sie führt sich auf, als wären ihr Lottie und Julianna völlig egal.«

Ellens Miene verfinsterte sich. »Dieses abscheuliche Weibsstück! Kommt ganz nach ihrem Vater Butch. Du hast ihn kaum gekannt, doch er war ein Scheusal, sag ich dir. Überraschend klug, aber ein Scheusal. Völlig prinzipienlos. Lottie hat ihn nur geheiratet, weil Butch der Boss ihres Vaters war und sie gewollt hatte.« Ellen seufzte. »Lottie war mal so hübsch! Genauso schön wie Juli. Sie wollte ihrem Vater immer alles recht machen. Und der sagte ihr, sie könne von Glück sagen, wenn sie einen Mann wie Butch abkriegte, denn nach dem, was ihr im *Belle* passiert wär, wolle sie sowieso keiner mehr haben.«

»Lottie hat schon viel Schlimmes durchgemacht in ihrem Leben«, sagte Kit leise.

»Und bei all dem Bösen, das ihr passiert ist, hat sie sich trotzdem ihr sanftes Wesen bewahrt. Und sie war immer stolz auf ihre beiden Töchter, egal, was war. Sie glaubte fest daran, dass Julianna schon bald wieder als Model arbeiten würde, und dass Gail mit ein wenig Fleiß alles erreichen konnte, was sie wollte. Gail hätte sich um ein Stipendium fürs College bemühen können, aber sie wollte nicht von hier fort. Es war, als halte sie etwas hier fest. Vielleicht die Hoffnung, dass Butch zurückkommen würde.«

»Klingt nicht gerade verlockend«, bemerkte Kit nüchtern.

»Vielleicht nicht für uns, für Gail aber schon. Das menschliche Herz lässt sich nicht steuern.« Ellen schnitt eine Grimas-

202

se und sagte entschieden: »Ich werd mich jetzt sofort auf den Weg machen und Lottie suchen gehen.«

Es hätte keinen Sinn, ihr entgegenzuhalten, dass sie spätestens in einer Stunde müde sein würde. Kit wusste das. Ellen hing sehr an Lottie und hatte immer versucht, ihr ein besseres Leben zu ermöglichen, doch in ihrer fünfzigjährigen Freundschaft hatte Lottie nie auch nur *ein* Darlehen angenommen. Als könne sie ihre Gedanken lesen, sagte Ellen: »Lottie kann nicht weit gekommen sein. Sie hat kein Geld.« Ellen sah, wie Kit die Katze streichelte, und sagte mit Nachdruck: »Miles Shaw hat Julianna getötet.«

Kits Blick bohrte sich in den ihrer Mutter. »Er war nicht in der Stadt.«

»Behauptet er.«

»Die Polizei hat es bestätigt. Außerdem redest du von *Mord*, Mutter. Miles wäre zu so etwas nicht fähig!«

»Ich traue es ihm aber zu.«

»Weil *du* ihn so gut kennst«, höhnte Kit.

»Ich kenne ihn so gut, wie ich ihn kennen muss. Aber du bist ja anscheinend noch immer in ihn verliebt.«

»Das bin ich nicht, Mutter. Ich bin nie richtig mit Miles ausgegangen. Ich treffe mich jetzt mit J.C.«

»Mit diesem gut aussehenden blauäugigen Mann, der sich immer in deinem Restaurant aufhält? Ich bezweifle nicht, dass du dich zu ihm hingezogen fühlst, aber verliebt wie in Miles bist du nicht in ihn.« Kit biss sich auf die Lippe. »Gib es doch einfach zu, Kit, dann fühlst du dich besser, wirst sehen!«

»Lass es sein, Mutter«, zischte Kit. »Du hängst dich den Leuten ans Bein wie ein verdammter Terrier, bis sie dir sagen, was du hören willst, nur damit du endlich Ruhe gibst! Das ist eins der Dinge, die Gavin wahnsinnig machen.«

Ellens blasse Augen wurden hart. »Lassen wir Gavin aus dem Spiel.«

»Ja, besser wär's. Er würde einer näheren Betrachtung nicht standhalten.«

Ellen stellte laut ihr Glas ab. »Du hast heute ja eine miserable Laune, und ich hab keine Lust, mir das länger anzuhören.« Sie stand auf. »Ich werde jetzt Lottie suchen gehen.«

»Soll ich mitkommen?«

»Nein! Ich finde sie auch allein.«

»Such du nur«, murmelte Kit, als sie sah, wie Ellen mit kerzengeradem Rücken zu ihrem Mercedes ging. »Aber du wirst sie nicht finden.«

2

Adrienne hatte ihre Staffelei aufgestellt und sich mit Feuereifer an ihr Bild vom *Belle Rivière* gemacht. Kit wünschte es sich nach wie vor, und Adrienne wollte sie nicht enttäuschen. Sie malte das Bild aber auch ihretwegen, denn das *Belle* war ein Wahrzeichen, das nicht in Vergessenheit geraten durfte, nur weil Ellen Kirkwood der Überzeugung war, dass es dort spukte. Kits Mutter war in mancherlei Hinsicht regelrecht irrational, und ihre Entschlossenheit, das Hotel abreißen zu lassen, ärgerte Adrienne, auch wenn Julianna hier zu Tode gekommen war.

Allerdings fand sie es überaus schwierig, Juliannas Schicksal auch nur für ein paar Stunden zu vergessen. Obwohl die Polizei die Türen versiegelt hatte, wirkte das Gebäude von außen genauso urtümlich und herrschaftlich wie immer. Dieses vergangene Jahr, seit es geschlossen war, schien ihm nichts angehabt zu haben, als hätte eine Art übernatürlicher Schutzschild es vor der Zeit bewahrt. Die Stimmung jedoch war eine andere. Adrienne spürte den Hauch von Zerstörung, Verzweiflung, ja, Feindseligkeit, der dem schönen, verlassenen Haus anhaftete. Es wirkte lebendig. Und bösartig.

204

Einen Augenblick lang hätte sie am liebsten ihre Ausrüstung eingepackt und das Weite gesucht, obwohl Lucas stündlich einen Streifenwagen zu ihr heraufschickte, damit ihr auch ja nichts geschah. Dann holte sie tief Luft und schloss die Augen. Adrienne, du drehst ja durch, sagte sie sich streng. Deine Phantasie geht mit dir durch, du bist wie ein Kind, das sich vor Gespenstern fürchtet. Es ist doch nur ein Haus. Und du bist nicht allein hier draußen. Alle wissen, wo du bist, die Polizei sieht ziemlich regelmäßig nach dir. Außerdem hätte der Mörder nichts davon, dich am helllichten Tag hier umzubringen.

Sie schlug die Augen auf, atmete tief durch und rang sich sogar ein Lächeln ab.

Und fühlte sich keine Spur besser.

Zu Hause im Atelier malte Adrienne immer zu Musik, im Freien eher selten. Heute jedoch hatte sie geahnt, dass die düstere Atmosphäre an diesem Ort, wo ein Mord geschehen war, ihr eventuell Angst machen würde. Musik würde ihre Stimmung aufhellen. Rockmusik. Laute Rockmusik. Also hatte sie ihren Ghettoblaster mitgebracht und *Save Me* aufgelegt. Sie wollte gerade lauter drehen, als Ellen Kirkwood im Mercedes angefahren kam, mit quietschenden Reifen anhielt und fast aus dem Auto sprang.

»Adrienne!«

O Gott, stöhnte Adrienne innerlich. Ellen würde ihr bestimmt eine Szene machen, weil sie dieses Bild malte. Aber zu ihrer Überraschung geschah nichts dergleichen. »Schon so früh so fleißig?«

»Es ist doch schon Viertel nach zehn, Ellen. Das ist nicht so früh.«

»Ihr jungen Leute seid so voller Tatkraft. Ich war früher genauso.« Du warst an einem Tag ein tanzender Derwisch und lagst am nächsten im Bett, dachte sich Adrienne. Ellen hatte Kit mit ihren Launen immer den letzten Nerv geraubt, und nicht zu Unrecht. Der Haussegen hing schließlich oft genug schief. Ellen sah sich um. »Wo ist denn die kleine Moon?«

»Sie heißt Skye. Sie ist bei ihrer Freundin Sherry Granger. Die beiden haben noch ein paar Mädchen zum Sonnenbaden an den Pool eingeladen. Mrs. Granger ist eine fürsorgliche Mutter, und Skye hat unter ihresgleichen ganz bestimmt mehr Spaß als hier bei mir.«

»Ganz sicher.« Ellen warf einen kalten Blick auf den Ghettoblaster. »Was ist das für Musik?«

»Der Song ist von der Band Remy Zero.«

»Grundgütiger. Er ist abscheulich.«

»Das ist Ansichtssache.«

»Nein, es ist schrecklich. Wie kann man bei diesem Höllenlärm bloß malen!« Ellens Blick wanderte über das Grundstück. »Hast du Lottie gesehen?«

»Nein, Ellen. Niemand hat sie gesehen.«

»Kit erzählte mir, dass Lottie zum Restaurant gekommen sei.« Ellen stieß einen tiefen Seufzer aus. »Ich bin schon ganz krank vor Sorge und werde jetzt selbst nach Lottie sehen, weil die Polizei offensichtlich nichts unternimmt.«

»O doch, Ellen.«

»Sie wird immer noch vermisst, oder nicht?«, sagte Ellen herausfordernd. »Ich bin sicher, dass ich sie finde. Sie muss irgendwo hier in der näheren Umgebung sein. Ich spüre es. Vielleicht ist sie im Wald.«

»Du willst den Wald nach ihr absuchen?«

»Ja natürlich. Ich bin hier oben aufgewachsen. Ich kenne diesen Wald wie meine Westentasche.«

Die Frau sah fragil aus, ihre Wangen glühten in hektischem Rot, und sie redete schneller als sonst. Sie hatte im Wald so ganz allein nichts verloren.

Entschlossen wischte Adrienne den Pinsel sauber. Die Unterbrechung kam ihr zwar nicht gelegen, aber sie würde es sich nie verzeihen, wenn sie Ellen allein losziehen ließe und diese sich womöglich verletzen würde. In zehn Minuten wäre das Licht ohnehin nicht mehr ideal, sagte sie sich, redete sich zumindest ein, dass sie den Pinsel aus diesem Grund für heute aus der Hand legte. Tief im Innern war sie nicht ganz sicher, ob Ellen ihr nicht einfach eine gute Entschuldigung geboten hatte.

»Ich brauch ohnehin eine Pause, Ellen. Kann ich mitkommen?«

»Sehr gern sogar, außer, du willst auf mich aufpassen. Ich brauche nämlich kein Kindermädchen. Ich bin viel stärker, als man mir immer zutraut.«

Das ist wahr, dachte Adrienne. Ellen Kirkwood hatte schon schrecklichere Dinge in ihrem Leben ertragen müssen als die meisten Menschen, aber sie kämpfte weiter; sie entwickelte hier einen Tick, dort einen Aberglauben, doch sie hielt durch.

Ein paar Minuten später ging Adrienne neben Ellen auf den Hügel hinter dem Hotel zu. »Weißt du eigentlich, dass ich beim ersten Mal, als meine Mutter hier draußen mit mir spazieren ging, aus Leibeskräften schrie und nicht mehr zu beruhigen war? Offensichtlich spürte ich schon als Säugling, dass mit dem Ort etwas nicht stimmte«, sagte Ellen und zeigte mit ausladender Geste auf die anmutigen Rasenflächen vor dem Hotel.

»Dass Babys schreien, ist doch normal, Ellen. Skye hat auch viel geschrien.«

»Ich nicht. Mama sagte, ich sei ein liebes Kind gewesen – ruhig und brav, aber nicht an diesem Ort. Die ersten sechs Monate meines Lebens haben wir beide bei Mamas Eltern verbracht. Dann bekamen mein Vater und mein Großvater Streit, woraufhin mein Vater uns eine Wohnung im zweiten Stock des *Belle* einrichten ließ.« Ellen schüttelte den Kopf. »Danach durften Mama und ich nicht mehr viel Zeit bei ihren Eltern verbringen.«

»Sicher wollte dein Vater euch so viel wie möglich um sich

haben«, sagte Adrienne vorsichtig, weil sie spürte, wie Ellen sich in ein altes Problem verbiss.

Ellen schnaubte verächtlich. »Eigentum. *Das* waren wir für Vater. Er wollte uns um sich haben, damit die Leute glaubten, Mama könne es ohne ihn nicht aushalten. Sie war sehr schön, weißt du, und stammte aus besseren Verhältnissen als er, obwohl er mehr Geld hatte. Doch dass er mit seiner Frau glücklich und zufrieden war, das war ein Mythos. Vater hatte eine Geliebte.«

Der Zorn beschleunigte Ellen. Vor ihnen dräute der Wald. Adrienne hatte keine Lust auf einen Gewaltmarsch. Ellens persönliche Ergüsse wurden ihr auch allmählich unangenehm. »Die Frau war schön, wenn man dieses vor Gesundheit strotzende Aussehen mag.« Ellen spie die Worte förmlich aus. »Sie war die Frau des Hausarztes. Der mich entbunden hatte. Das bürgerliche Leben an der Seite eines um Jahre älteren Mannes hat sie offenbar gelangweilt. Sie lief schon bald ihrem Vergnügen nach; ihrem Mann brach sie das Herz, und sie ruinierte das Leben meiner Mutter.«

Die Sonne verblasste, als sie südlich vom Hotel einen Hain aus Ahornbäumen und Ulmen betraten. Drei Spatzen tummelten sich zwischen den glänzenden Ahornblättern, tschilpten ausgelassen. Ellen beachtete die Vögel nicht. »Doch vermutlich hat dir Kit schon längst alles erzählt«, sagte Ellen fast vorwurfsvoll.

»Nein, hat sie nicht.« Adrienne wich einem Giftsumach aus.

»Also gut, da du so freundlich bist, mir bei der Suche nach Lottie zu helfen, erzähle ich dir die Geschichte.«

»Das musst du nicht, Ellen, schon gar nicht, wenn es schmerzhaft für dich ist.«

Ellen ignorierte sie. »Die Affäre dauerte ein paar Jahre, bis mein Vater die Frau satt hatte und Schluss machen wollte. Die Situation eskalierte während einer Silvesterparty im *Belle*. Ich war zwölf. Ich hatte mich in den Ballsaal geschlichen und gesehen, wie Vater mit ihr redete. Sie machte ihm eine abscheuliche Szene und schüttete ihm Champagner ins Gesicht. Vater bugsierte sie daraufhin eilig aus dem Ballsaal. Meine arme Mutter verließ verlegen den Saal. Mein Vater brachte die Frau in einem der Zimmer im dritten Stockwerk unter. Sie war betrunken und hatte Tabletten bei sich – wahrscheinlich Morphium.

Ein paar Stunden später sprang sie vom Balkon in die Tiefe. Sie schrie, bis sie unten war, fiel auf die Terrasse und schlug sich den Kopf an einer der steinernen Urnen.« Nach einer Pause fügte Ellen tonlos hinzu: »Ich werde nie vergessen, wie sich das viele hellrote Blut auf dem Schnee ausbreitete, während die Musik im Ballsaal fröhlich weiterspielte.«

»O Gott, das ist ja grauenhaft!«, rief Adrienne, ehrlich entsetzt. »Du hast das tatsächlich mitangesehen?«

»O ja. Niemand achtete auf mich. Leider wollte eins der Zimmermädchen beobachtet haben, wie meine Mutter aus dem Zimmer dieser Frau kam. Minuten später sei diese dann gesprungen. Natürlich begann man sich daraufhin allerhand zusammenzureimen. Mama habe sie gestoßen, hieß es plötzlich. Die Polizei musste ermitteln. Es war schrecklich. Mama war schließlich nicht die Kräftigste, und die Ermittlungen, der Verdacht und der Skandal zehrten an ihrer Gesundheit, obwohl sie nie vor Gericht gestellt wurde. Von da an war sie nicht mehr dieselbe. Innerhalb von drei Jahren ging sie regelrecht zugrunde. Das war Vaters Schuld. Ich habe ihm das nie verziehen.«

Ein Teil von Adrienne war neugierig auf Ellens Vergangenheit, ein anderer Teil wehrte sich gegen die Niedertracht und Tragik darin. Sie beschloss, das Thema zu wechseln.

»Du kennst Lottie besser als irgendein anderer, Ellen. Warum ist sie ausgerechnet jetzt verschwunden? Sie kann ja nicht einmal Juliannas Beerdigung mit vorbereiten.«

Ellen sah besorgt drein. »Womöglich ist ihr etwas zugestoßen, und sie liegt hilflos draußen im Wald.« Dann hellte sich ihre Miene auf. »Aber irgendwie spüre ich, dass es ihr gut geht, und dass sie sich nur versteckt.«

»Sie versteckt sich? Warum? Weil sie Juliannas Mörder kennt und um ihr eigenes Leben fürchtet?«

»Dafür wäre Lottie viel zu mutig. Wenn sie wüsste, wer Julianna getötet hat, ginge sie geradewegs zur Polizei, ohne Zögern. Lottie wirkt zerbrechlich, aber sie ist unglaublich zäh. So war sie schon immer.« Ellen holte tief Luft. »Schon als junges Mädchen. Was sie hier im *Belle* erleben musste …«

Sie waren tiefer in den Wald eingedrungen. Zikaden surrten in den Bäumen, und die Sonnenstrahlen drangen nur noch von Zeit zu Zeit durchs schwere Blätterdach, um sich ins weiche Moos zu bohren. Vor ihnen huschte ein Eichhörnchen über den Weg und rettete sich auf einen Baum. Adrienne erschrak, doch Ellen schien es nicht bemerkt zu haben.

»Du weißt doch, was das Hotel Lottie angetan hat, oder?«, fragte Ellen.

»Ich weiß, dass ihr auf dem Grundstück etwas Schlimmes zugestoßen ist, als sie noch sehr jung war. Ich glaube, nicht mal Juli wusste Genaueres.«

»Nein, Lottie wollte nicht darüber reden. Sogar mit mir hat sie nur selten darüber gesprochen.« Ellen holte tief Luft, als sei ihr schwindelig nach dem Anstieg in der Mittagshitze. »Nach dem Dahinsiechen meiner Mutter wurden Lottie und ich noch engere Freundinnen. Mama hat kaum noch gesprochen und musste zumeist das Bett hüten, und mein Vater reiste noch mehr als sonst.«

»Traurig«, sagte Adrienne und dachte daran, wie unangemessen dieses Wort doch klang.

»Lotties Mutter war schon vor Jahren gestorben, also hielten wir uns gegenseitig fest. Es war Sommer, und sie war fast immer hier. Einmal war abends Tanz. Das *Belle Rivière* war voller Menschen. Lottie und ich hatten keine Begleiter – wir waren ja erst vierzehn –, und nach dem Tanz machte sie sich allein auf den Heimweg. Ich hätte ihr jemanden mitschicken sollen, um sicherzugehen, dass sie auch gut nach Hause käme, aber ich war jung und dumm und gedankenlos.«

Ellen wurde still, stieg vorsichtig über ein paar Ranken in ihren beigen Leinenschuhen, die schon überall Grasflecken hatten. Die Bäume standen hier dichter beieinander, und die Sonne schien vollständig über den Blättern verschwunden zu sein. Sogar die Luft war im Schatten kühler geworden.

»Als ich tags darauf gegen Mittag zu ihrer Hütte ging, sagte Lotties Vater, sie sei die ganze Nacht nicht nach Hause gekommen. Er dachte, sie habe bei uns im Hotel übernachtet, sagte er achselzuckend. Wir machten uns also auf die Suche. Und fanden sie erst am Abend.«

Ellen schluckte, ihre Stimme zitterte. »Ein Mann hatte ihr kurz vor dem Wald aufgelauert. Er schlug sie bewusstlos und zerrte sie in einen alten Geräteschuppen, fesselte sie mit einem Strick und vergewaltigte und malträtierte sie die ganze Nacht. Du hast bestimmt schon die Narben an ihren Schläfen gesehen. Du solltest erst mal ihren übrigen Körper sehen! Sogar an den Handgelenken und Knöcheln hat sie Narben, sie stammen von den Stricken, die er benutzt hat, um sie wie ein Schwein daran aufzuhängen. Und er hat sie so brutal vergewaltigt, immer wieder …« Ellen versagte die Stimme. »Sie war halbtot, als wir sie fanden.«

Adrienne schauderte. »Ich hatte keine Ahnung«, flüsterte sie dünn und kämpfte mit den Tränen. »Hat man den Mann gefasst?«

»Nein. Lottie sagte, sie habe sein Gesicht nicht gesehen. Aber alle waren sich daraufhin einig, dass der Schuldige ein Landstreicher gewesen sein musste. Mein Vater war besonders überzeugt von dieser Theorie.« Nach kurzer Pause sagte Ellen barsch: »Es war richtig auffällig. Da war ein Gast im *Belle*, wohlhabend, einflussreich und, wie ich später erfuhr, mit perversen Neigungen. Als man Lottie gefunden hatte, hörte ich meinen Vater mit ihm streiten. Der Mann reiste sofort nach Europa ab und kam nie mehr ins *Belle* zurück. Ich bin sicher, dass er das Ungeheuer war, das Lottie so misshandelt hatte, und dass Vater ihn deckte. Schließlich durfte nicht bekannt werden, dass einer seiner Stammgäste zu einer solchen Abscheulichkeit fähig war. Vater ließ den Geräteschuppen abreißen, als wolle er damit zeigen, wie sehr ihm Lotties schweres Schicksal doch am Herzen lag. Und das war's dann auch schon. Die Polizei stellte die Ermittlungen schon nach wenigen Tagen ein – als zählte die arme Lottie nicht.«

Adrienne war leicht übel, teils von der Vorstellung, wie die junge Frau gefesselt und mehrmals vergewaltigt worden war, teils von der anstrengenden Wanderung durch den Wald. Auch Ellen wurde zunehmend kurzatmig. Zum Glück war sie mitgekommen, dachte sie, denn Ellen ging es nicht gut. Adrienne betastete unauffällig ihre Jackentasche, um sicherzugehen, dass sie ihr Handy dabei hatte, um notfalls den Notarzt anzurufen.

Endlich kam Lotties Hütte in Sicht. Adrienne fiel ein Stein vom Herzen. »Gott sei Dank. Hoffentlich ist sie drin«, sagte sie.

Ellen schüttelte den Kopf. »Ich würde mich nicht drauf verlassen. Die Fenster sind geschlossen, und es hängt keine Wäsche auf der Leine. Heute ist aber Lotties Waschtag.«

»Aber unter den gegebenen Umständen …«

»Wenn Lottie zu Hause wäre, hätte sie heute gewaschen. Ich kenne sie besser als du, Adrienne.«

»Das will ich nicht bestreiten.« Ellen sah zum Umfallen müde aus, und Adrienne sagte beiläufig: »Willst du nicht trotzdem in der Hütte nach dem Rechten sehen? Vielleicht finden wir ja irgendeinen Hinweis.«

»Etwa einen Zettel, auf dem steht, wohin sie gegangen ist,

meinst du?« Ellen verzog das Gesicht. »Tut mir Leid, wenn ich sarkastisch bin, Liebes. Ich bin dieser Tage ein bisschen nervös. Ja, gehen wir hinein. Vielleicht finden wir ja einen Hinweis, wann sie zuletzt in der Hütte war.«

Doch dem war nicht so. Über der Veranda hingen Windspiele, eine eindrucksvolle Sammlung aus buntem Glas, zierlichem Holz und schlankem Metall, die sich in der leichten Brise bewegten, doch ansonsten blieb alles still. Der Innenraum der einfachen Hütte war makellos sauber, als wäre heute Morgen erst geputzt worden, trotzdem machte die Hütte einen unbewohnten Eindruck. »Hat Lottie kein Schloss an der Tür?«, fragte Adrienne verdutzt, als sich die Vordertür in den rostigen Angeln knarzend öffnen ließ und sie hineingingen. Im Inneren ließ Ellen sich sofort auf einen Strohstuhl fallen und versuchte, ihr schweres Atmen zu verbergen.

»Nein, ob du's glaubst oder nicht, und das nach dem grauenvollen Erlebnis, das sie als junges Mädchen hatte. Zum Glück ist hier nie eingebrochen worden.«

»Ich wünschte, ich könnte dasselbe behaupten.« Adrienne besah sich die vielen Fotos von Julianna an der Wand. »Ich bin zwar nicht bestohlen worden, aber jemand hat bei mir eingebrochen. Im Haus meiner Schwester war er auch.«

»Das hab ich gehört. Kaum zu glauben, dass jemand die Frechheit besitzt, in Anwesenheit der ganzen Familie Hamilton in deren Haus einzubrechen. Wozu eigentlich?«

Um mich zu terrorisieren, dachte Adrienne. Um mir mit Juliannas Lieblingssong Angst einzujagen, nur weil ich ein paar Fotos gemacht habe – Fotos, auf denen nicht das Geringste zu sehen ist.

»Du siehst sehr seltsam drein«, sagte Ellen. »Weißt du etwas und willst es nicht sagen?«

»Natürlich nicht.«

»Du lügst genauso schlecht wie Kit.«

Adrienne überhörte die Stichelei. »Ich war mir nicht sicher, ob Lottie Telefon hat«, sagte sie und strich über das wuchtige, altmodische schwarze Telefon, das auf einem Tisch neben der Tür stand.

»Sie hasst es und hat es nur behalten, weil Juli darauf bestand und die Gebühren bezahlte.«

»Bist du sicher, dass es überhaupt funktioniert?«

Ellen hob den Hörer ab und hielt ihn Adrienne ans Ohr, sodass sie das Freizeichen hören konnte. »Quicklebendig.« Dann stand sie auf, die Hand auf den unteren Rücken gepresst, der ihr offenbar Schmerzen bereitete. »Was man von mir bald nicht mehr behaupten kann. Ich muss mich bewegen, sonst roste ich ein.« Sie holte tief Luft. »Mit Rumsitzen und Quasseln werden wir Lottie nicht finden. Ich habe einen bestimmten Ort im Kopf, da will ich nachsehen. Er ist oben, auf dem Hügel. Bist du fit für eine Kletterpartie?«

»Ich schon, aber du mutest dir zu viel zu, fürchte ich. So viel Bewegung bist du nicht gewohnt.«

»Unsinn.« Ellen wurde zornig. »Ich bin viel kräftiger als ich aussehe.«

Hoffentlich, dachte Adrienne, weil du aussiehst, als könnte man dich knicken wie einen trockenen Zweig. »Na, dann los. Aber wir wollen die Sache langsam angehen.« Ellen warf ihr einen wütenden Blick zu. »Vielleicht macht dir der Anstieg ja nichts aus, mir aber schon. Ich spüre die Anstrengung allmählich in den Oberschenkeln.« Was nicht stimmte, doch Ellen sah ein wenig besänftigt aus.

Ellen zog sorgfältig die Tür hinter ihnen zu, obwohl kein Schloss das Haus vor Eindringlingen schützte. Adrienne band sich das schulterlange Haar mit einem Stück Schnur, das sie in Lotties Haus gefunden hatte, zum Pferdeschwanz und genoss die kühle Luft im Nacken. Ellen ging ein paar Schritte vor Adrienne her und erklärte sich damit indirekt zum Anführer der Expedition. Sie wirkte wild entschlossen, stellte Adrienne fest. Sie besah sich Ellens Haar. Ihre sorgfältig drapierten Locken machten allmählich schlapp. Die teure Seidenbluse hatte einen Riss, weil sich Rosenranken darin verkrallt hatten, und ihr fehlte ein Ohrclip.

»Ich wünschte, du würdest mich nicht so anstarren, als könnte ich jeden Moment mausetot zusammenbrechen«, stellte Ellen fest. »Das geht mir auf die Nerven.«

»Entschuldige, ich wollte dich nicht nerven.«

»Ich weiß. Du warst schon immer sehr rücksichtsvoll, Adrienne. Nicht so wild und eigensinnig wie Kit.« Adrienne wusste nichts darauf zu sagen. »Man sieht es mir vielleicht nicht an, aber ich war mal ziemlich sportlich«, behauptete Ellen. »Und eine erstklassige Tänzerin.«

»Wirklich? Ballett?«

Ellen lachte. »Grundgütiger, nein! Rock 'n' Roll. Aber den richtigen, nicht diesen Unsinn, den du dir vorhin angehört hast.« Ihr Lächeln verschwand. »Jamie und ich haben andauernd getanzt.«

Adrienne dachte an Ellens vierjährigen Adoptivsohn, der vorigen Sommer im Hotelpool ertrunken war. »Dein kleiner Junge hat gern getanzt?«

Ellen drehte sich verdutzt zu ihr um und schüttelte dann den Kopf. »Mein *Cousin* Jamie. Er war drei Jahre älter als ich und die große Liebe meines Lebens. Er sah unglaublich gut aus. Wenn er mir zulächelte, blieb mir das Herz stehen. Er hatte mehr Charme, als die Polizei erlaubt.«

»Dann ist es kein Wunder, dass du ihn geliebt hast.«

»Er studierte in Princeton, doch seinen einundzwanzigsten Geburtstag, den wollte er zu Hause feiern«, sagte Ellen, offenbar mehr zu sich selber als zu Adrienne. »Vater hatte eine große Party für ihn arrangiert, im Ballsaal des *Belle*. Ich trug ein Cocktail-Kleid aus blauem Satin. Vater meinte, es sei zu tief ausgeschnitten, doch Jamie sagte, ich sei das schönste Mädchen, das er je gesehen hatte. Ich wusste, dass er mir am Ende des Abends einen Heiratsantrag machen würde. Nie im Leben war ich so glücklich. Dann, gegen Mitternacht, wir tanzten gerade zu *Love Me Tender* von Elvis Presley, erstarrte Jamie. Er sah mich ganz merkwürdig an, griff sich mit beiden Händen an den Kopf und brach zusammen. Die Leute liefen schreiend auseinander. Ein Arzt kam angerannt und beugte sich über ihn. Er warf nur einen Blick auf meinen geliebten Jamie, der schlaff auf dem Boden lag, die Augen starr, sein Lächeln für immer aus seinem Gesicht verschwunden.«

Ellen schluckte, und ihre Stimme wurde hart. »Später stellte man bei ihm ein Aneurysma im Gehirn fest, das geplatzt war. Es sei ein Geburtsfehler gewesen, hieß es, doch das glaube ich nicht. Das *Belle* hat ihn zerstört, genau wie meinen kleinen Jungen, meinen zweiten Jamie.«

Adrienne suchte nach passenden Worten, um ihr Bedauern auszudrücken, doch Ellen schien nicht auf sie zu achten, also sagte sie nichts. Kein Wunder, dass Ellen dieses Hotel hasste, dachte sie. Sie glaubte trotzdem nicht, dass das Hotel all diese Tragödien verschuldet hatte. Es war doch nur ein Haus, mehr nicht. Und doch reichten die Vorkommnisse, die in diesem Hotel stattgefunden hatten, aus, um eine empfindsame Seele wie Ellen glauben zu machen, dass dem Gebäude in der Tat etwas Böses anhafte.

»Ich war nach Jamies Tod ein Jahr lang wie in Trance«, fuhr Ellen fort. »Dann habe ich Kits Vater geheiratet. Er war ein Schwein. Vater zahlte ihm eine Abfindung und jagte ihn davon, nachdem er mich im Suff verprügelt hatte, als ich mit Kit schwanger war.« Ellen blinzelte die Tränen fort. »Dann ist Vater gestorben, und ich musste mich allein um mein Kind und die Hotelleitung kümmern, bis ich Gavin traf.« Sie seufzte. »Gavin erinnerte mich stark an Jamie. Manchmal ist das noch heute so.«

Adrienne verstand jetzt, warum Ellen den ziellosen Gavin geheiratet und zugestimmt hatte, dass er Kit adoptierte: Auf diese Weise verlor Kit den Namen ihres brutalen Vaters.

216

Auf der Anhöhe war Ellens Erschöpfung plötzlich wie weggeblasen. Sie eilte auf zwei Kirschbäume zu, um deren Stämme sich Geißblattranken wanden. Ein überwältigend süßer Duft lag in der feuchtheißen Luft. Dann hörte Adrienne ein vertrautes Geräusch. Ein Krächzen. Sie blickte auf und sah eine Krähe auf einem Ast sitzen, die mit vernunftlosen Knopfaugen auf sie herunterstarrte. Wieder kam ihr der alte Abzählreim in den Sinn:

»*Eins für Unglück …*«

»Was war das?«, fragte Ellen und drehte sich zu Adrienne um, die ohne es zu merken laut vor sich hin geredet hatte. Adriennes Gedanken eilten weiter. Eine Krähe stand für Unglück, sechs standen für Tod. Lauerten hier noch fünf andere herum?

»Lass uns gehen, Ellen!«, rief Adrienne schrill, jäh von einer unerklärlichen Angst gepackt. »Hier ist nichts.«

»Das glauben die meisten.« Ellen riss energisch an den Ranken des Geißblatts. Sie legte dabei weitaus mehr Beharrlichkeit an den Tag, als Adrienne ihr zugetraut hatte.

»Bitte, Ellen, wir sollten gehen!«

»Unsinn.« Ellen zerrte weiter an den Ranken. »Was ist mit dir? Du klingst wie ein verängstigtes kleines Mädchen.«

Adrienne eilte nach vorn, wollte Ellen aufhalten, aber sie kam zu spät. Ellen hatte die Ranken mit überraschender Leichtigkeit fortgerissen und das verwitterte Holz einer viereckigen Klappe freigelegt. Mit einer Kraft, die Adrienne ihr nicht zugetraut hätte, zog Ellen die schwere, hölzerne Klappe auf und ließ sie dumpf zu Boden fallen. Dann beugte sie sich hinunter und rief in ein Loch: »Lottie, ich bin's, Ellen. Hab keine Angst. Adrienne und ich sind hier, um nach dir zu sehen.«

»Du glaubst, sie ist *da* unten?«, fragte Adrienne ungläubig.

»Möglich wär's.« Wieder rief Ellen mit einschmeichelnder Stimme in die Tiefe: »Lottie, Liebes? Du brauchst dich nicht mehr zu verstecken. Ich bin doch bei dir.«

Adrienne wollte nicht recht glauben, dass jemand die Gesellschaft der zerbrechlichen Ellen als sehr beruhigend empfinden würde. Andererseits hatte Ellen bewiesen, dass sie stärker war, als sie aussah. Oder vorgab zu sein.

Was Adrienne sich allerdings kaum vorstellen konnte, war Lottie in diesem Erdloch. Die Stille, die Ellens Worten folgte, schien ihr Recht zu geben.

Ellen beugte sich noch tiefer hinunter, bis sie auf dem Boden kniete. »Sei vorsichtig«, sagte Adrienne. »Es ist dunkel. Vielleicht sind da Schlangen oder Ratten.«

»Ich pass schon auf«, erwiderte Ellen abwesend. »Hast du eine Taschenlampe?«

»Nur am Kuli.«

»Her damit.«

Adrienne folgte Ellen widerstrebend in die Höhle. Kalte, klamme Luft legte sich um sie herum wie ein Leichentuch. »Was ist das hier, Ellen?«

»Einer der früheren Hausmeister des *Belle* war ein bisschen seltsam.« Gelinde ausgedrückt, dachte Adrienne. »Er betrachtete das *Belle* als sein privates kleines Königreich. Als er zu alt wurde, um zu arbeiten, hat mein Großvater ihn ersetzt, doch er wollte nicht weggehen. Also erlaubte ihm Großvater, sich ein unauffälliges Haus auf dem Grundstück zu bauen. So lautete die Bedingung. Der Mann war Veteran des Ersten Weltkriegs und baute sich einen Bunker – noch unauffälliger geht es nicht. Er lebte hier und fühlte sich weiterhin für das Hotel verantwortlich, tat so, als herrsche um ihn herum Krieg. In den 1930er Jahren starb er schließlich hier drin. Mein Vater fand ihn erst nach ein paar Tagen. Das muss sehr unangenehm gewesen sein.«

»Das glaube ich.« Entsetzen klang aus Adriennes Stimme.

»Lottie und ich entdeckten den Bunker vor fast vierzig Jahren. Sie stolperte und fiel direkt auf die Klappe; natürlich sahen wir uns die Sache näher an. Wir erzählten keinem, was wir gefunden hatten. Wir machten innen alles sauber, ließen die Blätter zur Tarnung über der Klappe und tauften die Höhle unser Versteck. Wir gelobten uns hoch und heilig, den Ort geheim zu halten. Nicht mal Kit weiß Bescheid. Sie würde ihn seltsam finden und mich nicht in Ruhe lassen, bis ich ihn zuschütten ließe.«

»Vielleicht gar keine schlechte Idee, Ellen«, sagte Adrienne vorsichtig. »Stell dir vor, ein Kind entdeckt den Eingang, kriecht in die Höhle und findet nicht mehr heraus.«

Ellen ignorierte sie, spähte im Halbdunkel umher. Schließlich bückte sie sich und hob eine Decke hoch. »Lotties Quilt. Sie hat ihn voriges Jahr genäht. Ich erkenne das Muster. Und hier ist ein Kissen.«

Als Adrienne näherkam, stieß sie an ein Glas. Sie hob es auf und roch daran. »Eine Kerze. Jasminduft.«

»Hier ist noch eine.« Ellen ließ den Quilt fallen. Im fahlen Licht, das durch die offene Tür in die Dunkelheit sickerte, sah Adrienne, wie Ellen die Hände in die Hüften stemmte. »Die Ärmste ist hier gewesen.«

Ein Quieken in der Ecke ließ Adrienne zusammenzucken. Lieber Gott, lass es nur eine Maus sein, keine Ratte, betete sie. »Ellen, es ist ganz abscheulich hier!«

Ellen zuckte die Schultern. »In Todesangst nimmt man vieles in Kauf, nur um in Sicherheit zu sein.«

»Bist du sicher, dass Lottie um ihr Leben fürchtet?«

»Sicher bin ich nicht, aber da ich Lottie kenne, ist es die einzige plausible Antwort.« Nach kurzer Pause sagte sie: »Adrienne, Kit weiß nichts von diesem Ort. Bitte sag du ihr auch nichts.«

Adrienne wunderte sich. »Du willst nicht, dass deine eigene Tochter davon erfährt, aber ich darf ihn sehen? Warum?«

Nach einigem Zögern sagte Ellen: »Weil ich weiß, dass du Lottie niemals wehtun würdest.«

Adrienne sah sie entgeistert an. Was meinte sie damit? Dass Kit Lottie wehtun würde? Warum?

Dafür gäbe es keinen vernünftigen Grund, es sei denn, Kit hatte Julianna getötet und Lottie wusste Bescheid.

Zehn

1

»Tut mir Leid, Lottie. So Leid. Meine Schuld. Alles meine Schuld.«

Gavin Kirkwood lag im Bett neben seiner träumenden Frau, den Kopf in die Hand gestützt, und beobachtete ihre bekümmerte Miene. Sie hatte sich eine Creme ins Gesicht geschmiert, von der ein Döschen, wie er wusste, über hundert Dollar kostete und die weniger Falten, dafür mehr Festigkeit versprach. Die Creme war, um es ganz deutlich zu sagen, Beschiss. Obwohl Ellen sie seit sechs Monaten brav benutzte, zeigten sich in ihrem Gesicht noch immer die unvermeidlichen Spuren des Alters und der Schwerkraft. In längstens einem Jahr würde sie sich einer Schönheitsoperation unterziehen müssen.

Gavin war es gleichgültig, ob sie dann aussähe wie dreißig. Das sexuelle Verlangen, das sie in den ersten Jahren in ihm geweckt hatte, war verschwunden, und so war er fast erleichtert, dass sie in puncto Sex nicht mehr viel von ihm einforderte. Seit dem Tod des kleinen Jamie im vergangenen Jahr war Ellen viel zu deprimiert, um mit ihm schlafen zu wollen. Das war das einzig Positive an Jamies Tod. Auch Gavin hatte den intelligenten, charmanten Jungen geliebt, und obwohl Ellen das ganze Mitleid von Freunden und Verwandten für sich beansprucht hatte, hatte Gavin sich oft gewünscht, er selbst wäre statt des kleinen Jungen ertrunken. Lange Zeit war es in Gavins Welt grau und kalt gewesen ohne Jamie. Doch kein Mensch schien *seinen* Schmerz zu bemerken, keinen schien zu kümmern, wie *ihm* zumute war.

Ellen war heute um fünf Uhr nachmittags nach Hause gekommen und hatte behauptet, sie habe nach Lottie gesucht. Sie war verschwitzt, völlig zerkratzt, zitterte am ganzen Leib und konnte sich vor Schwäche kaum auf den Beinen halten. Gavin hatte den leisen Verdacht, dass sie mit ihrer Unpässlichkeit wieder einmal Aufmerksamkeit heischen wollte, doch um auf Nummer sicher zu gehen, hatte er bereitwillig ihren Arzt angerufen. Der hatte zunächst Ellen sanft ins Gewissen geredet, sie dürfe sich nicht zu sehr anstrengen. Gleich darauf hatte er ihn ins Gebet genommen, er solle sich gefälligst mehr um seine Frau kümmern. Als ob Ellen jemals auf ihn gehört hätte! Gavin hätte dem Kerl am liebsten eine verpasst, doch was hätte es ihm schon eingebracht? Einen hysterischen Anfall von Ellen und eine Anzeige des Arztes. Also hatte er wie so oft schweigend hingenommen, dass Ellens emotionaler Zustand sein Leben bestimmte, und es zugelassen, dass dieser Mensch ihn demütigte, der zu glauben schien, Gavin habe Ellen nur des Geldes wegen geheiratet.

Fünf Stunden waren vergangen, seit der Arzt Ellen eine Beruhigungstablette gegeben und sie ins Bett geschickt hatte. Gavin lag elend neben ihr und konnte nicht schlafen. Sie redete im Schlaf und zuckte nervös mit den Beinen. Kurz regte sich in ihm der überwältigende Wunsch, ihr ein Kissen auf das schwitzende Gesicht zu drücken, damit sie endlich aufhörte zu reden. Und zu atmen. Der Drang wurde so überwältigend, dass Gavin Angst bekam, abrupt das Bett verließ und ohne seinen Morgenmantel anzuziehen aus dem Zimmer flüchtete. Der schnieke Seidenpyjama, den Ellen ihm geschenkt hatte, bedeckte seinen durchtrainierten Körper in ausreichendem Maße; so bekäme das Hausmädchen keinen Schreck, wenn sie ihn zufällig rumoren hörte und aus dem Zimmer käme, um nachzusehen.

Er ging in sein Arbeitszimmer. Ellen hatte den Raum für ihn eingerichtet. Er fand ihn düster und deprimierend, er passte nicht zu ihm. Doch das verhasste Zimmer barg auch einen Schatz, versteckt unter einem Stoß Akten in einer Schublade – eine Flasche Kentucky Bourbon. *Sour Mash*, dachte er liebevoll. Der edle Whisky musste sechsundneunzig Stunden gären und mindestens vier Jahre lagern, bevor er getrunken werden durfte. Da Ellen ihn nicht mochte, kam er ihr nicht ins Haus. Gavin dagegen konnte an manchen Tagen gar nicht genug davon kriegen. Und heute war es wieder mal so weit.

Er goss eine ordentliche Menge in das schlichte Trinkglas, das er ebenfalls unter den Ordnern in der Schublade versteckt hatte, schaltete die grün beschirmte Schreibtischlampe ein, die ein gedämpftes Licht verströmte, setzte sich in seinen Polstersessel, lehnte sich zurück und starrte an die Decke. Er war müde. Erschöpft. Fand aber keinen Schlaf. Um genau zu sein, mied dieser ihn schon seit Juliannas Tod. In ihrer Gesellschaft hatte er sich zum ersten Mal seit vielen Jahren wieder wie ein Mann gefühlt. Und jetzt war dieses Gefühl verschwunden, wahrscheinlich für immer.

Als er Ellen geheiratet hatte, war Kit ein Teenager gewesen, damals hatte er ihre Freundin Julianna kaum beachtet. Sie war für ihn nur ein hoch aufgeschossenes, mageres Mädchen mit rötlichen Haaren gewesen, das für seinen Geschmack viel zu viel redete. Natürlich war ihm ihr Geplapper immer noch lieber gewesen als Kits bockiges Schweigen. Am liebsten hatte er Adrienne gemocht. Nicht im sexuellen Sinn. Damals hatte Ellen noch gut ausgesehen, und auch wenn alle glaubten, er habe die um vierzehn Jahre ältere Frau nur des Geldes wegen geheiratet, war er aufrichtig von ihr begeistert gewesen, ihrem Aussehen, ihrer Klugheit, ihrem Charme. Er hatte sie wirklich geliebt. Und sie war verrückt nach ihm gewesen.

Vernarrt war das Wort, das seine Mutter benutzt hatte. »Sie ist vernarrt in dein schönes Gesicht und deine stattliche Figur«, hatte sie giftig gesagt. »Aber wart's ab, mein Junge. Sie wird bald merken, was für eine Niete du bist. Das weiß ich aus Erfahrung.«

In jungen Jahren hatte Gavin genügend Selbstvertrauen besessen, um seine Mutter zu ignorieren und sich fast an jede Frau heranzumachen. Sein gutes Aussehen und seine gewandte Zunge überraschten sogar ihn, doch es waren Trümpfe, deren er sich bereits im Alter von sechzehn bewusst geworden war, als seine glamouröse, junge Geschichtslehrerin auf ihn scharf gewesen war. Zwischen ihr und Ellen hatte er eine Menge Frauen gekannt, jeden Alters, jeden Aussehens, mal klüger, mal weniger klug. Doch vor Ellen hatte sich noch keine für ihn interessiert, die schön, klug *und* wohlhabend war.

Gavin hatte sich geschmeichelt gefühlt und war wirklich in sie verliebt gewesen. Er hatte sein Glück nicht fassen können und sie gern geheiratet. Womit er nicht gerechnet hatte, waren ihre latent aggressive Dominanz, ihre Neurosen und ihr Talent für die fein ziselierte, subtile Kunst der Entmannung, die weitaus mächtiger war als die grobschlächtigen Versuche seiner Mutter diesbezüglich.

Die Herrschsucht seiner Frau, die Verachtung seiner Stieftochter und der Tod seines kleinen Adoptivsohns – einige unterstellten ihm fahrlässiges Verhalten und gaben ihm die Schuld daran – hatten Gavin Kirkwood völlig demoralisiert, bis er bei den Hamiltons Julianna wiedergesehen hatte.

Julianna war weder mit Philip noch mit Vicky eng befreundet gewesen. Sie, Vickys jüngere Schwester Adrienne und Kit bildeten ein unzertrennliches Dreiergespann. Also nahm Gavin an, dass Julianna, das ehemalige Topmodel, der Attraktion wegen eingeladen worden war. Und es hatte funktioniert. Die Leute strömten in Scharen zu den Partys der Hamiltons, um der schönen Julianna zu huldigen. Auch Gavin.

Im Laufe der darauf folgenden drei Monate erkannte Gavin, dass er zum ersten Mal im Leben im Begriff war, sich bis über beide Ohren zu verlieben. Er hatte seine Gefühle für Julianna vor aller Welt zu verbergen versucht. Es war ihm verdammt schwer gefallen.

Aber es hatte nicht geklappt. Margaret Taylor hatte ihn bald durchschaut und ihm gedroht, ihn an seine Frau zu verraten. Er hatte sich ihr Schweigen erkaufen müssen. Und um die Sache noch schlimmer zu machen, hatte Julianna seine Liebe nicht erwidert und es ihn auf eine rührend ego-schonende Weise wissen lassen. Er war am Boden zerstört gewesen. Er hatte sich kalt und ausgedörrt und alt und hoffnungslos gefühlt.

Und dann hatte Julianna ihn eines Abends überraschend angerufen. Sie klang aufgewühlt. Sie habe das Gefühl, sie könne ihm vertrauen, sagte sie und wollte unter vier Augen mit ihm sprechen. Sie hatte ihn gebeten, zu ihr nach Hause zu kommen. Er war in Rekordzeit zu ihr gefahren, die Treppe hinaufgesprungen, wollte gerade klingeln, als er im Innern Stimmen hörte. Laute Stimmen. Juliannas Stimme kannte er natürlich. Doch er glaubte auch zu wissen, wem die andere gehörte. Es schien von einer Affäre die Rede zu sein.

Er hatte sich auf einen Stuhl gesetzt, der in einer Nische stand, und gewartet. Und gewartet. Nach zwei Stunden war die betreffende Person noch immer nicht aus der Wohnung gekommen. Alles war ruhig geworden. Doch Julianna hatte gesagt, sie müsse allein mit ihm sprechen, und da sie ganz entschieden nicht allein war, hatte er auch nicht geklingelt.

Stattdessen hatte er das Warten aufgegeben, sich nach Hause geschleppt und mit dem Gedanken getröstet, tags darauf mit ihr zu sprechen. Sicher würde sie ihn dann noch genauso dringend sehen wollen wie heute.

Doch tags darauf hatte Kit angerufen und verkündet, dass Julianna tot sei. Sie sei im *Belle* ermordet worden.

Er hatte das Telefon Ellen in die Hand gedrückt, war schnurstracks ins Badezimmer gelaufen und hatte sich übergeben. Dann hatte er sich einen Drink genehmigt, eine von Ellens Beruhigungspillen genommen, seine Frau zu ihrem verfluchten Hotel gefahren, weil sie darauf bestanden hatte, und sich schwächlich hinter ihr versteckt, unfähig, seine geliebte Julianna bleich und kalt in ihrem Hotelbett liegen zu sehen.

Er würde nie darüber hinwegkommen, dachte er, während er sich noch einen doppelten Bourbon eingoss. Jamie zu verlieren, war schon schlimm genug gewesen, aber sein Tod war wenigstens ein Unfall gewesen. Juliannas Tod aber war kein Unfall. Er war das Ergebnis eines kaltblütigen Mordes. Und er traf ihn im tiefsten Inneren.

Doch noch war Gavin Kirkwood nicht ganz am Ende. Er kippte den Whiskey hinunter, und böse Entschlossenheit härtete seine Züge. Der Täter sollte dafür büßen, was er Julianna angetan hatte.

Und das würde er.

2

»Wir sind wieder zu Hause!«

Adrienne stand einen Augenblick schweigend da, das Telefon in der Hand, ehe sie erkannte, wem die schrille, aufgesetzt fröhliche Stimme gehörte. »Schön, dich zu hören, Vicky. Wie war die Reise?«

»Das Übliche eben. Dauergrinsen. Händeschütteln. Und wieder mal hatte ich die verdammten Namen unserer potenziellen Sponsoren vergessen. Scheußliche Dinnerpartys. Ich will endlich wieder mit jemandem essen und trinken, den ich leiden kann!« Schrilles, gereiztes Kichern: »Kann ich dich zum Lunch ins Iron Gate locken?«

»Klingt wunderbar, Vicky, wenn es dir nichts ausmacht, dass Skye uns begleitet.«

»Oh.« Vicky klang, als sei sie abrupt auf dem Boden der Tatsachen gelandet. »Aber nein.«

Skye, die gerade einen lustlosen Blick in den offenen Kühlschrank warf, drehte sich um und wedelte frenetisch mit den Händen. »Warte mal«, sagte Adrienne zu ihrer Schwester und zu Skye: »Was ist denn?«

»Geh du ruhig mit Tante Vicky essen und lass mich zu Sherry gehen. Sie hat mich eingeladen. Patty kommt und Joel wahrscheinlich auch.«

»Wer ist denn Joel?«

»Oh, nur Pattys Bruder. Nicht so wichtig.« Skye redete schneller und wurde ganz rot im Gesicht. Sie ist in Joel verknallt, dachte Adrienne und war im Geiste schon wild entschlossen, Sherrys Mutter über ihn auszufragen. »Jedenfalls wäre ich bei Sherry gut aufgehoben, und du könntest Tante Vicky begleiten, und wir hätten beide unseren Spaß, anstatt nur hier herumzusitzen und uns anzustarren.«

»Und zu langweilen.«

»Na ja, das ist es nicht. Es ist nur …«

»Dass du es langsam satt hast, wie eine Achtjährige beaufsichtigt zu werden.« Adrienne tat so, als müsse sie die Angelegenheit überdenken. »Okay. Dann hol dir dein Badezeug – aber nicht diesen winzigen Bikini, den du nicht hättest kaufen dürfen – und verbring meinetwegen den Nachmittag mit Sherry und diesem Joel, der nicht weiter wichtig ist. Ich treffe mich mit Vicky, und heute Abend sind wir beide wieder besser gelaunt.«

Eine Stunde später setzte Adrienne ihre Tochter bei Sherry Granger ab, deren Mutter etliche Male beteuerte, dass Skye ein nettes Mädchen und daher jederzeit willkommen sei. Adrienne bemerkte amüsiert, wie Skye und Sherry Pattys Bruder Joel geflissentlich übersahen; den schien es nicht weiter zu kümmern. Er war sich seines guten Aussehens voll und ganz bewusst und genoss zudem die Überlegenheit, ein Jahr älter zu sein als die Mädchen. Skye würde sich mächtig ins Zeug legen müssen, um diesen kleinen Romeo für sich zu interessieren, dachte sie.

Adrienne fuhr in die Stadt und stellte ihren Wagen in die letzte freie Parklücke vor dem Iron Gate's Grill. Sie ging hinein und sah ihre Schwester schon an einem Drink nippen. Sie winkte Adrienne erfreut zu. Als Adrienne sich setzte, sagte Vicky verzückt: »Du siehst toll aus! Hast du gestern ein bisschen Sonne abbekommen?«

»Ein bisschen mehr als ich wollte.« Adrienne fasste sich an den sonnenverbrannten Nasenrücken. »Ich bin lange spazieren gegangen. Sicher hat es mir gut getan, doch meine Muskeln sagen mir, dass ich mehr Sport treiben müsste.«

»Du brauchst dringend was zu trinken. Ich hab mir eine Piña Colada kommen lassen. Zur Feier des Tages. Willst du auch eine?«

»Ein bisschen früh für mich, Vicky.«

»Unsinn.« Vicky winkte einer dunkelhaarigen Kellnerin. »Sie will eine Piña Colada. Und ich will auch noch eine.«

»*Noch* eine?« Vicky warf ihr einen frostigen Blick zu. Adrienne wusste, dass sie Ärger bekäme, wenn sie Vickys Alkoholkonsum kritisierte. Philip hatte ihr wahrscheinlich pausenlos damit in den Ohren gelegen. »Hast du keine Angst wegen der Kalorien?«, meinte sie daher leichthin.

»Heute nicht. Ich musste auf der Fahrt ständig repräsentieren, war die perfekte Ehefrau. Höchste Zeit, dass ich mich ein bisschen amüsiere.« Vicky sah blass aus, und Schweißperlen standen ihr auf der Oberlippe. Sie griff sich das Glas, und ihre Hand zitterte so heftig, dass sie sich beinah das Papierschirmchen in die Nase gerammt hätte. Als ihre Lippen endlich den Strohhalm geortet hatten, war das Glas im Nu halb leer.

»Was hast du denn, Vicky?«, fragte Adrienne. »Hast du dich geärgert?«

Trübsinn kroch in Vickys blaue Augen. »Das Übliche eben. Ungenießbares Essen, künstliches Grinsen, Philip, der in der Öffentlichkeit charmant ist, privat dagegen unausstehlich. Und die ganze Zeit diese Margaret, die jeden herumkommandiert wie ein Feldmarschall und dabei so tut, als wäre *sie* Philips Frau!«

»Philip sollte mit ihr darüber reden, finde ich. Es macht doch keinen guten Eindruck auf seine möglichen Wähler.«

»Oh, Margaret ist schlau, in der Öffentlichkeit hält sie sich zurück«, sagte Vicky bitter. »Vor Zeugen bleibt sie im Hintergrund. Sobald wir aber unter uns sind, bin ich für sie Luft und Rachel der letzte Dreck. Margaret und Rachel hatten einen fürchterlichen Streit, bevor wir losfuhren.«

»Worüber denn?«

Vicky starrte in ihr Glas. »Ich weiß es nicht. Irgendetwas ist immer. Dann kam Philip dazu und schimpfte mit *Rachel*. Kein Wort zu Margaret, dass sie seine Tochter gefälligst zu respektieren hat. Und er lässt es zu, dass Margaret mich behandelt, als wäre ich ein Nichts. Als ich ihn darauf ansprach, meinte er nur: ›Es ist nun mal ihre Aufgabe, sich mehr um mich zu sorgen als um dich, Vicky. Warum musst du immer im Mittelpunkt stehen?‹ Er tut so, als wäre ich ein verwöhntes Balg. Ich will doch gar nicht im Mittelpunkt stehen. Aber er hört mir ja nicht einmal zu.« Tränen stiegen ihr in die Augen. »Er hat eine Affäre mit ihr«, sagte sie böse.

»Aber nein.« Adrienne hörte die mangelnde Überzeugung in der eigenen Stimme. Vicky hatte es hoffentlich nicht bemerkt, aber ihr waren selbst schon Zweifel gekommen, was Philip und Margaret anbelangte. »Philip würde dich nicht betrügen.«

»Ich hab das auch lange geglaubt. Nicht etwa, weil er mich liebt. Aber wegen der Leute. Er hätte viel zu große Angst, dass man ihm auf die Schliche käme.« Die Kellnerin servierte die Drinks und überließ ihnen die Karte. »Davor hatte ich nie das Gefühl, dass er das Risiko einginge, mir untreu zu sein. Aber Margaret ist verdammt attraktiv. Physisch, meine ich. Ihre Persönlichkeit lässt zu wünschen übrig, obwohl sie sich Philip gegenüber normalerweise zuckersüß gibt. Schmeichelt sich bei ihm ein, und er glaubt ihr jedes Wort – zum Kotzen! Du weißt ja, wie blöd Männer sind, wenn es um ihr Ego geht!«

»Dad war nicht so.«

Vicky machte eine wegwerfende Handbewegung. »Ach, der zählt doch nicht.«

Als Mann? Adrienne lächelte innerlich. Sie fragte sich, wie ihr Vater auf den Kommentar reagiert hätte. »Hör zu, Vicky, hast du eigentlich Beweise, dass Philip und Margaret eine Affäre haben?«

»Er fasst mich kaum noch an.«

»Er steht doch unter enorm viel Stress.«

»Stress hat noch keinen Mann davon abgehalten!« Vicky gab sich plötzlich als Expertin in Sachen Männer. Ob es an den Piña Coladas lag? »Und außerdem, mit wem sollte Margaret sonst zusammen sein«, fuhr Vicky wütend fort, mit viel zu lauter Stimme. »Sie hat schon seit ewigen Zeiten kein Date mehr gehabt, und sie ist sicher nicht die Art Frau, die es lange ohne Sex aushält!«

»Tja …« Adrienne war ratlos. Ihr war heiß geworden, als sie sah, wie die Männer am Tisch hinter Vicky die Ohren spitzten, neugierig, was der Ehefrau des ehrgeizigen Philip Hamilton so alles auf der Seele brannte. Erleichtert sah sie Kit auf ihren Tisch zukommen. »Da ist Kit!«, rief sie, »Ich wette, du hast sie schon eine Weile nicht mehr gesehen!«

»Ja, ist mindestens eine Woche her«, sagte Vicky mürrisch, die lieber noch ein wenig über Margaret und Philip geredet hätte. Doch dank jahrelanger Übung auf der politischen Bühne gelang es ihr, für Kit rasch eine freudige Miene aufzusetzen. »Hallo, Ms. Kirkwood. Der Laden läuft ja wie geschmiert.«

»Fast zu gut«, sagte Kit. »Manchmal wünschte ich mir ein paar schlechtere Tage, damit ich mal zur Ruhe komme.«

»Manche Leute machen Urlaub«, sagte Adrienne und bedeutete Kit, sich hinzusetzen.

Kit ließ sich neben Adrienne nieder und wandte sich an Vicky. »Wie war die Wahlkampftour?«

»Anstrengend, aber sehr aufregend.« Vicky war gewandt in die Rolle der enthusiastischen Ehefrau geschlüpft, die ihren Mann in allem unterstützte. Sie und Kit kannten sich nur oberflächlich. »Philip wird zweifellos unser nächster Gouverneur, obwohl er behauptet, es allzu oft zu sagen, bringe Unglück.«

Kit lächelte belustigt. »Seit wann ist Philip denn abergläubisch?«

»Er meint es nicht ernst.« Vickys aufgesetztes Profilächeln schwand, und sie fragte abrupt: »Gibt es neue Erkenntnisse im Mordfall Julianna?«

»Nicht, dass ich wüsste«, sagte Kit. »Adrienne hat Beziehungen. Vielleicht weiß sie mehr.«

Adrienne schüttelte den Kopf. »Lucas spricht nicht mit mir über seine Fälle.«

»Auch nicht, wenn eine deiner Freundinnen betroffen ist?«, fragte Vicky, wobei sie den Kopf wieder dem Strohhalm zuneigte.

»Dann erst recht nicht. Er will nicht, dass ich mich aufrege.«

Kit verzog das Gesicht. »Du hast Juli gefunden. Was könnte noch schlimmer sein?«

Die Kellnerin kam, um ihre Bestellung aufzunehmen. Kit lehnte ab. Adrienne und Vicky bestellten, und Adriennes Einspruch gegen ein drittes Glas wurde von Vicky mit eisigem Blick quittiert. Dann wandelte sich ihre Miene, und sie sah Kit freundlich an. »Ich würde schon hundert Kilo wiegen, wenn ich andauernd hier arbeiten müsste, bei all den leckeren Gerichten.«

Kit grinste. »*Andauernd* ist das Zauberwort. Manchmal wird mir schlecht, wenn ich das Essen bloß rieche, ganz gleich, wie gut es schmeckt.« Kit wandte sich an Adrienne. »Du warst gestern mit Mutter unterwegs, wie ich hörte.«

War da ein leiser Unterton in ihrer Stimme? Adrienne war nicht sicher. Doch in Kits braunen Augen war nur Neugier. »Ich stand vor dem *Belle* und malte an meinem Bild, da kam deine Mutter vorbei und war fest entschlossen, im Wald nach Lottie zu suchen. Leider haben wir sie nicht gefunden.«

»Lottie wird noch immer vermisst?«, fragte Vicky überrascht. »Ich dachte, sie wäre inzwischen zurückgekommen.«

Adrienne schüttelte den Kopf. »Nein. Jedenfalls haben Ellen und ich sie nicht gesehen. Unsere Wanderung hat Ellen ziemlich geschafft.« Sie hatte ein schlechtes Gewissen, weil sie nichts über Lotties Bunkerversteck erzählte, doch auf ihrem Weg zurück zum Hotel hatte sie Ellen hoch und heilig versprechen müssen, ja nichts darüber verlauten zu lassen. Wie ein Kind hatte sie Ellen das Versprechen dreimal wiederholen müssen. »Geht es Ellen gut?«, fragte sie Kit.

»Nicht wirklich. Letzte Nacht war sie völlig fertig. Das Problem war eher ein emotionales als ein körperliches, wie immer bei Mutter, trotzdem hat Gavin vorsichtshalber den Arzt gerufen. Dann rief er mich an. Er wird mit gar nichts allein fertig. Aber vielleicht will er auch einfach keine Verantwortung übernehmen für Mutter. Wie auch immer. So habe ich von eurer Wanderung erfahren.«

»Tut mir Leid«, sagte Adrienne ehrlich. »Ich hätte ihr die Sache ausreden sollen.«

Kit lächelte wehmütig. »Man müsste sie an einen Baum binden, um sie aufzuhalten. Sie hat einen eisernen Willen und ist kräftiger, als sie aussieht. Physisch, meine ich. Ich bin froh, dass du sie begleitet hast. *Mich* hätte sie nicht mitgenommen.«

Adrienne musste daran denken, wie Ellen gesagt hatte, es mache ihr nichts aus, wenn sie sie begleite, da sie ja wüsste, dass sie Lottie nicht wehtun würde. Fürchtete sie denn, Kit könne ihr wehtun?

Nein. Kompletter Unsinn, dachte Adrienne. Schließlich war Lottie nach dem Mord an Julianna bei Kit gewesen, nicht bei Ellen, ihrer besten Freundin. Nicht bei Ellen.

»Adrienne, alles in Ordnung?«

Adrienne blickte auf, spürte, wie ihr das Blut aus dem Gesicht wich. Ihre Schwester sah sie verkatert an, doch Kits Pupillen hatten sich leicht verengt. Kit kannte sie viel zu gut, um nicht zu merken, dass ihr gerade ein beunruhigender Gedanke durch den Kopf gegangen war. »Alles bestens, Kit«, sagte sie fröhlich. »Bin nur hungrig.«

Doch ihr war noch immer mulmig zumute, als Kit mit den Worten, sie lasse sie jetzt essen, abrupt aufstand. Kit argwöhnte also tatsächlich etwas. Und was immer es war, machte ihr ein mulmiges Gefühl.

Adrienne musste sich zum Essen zwingen, während ihre Schwester Vicky sich endlos über Margaret Taylor verbreitete, die Frau, die sie hasste.

3

»Ich hab dieses Versteckspiel satt. Warum soll niemand wissen, dass wir eine Beziehung haben?«

Margaret Taylor schenkte Miles Shaw den verführerischen Augenaufschlag, von dem sie wusste, dass er ihn reizvoll fand, und zeichnete mit den Zehen sein nacktes Bein bis zum Oberschenkel nach. »Aber Schatz, du weißt doch, dass im Augenblick Philip im Mittelpunkt stehen soll, nicht ich, und genau das würde ich, wenn herauskäme, dass ich mit einem weltberühmten Künstler liiert bin.«

Miles lachte leise. »Weltberühmt. Das ist wirklich komisch.«

»Du bist doch bekannt.«

»Allenfalls in drei Staaten. Ein Karpfen im Goldfischteich. Mehr bin ich nicht.«

»Ein überaus talentierter Fisch, der bald in einem viel größeren Teich schwimmen wird. Sobald Philip an der Macht ist, widme ich mich dir. Lass mir zwei oder drei Jahre Zeit, und dein Name wird in ganz Amerika und Europa bekannt sein.«

Miles strich Margaret über das glänzende schwarze Haar. »An Selbstvertrauen fehlt es Ihnen nicht, stimmt's, Ms Taylor?«

»In meiner Branche ist für Unsicherheiten kein Platz.«

»Und du kennst dich aus in der Branche. Du bist Expertin im Verbreiten und Vertuschen von Informationen. Weißt du auch sicher, dass Philip keinen Schimmer von uns hat?«

Margaret griff nach ihrem Glas Rotwein auf dem Nachttisch.

»Ziemlich sicher. Ich war sehr vorsichtig.«

Während sie nippte, sah Miles sie forschend an. »Warum schlägst du dann die Augen nieder, wenn du von unserem Geheimnis sprichst? Vielleicht um einen klitzekleinen Zweifel zu verbergen, der darin aufflackert?«

Margaret runzelte leicht die Stirn. »Mag sein.« Sie trank noch einen Schluck Wein, und ihre Stimme wurde hart. »Es ist diese verdammte Rachel. Ich glaube, dass sie uns verdächtigt. Und falls dem so ist, erzählt sie es ihrer Mutter.«

»Und du willst nicht, dass Vicky etwas von uns erfährt, weil sie glaubt, du hättest eine Affäre mit Philip, was dich wiederum anmacht.« Margaret versuchte, eine entrüstete Miene aufzusetzen, was ihr misslang. Miles verzog die Mundwinkel. »Du kannst Vicky nicht riechen, stimmt's?«

»Sie frustriert mich.« Margaret stellte das Glas wieder auf den Tisch, wandte sich Miles zu und zeichnete winzige Kreise auf seine Brust. »Soweit ich weiß, hatte Philip, als er sie heiratete, eine gute Wahl getroffen. Sie war attraktiv, charmant, stolz und nicht ganz blöd. Sie war also durchaus zufriedenstellend als Frau eines Politikers. Sie hatte sogar ein gewisses Rückgrat, genau wie ihre Schwester, obwohl ich Adrienne auch nicht sonderlich leiden kann. Sie beobachtet mich, als warte sie nur darauf, dass ich einen Fehler mache. Natürlich liegt es daran, dass Vicky ihr wenig schmeichelhafte Dinge über mich erzählt hat.«

»Sieh mal an«, sagte Miles ironisch.

Margaret überhörte die Bemerkung. »Ich weiß nicht, was mit Vicky in all den Jahren passiert ist, aber jetzt ist sie so verdammt *schwach*«, sagte sie verächtlich. »So weinerlich. Und auch körperlich nicht mehr annähernd so präsentabel wie früher. Meistens schminkt sie sich nicht mal richtig, weißt du das?«

»Grundgütiger! Ich hatte ja keine Ahnung!«

»Du findest es komisch, aber das ist es ganz und gar nicht. Es ist ein Zeichen. Vicky vernachlässigt nur deshalb ihr Äußeres, weil sie auf dem besten Wege ist, eine Alkoholikerin zu werden. Ich glaube, das erste Glas gönnt sie sich schon morgens um zehn Uhr. Stell dir das mal vor, Philips Frau eine Trinkerin! Sie könnte ihm alles ruinieren!«

»Na schön. Dein Problem mit Vicky verstehe ich jetzt. Ich kenne sie kaum, aber sie ist mir auch nicht sonderlich sympathisch. Gehen wir weiter zu Rachel. Was hast du gegen *sie*?«

Margarets Miene wurde giftig. »Eine ganze Menge, vor allem ärgert es mich, dass sie nicht zu schätzen weiß, was für ein großartiges Leben man ihr quasi auf dem Silbertablett serviert. Für sie ist alles selbstverständlich, sie tut so, als hätte sie ein Recht darauf. Wenn sie hätte strampeln müssen, um sich selbst aus dem Dreck zu ziehen, so wie ich, dann wüsste sie vielleicht das eine oder andere zu schätzen. Stattdessen schaut sie von ganz weit oben auf mich herab.«

»Bist du sicher? Oder bildest du dir das nur ein? Du bist in diesem Punkt nämlich ein bisschen überempfindlich.«

»Das ist nicht wahr!« Margaret rückte von ihm ab, rot vor Zorn.

»Oje. Da scheine ich ja eine empfindliche Stelle getroffen zu haben.«

»Nein, hast du nicht. Du hast mir etwas unterstellt. Das passt mir nicht.«

»Du kannst keine Kritik vertragen, das ist es!« Miles lächelte und zog sie wieder an sich, streichelte ihre festen, nackten Brüste. »Aber das gilt für die meisten Leute, es sei denn, sie sind Masochisten. Tut mir Leid, Liebes. Ich hab zu viel Wein getrunken. Mein Mund geht mit mir durch.«

»Dein Mund ist schon in Ordnung.« Margaret küsste ihn heftig und leckte dann sein Ohrläppchen. »Kein Ohrring heute?«

»Du hast ihn mir beim letzten Mal fast herausgerissen.« Er lachte leise. »Außerdem habe ich ihn verlegt. Ach ja, da wir gerade vom Herausreißen sprechen, wie wär's, wenn wir beide uns eine Weile von diesem Bett losreißen und einen Freund von mir besuchen, der eine kleine Party gibt? Wir könnten dann hinterher noch ein bisschen miteinander spielen?«

Margaret rückte von ihm ab und sah ihm in die Augen. »Ist das etwa dieser Junkey?«

»Er zieht sich doch nur ab und zu was rein, um sein Bewusstsein zu erweitern.«

Sie schüttelte den Kopf. »Nein, danke, Darling. Zu riskant. Immer wenn wir dort sind, hab ich Angst, dass jeden Moment die Bullen einfallen. Außerdem hat Philip morgen ein wichtiges Meeting.«

»*Philip*, nicht du.«

»Wenn Philip ein Meeting hat, hab ich auch eins. Du weißt,

236

dass ich schon früher auf den Beinen sein muss, um ihn zu instruieren.«

Miles seufzte angeekelt. »Wenn die Leute wüssten, dass sie in Wirklichkeit nicht ihn, sondern *dich* wählen.«

»Was meinst du?«

»Ich meine, wer macht denn die ganze Arbeit, wenn nicht du? Philip ist wie ein Schauspieler, der für die Öffentlichkeit die Verse aufsagt, die du für ihn geschrieben hast. Er ist nur eine Marionette, ein Durchschnittstyp im teuren Anzug, der gut auswendig lernen kann.«

»Das ist nicht wahr, Miles. Philip Hamilton ist brillant.« Miles schnaubte verächtlich. »Das ist er wirklich. Aber kein Politiker macht alles selbst. Nicht mal der Präsident.«

»Das glaub ich dir gern.«

Margaret setzte sich auf, die Brüste nackt, das Haar zerzaust. »Bist du eifersüchtig auf Philip?«

»Ich bin eifersüchtig auf die viele Zeit, die du ihm widmest. Er geht immer vor. Du kannst dieses nicht tun, jenes nicht tun. Wenn man uns zusammen sehen würde, könnte der Klatsch, den wir verursachen, von Philip ablenken. Gott, Margaret, ich muss mir ja vorkommen wie eine Hure!« Miles' ebenholzschwarze Augen funkelten. »Vielleicht bin ich das ja auch für dich.«

»Das ist doch absurd.«

»Dann beweis es mir. Denk mal eine einzige Nacht nicht an Philip!«

»Ich hab dir schon viele Nächte geschenkt. Nur diese eine wird ein wenig kürzer. Ich muss noch meine Notizen durchgehen, dann brauch ich etwas Schlaf. Allein.«

»Und das alles hast du vergessen zu erwähnen, als du mich zum Essen eingeladen hast.« Miles warf die Decke zurück und stand auf, und seine imposanten einsneunzig ragten über der zierlichen, feingliedrigen Margaret auf. »Ich mag es nicht, wenn man mich ausnutzt, Maggie.«

»Ausnutzt!« Margaret strampelte sich aus den Laken und stand ihm gegenüber. »Seit wann fühlst du dich ausgenutzt, wenn man dir ein gutes Abendessen kocht und mit dir ins Bett geht?«

»Verstehst du das denn nicht? Wenn *ich* dir Abendessen gekocht, mit dir geschlafen und dich dann hinauskomplimentiert hätte, wärst du fuchsteufelswild geworden. Aber wenn du das machst, ist es völlig in Ordnung. Das ist das Problem mit euch Emanzen. Ihr verändert nichts. Ihr stellt einfach alles auf den Kopf, behandelt die Männer wie Scheiße und fühlt euch dabei auch noch im Recht.«

»Das ist doch absurd, Philip!«

Seine Augen wurden schmal, und er sagte mit leiser, wütender Stimme: »Ich heiße Miles, Margaret.«

Sie wurde rot. »Ich meinte ja auch *Miles*. *Philip* sage ich hundertmal am Tag. Es ist mir nur so rausgerutscht.«

»Ach ja, und ausgerechnet in Anwesenheit eines nackten Mannes?« Miles bückte sich nach seiner Jeans. »Du hast mit mir gespielt, nicht? Hast mich als billigen Ersatz missbraucht für deinen wahren Liebsten – Philip Hamilton.«

»O bitte«, Margaret spuckte fast. »Ich bin nicht deine geliebte Julianna. Sie ist doch diejenige, die mit so vielen Männern geschlafen hat, dass sie schon mal ihre Namen verwechseln konnte. Sie hätte sich für jeden hingelegt. Aber dir war das egal, nicht? Du warst blind für ihre Fehler. Absolut blind. Ein gutgläubiger *Trottel*!«

Kaum waren ihr die Worte entschlüpft, wusste Margaret, dass sie einen schweren Fehler gemacht hatte. Miles, der in seine Jeans schlüpfte, hielt in der Bewegung inne und sah sie an, und das zornige Funkeln in seinen Augen wuchs sich zu etwas Gefährlichem aus. Margaret hatte noch nie vor einem Mann Angst gehabt. Nicht wirklich. Doch jetzt fürchtete sie sich.

Und das Seltsame war, dass sie nicht einmal genau wusste,

wie dieser Streit angefangen hatte. Die letzten Minuten versanken im Nebel, die Unterhaltung war ihr entglitten, ihre Geschwindigkeit und Bitterkeit hatten sie völlig überrumpelt. Doch Margaret war ein alter Hase, was das Meistern unangenehmer Situationen anbelangte. Sie brauchte dazu nur ein wenig Charme und Fingerspitzengefühl.

Also nahm sie all ihre Kraft zusammen und lächelte süß. »Schatz, wir hatten doch einen so hübschen Abend, und jetzt ist etwas ganz Dummes daraus geworden. Wir führen uns auf wie die Kinder, und wenn ich dazu beigetragen habe, tut es mir Leid. Es war ein mörderisch anstrengender Tag. Könnten wir das Kriegsbeil nicht begraben und wieder friedlich und lieb sein?«

Miles musterte sie kühl und griff sich das Hemd. »Höchste Zeit, dass ich hier rauskomme.«

»Du willst weg? Jetzt? Es ist noch nicht mal zehn!«

»Du hast morgen früh ein wichtiges Meeting, schon vergessen? Besser, du gehst in einer halben Stunde ins Bett, sonst hast du morgen dunkle Augenringe und die Welt geht unter. Oder schlimmer noch: Hamilton verliert deinetwegen die Wahl.«

Margaret rang sich ein Lächeln ab. »Keiner achtet bei diesen Events auf mich, und wenn doch, würde ich Philip nicht in Gefahr bringen, wenn ich ein bisschen müde aussehe.«

»Da wär ich nicht so sicher. Du ziehst die Fäden der Marionette. Wenn du müde aussiehst, glauben die Leute, dass die Kampagne in die Binsen geht.«

Sie seufzte. »Hör zu, Schatz, manchmal übertreibe ich auch. Ich bin eben eine Perfektionistin.«

»Was du nicht sagst«, sagte Miles spöttisch, während er sich das Hemd zuknöpfte und das Haar im Nacken zum Pferdeschwanz band. »Nun, ich bin auch ein Perfektionist. Ich muss noch ein Bild fertig malen. Jetzt. Tut mir Leid, ich hätt's erwähnen sollen. Normalerweise ist dieses ›essen, vögeln und tschüs‹ nicht meine Art, aber du weißt ja am besten: erst die Arbeit, dann das Vergnügen!«

Margaret eilte zu ihm, wollte sein Gesicht dem ihren zudrehen und ihm einen leidenschaftlichen Kuss aufdrücken. Aber sie konnte seinen Kopf nicht bewegen. Sein Hals war plötzlich hart wie Stahl. Und die Kälte in seinem Blick ging ihr durch Mark und Bein.

»Nicht, Margaret.« Seine Stimme war kaum lauter als ein Flüstern. »Versuch nicht, mich zu küssen, halt mich nicht fest, fass mich am besten gar nicht an.« Sie wich zurück, verblüfft über seine giftige Stimme. »Und noch eins, Maggie. Sag nie mehr irgendwas Schlechtes über Julianna, sonst wirst du's bereuen, ich schwör's dir.«

Ein paar Minuten später stieg Miles in seinen Wagen, während Margaret neben der halb offenen Eingangstür lehnte, den seidenen Morgenmantel lose um den Leib geschlungen. Ärger, Verwirrung und ein wenig Furcht kämpften tief in ihren dunklen Augen. Sie war bestürzt. Und verletzt. Doch weil sie ein schlechter Verlierer war, knallte sie die Tür zu, drehte den Schlüssel herum und legte die Kette vor. Die Geste war vergeblich – Miles käme nicht zurück –, aber das Türenknallen hatte er immerhin gehört, was ihr eine gewisse Genugtuung war.

Die große Standuhr im Wohnzimmer schlug zehnmal. Wie sehr hatte sie als Teenager diese Uhr aus Kirschbaumholz geliebt! Und wie verblüfft war sie gewesen, als der ältere Mann, der ihr Mentor und Liebhaber gewesen war, sie ihr zum Magisterabschluss geschenkt hatte. »Ich bin alt. Ich brauche sie nicht mehr«, hatte er gesagt. »Aber immer wenn du sie ansiehst, wirst du dich an mich erinnern. Und sag mir nicht, dass du mich nicht verlassen wirst, weil ich weiß, dass du's tust. Du bist mir über den Kopf gewachsen, und ich werde nicht versuchen, dich aufzuhalten. Aber ich kann nicht vergessen, wie du mit sechzehn zu mir kamst, wie ein Himmelsgeschenk, eine gute Fee. Und eine Fee braucht eine wunderschöne Standuhr, die ihr die magische Stunde schlägt – um Mitternacht bei Vollmond, da sind ihre Kräfte am wirksamsten.«

»Ich wünschte, du wärst noch bei mir«, sagte Margaret wehmütig zu ihrem Geliebten, der ein Jahr nach dem Abschied gestorben war. »Du wüsstest, wie man mit Miles umgehen muss. Du würdest wissen, ob er mich wirklich liebt oder nicht, oder ob ich nur ein armseliger Ersatz bin für seine Julianna. Dieses Biest! Wenn ich sagen würde, was ich über ihren Tod weiß, könnte sich allerhand ändern. Und es wäre auch höchste Zeit für eine Veränderung, nicht nur wegen Miles.«

Bis halb zwölf hatte Margaret das Geschirr in den Spüler geräumt, ihre Notizen für morgen durchgesehen, Nachrichten gehört und einen Brief an ihre Mutter geschrieben, aber keine dieser Aktivitäten hatte ihre Nerven beruhigt. Margaret schlüpfte schließlich in ein altes Nachthemd und ging ins Badezimmer, um ihr allabendliches Schönheitsritual zu beginnen. Dabei dachte sie wieder an diese Frau, die ihr schon als Lebende so viel Ärger bereitet hatte, und die sogar jetzt noch, als Tote, Unruhe stiftete.

Julianna Brent. Was machten die Leute sich für Illusionen über sie! Margaret konnte sie jederzeit platzen lassen. Ja, Julianna war schön. Sie war aber auch eine selbstverliebte, gedankenlose, idiotische Sechsunddreißigjährige mit dem Verstand einer Zwölfjährigen gewesen. Nicht mal das, dachte Margaret böse, während sie sich Reinigungscreme aufs Gesicht schmierte. Ja, sie konnte allerhand Staub aufwirbeln, wenn sie den Namen von Juliannas Mörder und sein Motiv enthüllte. Und im Augenblick hatte sie große Lust dazu – zum Teufel mit den Konsequenzen!

Margaret rubbelte sich mit einem Waschlappen die Reinigungscreme aus dem Gesicht und zuckte zusammen, als das Zeug ihr ins Auge geriet. Es sollte doch angeblich nicht brennen, stand auf dem Beipackzettel. Sie hatte das Gefühl, als sei ihr rechter Augapfel mit unverdünntem Essig in Berührung gekommen. »Verdammt«, murmelte sie, beugte sich hinunter und neigte den Kopf zur Seite, um Wasser aus dem Leitungshahn ins Auge laufen zu lassen. »Verdammt, verdammt, *verdammt*!«

Margaret spritzte sich Wasser ins Gesicht, übers Haar, in die Nase, bespritzte den Spiegel über dem Waschbecken. Schließlich tropfte es über den neuen Toilettenschrank aus Mahagoni, den sie unlängst hatte einbauen lassen. Das Salz aus dem Wasserenthärter würde Flecken hinterlassen und die lackierte Oberfläche beschädigen. Also tastete sie nach einem Handtuch und bückte sich, um das Holz abzutrocknen. Das eine Auge hatte sie vor Schmerz fest zugekniffen, mit dem anderen sah sie etwas, verschwommen zwar, aber doch deutlich.

Ein Fuß.

Ein Fuß in einem Pantoffel aus Frottee.

Margaret richtete sich auf. »Was zum Teufel …«, stieß sie aus, da traf sie ein Schlag auf den Hinterkopf.

Sie brach zusammen, als hätten ihre Knochen sich aufgelöst. Ihre Stirn streifte die scharfe Kante des Toilettenschranks, ihre Knie knickten ein, sodass die Unterschenkel unter den Oberschenkeln gefangen waren.

Blitzschnell war jemand bei ihr und versetzte ihr einen heftigen Schlag ins Gesicht, der ihr die Augenhöhlen zertrümmerte. Augenblicklich wurde es schwarz um sie, als hätte jemand die Jalousien zugezogen, doch sie blieb bei Bewusstsein, hörte, wie weitere Gesichtsknochen knickten, der Nasenknorpel knirschte, die Zähne zersprangen.

Zuerst spürte Margaret nichts. Sie lag eingerollt auf dem Boden – blind, stumm, nahezu ohne Gefühl und verblüfft. Dann fuhr ihr ein peitschender Schmerz in alle Glieder und raubte ihr den Atem. Sie schlug um sich, blindlings, ziellos, bis man ihr die Arme auf den Boden nagelte. Wieder durchfuhr sie ein schier unerträglicher Schmerz, als etwas Kaltes, Schweres ihr den Ellbogen zertrümmerte.

Als Margaret endlich genügend Atem hatte, um zu schreien, erstickte sie fast an den Fragmenten zerbrochener Zähne. Ihre Zähne waren perfekt gewesen, dachte sie mit dem letzten Rest von Bewusstsein. Sie hatten ausgesehen wie aus Porzellan. Jetzt verstopften sie ihr vermischt mit Blut den Rachen. Sie stieß ein Gurgeln aus. »Fehlen dir die Worte, Margaret?«, fragte jemand. »Wo bleibt denn deine Selbstsicherheit?« Etwas krachte ihr auf die Brust, und sie hörte eine Rippe bersten, deren zerklüftete Kante sich gleich darauf schmerzhaft in ihre Lunge bohrte. »Aber wie heißt es in der Bibel so schön? *Hochmut kommt vor dem Fall.* Du bist selbst schuld, wie du siehst. Nein, vermutlich siehst du es nicht. Du wirst nie mehr irgendwas sehen können. Wie traurig. Dann musst du mich einfach beim Wort nehmen.«

Margaret dachte in ihrem Schmerz: Warum werde ich nicht ohnmächtig? Die Schläge hatten aufgehört. Die höhnische Stimme hatte aufgehört. Aber sie hörte noch immer. Und was am schlimmsten war, sie fühlte. Ein tief sitzender Instinkt beschwor sie, um Hilfe zu rufen, sich vom Badezimmer zum Schlafzimmertelefon zu schleppen. Doch ein anderer Instinkt, noch stärker und mächtiger als der erste, wollte einfach nur Schmerz vermeiden.

Sie blieb daher reglos liegen, wusste, dass jemand sie beobachtete, auf ein kleines Zucken lauerte, um sie erneut mit Schlägen zu traktieren. Sie traute sich kaum zu atmen, spürte, wie ihr Bewusstsein zur winzigen Flamme in ihrem Körper schrumpfte, oder was davon noch übrig war.

Wenn ich am Leben bleibe, dachte sie mit seltsam kühler Gewissheit, kann mich kein Mensch mehr so zusammenflicken, dass ich halbwegs präsentabel aussehe. Ich werde Mitleid erregen. Ekel. Ein Freak sein.

Und das wäre für Margaret Taylor, die sich mit aller Kraft um Vollkommenheit bemüht hatte, schlimmer als der Tod.

Es ist vorbei, dachte sie trostlos. Innerhalb von zehn Minuten waren ihre Intelligenz, ihre Schönheit, ihre Ambitionen und Potenziale zerbrochen wie die fragilen Knochen ihres Gesichts. Wie unbesiegbar hatte sie sich heute Nachmittag noch gefühlt. Wie ausgelöscht fühlte sie sich jetzt.

Blut strömte über die Ruine von Margarets Gesicht und sickerte in den cremefarbenen Badvorleger. Nach einer halben Ewigkeit wurde der heftige Schmerz dumpfer, verlangsamte sich ihr Herzschlag. Es geht zu Ende, dachte sie erleichtert und wusste, dass jemand sie immer noch belauerte. Endlich geht es zu Ende.

Als Margaret zum letzten Mal Atem holte, schlug im Wohnzimmer die alte Standuhr zwölfmal, verkündete heiter die magische Stunde.

Elf

1

Einmal pro Woche kam Margaret Taylors Putzfrau Ruby vorbei, und zwar um Punkt sieben Uhr morgens, damit sich der Geruch der Reinigungsmittel, die sie benutzte, verzogen hatte, wenn Margaret elf Stunden später nach Hause kam. Margaret behauptete, sie sei allergisch auf Putzmittel. Schon deren Geruch lasse ihre Augen anschwellen und verursache ihr Niesen.

Wenn Fräulein Etepetete schon den Anblick von Schrubber und Putzlappen abstoßend fand, dachte Ruby, wie wäre es dann erst, wenn sie es selber tun müsste? Vielleicht hatte Margarets Mutter sich ja den Lebensunterhalt mit Putzen verdient und Margaret sich dessen geschämt. Oder noch besser, womöglich hatte Fräulein Etepetete sich selbst mit Putzen durchbringen müssen! Letzteres überzeugte Ruby noch mehr, die sich viel auf ihre gute Menschenkenntnis einbildete. Sie hatte schon oft überlegt, ob sie nicht den Putzlumpen an den Haken hängen und stattdessen Psychologin werden sollte. Sie säße den ganzen Tag in ihrer schicken Praxis, die Leute würden ihr ödes Leben vor ihr ausbreiten und sie könnte bequem viele hunderttausend Dollar verdienen.

Doch Rubys Karriereträume wurden an diesem Morgen jäh unterbrochen, als sie auf ihrem Weg durch die Taylorsche Wohnung Margarets Leiche auf dem Badezimmerboden fand.

Zumindest ging sie davon aus, dass es Margaret war. Als Ruby aus dem Haus rannte und sich mitten in die Stille des frühen Morgens hinein die Seele aus dem Leib schrie, hatte sie auf dem ungünstig cremefarbenen Badteppich vor dem Toilettenschränkchen lediglich ein zertrümmertes, blutiges, hässliches Etwas zur Kenntnis genommen, das entfernte Ähnlichkeit mit einem weiblichen Körper hatte.

Ruby war kreischend die Straße langgerannt, bis der distinguierte Dr. Hawkins, der immer mit den Vögeln aufstand, im karierten Morgenmantel aus seinem Haus gestolpert kam und sich mit der stämmigen Ruby, die heftig mit den Armen ruderte, buchstäblich einen Ringkampf lieferte. Sie kreischte und heulte weiter, plapperte unverständliches Zeug, bis ihr der sanfte Dr. Hawkins widerstrebend eine klatschende Ohrfeige auf die rundliche Wange verpasste. Ruby riss erschreckt die Augen auf und schlug zurück. Fest. Aber zumindest hielt sie den Mund.

»Meine Güte, Madam, was ist denn in Sie gefahren?«, fragte Dr. Hawkins und bemühte sich, die beißenden Tränen fortzublinzeln, die der Schlag von Rubys arbeitsrauer Hand ihm in die Augen getrieben hatte.

Doch es war zu spät. Sie hatte die Tränen gesehen und war bestürzt, was sie dem Ärmsten angetan hatte, der doch aus England und nichts weniger als ein Literaturprofessor war. »Dr. Hawkins, es tut mir ja *so* Leid.« Die fünfundvierzigjährige Ruby fand Dr. Hawkins bemerkenswert gut aussehend für einen Endfünfziger. Er war außerdem Witwer und gut betucht. »Es ist nur … Sie würden es nicht glauben … Es ist so schrecklich …« Ein Bild der zerschlagenen Leiche schob sich ihr vor das geistige Auge, und wieder entfuhr ihr ein Heulen, das durch Mark und Bein ging.

»Madam … es tut mir Leid, doch ich weiß Ihren Namen nicht …«

»Fincher«, schluchzte Ruby. »Miss Ruby Fincher.«

»Ja nun, Miss Fincher, bitte beruhigen Sie sich und erzählen Sie mir, was los ist. So schlimm kann es doch nicht sein.«

»Sie ist tot!«, schrie Ruby. »Zumindest glaube ich, dass sie tot ist. Miss Taylor, mein ich.«

Dr. Hawkins wich zurück. »Tot? O nein. Das kann nicht sein. Sie ist doch noch so jung. Vielleicht ist sie nur krank.«

»Krank! Wohl kaum! Sie liegt im Badezimmer auf dem Boden, ein blutiger Haufen Fleisch, der Schädel zertrümmert, die Zähne ausgeschlagen, und alles ist voller Blut.« Ruby schien nicht zu bemerken, dass Dr. Hawkins übel geworden war, weil sie gerade ein anderes Problem beschäftigte: »Jesusmaria, den Teppich krieg ich nie mehr sauber!«

»Du lieber Himmel«, sagte Dr. Hawkins schwach. »Wir müssen etwas tun …«

»Keine zehn Pferde kriegen mich noch mal in diese Wohnung!«

»Nein, nein, sicher nicht. Wir rufen jemanden. Genau, das wird das Beste sein. Wir gehen in mein Haus und rufen die Polizei.« Er versuchte sanft, sich aus Rubys Pythongriff zu lösen. »Sind Sie imstande zu gehen, Miss Fincher?«

»Ja, ich glaub schon.« Ruby wich einen Schritt zurück, stellte sich breitbeinig hin, schwankte ein wenig und griff nach seinem Arm, wie um sich festzuhalten. »Ja, bis zu Ihrem Haus werd ich's wohl schaffen, wenn ich mich festhalten darf.«

»So ist es gut. Lehnen Sie sich nur an mich, Miss Fincher.« Sie bewegten sich langsam auf sein großes, schieferblaues Haus im Cape-Cod-Stil zu. »Sie Ärmste. Dass Sie so etwas Schreckliches sehen mussten!« Dr. Hawkins schauderte ein wenig. »Ich werd den Anruf tätigen und Ihnen dann einen Tee aufsetzen. Guter heißer Tee, der wird Ihnen gut tun.«

Ruby schenkte ihm ihr bezauberndstes Lächeln, obwohl sie unter den gegebenen Umständen lieber einen doppelten Scotch gekippt hätte, doch Tee mit Dr. Hawkins war besser als nichts. O ja, vielleicht hatte Fräulein Siebengescheit Ruby noch einen Gefallen erwiesen. Ihretwegen hatte Ruby endlich die Gelegenheit, Dr. Hawkins ein bisschen näher kennen zu lernen.

Dann dachte Ruby wieder an den blutigen Haufen, der Margaret jetzt war, und fasste sich an das kleine goldene Kreuz, das sie immer um den Hals trug. Sie würde sich zu keinen schlechten Gedanken über diese Frau hinreißen lassen, ganz gleich, wie hochmütig sie gewesen war. Ruby würde heute Abend in die Kirche gehen, eine Kerze anzünden und ein Gebet für sie sprechen. Ja, das würde ihr Gewissen erleichtern. Sie würde ein katholisches *Gegrüßet seist du Maria* für sie beten und gleich noch ein hübsches evangelisches Gebet hinterherschicken, damit Margaret im Jenseits Ruhe fände. Das sollte genügen.

Und sie hoffte, dass niemand von ihr erwartete, diesen Teppich im Badezimmer zu säubern.

2

»Adrienne? Hab ich dich geweckt?«

Selten nannte ihre Nichte sie einfach nur ›Adrienne‹. »Nein, Rachel. Ich bin schon seit zwanzig Minuten auf.« Adrienne warf einen Blick auf die Küchenuhr und sah, dass es kurz nach acht war. »Ist etwas passiert?«

»Ja. Große Neuigkeit.« Rachel holte tief Luft und sagte mit erzwungener Ruhe: »Margaret ist tot.«

»Tot?«, wiederholte Adrienne tonlos. »Hatte sie einen Autounfall?«

»Nein.« Rachels Stimme zitterte. »Es war Mord. In ihrer Wohnung. Die Putzfrau hat sie heute Morgen gefunden.«

Das Wort *Mord* verschlug Adrienne die Sprache. Sie stellte sich vor, wie die elegante Margaret Taylor, die Vicky mit ihrer nervig dominanten Art schier in den Wahnsinn getrieben hatte, tot in ihrer Wohnung lag.

»Tante Adrienne?«

»Ja, Schatz, ich bin hier.«

»Die Presse hat schon Wind davon bekommen. Es sind einige Reporter hier, bestimmt kommen noch mehr. Dad brüllt wie ein Verrückter auf uns ein, als wären wir dran schuld. Mir hat er verboten, heute zur Arbeit zu gehen, und Mom ist kurz davor, durchzudrehen.« Rachels Tonfall wurde allmählich flehend. »Könntest du nicht rüberkommen? Ich glaube, Mom braucht dich ganz dringend.«

»Ich komm, so schnell ich kann.« Eine seltsame Ruhe, aus dem Schrecken geboren, erfasste Adrienne. Sie fühlte sich stark und tüchtig und organisiert. »Geh nicht raus, sprich mit keinem der Reporter, auch wenn du mit einigen von denen befreundet bist. Damit würdest du deinen Vater nur gegen dich aufbringen. Und halt ihn deiner Mutter vom Leib. Er kann ja meinetwegen im Keller schreien, wenn es ihm hilft.«

Adrienne erahnte ein Lächeln in Rachels Stimme. »Danke, Tante Adrienne. Du rettest mir das Leben.«

Adrienne stellte den Morgenkaffee ab und ging in Skyes Zimmer. Sie schlief für gewöhnlich nicht so lange, aber sie waren gestern Nacht beide nicht zur Ruhe gekommen und bis nach Mitternacht aufgeblieben, hatten Popcorn gegessen und sich den Gruselfilm *The Others* angesehen. Neben Skyes Bett auf seinem riesigen Kissen lag Brandon und gab ein schlabberndes Schnarchen von sich. Adrienne musste sich über ihn beugen, um das Mädchen sanft aus dem Schlaf zu schütteln.

Skye grummelte, schlug die Augen auf und sah ihre Mutter erschreckt an. »Was ist?«

»Es ist etwas passiert. Margaret Taylor ist tot. Rachel hat angerufen und uns gebeten, rüberzukommen und sie moralisch zu unterstützen. Die Leute von der Presse sind schon dort.«

»Tot! Meine Güte.« Skye warf die Decke zurück und stieg

über Brandon, der gerade einen heldenhaften Versuch unternahm, die steifen Glieder zu dehnen. »Woran ist Margaret gestorben?«

»Tja, wie's aussieht hat man sie … ermordet.«

»Ermordet!« Skye erstarrte. »Wie?«

Da erkannte Adrienne, dass sie Rachel nicht danach gefragt hatte. »Ich weiß es nicht.«

»Du weißt es nicht?« Skye starrte sie ungläubig an. »Gott, Mom, warum weißt du das nicht? Hast du denn nicht gefragt?«

»Nein. Ich war so überrascht, und Rachel hörte sich so gehetzt und besorgt an.«

»Wir werden es noch früh genug erfahren«, entgegnete Adrienne schroff, um weiteren Fragen aus dem Weg zu gehen. »Zieh dich rasch an. Rachel sagt, ihre Eltern sind völlig außer sich.«

»Das kann ich mir vorstellen! Mom, wie kannst du bloß so ruhig bleiben? Hier ist ein Mord geschehen! Und wieder hat es jemanden getroffen, den wir kannten. Das ist doch unheimlich!«

Adrienne lief es kalt den Rücken hinunter. Vielleicht war das ja der Grund, warum sie Rachel nicht nach Einzelheiten gefragt hatte. Skye hatte Recht – noch jemand, den sie kannten, war ermordet worden. Und was das bedeutete, war so beängstigend, dass sie nicht darüber nachdenken mochte.

Sie und Skye hatten einen kleinen Wortwechsel, ob sie Brandon mitnehmen sollten oder nicht. Als sie in die Auffahrt zu den Hamiltons bogen und ein kleiner, aber aggressiver Haufen Reporter auf sie losstürmte, war Adrienne froh, dass Skye gewonnen hatte. Ein fünfzig Kilo schwerer Hund, der bedrohlich knurrte, hielt ihnen die Meute vom Leib. Die Leute konnten ja nicht ahnen, dass Brandon noch nie zugebissen hatte. Das Knurren war ein Trick, den Skye ihm beigebracht hatte, und kaum hatten sie unbehelligt das Haus erreicht, nahm Brandon glücklich hechelnd die Belohnung entgegen, mit der sein Frauchen die oscarverdächtige Leistung quittierte.

Mrs. Pitt öffnete ihnen die Tür. »Ist das nicht schrecklich? Diese abscheulichen Menschen dort draußen hämmern gegen die Tür, versuchen sogar, durch die Fenster zu spähen! Ms. Taylor wurde immer ohne viel Aufhebens mit ihnen fertig, daher dachte ich, sie loszuwerden müsse einfach sein. Jetzt sehe ich, dass dem nicht so ist, aber ich kann ihr nicht mehr sagen, wie tüchtig sie war.«

»Ich glaube nicht, dass Margaret Komplimente brauchte, um ihr Selbstbewusstsein aufzupolstern.« Das hatte abweisend geklungen, deshalb setzte sie lahm nach: »Sie hat ihre Arbeit geliebt.«

»Das ist wohl wahr.« Mrs. Pitt schüttelte kummervoll den Kopf. »Keiner wollte frühstücken heute Morgen, also habe ich nur Zimtrollen gebacken. Haben Sie Hunger?«

»Irgendwie schon«, sagte Skye.

Da lächelte Mrs. Pitt. »Das ist gut. Rachel ist in der Küche und trinkt Kaffee. Vielleicht kannst du sie ja dazu bringen, auch etwas zu essen.«

»Ich werd mal zu meiner Schwester gehen. Ist sie in ihrem Schlafzimmer?«, fragte Adrienne, die die Antwort schon kannte. Seit sie denken konnte, hatte Vicky sich in ihrem Schlafzimmer verkrochen, wenn sie Kummer hatte.

»Ja. Sie war erst zweimal hier unten heute Morgen, und jedesmal haben sie und Mr. Hamilton … nun ja … das ist für uns alle ein harter Schlag.«

Was im Klartext bedeutete, dass Vicky dem wütenden Philip in die Arme gelaufen war und vor ihm Reißaus genommen hatte. Wie konnte Philip bloß glauben, er würde irgendetwas zur Verbesserung der Lage beitragen, wenn er im eigenen Haus einen solchen Aufstand veranstaltete?

»Gehen Sie ruhig, Ms. Reynolds«, sagte Mrs. Pitt. »Ich werd Ihnen Kaffee und Brötchen raufbringen.«

Mrs. Pitt war schon seit zehn Jahren bei den Hamiltons, und Adrienne hatte manchmal das Gefühl, als sei die tüchtige, fürsorgliche Witwe alles, was die Familie noch zusammenhielt. Sie tätschelte den Arm der Frau. »Danke. Und geben Sie Brandon nicht zu viele Zimtrollen.«

Oben klopfte sie leise an die Schlafzimmertür, und ohne auf Antwort zu warten, trat sie ein. Vicky lag auf ihrem Bett, das Gesicht teigig, die Lippen farblos, den blonden Pony nach hinten geschoben, sodass ein Haaransatz zum Vorschein kam, der feucht war von Schweiß. Sie hob mit zitternden Fingern eine Zigarette an den Mund, inhalierte tief und sagte dann: »Gott sei Dank bist du gekommen. Ich fühle mich so mies, als ob ich gleich zusammenbrechen würde.«

Adrienne ging quer durchs Zimmer und setzte sich neben Vicky aufs Bett, die sofort sagte: »Kein Wort darüber, dass ich rauche. Ich hab seit einem Jahr keine Zigarette mehr angefasst, aber die hier hab ich mir verdient, finde ich.«

»Ich hab doch gar nichts gesagt.«

»Wie geht's Rachel?«

»Ganz gut, nehm ich an. Sie ist in der Küche mit Mrs. Pitt. Skye leistet ihr Gesellschaft.«

Vicky nickte abwesend. Sie war ein Wrack. »Was ist mit Margaret passiert?«, fragte Adrienne.

»Gestern Abend um sechs hat sie hier noch herumkommandiert, dann ist sie nach Hause gefahren, und kurz darauf wurde sie umgebracht.«

»Du meinst, jemand hat in ihrem Haus auf sie gewartet? Ein Einbrecher womöglich?«

Vicky zuckte die Schultern. »Ich weiß nicht viel. Nur, dass ihre Putzfrau sie heute Morgen tot aufgefunden hat.« Sie verstummte, als wäge sie ab, ob sie noch mehr verraten solle. »Sie war im Badezimmer. Jemand hat sie erschlagen. Ein Reporter erzählte Philip, sie sei fast nicht mehr zu erkennen gewesen.«

»O Gott«, stieß Adrienne aus. »Sie ist gleich nach ihrer Ankunft zu Hause im Badezimmer überfallen worden?«

»Ich hab dir alles erzählt, was ich weiß. Alles, was zählt.«

»Alles, was zählt?«

»Ja. Sie ist weg. Endgültig. Aus unserem Leben verschwunden. Für mich ist es das Einzige, was zählt.«

»Vicky, ich weiß ja, dass du sie nicht leiden konntest. Ich mochte sie auch nicht, aber sie hat es nicht verdient, tot geschlagen zu werden.«

»Nicht?« Vicky blies einen flüchtigen, flinken Rauchfaden aus. »So gut haben wir sie doch gar nicht gekannt. Nicht wirklich. Ich zumindest nicht. Ich weiß nur, dass sie etwas Abscheuliches getan hat und genau das bekam, was sie verdiente.«

Adrienne saß schweigend da, wie betäubt von der Bösartigkeit dieser Worte. Sie erkannte plötzlich, dass Vickys Hass auf Margaret viel stärker war als nur Antipathie oder Eifersucht. Sie hatte die Frau verabscheut und war froh, dass sie tot war, auch wenn sie noch so brutal gestorben war. Adrienne lief es kalt den Rücken hinunter, als diese Erkenntnis in sie einsickerte.

Trotz ihrer Erschütterung bemühte sich Adrienne um eine neutrale Miene, als sie beiläufig fragte: »Ob sie schon eine Spur haben, was meinst du?«

»Was weiß ich.« Vicky drückte die Zigarette aus und schüttelte sich gleich darauf eine neue aus der Packung. »*Du* hast doch mit dem hiesigen Ordnungshüter ein Techtelmechtel. Deshalb hast du auch die bessere Informationsquelle. Hat er dir nicht längst alles erzählt?«

»Nein, Vicky, das hat er nicht«, sagte Adrienne ruhig. »Er ist mir in letzter Zeit ein bisschen ausgewichen.«

Vicky betätigte das Feuerzeug und schaute sie leicht spöttisch an. »Wird die Romanze schon kühler?«

»Sie ist noch nie brandheiß gewesen.«

»Nein, das dachte ich mir schon«, sagte Vicky langsam. »Er hat vor vielen Jahren mal für Philip gearbeitet, weißt du. Ich kenne ihn ziemlich gut. Er ist ein guter Mann, Adrienne.«

»Ich weiß.«

»Viel verlässlicher als Drew Delaney.«

»Was hat denn Drew Delaney damit zu tun?« Adrienne hörte den defensiven Unterton in ihrer Stimme. »Ich treffe mich nicht mit Drew.«

»Ich rede ja auch nicht von dem, was du tust. Nur von dem, was du fühlst.« Vicky zog gierig an der Zigarette. »Ich glaube, dass Rachel in ihn verknallt ist.«

Adrienne kam das Thema Rachel sehr gelegen. »Drew sieht gut aus und ist ausgesprochen charmant. Und Bruce Allard gefällt ihr nicht besonders. Ich kann es ihr nicht verdenken, um ehrlich zu sein. Er ist ziemlich von sich eingenommen.«

»Seine Eltern haben ihm ein Leben lang eingeredet, wie toll er ist. Du solltest sie hören. Dir würde schlecht werden. Kein Wunder, dass er eingebildet ist. Aber ansonsten ist er harmlos. Außerdem ist er in Rachels Alter. Er macht mir keine Sorgen. Sich mit Drew Delaney einzulassen, wäre ein anderes Kapitel.«

»Wer hat sich mit Drew Delaney eingelassen?«, Philip marschierte ins Schlafzimmer, als ginge es in die Schlacht. »Triffst du dich mit Delaney, Adrienne?« Ehe sie eine Chance hatte, ihm zu antworten, verdrehte er die Augen und höhnte: »Das sieht dir ähnlich! Zuerst Salonlöwe Reynolds, dann Schürzenjäger Delaney.«

Adrienne packte die Wut. »Was fällt dir eigentlich ein, so über meinen toten Ehemann zu sprechen?«

»Stimmt es etwa nicht?«

»Trey ist aufgetreten. Das tust du auch. Und zu deiner Information, Philip, es gibt eine Menge Leute, die mehr Respekt vor Schauspielern haben als vor Politikern!«

Philip wurde dunkelrot im Gesicht. »Wag es nie mehr, mich mit ihm zu vergleichen!«

»Keine Sorge. Ich hab gerade erkannt, dass ich Trey damit keinen Dienst erweisen würde.« Philip ballte die Faust, doch Adrienne war noch nicht fertig. »Und ich treffe mich nicht mit Drew, aber auch wenn es so wäre, dann würde es dich nichts angehen!«

»Was sich auf meine Karriere auswirken könnte, geht mich sehr wohl etwas an!«

Adrienne sprang auf, starrte Philip wütend ins Gesicht. »Deine Karriere kümmert mich einen Dreck!«

»Du bist die Schwester meiner Frau. Was du tust, fällt auf mich zurück. Und ich verlange von dir, dass du darauf Rücksicht nimmst. Aber du hast ja schon immer nur an dich gedacht, ohne Rücksicht auf Verluste, Vicky und Rachel sind dir völlig egal.«

»Wenn hier jemand keine Rücksicht nimmt auf Vicky und Rachel, dann bist das *du*.« Adrienne klopfte das Herz wie wild. »Hör zu, Philip, ich kann ja verstehen, dass Margarets Tod dir an die Nieren geht, aber das gibt dir noch lange nicht das Recht, derart rücksichtslos mit uns anderen umzugehen!«

»Er ist mehr als erschüttert über Margarets Tod«, sagte Vicky plötzlich mit kalter, harter Stimme. »Er war in sie verliebt und ist jetzt am Boden zerstört.«

»Du liebe Zeit!«, platzte Philip heraus, und sein wütender Blick wanderte von Adrienne zu seiner Frau. »Nicht schon wieder!«

»O doch.« Vicky hatte Tränen in den geröteten Augen. »Ich weiß, dass Margaret einen Liebhaber hatte, und dieser Liebhaber warst du, Philip.«

Philip wand sich wie eine Schlange. Adrienne brachte sich vor ihm in Sicherheit, wusste nicht genau, was er tun würde. Schließlich warf er Vicky einen Blick voll kühler Verachtung zu: »In einem hast du Recht, meine Liebe. Margaret hatte tatsächlich einen Liebhaber. Ich hab eben einen Anruf meines Kontaktmanns bei der Polizei erhalten. Wie's aussieht, wusste Margarets Putzfrau mehr über sie als wir. Ihr zufolge hatte Margaret eine heiße Affäre mit Miles Shaw.«

»Mit Juliannas Miles?«, rief Adrienne überrascht.

»So ist es.« Philip sah seine Frau triumphierend an. »Wie findest du das, Vicky?«

Vicky schien in den Bettlaken zu schrumpfen, sah betroffen drein. Adrienne dachte daran, wie sehr Vicky Margaret gehasst hatte, wie sicher sie gewesen war, dass Philip eine Affäre mit ihr hätte, und wie mitgenommen sie jetzt aussah, als habe sie vor kurzem etwas Entsetzliches durchgemacht.

Wo mochte Vicky zur Tatzeit wohl gewesen sein, fragte sich Adrienne.

3

Eine Schweißperle rollte von Miles Shaws Haaransatz durch das Geflecht feiner Krähenfüße in den Augenwinkeln, über die hohen Wangenknochen und tropfte ihm vom Kinn aufs schwarze Hemd. Sheriff Flynn starrte ihn über den Tisch im Verhörraum des Polizeireviers hinweg an. Lucas bemerkte, dass Shaw sich mächtig bemühte, seinem Blick ohne Blinzeln standzuhalten, doch es gelang ihm nicht. Alle zehn Sekunden etwa glitten Shaws grüne Augen zur Seite, nach links oder hinunter auf seine schlanken Künstlerhände, die er stillzuhalten suchte.

»Sie wissen, dass Margaret Taylor ermordet wurde«, sagte Lucas ohne Umschweife.

»Ich wusste es, als Sie heute Morgen gegen die Tür meines Ateliers hämmerten.«

»Nicht eher?«

Shaw schüttelte den Kopf. »Ich war eben aufgestanden.«

»Und Sie haben es nicht in den Nachrichten gesehen.«

»Ich sehe mir die Morgennachrichten nicht an.«

»Und als Sie heute Morgen in Mrs. Taylors Haus waren? Wo lag da die Leiche?«

»Ich war heute Morgen nicht bei ihr.«

»Aber letzte Nacht.«

Shaw zögerte. Sein Blick schweifte ab, doch er wurde genau von Lucas beobachtet. Endlich räumte er ein: »Also gut. Ich hab keinen Grund, Sie anzulügen. Ich *war* letzte Nacht in ihrem Haus.«

»Bis wann?«

»Zehn Uhr.«

»Punkt zehn?«

»Ja.«

»Meine Güte, Sie nehmen es aber genau mit der Uhrzeit«, sagte Lucas leutselig. »Die meisten Leute sind nicht so präzise.«

»Margaret hat eine Standuhr. Sie schlug, als ich aus der Tür ging.«

»Wie praktisch.«

»Reiner Zufall.«

»Und Margaret war am Leben, als Sie gegangen sind?«

»Natürlich war sie am Leben«, fauchte Shaw.

»Denn später hat sie ganz höllische Prügel bezogen. So wie's aussieht mit einem breiten Hammer, Shaw. Ihr Gesicht war zertrümmert. Sie muss entsetzliche Schmerzen gelitten haben, war aber nicht sofort tot.«

Shaw ballte die Fäuste, biss die Zähne zusammen. »Als ich Margaret um zehn verlassen habe, war sie völlig in Ordnung.«

Lucas lächelte. »Wollen Sie etwas zu trinken, Mr. Shaw? Kaffee vielleicht? Cola?«

Der veränderte Tonfall machte Miles stutzig. »Ich will eine Zigarette.«

»Tut mir Leid. Rauchen ist hier verboten.«

»Klassisch.«

»So leben Sie länger.«

»Indem ich eine Zigarette auslasse?«, spottete Miles. »Das bezweifle ich.«

»Sie rauchen eine andere Sorte als Margaret, stimmt's?«

Miles sah ihn halb verwundert, halb belustigt an. »Was soll das nun wieder heißen?«

»Daran hat Ruby Fincher, Ms. Taylors Putzfrau, erkannt, dass Sie letzte Nacht im Haus waren. Sie haben Zigarettenstummel im Aschenbecher hinterlassen, die nicht Margarets Sorte waren.«

»Und ich bin der einzige Mensch in der Stadt, der Camel raucht?«

»Diese Zigarettenstummel lagen in einem Aschenbecher auf Margarets Nachttisch, gleich neben dem zerwühlten Bett, auf dem wir Samenspuren fanden.«

»Woraus Sie schließen, dass *ich* mit Margaret zusammen gewesen war, stimmt's?«

Lucas zuckte die Schultern. »Ruby Fincher zufolge ja.«

»Die Frau ist ja ein richtiger Sherlock Holmes! Sagen Sie mir auch, welche ihrer genialen Einsichten mich verraten haben?«

»Tja, vor ein paar Wochen fand Ruby einen Zeitungsausschnitt über Sie auf Margarets Schreibtisch. Sie bemerkte ein neues Bild in Margarets Wohnung, von Ihnen gemalt, von dem sie Ruby vorschwärmte, obwohl sie es normalerweise kaum für nötig hielt, mit der Frau auch nur ein Wort zu wechseln. Und einmal, da haben Sie Ihren Halsschmuck da auf Margarets Nachttisch vergessen, neben einer leeren Packung Camel-Zigaretten. Ruby hatte ihn schon mal gesehen, auf dem Foto über dem Zeitungsartikel. Wie Sie sehen, Mr. Shaw, sind es immer die Kleinigkeiten, über die man stolpert.«

»Tja, und über die neugierige Putzfrau.« Miles lehnte sich zurück und verschränkte die Hände im Nacken. Lucas' Blick fiel auf Shaws langen, glänzenden Zopf. Kein Mann außer Shaw trug in dieser Gegend einen Zopf mit eingeflochtenem Lederband. Lucas hatte nie besonders darauf geachtet, doch jetzt ging ihm dieser Zopf plötzlich auf die Nerven. Er kam ihm anmaßend und affektiert und gewollt künstlerisch vor. Shaw führte sich auf wie ein verdammter Pfau, dachte Lucas wütend. Er tat so, als stünde er weit über dem phantasielosen, untalentierten Menschenhaufen, mit dem *er* sich tagtäglich herumschlagen musste. »Stimmt was nicht, Sheriff?«, fragte Miles schließlich, wobei seine Stimme schwach anklingen ließ, dass ihm durchaus bewusst war, wie sehr seine pure Gegenwart Lucas auf die Nerven ging.

»Nur das Offensichtliche.« Soll Shaw doch glauben, was er will, dachte Lucas. »Warum hat Sie nie jemand mit Ms. Taylor gesehen? Warum haben Sie beide nie über Ihre Beziehung gesprochen oder sich in der Öffentlichkeit zusammen gezeigt?«

Miles verlagerte sein Gewicht auf dem Stuhl, und seine Hände kamen nach vorn. Seine Finger zuckten – der Drang des Gewohnheitsrauchers, sich am Glimmstängel festzuhalten. »Die Sache geheim zu halten, war Margarets Idee. Sie sagte, unsere Romanze könnte von Philip Hamiltons Kampagne ablenken. Ich dagegen hatte den Verdacht, dass sie befürchtete, er könne eifersüchtig sein.«

»Glauben Sie denn, dass Philip Hamilton in Margaret verliebt gewesen ist?«

Miles schwieg, fuhr sich abwesend mit dem Ringfinger über eine schwarze Augenbraue. »Der Mann meldet doch bei jeder Frau, die seinen Kreis betritt, Besitzansprüche an. Er betrachtet sie als sein Eigentum. Sie müssen seinen Ansprüchen gerecht werden und sich so benehmen, wie er es für angemessen hält. Und er braucht immer ihre volle Aufmerksamkeit.«

259

Miles sah Lucas unverwandt an. »Sogar Adrienne behandelt er so. Sie können mir nicht einreden, dass Sie das noch nicht bemerkt haben.«

»Um ehrlich zu sein, nein.« Lucas' Stimme klang gelassen, obwohl Shaw, indem er Adrienne ins Spiel brachte, seine Selbstbeherrschung anzapfte. Und der Mann hatte Recht, was Hamilton betraf. Adrienne hatte ihm erzählt, wie egoistisch sich Philip aufgeführt hatte, nachdem sie überfallen worden war, erinnerte sich Lucas. Ihm war es nur um den schlechten Eindruck gegangen, den sie als seine Schwägerin gemacht haben könnte. Trotzdem würde Lucas sich vor diesem Miles Shaw keine Blöße geben. »Adrienne ist äußerst eigenwillig. Sie würde sich nie von Philip Hamilton herumkommandieren lassen.«

Miles warf den Kopf in den Nacken und lachte, womit er Lucas noch mehr auf die Nerven ging. »Eigenwillig ist gut. Aber mir würden noch viel treffendere Beschreibungen für sie einfallen.«

Lucas sah Miles forschend an, wusste, dass der ihn provozieren wollte. Er würde ihm nicht die Genugtuung geben, dass ihm dies gelungen war. »Wir müssen Ihr Alibi überprüfen, Shaw, falls Sie eins haben«, sagte er kühl. »Wohin sind Sie gefahren, nachdem Sie sich von Margaret verabschiedet hatten?«

»Ins Heaven's Door. Draußen an der Route 2.«

»Wann genau sind Sie dort angekommen?«

»Ich weiß es nicht. Zwischen zehn und halb elf.«

»Keine Standuhr, die die genaue Zeit geschlagen hat?«

»Nein«, sagte Miles gelassen. »Aber ich bin von Margaret aus direkt dorthin gefahren.«

»Warum sind Sie nicht nach Hause gefahren?«

»Ich hatte noch keine Lust. Zu viel überschüssige Energie.«

»Und Sie tanzen gern.«

»Nein, das nicht gerade, aber ich hör gern Musik. Die haben eine gute Band.«

»Im Heaven's Door spielen mehrere Bands. Welche war's denn gestern?«

»Nepenthe. Das ist indianisch, bedeutet Friede.«

»Danke für die Belehrung, Mr. Shaw. Gehen Sie öfter ins Heaven's Door?«, fragte Lucas.

»Ab und zu.«

»Allein?«

Kurzes Zögern. Leichtes Augenflackern. »Ich war allein da, ja. Aber manchmal treffe ich mich dort mit einem Mädchen.«

»Name?«

Kurze Pause. »Äh, Nikki. Mehr weiß ich nicht. Und bevor Sie fragen, ich bin mit ihr weggegangen.«

»Würden Sie mir freundlicherweise mehr Informationen über sie geben, damit ich Ihr Alibi überprüfen kann?«

»Sie ist ungefähr eins achtundsechzig oder eins siebzig groß, dunkelhaarig, attraktiv, jung. Wie sie mit Nachnamen heißt, weiß ich nicht. Ich weiß auch nicht, wo sie wohnt. Wir fahren nie zu ihr. Sie lebt bei ihrer Familie. Und gestern Nacht war sie nicht da, also könnte sie Ihnen sowieso nichts sagen.«

»Wirklich? Diese Nikki, von der Sie weder den Nachnamen noch die Adresse kennen, ist ausgerechnet gestern Nacht, wenn sie Ihnen ein Alibi hätte verschaffen können, nicht da. Wieder mal sehr praktisch, Mr. Shaw.«

Miles schwieg, verbarg nur noch mit Mühe seinen Ärger. Und vielleicht ein wachsendes Gefühl der Angst. Endlich hob er in einer Geste der Hilflosigkeit die Hände. »Sehen Sie, ich kann's nicht ändern. Ich war nur ein paar Mal mit Nikki zusammen, und wenn ich sie als Alibi benutzen könnte, dann würd ich das verdammt noch mal tun, das dürfen Sie mir glauben. Aber ich bin nicht der Einzige, der sich mit ihr im Heaven's Door getroffen hat. Und irgendjemand *muss* mich letzte Nacht da gesehen haben.«

»Aber sicher. Wo war ich nur in Gedanken? Ein berühmter Künstler wie Sie ist ja von Fans umzingelt. Sie sind hier ja eine Art Andy Warhol für Arme, hab ich Recht? Wird Ihnen das ewige Autogrammeschreiben nicht zu viel?«

»Ich und Andy Warhol haben nichts gemein, höchstens, was das Äußere betrifft, Sheriff Flynn. Wir heben uns von der Masse ab.« Die Selbstzufriedenheit in seiner Stimme war zum Verrücktwerden. »Ich bin über eins neunzig groß, habe hüftlange schwarze Haare und definitiv indianische Züge. Mit anderen Worten, ich bin eine auffällige Erscheinung.«

Shaw grinste und lümmelte sich in seinem Stuhl wie einer dieser klugscheißerischen Jungkriminellen. Lucas hatte große Lust, ihm den Stuhl unterm Hintern wegzutreten.

»Tja, Mr. Shaw, dann sollten Sie lieber hoffen, dass Sie in der Menge aufgefallen sind«, sagte Lucas mit ruhigem Nachdruck, »denn sonst haben Sie kein Alibi. Ohne Alibi werden der Staatsanwalt und meine Wenigkeit annehmen, Sie hätten eine junge, unschuldige Frau, die jeder kennt und achtet, weil sie zufällig den Wahlkampf eines Anwärters für das Gouverneursamt managt, auf grausame Weise ermordet und verstümmelt. Und wenn wir Sie für diesen Mord verhaften, dann dürfen Sie nicht viel Verständnis erwarten, mein lieber Miles. Gar nicht viel Verständnis.«

Zwölf

1

Um sechs Uhr schauten Adrienne und Skye sich die Abend-
nachrichten an. Nach der einleitenden Musik tauchte das
Gesicht einer jungen Moderatorin auf, die das brave, glatte,
gute Aussehen von tausend anderen Moderatorinnen hatte.
Sie wandte sich strahlend an die Fernsehzuschauer. »Guten
Abend, allerseits! Danke, dass Sie uns eingeschaltet haben!«

Im nächsten Augenblick wurde ihre Strahlemiene ernst.
»Wie die Polizei mitteilt, wurde die zweiunddreißigjährige
Margaret Taylor heute gegen Mitternacht in ihrer Wohnung
in Point Pleasant erschlagen. Ms. Taylor war die Wahlkampfmanagerin von Philip Hamilton, der das Amt des Gouver-
neurs anstrebt.«

Schnitt, und man sah ein Foto von Margaret, auf dem ein
sanftes Lächeln ihren Mund umspielte, die mandelförmigen
Augen im olivfarbenen Gesicht liebreizend und verletzlich
dreinblickten, das schwarze Haar ihr ausnahmsweise in glänzenden Wellen über die Schultern fiel. Das nächste Foto zeigte
eine adrette, schick gekleidete Margaret, die Philip ein strahlendes Lächeln schenkte, während im Hintergrund Vicky ver-
grämt, schmaläugig und ein wenig feindselig dreinsah. »O
nein«, stöhnte Adrienne.

Die Moderatorin sprach mit ernster Miene weiter. »Heute
Morgen um sieben Uhr wurde Ms. Taylor von ihrer Putzfrau

Ruby Fincher in ihrer Wohnung tot aufgefunden.« Ein Film wurde eingeblendet. Eine Frau schaute unruhig hin und her, bis man sie zum Sprechen aufforderte. Daraufhin glotzte sie mit hervorquellenden Augen in die Kamera und holte tief Luft. »Ich bin jetzt fünfunddreißig Jahre alt, aber so was Grausiges hab ich noch nie gesehen!«, erzählte sie genüsslich. »Ich war entsetzt! Starr vor Schreck! Und schlecht wurd's mir auch! Ich hab gleich eine Beruhigungstablette gebraucht!«

Ruby Fincher verstummte, starrte aber weiter in die Kamera, das Mondgesicht ganz rot vor Aufregung, die blauen Augen hell und gierig. Man sah ihr an, wie schwer es ihr fiel, ihrem Publikum nicht zuzulächeln. Sie sah zwar nicht wie fünfunddreißig aus, wie sie behauptete, stand aber zweifellos in der Blüte ihres Lebens. Im Augenblick war die Frau, die Margaret Taylors Leiche gefunden hatte, ein Medienstar und genoss jede Sekunde.

Ruby verschwand. Stattdessen erschien wieder die hübsche Moderatorin mit immer noch ernster Miene. »Die Polizei sagt, dass der Täter dem Anschein nach nicht gewaltsam in Ms. Taylors Haus eingedrungen sei, auch sei nichts gestohlen worden. Intensive Ermittlungen laufen bereits. Obwohl es mehrere Verdächtige zu geben scheint, ist noch niemand verhaftet worden.«

Skye sah weiterhin ruhig auf den Bildschirm, während Adrienne einige Sekunden lang der Mund offen stand. Endlich kriegte sie sich wieder ein, machte den Mund zu, schluckte und sagte: »Diese Fincher ist ein schreckliches Weib.«

»Stimmt«, pflichtete Skye ihr bei. »Und hast du das Foto von Margaret und Onkel Philip gesehen? Sie haben ausgesehen wie zwei Verliebte. Jetzt ist Tante Vicky nicht mehr die Einzige, die glaubt, dass Onkel Philip eine Affäre mit Margaret hatte.«

»Woher weißt du, was Vicky glaubt?«, fragte Adrienne erstaunt.

»Rachel hat's mir erzählt. Aber ich wusste es auch so. Tante Vicky beobachtet Onkel Philip andauernd und benimmt sich so komisch, wenn Margaret in der Nähe ist – war.« Die Moderatorin plapperte inzwischen fröhlich über irgendeine gemeinnützige Veranstaltung. Während sie redete, zeigte der Sender ein paar scheußliche Videoclips von Leuten, die sich gemächlich ums Büfett scharten, diverse Speisen auf ihre Teller schaufelten und sich damit voll stopften. Warum musste man für solche Aufnahmen immer die gierigsten Esser auswählen, fragte sich Adrienne. Dadurch entstand der Eindruck, als sei die Stadt nur von Vielfraßen bevölkert.

»Ich wette, Miles Shaw hat Margaret umgebracht«, sagte Skye plötzlich. »Er ist so eigenartig. Ich bekomme Gänsehaut, wenn ich ihn sehe.«

»Hast du denn Margaret und Miles je zusammen gesehen?«, fragte Adrienne, weil Skye in den vergangenen Monaten viel mehr Zeit bei den Hamiltons verbracht hatte als sie. »War er denn bei einer dieser Partys?«

Skye schüttelte den Kopf. »Ich hab ihn auf keiner gesehen. Rachel sagt, ihr Vater könne Miles nicht ausstehen. Sie glaubt, dass Margaret ihr Verhältnis mit ihm deshalb geheim hielt.«

»Ach ja?« Adrienne fasste einen Entschluss. »Erzähl Sherry und deinen Freundinnen nichts davon. Erzähl es keiner Menschenseele, aber ich hab heute Nachmittag mit Lucas gesprochen. Er sagte, Miles habe ein Alibi. Er war in diesem Heaven's Gate –«

»*Door*, Mom. Heaven's *Door*.«

»Woher weißt *du* das?«

»Meine Güte, Mom, das kennt doch jeder. Es ist die angesagteste Kneipe für Leute, die schon älter sind und immer noch cool. Aber erzähl weiter.«

»Also, Miles war im Heaven's Door, als Margaret ermordet wurde. Er war ein paar Stunden da. Eine Menge Leute haben ihn da gesehen. Er ist ja auch schlecht zu übersehen bei seiner Größe und seinen Haaren.«

»Tja, das kann sein.« Skye überlegte. Dann sah sie Adrienne an. »Ich werd's keinem erzählen, Mom, versprochen, aber ich glaub trotzdem, dass er's war. Irgendwie hat er Margaret umgebracht und kommt damit durch.«

Nachdem die Abendnachrichten zu Ende waren, hatte Adrienne das ungute Gefühl, als würde noch etwas geschehen. Es hielt die ganze riesige Pizza hindurch an, die sie sich ins Haus bestellt und mit der üblichen Rekordgeschwindigkeit verschlungen hatten. Es hielt an, als Adrienne sich im Fernsehen eine unkomische Komödie ansah und Skye sich ausführlich mit Sherry unterhielt, die sie seit fast unerträglichen vierundzwanzig Stunden nicht mehr gesehen hatte. Es hielt immer noch an, als Skye schon zu Bett gegangen war und Adrienne die Küchenschränke neu einräumte, um ihre innere Unruhe abzubauen.

Um elf Uhr, als sie schließlich auf der Terrasse saß und die kühle Nachtluft einsog, klingelte das Telefon. Da wusste sie, dass sich ihre Vorahnungen bestätigen würden.

Sie rannte ins Haus und griff den Hörer. Nachdem sie sich gemeldet hatte, folgte eine kurze Pause. Dann fragte eine kratzige, dünne Stimme: »Adrienne?«

»Ja, ich bin Adrienne Reynolds.« Die Stimme kam ihr vage bekannt vor, aber sie wusste nicht sofort, woher sie sie kannte. »Mit wem spreche ich?«

Ein kleines, eingerostetes Lachen. »Adrienne, Liebes, ich bin's, Lottie. Juliannas Mutter.«

»Lottie!«, rief Adrienne. »Wir machen uns die größten Sorgen um dich!«

»Es geht mir gut. Ich hab Kit doch gesagt, dass es mir gut geht. Ihr hättet euch keine Sorgen zu machen brauchen.«

»Wo bist du?«

Wieder eine Pause. »Das möchte ich lieber nicht sagen.«

»Aber Lottie …«

»Bitte, Liebes, wir sollten keine Zeit auf mich verschwenden. Mir liegt die Sicherheit von jemand anderem am Herzen. Ich muss dir dringend etwas sagen. Es ist höchste Zeit.«

»Lottie, ich würde dich gern zu mir holen. Dann kannst du mir erzählen, was du auf dem Herzen hast.«

»Nein, Adrienne. Entweder wir tun es auf meine Weise oder gar nicht. Ich will dir keine Umstände machen, aber ich hab meine Gründe.«

Adrienne seufzte, fühlte sich hilflos, aber Lottie saß am längeren Hebel. Adrienne blieb nichts anderes übrig, als ihr nachzugeben. »Na schön, Lottie. Ich höre.«

»Du warst immer schon ein liebes Mädchen, Adrienne. Skye kann von Glück sagen, dass sie dich als Mutter hat.«

»Da wäre sie mit Sicherheit anderer Meinung. Ich hab sie heute viel zu früh ins Bett geschickt.«

Lotties amüsiertes Lachen endete in einem Hustenanfall. Adrienne verkniff sich die Frage, ob sie sie nicht doch zu sich holen solle. Aber Lottie konnte ziemlich halsstarrig sein, wenn sie einmal einen Entschluss gefasst hatte. Sie wollte sie nicht vergraulen. »Sicher hat Skye dir morgen früh wieder verziehen«, sagte Lottie endlich, als der Husten nachließ. »Aber ich rufe eigentlich an, weil ich heute erfahren hab, dass Margaret Taylor ermordet wurde. Ich bin ihr einmal begegnet, im Haus deiner Schwester. Vicky kauft immer Kerzen von mir. Sogar mehr als sie braucht, aber Vicky ist ja auch ein großzügiger Mensch. Dasselbe kann ich von Miss Taylor nicht behaupten. Ich mochte sie nicht. Trotzdem tut es mir Leid, dass sie ein so tragisches Ende gefunden hat. Angeblich soll Miles Shaw der Hauptverdächtige sein.« Lottie holte tief Luft und stieß dann leidenschaftlich aus: »Miles hat *niemanden* umgebracht, Adrienne.«

»Das muss sich erst noch herausstellen, Lottie.«

»Ich *weiß* es.«

Lottie hatte Miles schon immer gemocht. Sie war am Boden zerstört gewesen, als er und Julianna sich trennten, und Adrienne hatte Lotties Enttäuschung verstanden. Miles mochte exzentrisch sein und viele Menschen vor den Kopf stoßen, aber er hatte Julianna ehrlich geliebt und ihr, die allzu oft impulsiv und verwegen gewesen war, ein wenig Halt gegeben. Doch in den vergangenen vier Jahren hatte sich Adriennes Meinung von Miles verändert. Seit der Trennung war er sarkastisch geworden, und sein Benehmen hatte sich vom Exzentrischen zum Launischen verändert. Adrienne hatte kein Vertrauen mehr zu Miles. Sie hatte nicht mehr das Gefühl, ihn wirklich zu kennen.

»Lottie, der Sheriff hat mir erzählt, Miles habe zugegeben, eine Affäre mit Margaret gehabt zu haben«, sagte Adrienne sanft. »Er hat sogar zugegeben, in der Mordnacht bei ihr gewesen zu sein.«

»Er hat sie nicht umgebracht, Adrienne. Miles wäre gar nicht fähig, einen Mord zu begehen.«

»Woher willst du das wissen, Lottie?« Adrienne wappnete sich für eine unangenehme Frage. »Und weil wir gerade dabei sind, woher willst du wissen, dass er nicht auch Julianna getötet hat, aus Eifersucht, weil sie einen Liebhaber hatte?«

»Ich bin ganz sicher«, sagte Lottie mit Nachdruck. »Miles hat Julianna geliebt. Er hasste den Mann, mit dem sie liiert war, aber nicht sie.«

»Miles weiß also, wer Juliannas Liebhaber war?«, entfuhr es Adrienne. »Du etwa auch?«

Ein paar Sekunden herrschte Schweigen in der Leitung. Dann gab Lottie widerstrebend zu: »Ja, Liebes. Ich weiß, wer es war.«

»Willst du's mir nicht sagen?«

»Aber nur, weil die Situation in einem Maße eskaliert ist, dass du es erfahren solltest, wie ich finde.« Lottie holte tief und etwas rasselnd Luft. »Es tut mir Leid, dir sagen zu müssen, dass Julianna eine Affäre mit deinem Schwager hatte, mit Philip Hamilton.«

2

Adrienne nahm das schnurlose Telefon mit ins Wohnzimmer und setzte sich in den Ohrensessel vor dem Fenster, wo sie reden konnte, ohne dass Skye das Gespräch mithörte.

»Lottie, *wenn* Philip eine Affäre hatte, dann doch eher mit Margaret. Er hat Julianna doch kaum gekannt.«

»Das glauben die meisten, Adrienne. Das sollten sie ja auch glauben. Doch die Wahrheit sieht anders aus. Julianna lernte Philip kennen, als er mit Vicky verlobt war. Es war Liebe auf den ersten Blick, Adrienne. Seitdem liebten sich die beiden.«

Adrienne verschlug es die Sprache. Sie erinnerte sich, wie Kit, Julianna und sie um Vicky herumscharwenzelt waren, völlig hingerissen von der Aussicht, dass sie bald diesen gut aussehenden, wohlhabenden jungen Mann heiraten würde. Vicky war überglücklich gewesen, hatte ihre ständige Gegenwart, die endlose Fragerei und ihr verzücktes Gekreische mit Engelsgeduld über sich ergehen lassen. Und Adrienne erinnerte sich, wie Philip hin und wieder aufgetaucht und wieder verschwunden war, ohne viel Notiz von den frenetischen Hochzeitsvorbereitungen zu nehmen. Oder von Vicky, wenn sie es recht bedachte.

»Aber Julianna war noch so jung«, sagte Adrienne und klammerte sich verzweifelt an die Hoffnung, dass das alles nur Lotties Phantasie entsprungen war. Doch im Nachhinein wurde ihr klar, dass irgendetwas nicht gestimmt hatte. Philip hatte sich nicht so verhalten, wie man es von einem verliebten Bräutigam erwartete. Und wenn sie ihr Gedächtnis anstrengte, erinnerte sie sich, dass sein Blick mehr als einmal auf Julianna haftete. Adrienne wollte trotzdem nicht glauben, was sie da hörte. »Lottie, wenn Philip in Julianna verliebt war, warum hat er dann Vicky geheiratet? Weil Julianna noch zu jung war?«

»Ihr Alter war nicht das Problem«, sagte Lottie traurig. »Es lag an ihrer Herkunft. Ihrer Abstammung. Julianna war die Tochter von Butch und Lottie Brent. Wir gehörten nicht gerade zur besseren Gesellschaft. Philip wollte schon als Kind in die Politik. Dieser Drachen von Großtante – Octavia hieß sie, glaube ich – hatte ihn früh dementsprechend manipuliert. Vicky kam aus gutem Hause. Sie war hübsch, intelligent und zurückhaltend und hatte tadellose Manieren. Ich glaube nicht, dass sie in ihrem Leben je einen Fehltritt begangen hat.«

»Stimmt«, sagte Adrienne tonlos. »Sie hatte wohl ähnliche Ambitionen wie Philip. Zumindest war das so, als sie heirateten. Ich glaube nicht, dass das Leben, von dem sie immer geträumt hatte, sich als so golden herausstellte, wie sie es sich erhofft hatte.«

»Das Leben tendiert oft dazu, uns zu enttäuschen. Jedenfalls die meisten von uns. Julianna hätte genauso werden können wie ihre Schwester Gail – verbittert darüber, keine besseren Eltern, mehr Geld, mehr Anerkennung gehabt zu haben –, doch sie war anders. Julianna hatte die wunderbare Gabe, aus jeder Situation das Beste zu machen. Kein Wunder, dass Philip sie geliebt hat.« Sie stockte und sagte schnell: »Das war nicht gegen Vicky gerichtet. Sie ist ein lieber Mensch.«

»Sie kann lieb sein, aber sie ist nicht so aufregend und überschäumend wie Julianna. Und ganz gewiss nicht so glamourös.« Nach einer Pause fragte Adrienne: »Wann hat denn die Affäre zwischen Julianna und Philip begonnen?«

»Sie blieb jahrelang platonisch, nur Liebesbriefe und ein paar Begegnungen, bis Julianna aus New York zurückkam.

Dann wurde die Sache … körperlich«, sagte Lottie unbehaglich, ehe sie ein weiterer Hustenanfall schüttelte. »Juli hatte ein schlechtes Gewissen und machte Schluss. In dieser Phase hat sie Miles geheiratet. Aber Miles konnte sie nicht glücklich machen. Also verließ sie ihn und nahm die Affäre mit Philip wieder auf.«

»Wusste Miles über Philip Bescheid?«

»Das weiß ich nicht genau. Wenn dem so war, behielt er die Sache für sich. Julianna hätte sonst mit mir gesprochen.«

»Lottie, warum erzählst du mir das alles?«

»Weil ich mir um Miles Sorgen mache. Der Sheriff liebt dich. Du kannst ihn beeinflussen. Du kannst ihn dazu bringen, Miles in Ruhe zu lassen.« Lottie überschätzte eindeutig Adriennes Macht über Lucas; außerdem war Adrienne nicht von Miles' Unschuld überzeugt, aber ehe sie ihre Meinung sagen konnte, redete Lottie mit heiserer Stimme weiter. »Adrienne, du sollst wissen, dass Julianna deine Schwester nicht gern hinterging. Sie litt an dem doppelten Spiel. Aber sie liebte Philip so sehr, dass sie einfach nicht anders konnte. Er behauptete immer, er liebe sie genauso. Sobald er Gouverneur geworden wäre, wollte er Vicky verlassen und Julianna heiraten.«

»Vicky verlassen und Juli heiraten?«, wiederholte Adrienne ungläubig. »Lottie, ich weiß nicht, was Philip Julianna erzählt hat, aber das hätte er nie getan. Seine Ambitionen hören doch nicht beim Gouverneur auf. Er will irgendwann Präsident werden. Seine Frau wegen einer langjährigen Geliebten zu verlassen, wäre politischer Selbstmord!«

»Ich weiß. Und Juli wusste es auch. Aber sie wollte nur bei ihm sein, auch wenn es im Geheimen sein musste. Deshalb tat sie so, als ob sie ihm glaubte.«

Adriennes Hände wurden kalt. Und wenn Philip *nicht* gewusst hatte, dass sie nur so tat, als ob sie ihm glaubte? Wenn er fürchtete, Julianna wollte ihn auf jeden Fall, koste es, was es wolle? Wenn dem so war, wäre sie eine Last gewesen, vielleicht sogar eine, die er um jeden Preis wieder loswerden musste. Vielleicht sogar mit einem Mord.

Adrienne war plötzlich besorgt um Lottie. Mehr als besorgt. Sie hatte regelrecht Angst um sie.

»Lottie, du hast jetzt lange genug Verstecken mit uns gespielt«, sagte sie streng. »Ich will dich zu mir holen. Du hörst dich gar nicht gut an.«

»Ich hab nur eine kleine Erkältung, nicht weiter schlimm.«

»Es könnte eine Lungenentzündung sein.«

»Nicht doch!« Lotties Stimme war dünner und heiserer geworden. »Es geht mir gut. Mach dir keine Sorgen um mich.«

»Aber ich mach mir Sorgen, Lottie. Bitte sag mir, wo du bist.«

Lottie zögerte. »Nein, auf keinen Fall. Ich hab nur angerufen, um Miles zu helfen. Ich kann schon auf mich aufpassen.« Sie schien nach Atem zu ringen und bekam einen heftigen Hustenanfall. Endlich kam sie wieder zu Atem.

»Ich mein's ernst, Lottie. Du bist krank.«

»Nein.«

»Lottie, wo bist du?«

»Vielleicht sehen wir uns morgen. Wenn ich mit der Wäsche fertig bin.« Lotties Stimme klang abwesend, als hätte sie Fieber. »Ich habe diese Woche nicht gewaschen. Für einen schlampigen Haushalt gibt es keine Entschuldigung …«

»Lottie, bist du noch dran?« Nichts. »Lottie?«

Lottie sagte nichts. Adrienne horchte, ob ihr Atem noch zu hören war, oder ob sie schon aufgelegt hatte, doch sie hörte nur ein vertrautes Klingeln. Leise. Melodisch. Holz und Metall. Glas.

Windspiele! Plötzlich erinnerte sich Adrienne an die Windspiele-Sammlung auf der Veranda vor Lotties Häuschen. Sie musste auf einen Sprung nach Hause gegangen sein, um Adrienne anzurufen, und hatte die Tür offen gelassen.

Adrienne rief noch dreimal Lotties Namen ins Telefon, bis sie endlich ein heiseres Röcheln hörte. Sie fürchtete, Lottie könne zusammengebrochen sein. Sie hatte mehrere Nächte im Freien zugebracht, die Nacht nach dem Mord an Julianna sogar im Regen. Ihre einzige Zuflucht war der abscheuliche Bunker gewesen, den Ellen das Versteck nannte. Jetzt war Lottie wahrscheinlich ernsthaft krank. Und allein.

»Skye!«, rief Adrienne laut. »Skye, komm her!«

»Was ist passiert?«

»Es geht um Lottie.« Adrienne hielt den Hörer hoch. »Sie hat mich eben angerufen und hörte sich richtig krank an. Sie hat einfach aufgehört zu reden, aber nicht aufgelegt. Ich bin mir ziemlich sicher, dass sie in ihrer Hütte ist.«

»Rufen wir doch den Notarzt!«

»Das geht nicht. Lottie hat sich versteckt, weil sie Angst hat. Ein Notruf würde über Polizeifunk laufen. Den kann die halbe Stadt abhören, womöglich auch derjenige, vor dem Lottie sich versteckt.« Adrienne überlegte. »Ich will nicht auflegen und die Verbindung mit Lottie abbrechen, also hol dein Handy. Wir rufen Lucas privat an, nicht im Revier. Diese Anrufe laufen auch über Funk. Ich werde Lucas bitten, nach Lottie zu sehen.«

In weniger als einer Minute war Skye mit dem Handy und Brandon auf den Fersen wieder da. »Kennst du Lucas' Nummer?«, fragte sie ängstlich.

»Nachdem ich mich ein Jahr mit ihm treffe? Ich glaub schon«, sagte Adrienne nüchtern. Sie drückte die Tasten, hoffte verzweifelt, Lucas möge zu Hause sein, und war erleichtert, als er sich meldete. »Lucas? Ich glaube, wir haben hier einen Notfall, den du aber bitte für dich behältst. Keine Meldung über die offiziellen Kanäle. Es ist wichtig.«

»Um Gottes willen, Adrienne, was ist denn los?«, fragte er angespannt. »Geht es euch beiden gut?«

»Uns schon, aber Lottie vielleicht nicht. Sie hat mich eben

angerufen, von ihrer Hütte aus, wie ich glaube. Sie hörte sich an, als wäre sie sehr krank. Vermutlich ist sie bewusstlos, weil sie nicht mehr reagiert. Den Notarzt will ich nicht rufen, sie soll doch keine Angst bekommen.«

»Du willst also, dass ich nach ihr sehe.«

»Genau, aber ich will sie auf dich vorbereiten. Sie hat so ungefähr vor jedem Angst, Lucas. Auch vor dir. Wenn ich zur Hütte gehe, kann ich sie beruhigen oder zumindest aufhalten, bis du kommst und mir hilfst, sie ins Krankenhaus zu fahren. Würdest du mir helfen?«

»Ich tue doch alles für dich, Adrienne, aber ich bin mir nicht sicher, ob es ratsam ist, dass du allein dorthin fährst, nach allem, was in letzter Zeit passiert ist …«

»Mir geschieht schon nichts. Ich hab nicht vor, da oben zu übernachten. Gib mir nur zwanzig Minuten Vorsprung und versprich, dass du keinen Krankenwagen rufen wirst.«

»Den wird sie aber brauchen.«

»Es ist aber nicht notwendig, dass man über Polizeifunk ihren Aufenthaltsort preisgibt, womöglich hat sie Recht und jemand ist tatsächlich hinter ihr her. Sie ist nicht verrückt oder paranoid, Lucas. Ich habe das Gefühl, sie weiß, wer Julianna getötet hat, und der Mörder weiß, dass sie es weiß.«

Lucas zögerte und sagte dann: »Na schön. Ich will dich aber nicht lange allein lassen. Ich fahr in zwanzig Minuten los.«

»Danke, Lucas«, sagte sie ehrlich. »Du bist wunderbar.«

»Ja, so sagt man.« Nach kurzem Zaudern sagte er: »Ich liebe dich.«

»Bis gleich«, sagte Adrienne schnell und mit schlechtem Gewissen.

Nachdem Adrienne sich von Lucas verabschiedet hatte, wandte sie sich an Skye. »Ich kann dich nicht mitnehmen. Das Risiko wäre zu groß.«

»Du wirst auf keinen Fall allein gehen, Mom! Ich bin kein

kleines Kind mehr. Ich werd schon nicht im Weg stehen oder mir wehtun.«

»Ich kann dieses Risiko nicht eingehen.« Sie dachte kurz daran, Skye in Vickys Obhut zu geben, wies die Idee aber sofort wieder von sich. Schließlich könnte Philip derjenige sein, vor dem Lottie sich seit Tagen versteckte. Vielleicht war *er* Juliannas Mörder. Oder Vicky, warf ihr Hirn widerstrebend ein. Womöglich hatte Vicky über Philip und Julianna Bescheid gewusst und ihrer Rivalin das Undenkbare angetan. »Ich werd dich hier allein lassen. Ich will, dass du die Alarmanlage einschaltest, sobald ich weg bin. Mach niemandem die Tür auf, nur Lucas oder mir. Nicht mal Tante Vicky. Und wenn jemand anruft, dann sag nicht, dass du allein zu Hause bist. Sag, ich sei im Bad oder so was. Versprich es mir.«

»Na schön, ich versprech es. Aber du solltest nicht allein rausgehen, Mom.«

»Es muss sein.« Adrienne kramte in ihrer Handtasche nach dem Autoschlüssel, der sich wie so oft versteckt hatte.

»Du kannst Brandon mitnehmen.« Adrienne sah überrascht auf. Skye lag Brandons Sicherheit mehr am Herzen als ihre eigene. Sie wäre am Boden zerstört, sollte dem Hund irgendetwas zustoßen, trotzdem war sie bereit, ihn zum Schutz ihrer Mutter zu überlassen.

»Brandon sollte lieber hier bleiben und auf dich aufpassen, Schatz. Ich komm auch ohne ihn klar.«

»Das mag schon sein. Aber *mit* ihm wärst du sicherer.« In Skyes Augen glänzte die selbstlose Hingabe, die sie durchs Leben begleiten würde. »Tu es für mich, Mom, bitte. Es gibt mir ein besseres Gefühl, wenn ich weiß, dass er bei dir ist.«

Adrienne spürte, wie ihr Tränen in die Augen stiegen, und sie drückte Skye an sich. »Du bist ein großherziges Mädchen. Ich bin sehr stolz auf dich. Danke dir.«

Skye löste sich, schenkte ihr ein unsicheres Lächeln und

sagte dann aufmunternd zu Brandon: »Na komm, mein Kleiner, du fährst mit Mom. Ich hol deine Leine.«

Der Hund fing an zu tänzeln, freute sich auf den Spaß, der auf ihn zukäme. Adrienne hoffte inständig, dass sie ihn und sich nicht in Gefahr brächte.

Der Wind trieb kobaltblaue Wolken über den Mond und die Sterne, was der warmen Nacht eine gewisse Rastlosigkeit verlieh. Nach elf Uhr abends wurde es leer in den Straßen. Adrienne stellte unbehaglich fest, dass sie fast die einzige war, die in nördlicher Richtung stadtauswärts fuhr, auf das *Belle Rivière* zu. Sie schaltete das Radio ein, suchte wie immer Trost in der Musik und sah zu Brandon hinüber, dem vor freudiger Erwartung die Zunge aus dem Maul hing. Zumindest *er* schien die Fahrt zu genießen, dachte sie.

Bevor der feine Butch Brent, Juliannas Vater, seine Familie vor über zwanzig Jahren im Stich ließ, hatte eine Sandstraße vom Highway aus bis hinauf zu Lotties Hütte geführt. Dieser Weg war zwar länger als der vom Hotel aus, aber dafür leichter zu befahren. Peitschende Regengüsse und schwere Schneefälle hatten den alten Kiesbelag jedoch nach und nach weggespült, und die Bäume am Rand waren ungehindert gewachsen, bis von der einstigen Straße nur noch ein schmaler Weg übrig war.

Ellen und Julianna hatten Lottie überreden wollen, die Straße auf ihre Kosten instand setzen zu lassen, doch Lottie hatte dies entschieden abgelehnt. Julianna hatte Adrienne erklärt, dass die holprige Straße ihrer Mutter ein Gefühl sicherer Abgeschiedenheit vermittle. Damals hatte Adrienne nicht verstanden, was Lottie dazu bewog, an einem derart unzugänglichen Ort zu wohnen. Nachdem sie aber gehört hatte, was Lottie im Geräteschuppen des *Belle Rivière* hatte ertragen müssen, konnte sie ihren Wunsch, möglichst unerreichbar zu sein, gut nachvollziehen.

Heute Nacht benutzte Adrienne lieber den zugewucherten

Rest einer Straße als den Pfad, den sie mit Ellen vom *Belle Rivière* aus gegangen war. Sie bog vom Highway ab und folgte dem Sandweg.

Der Wagen holperte über kleine Schlaglöcher und Furchen, die das Wasser gegraben hatte, das den Hügel herunterlief. Dies war eins der wenigen Male, dass sie froh war, den unförmigen SUV mit Vierradantrieb gekauft zu haben, obwohl sie normalerweise schnittigere, sportlichere Autos bevorzugte. Brandon starrte wie in Trance hinaus in die Landschaft, von der im Grunde nicht viel zu sehen war. Je höher sie kamen, desto näher rückten die immergrünen Äste. Ihre Nadeln streiften das Autodach. Adrienne hatte fast den Eindruck, als würde sich nicht etwa der Wagen bewegen, sondern die Bäume immer näher herankriechen und sich bedrohlich über sie neigen wie Wesen, die ihre Beute umzingelten. Wie lächerlich, schalt sie sich. Das kam also dabei heraus, wenn man bis spät in der Nacht wach blieb und sich Gruselfilme ansah. Die Phantasie ging mit ihr durch. Bald wäre sie bei Lottie in der Hütte, dann käme Lucas zur Tür herein, stark und tüchtig und imstande, sie zu retten.

Retten vor wem? Wahrscheinlich vor niemandem, dachte Adrienne. Lottie schien so fest davon überzeugt zu sein, dass ihr jemand nachstellte, dass ihre Angst sich auch auf Adrienne übertragen hatte. Adrienne überlegte. War es wirklich Lottie gewesen, die sie mit ihrer Angst angesteckt hatte? Hatte Lottie jemals behauptet, sie müsse sich vor Juliannas Mörder verstecken? Nein, fiel Adrienne erschrocken auf. Ellen, nicht Lottie, hatte gesagt, dass Lottie auf der Flucht sei, weil sie Juliannas Mörder kenne. Hatte Ellen Recht? Und wenn ja, konnte Ellen wissen, vor wem sie sich versteckte? Adrienne war schon der Gedanke gekommen, dass Lottie vielleicht Ellen aus dem Weg ging. Nur warum?

Die Scheinwerfer fielen auf tiefe Spurrillen. Adrienne drehte das Lenkrad leicht nach links, um ein Reifenpaar auf dem

Streifen Gras zwischen den Spurrillen zu halten, das andere Paar auf dem schmalen Streifen Erde zwischen den Rillen und der Wand aus Bäumen. Sie fuhr im Schritttempo. Diese Straße ist eine Schande, dachte sie. Bis zum Sommer musste etwas damit geschehen, ob es Lottie gefiele oder nicht.

Plötzlich bellte Brandon. Adrienne erschrak, verriss das Lenkrad und schickte die Reifen direkt in die Rillen. Ein Rums, und der Wagen bewegte sich noch einen Meter weiter, ehe das Schleifen von Metall über Kiesel zu hören war. Behutsam trat sie aufs Gas. Das Schleifgeräusch wurde lauter, wuchs sich zu einem Knirschen aus. Schaudernd wurde Adrienne langsamer und hielt schließlich an. Als sie versuchte, wieder anzufahren, drehten die Reifen sich vergeblich.

»O nein«, stöhnte sie. »Wir sind aufgefahren. Das bedeutet, wir sitzen fest, Brandon.« Er sah sie erwartungsvoll an. »Sieht aus, als müssten wir zwei spazieren gehen.«

Brandon kannte das Wort *spazieren gehen* und rutschte freudig winselnd auf seinem Sitz hin und her. Adrienne nahm ihn an die Leine, und als sie auf der Fahrerseite ausstieg, zwängte er sich über die Konsole und sprang ihr hinterher.

Draußen besah sie sich hasserfüllt das nutzlose Auto. Die Nacht war pechschwarz. Der Wind war stärker geworden. Sie war müde. Sie hatte Angst. Da klingelte ihr Handy, und sie hätte beinahe aufgeschrien. Brandon war viel zu sehr damit beschäftigt, in der Erde unter den Bäumen geheimnisvolle Gerüche zu erschnüffeln. »Hallo«, sagte sie nervös ins Telefon.

»Ich bin's bloß«, sagte Skye. »Ich hatte plötzlich ein schlechtes Gefühl. Ist alles in Ordnung?«

»Der Wagen hängt fest.«

»Gott, Mom, du musst vorsichtiger sein.«

»Ich *bin* vorsichtig«, sagte Adrienne in jäher, heftiger Abwehrhaltung. »Außerdem ist es eigentlich Brandons Schuld.«

»Ich weiß. Er ist ein miserabler Fahrer«, kicherte Skye. Adrienne wurde noch ärgerlicher. »Geht's ihm gut?«

»Dein Hund ist frisch und munter. Was man von deiner Mutter nicht behaupten kann; aber wie ich sehe, bin ich auch nicht die Nummer eins.« Adrienne verstummte und atmete tief durch. Immer wenn sie nervös war, wurde sie streitsüchtig. »Skye, du warst doch nicht etwa draußen oder hast jemanden angerufen?«

»Nein. Du hast es mir doch ausdrücklich verboten! Geht's Lottie gut?«

»Wir sind noch nicht an der Hütte, deshalb kann ich noch nichts sagen. Den restlichen Weg werden wir zu Fuß laufen müssen. Es ist aber nicht mehr weit.«

»Gut. Zum Glück ist Brandon bei dir.«

»Ja, er war mir wirklich eine große Hilfe. Ich weiß nicht, was ich ohne ihn getan hätte.«

»Gib ihm eine Chance, Mom. Vielleicht überrascht er dich.«

»Das glaube ich erst, wenn ich es sehe.« Sie holte noch einmal tief Luft, um sich zu beruhigen, was ihr aber nicht gelang. »Ich ruf dich an, wenn wir bei Lottie sind. Lucas dürfte bald hier sein.«

»Gut.«

»Geh nicht nach draußen.«

»Keine Sorge.«

»Und dass du mir ja nicht die Tür aufmachst! Für niemanden, hörst du?«

»Ist ja gut, Mom. Mann!« Skye legte auf, Adrienne ebenso. Sie kam sich schäbig vor. Sie würde es wiedergutmachen, dass sie in den vergangenen Tagen so mürrisch und überfürsorglich gewesen war. Sie könnten zum Beispiel gemeinsam einkaufen gehen. Skye sollte sich aussuchen dürfen, was sie wollte, selbst wenn die Outfits nicht Adriennes Geschmack entsprachen. »Komm schon, Brandon«, rief sie, ein wenig aufgemuntert. Er sah auf und kam angetrabt. Sie nahm seine Leine. »Auf geht's.«

Brandon schien für eine Bergaufwanderung weit besser gewappnet zu sein als Adrienne. Er hatte ja auch die meiste Zeit gepennt, dachte sie, während sie händeringend auf und ab gegangen war und sich Sorgen gemacht hatte. Sorgen hatten auch etwas für sich, dachte sie. Sie hielten die grauen Zellen in Schwung.

Sie zehrten aber auch ganz schön an den Nerven.

Sie hätte ein Nachmittagsschläfchen gebraucht, aber sie war zu rastlos gewesen. Wie hätte sie auch ahnen sollen, dass sie um halb zwölf Uhr nachts noch einen Spaziergang im Wald unternehmen würde.

Der Wind fuhr durch die immergrünen Zweige, und ihr Knistern klang, als flüsterten die Tannennadeln einander dunkle Geheimnisse zu. Brandon, den der Ausflug zu ungewohnter Stunde zu beflügeln schien, zerrte kräftig an der Leine, sodass sie über Baumwurzeln stolperte und in Rinnsale trat, die sich quer über den Weg schlängelten. Schlängeln? A propos, wagten sich Schlangen eigentlich nachts heraus? Adrienne wünschte sich kniehohe Stiefel statt der dünnen Turnschuhe. Warum um alles in der Welt hatte sie keine anderen Schuhe angezogen? Und wie konnte sie ihre Taschenlampe vergessen? Die hatte ihrem Großvater gehört, der Polizist gewesen war, und sie war so groß, dass sie sie auch als Waffe hätte gebrauchen können.

Recht so, dachte sie. Es sähe ihr ähnlich, einen Angreifer mit ihrer Taschenlampe zu erschlagen.

Adrienne marschierte weiter. Sie hatte etwa ein Drittel der Strecke zurückgelegt. Nebel senkte sich langsam vom unendlichen Nachthimmel herab, legte sich auf die Baumwipfel, bildete wehende Schwaden. Wie im Urwald, dachte sie immer und immer wieder. Zum Verrücktwerden. Sie befand sich nicht etwa in der Wildnis, sondern auf den Überresten einer Straße, die Lottie fast jeden Tag entlangging.

Plötzlich hörte sie im Wald ein Rascheln. Sie blieb reglos

stehen. Brandon ebenso, und seine Ohren stellten sich auf. Sie ballte die Fäuste, wünschte sich wieder die riesige Taschenlampe. Oder ein Gewehr, mit dem sie nicht umgehen konnte. Oder Reizgas. *Irgendetwas.*

Wieder raschelte es. Der Wind, dachte sie. Nur der Wind. Doch Brandons Ohren standen immer noch steil nach oben, und ein Knurren kam aus seiner Kehle. Er würde doch nicht den Wind anknurren.

Und dann sah sie es. Ein junges Reh mit riesigen Ohren und sanften Augen, das genauso furchtsam in ihre Richtung starrte wie sie in die seine. Sie betete im Stillen, Brandon möge ihm nicht hinterherspringen und sie mitschleifen. Oder es hetzen und reißen. Nicht, dass er jemals auf die Idee gekommen wäre, ein Reh zu reißen.

Alle drei verharrten eine schier endlose Weile wie angewurzelt auf einem Fleck. Dann wandte das Reh den Kopf und sprang in weiten, anmutigen Sätzen davon. Adrienne wurde bewusst, dass sie die Luft angehalten hatte, und beim Ausatmen hatte sie das Gefühl, als würde ihr der Brustkorb zerspringen. »Ich eigne mich nicht für ein Leben voller Geheimnisse und Gefahren«, sagte sie leise zu Brandon. »Ich würde lieber zu Hause vor dem Fernseher sitzen.« Aber nun hatte sie es bis hierher geschafft, den Rest würde sie auch noch hinter sich bringen, denn bevor sie Lottie nicht wenigstens gesucht hatte, würde sie nicht aufgeben. Das war sie Lottie einfach schuldig, ganz gleich wie nervös sie sich hier draußen im Dunkeln fühlte.

Trotz der frischen Brise war Adrienne schweißgebadet, als sie die Hütte erreichte. Schließlich hatte sie mit Brandon Schritt halten müssen. Erst hörte sie das helle Klingeln der Windspiele auf der Veranda, dann sah sie durch die Dunkelheit, dass in der Hütte Licht brannte. Und dass die Tür offenstand. Warum sollte Lottie, die seit Tagen auf der Flucht war, bei weit offener Tür in ihrer Hütte sitzen? Ein böses Omen. Adrienne wurde eng ums Herz. Sie begann zu laufen.

»Lottie?«, rief sie, noch bevor sie die Veranda erreicht hatte. »Lottie?«

Doch die einzige Antwort war das Geklingel der Windspiele. Als Adrienne die Verandastufen hinaufstieg, besah sie sich die Dinger aus der Nähe. Es waren rote, handbemalte Glöckchen aus venezianischem Glas, genau wie die, die Philip Rachel aus Europa mitgebracht hatte. Das Mädchen hatte geglaubt, er habe sie eigens für sie ausgesucht. Doch wie's aussah, hatte Philip auch seiner geliebten Julianna eins mitgebracht. Die hatte es auf die Veranda ihrer Mutter gehängt, wo nur wenige außer ihr selbst es zu Gesicht bekämen. Adrienne hatte sie zwar zur Kenntnis genommen, als sie mit Ellen hier gewesen war, sich aber nichts weiter dabei gedacht.

»Lottie?«, rief sie erneut, ohne eine Antwort zu erwarten. Unterdessen hatte sie die Veranda überquert und stand in der Tür. Innen verströmten mehrere Sturmlaternen aus Milchglas ein weiches Schimmern, tauchten die schäbigen Möbel in der Hütte in ein weiches Licht. »Lottie?«

Adrienne und Brandon hatten gerade die Schwelle überschritten, als etwas knapp an Adriennes Kopf vorbeipfiff und eine der Lampen zerdepperte. Augenblicklich warf Adrienne sich flach zu Boden, wobei sie Brandon mit ihrem Körper schützte, als wäre er ein Kind. Sie hielt ihn unten, als noch ein Schuss in die Hütte fuhr, und noch einer, und noch einer.

Dann wurde es still.

Dreizehn

1

Die Zeit schien stehen zu bleiben, als Adrienne neben Brandon lag, das Gesicht in seinem glänzenden schwarzen Fell vergraben. Er hatte sich nicht bewegt. War er tot? Sie hatte Angst, den Kopf zu heben und nachzusehen.

Sie tastete behutsam seine Brust ab und spürte den kräftigen, regelmäßigen Herzschlag. »O Gott, Brandon«, flüsterte sie erleichtert. »Was bin ich froh, dass du lebst!« Er winselte und machte Anstalten, aufzustehen. »Bleib unten«, sagte sie, als könne er sie verstehen. »Vielleicht lauert der Schütze noch immer da draußen, und diesmal schießt er nicht daneben.«

Falls er daneben geschossen hatte. Ihr Körper fühlte sich seltsam taub an. Vielleicht war sie verletzt und ihr Körper im Schockzustand, oder vor lauter Schreck wie betäubt. Und sie wusste nicht genau, ob Brandon angeschossen war. Skye wäre untröstlich, dachte Adrienne. Es würde ihr das Herz brechen.

Heiße Tränen stiegen ihr in die Augen, Tränen der Furcht und des Bedauerns, weil sie darauf bestanden hatte, hierher zu kommen. Sie hatte sich Sorgen gemacht, das ja. Sie hatte befürchtet, Lottie könne vor jedem anderen weglaufen außer vor ihr, das auch. Doch sie hatte nicht bedacht, in welche Gefahr sie sich begab, und dass sie mit ihrem Tun ihre Tochter womöglich zum Waisenkind machte. Wie dumm und rücksichtslos von ihr!

Adrienne und Brandon lagen noch immer bewegungslos auf den Holzdielen, dicht an dicht, und ihre Tränen liefen in sein Fell, als jemand über ihr sagte: »Um Gottes willen, Adrienne, bist du in Ordnung?«

Sie erstarrte. Stellte sich tot. Schließlich funktionierte das auch bei Tieren. Geh weg, dachte sie. Nimm einfach an, du hast mich umgebracht, und geh weg.

Sie hörte, wie die Haustür ins Schloss fiel, spürte Hände, die sanft ihren Rücken abtasteten. Brandon hob den Kopf und knurrte. »Ist ja gut, Junge«, sagte ein Mann beschwichtigend. »Ich möchte euch helfen. Ganz ruhig.«

Drew. Drew Delaney beugte sich über sie. Kurz nachdem jemand versucht hatte, sie zu erschießen.

»Adrienne, bist du verletzt?«, fragte er. »Gib Antwort, wenn du kannst. Ich habe Angst, dich auf den Rücken zu drehen.«

Endlich sagte sie: »Ich spüre nichts. Ich glaube nicht, dass ich getroffen bin.« Sie unternahm einen halbherzigen Versuch, sich auf die Seite zu rollen. Drew legte die Hand fest auf ihren Nacken, um ihn zu stabilisieren, und half ihr, sich umzudrehen. Sein dunkler Blick musterte sie eingehend. »Auf deinem Rücken hab ich keine Verletzung entdeckt. Vorne sehe ich auch kein Blut. Ich glaube, du bist in Ordnung.«

»Ich bin anscheinend unverwundbar«, sagte sie und lächelte schwach. »Zuerst werde ich zusammengeschlagen, dann wird auf mich geschossen. Ich führe das Leben eines Superhelden.«

Drew grinste. »Und wie gefällt es dir?«

»Es nervt. Ich trete zurück.« Sie wandte sich zu Brandon um. »Glaubst du, er ist verletzt?«

»Nein. Nur verängstigt.« Er verstummte, und sie hörte seine Schritte auf dem Holzboden. Nach und nach wurde es dunkel im Raum. »Jetzt geben wir wenigstens keine so leichten Zielscheiben mehr ab«, sagte er.

»Hast du Lottie gefunden?«, fragte Adrienne ängstlich und stellte sich vor, wie die Frau tot in ihrer kleinen Hütte lag.

»Nein. Wie's aussieht, ist sie wieder auf und davon.« Sie hörte, wie er sich zu ihr zurücktastete und dabei in der Dunkelheit gegen ein Stuhlbein stieß. Dann sagte er: »Du kannst jetzt aufstehen. Halt dich nur von den Fenstern fern.«

Adrienne stand langsam und schwankend auf, wie jemand, der längere Zeit im Bett gelegen und deshalb noch nicht ganz sicher auf den Beinen war. Drew kam ihr zu Hilfe, nahm ihren Arm. »Alles in Ordnung?«, fragte er.

»Ja. Mir ist nur so komisch schwindelig.«

»So geht es jeder Frau in meiner Gegenwart.«

»Ach ja? Tja, das komische Gefühl ist weg, und du bist noch hier.«

»Ich hab nicht behauptet, dass es Stunden andauert.«

Sie konnte kaum glauben, dass er sie sogar in dieser misslichen Lage zum Lächeln brachte, und war froh, dass er ihr Gesicht nicht sehen konnte. Sie sah nach Brandon. Im schwachen Schein des Mondes, der durch das Vorderfenster fiel, sah sie, wie er sich unbeholfen aufrappelte. Adrienne kniete sich neben ihn, fuhr ihm mit der Hand über den Körper und rieb dann die trockenen Handflächen aneinander. »Kein Blut, Gott sei Dank«, sagte sie froh. »Sieht aus, als seien wir noch einmal ungeschoren davongekommen.«

Dann versagten ihr die Beine, und sie landete mit einem Plumps auf dem hölzernen Boden. »O Gott, Drew, jemand hat versucht, mich *umzubringen*!«

Er ging neben ihr in die Hocke. »Du hast es eben erst begriffen, stimmt's?«

»Hat mich getroffen wie ein Blitz.« Adrienne spürte, dass ihr Tränen übers Gesicht liefen, und wischte sie ungeduldig fort. »Jetzt werd ich zu allem Übel auch noch einen Weinkrampf kriegen. Was denn noch?«, sagte sie verlegen.

»Heul so viel du willst, wenn es dir dann besser geht«, meinte Drew tröstend. »Ich würd auch heulen, wenn ich nicht meinen Ruf als Macho zu verlieren hätte.«

Bevor sie recht wusste, wie ihr geschah, hatte Adrienne das Gesicht in Drews Brust begraben und wurde von heftigem Schluchzen geschüttelt. »Ich hatte s-solche Angst«, schluchzte sie. »Ich komme hier herein, und im selben Moment knallt es auch schon, immer und immer wieder. Ich dachte, ich müsste sterben.«

Drew fasste sanft ihr langes Haar zusammen, legte es auf eine Seite und streichelte ihren Nacken. »Ich weiß ja, dass du Angst hattest, Baby. Wer hätte das nicht. Aber jetzt bist du in Sicherheit.«

»Ja, das bin ich. Aber ich bin nicht dein Baby.«

»Tut mir Leid. Da bin ich wohl kurz in alte High-School-Zeiten zurückgeschlittert. So hab ich dich damals immer genannt, weißt du noch?«

»Das ist doch ewig her.«

»So lange auch wieder nicht.« Er hörte auf, ihr den Nacken zu kraulen und tätschelte ihr stattdessen kameradschaftlich den Rücken. »Und du hast dich seither fast nicht verändert.«

»Hab ich wohl. Ich hab mich mehr verändert, als du ahnst.«

»Bestimmt nicht so wie ich. Ich bin längst nicht mehr so fies.«

»Du warst fieser als fies. Du hast mir das Herz gebrochen.« Adrienne hätte sich am liebsten auf die Zunge gebissen für dieses Geständnis. Sie schniefte und machte sich von ihm los. Sie genoss seine Wärme, seinen Duft, seine tiefe, beruhigende Stimme viel zu sehr. Sie verdrängte den absurden Wunsch, sich ihm an den Hals zu werfen und ihn zu küssen, fragte stattdessen: »Hast du da draußen jemanden gesehen? *Weißt* du, wer auf mich geschossen hat?«

Ihr plötzlicher Stimmungswandel überraschte ihn. »Nein, ich hab keinen gesehen. Der Betreffende muss zwischen den Bäumen gestanden haben, außer Sichtweite.«

»Und was tust *du* hier?«, fuhr sie ihn an.

»Was tust *du* hier?«

»Ich hab zuerst gefragt.«

»Ich bin dir hinterhergefahren.« Sie wich vor ihm zurück, wütend und ängstlich. »Du bist mir gefolgt? *Warum*?«

»Weil du jemanden brauchst, der auf dich aufpasst, wenn du so dumm bist, nachts allein hier heraufzukommen!«

»Du kannst doch unmöglich gewusst haben, wohin ich fahre, als ich aus dem Haus ging.« Sie stockte, ihre Angst wuchs. »Das war dein Wagen, den ich nachts vor meinem Haus habe auf und ab fahren sehen, stimmt's? Und es ist nicht das erste Mal, dass du mich beobachtet hast.«

»Ist es ein Verbrechen, wenn ich versuche, dich zu beschützen?«

»Dafür hab ich Lucas!«

Drews Stimme klang plötzlich hart. »Meinst du etwa unseren Sheriff, der dein Haus nach dem Einbruch eine ganze Nacht lang unter Beobachtung stellen ließ? Ist das der liebende, fürsorgliche Lucas, von dem du sprichst?«

Adrienne versuchte ihre Überraschung zu verbergen und sagte steif: »Mein Haus stand länger unter Beobachtung als nur eine Nacht.«

»Nein, tat es nicht. Das würde ich wissen. Ich hab dieser Tage genug Schlaf verloren, um tot umzufallen, weil ich nämlich versucht habe, dir die Überwachung zu verschaffen, die unser geschätzter Sheriff in deinem Fall offensichtlich nicht für nötig hielt. Und wo wir gerade dabei sind, wo ist denn unser Sheriff Flynn? Sollte deine große Liebe nicht hier bei dir sein, auf dem dunklen, bewaldeten Hügel, wo du nach einer schwächlichen alten Dame Ausschau hältst? Immerhin sind in dieser Stadt schon drei Morde geschehen. Wollte er abwarten, bis du das vierte Opfer bist?«

»Er ist doch schon unterwegs«, zischte sie ärgerlich. »Ich hab ihn auf seinem privaten Telefon angerufen und ihn gebeten, mich hier zu treffen. Lottie hatte mich von der Hütte aus angerufen, doch ich hatte Angst, sie würde weglaufen, wenn jemand vor mir käme. Es war meine Idee … allein herzukommen.«

»Und er hat diesem hirnrissigen Plan zugestimmt?«

»Er war nicht hirnrissig«, widersprach sie eisig. »Und du hast mich nicht ausreden lassen. Er war einverstanden, mir einen kurzen Vorsprung zu geben.«

»Nun, der dürfte inzwischen vorbei sein. Wo zum Teufel ist er?«

Ja, wo zum Teufel war er?, fragte sich Adrienne. Er hätte längst hier sein müssen, denn sie war ja schon später dran, nachdem sie mit dem Wagen stecken geblieben war und einen Teil des Wegs zu Fuß hatte zurücklegen müssen. »Er kommt noch«, sagte sie eigensinnig. »Bald.«

»Was sollen wir jetzt tun? In dieser Hütte bleiben und wie das Kaninchen auf die Schlange starren, bis er sich entschließt, endlich hier einzutrudeln?«

»Wir sind keine Kaninchen. Die Lichter sind aus. Die Tür ist zu.«

»Die Tür hat kein Schloss. Und wir sitzen in einer Hütte, die in etwa so robust ist wie ein Kartenhaus. Mit einem Hochleistungsgewehr könnte man wahrscheinlich durch die Wände schießen. Ja, hier sind wir sicher, Adrienne. Ich fühl mich vollkommen geborgen.«

Ärger stieg in ihr auf, und sie schlug ihm mit beiden Händen auf die Brust. Und noch einmal. »Nun, wenn ich schon so blöd bin, warum lässt du dir denn nicht was einfallen außer deiner Nörgelei? Vielleicht findest ja du einen Ausweg aus dieser Misere!«

Drew packte sie an den Armen und hielt sie fest. »Du hast Recht. Tut mir Leid. Ich bin blöd. Nur schlag mich nicht mehr.«

Sie schluckte die Tränen hinunter, die schon wieder fließen wollten. »Ich wollte dich nicht verletzen.«

»Hast du nicht. Nur meine Gefühle.«

»O Drew, bitte mach jetzt keine Witze.«

»Du weißt doch, dass ich das immer tue, wenn mir nichts Besseres einfällt. Aber ich werd's lassen. Und trau dich ja nicht, noch mal zu weinen.«

»Das wollte ich nicht.«

»Darüber lässt sich streiten. Wie dem auch sei, das hier ist mein Plan. Wir wollen den Sheriff vergessen. Ich werd vom Handy aus die Polizei rufen. Sobald wir von einer Schar Polizisten umgeben sind, verlassen wir diesen gottverdammten Hügel und fahren nach Hause. Mit ein wenig Glück wird uns der Heckenschütze nicht verfolgen.«

»*Uns* verfolgen?«, wiederholte Adrienne. »Du meinst wohl *mich* verfolgen. Er hat auf *mich* geschossen.« Plötzlich hatte sie das Gefühl, als würde ihr das Herz stillstehen. »Skye. Sie ist allein zu Hause. Wenn mich derjenige, der mich erschießen wollte, tatsächlich nach Hause verfolgt oder schon dort ist …«

Sie konnte nicht zu Ende sprechen. Sie hatte Skye zwar verboten, die Tür zu öffnen oder hinauszugehen, ihr aber nicht eingeschärft, sich auch vom Fenster fernzuhalten.

»Wir wissen nicht, wie lange die Cops brauchen, um hier heraufzukommen«, sagte Drew mit ruhiger, aber eindringlicher Stimme. »Wir könnten noch mindestens eine Stunde hier feststecken. Du musst dafür sorgen, dass jemand sich um Skye kümmert. Ruf doch Vicky an!«

»Nein, nicht sie!« Drew sagte nichts, aber sie spürte seine Neugier. Sie konnte ihm nicht erzählen, was für hässliche Zweifel sich in ihrem Hirn eingenistet hatten bezüglich einer möglichen Verstrickung ihrer Schwester oder ihres Schwagers in die Morde an Julianna und Margaret. »Skye hat eine Freundin namens Sherry Granger. Sherrys Mutter ist sehr nett. Ich werd sie bitten, Skye abzuholen. Während du die Polizei verständigst, werde ich Mrs. Granger anrufen, und wenn sie einverstanden ist, als Babysitterin einzuspringen, werd ich Skye Bescheid geben. Ich glaube, bei den Grangers ist sie in Sicherheit.«

»Klingt gut«, sagte Drew. Dann fügte er nachdenklich hinzu: »Ich frage mich nur, was dich davon abhält, Skye deiner Schwester Vicky anzuvertrauen.«

2

»Bist du sicher, dass Brandon in Ordnung ist?«

»Ja, Skye, deinem Hund geht es bestens.« Adrienne hatte Skye nur erzählt, dass es in Lotties Haus Ärger gegeben hatte und sie womöglich noch Stunden hier feststecken werde; Skye solle deshalb bei den Grangers übernachten. »Pack ein wenig Zeug zusammen und warte auf sie.«

Mrs. Granger, die Adrienne gebeten hatte, sie Louise zu nennen, hatte zum Glück nicht lange gefragt, in welchen Schlamassel Adrienne jetzt wieder geraten war, sondern ihr versprochen, Skye augenblicklich zu sich zu holen. »Ich weiß ja nicht, wie's Ihnen geht, aber ich fühle mich sicherer, wenn mein Mann an meiner Seite ist«, sagte Louise vertraulich. »Mein Russ ist einssiebenundachtzig groß und wiegt 110 Kilo. Den verarscht keiner so leicht!« Louise kicherte. »Sie brauchen Skye nicht abzuholen, wenn Sie nach Hause kommen. Sie werden bestimmt müde sein nach dem, was Sie durchgemacht haben, nicht?«

Eine leise Bitte um Aufklärung, die Adrienne mit einem schlichten, unbefriedigenden Ja erfüllte. »Tja, die Mädchen können ja morgen ausschlafen«, sagte Louise. »Rufen Sie einfach an, wann ich Ihnen Skye bringen soll. Wir halten eine Menge von ihr. Ich freue mich immer, wenn ich Ihnen helfen kann. Tja, Russ sagt, ich sei noch verquasselter als meine Mutter. Machen Sie sich keine Sorgen um Skye, Adrienne. Und passen Sie gut auf sich auf, hören Sie? Seien Sie vorsichtig! Ich weiß nicht, was in letzter Zeit hier los ist. Vielleicht hat uns ja der alte indianische Fluch eingeholt, von dem alle Welt spricht – der von Häuptling Cornstalk. Ich hab das Gefühl, als sei plötzlich die halbe Stadt verrückt geworden. Na dann, machen Sie's gut, meine Liebe. Möge Gott Sie segnen und beschützen.«

»Sie auch«, hatte Adrienne unbeholfen erwidert. Sie war an schlichte Abschiede gewöhnt. Sie sah Drew an. Ihre Augen hatten sich an die Dunkelheit gewöhnt, und in seinen spiegelte sich das Mondlicht. »So, für Skye wäre gesorgt. Um sie brauche ich mir keine Sorgen mehr zu machen.«

»Ich bin überrascht, dass du weggefahren bist und sie allein gelassen hast.«

Die Bemerkung sollte kein Vorwurf sein, wurmte Adrienne aber trotzdem. »Ich hab eine erstklassige Alarmanlage. Das Haus war verschlossen wie eine Trommel. Ich sagte ihr, sie dürfe weder hinausgehen noch die Tür öffnen. Ich wollte doch nur eine halbe Stunde weg bleiben. Und sie ist kein Baby mehr!«

»Hoho, Mädel.« Drew lachte leise. »Jetzt hast du's mir aber gegeben. Es war eine dumme Bemerkung.«

»Nein, war es nicht«, sagte Adrienne, der plötzlich die Luft auszugehen schien. »Ich hätte sie nicht allein lassen dürfen. Es war leichtsinnig. Vierzehnjährige sind gern mal unvorsichtig, egal, wie oft man sie gewarnt hat.«

»Unvorsichtig ist man doch in jedem Alter. Und du hast tatsächlich eine ziemlich ausgeklügelte Alarmanlage. Blitzschlag-Rod hat mir alles erzählt, nachdem er sie eingebaut hatte. Er war mal in dich verknallt, wusstest du das? Und abgesehen von der Alarmanlage hast du die Sicherheitsbeleuchtung im Garten. Dein Haus strahlt heller als so mancher Tanzschuppen.«

»Ich hab aber keine Discokugel«, sagte Adrienne und musste lachen.

»Sicher könnte dir Rod eine besorgen. Der Typ hat Beziehungen, Adrienne.« Drew zeigte gen Himmel. »Mächtige Beziehungen, wenn du bedenkst, wie oft der schon beinah vom Blitz getroffen wurde.«

Sie saßen im Schneidersitz nebeneinander auf dem Boden und plauderten über unwichtige Dinge, während sie warteten. Sie warteten auf die Polizei und auf Lucas, obwohl keiner von beiden mehr von ihm sprach. Sie warteten auf einen weiteren Angriff. Sie warteten auf das Ende dieser gespenstischen Abgeschiedenheit. Schließlich fing Brandon an zu winseln, stupste Adrienne mit der Pfote und legte den Kopf in Drews Schoß.

»Er mag dich«, sagte Adrienne.

»Ich mag ihn auch. Ich mag alle Hunde, aber große ganz besonders. Rachel sagt, er sei der Mittelpunkt in Skyes Leben.«

»Das ist er auch. Ihr Vater hat ihn aus dem Tierasyl gerettet und Skye zum zehnten Geburtstag geschenkt. Sie war hin und weg.« Nach kurzer Pause sagte Adrienne leise: »In derselben Nacht ist Trey gestorben.«

»Ich weiß. Der Motorradunfall.«

»Er hatte noch nie zuvor ein Motorrad gefahren. Aber er hatte zu viel getrunken, hielt sich wohl für unverwundbar, und brauste auf der Harley eines Freundes davon. In einer Kurve verlor er die Kontrolle und geriet unter einen Sattelschlepper. Verdammt. Nicht einfach nur ein kleiner Pick-up. Trey Reynolds musste immer alles im *großen* Stil tun. Er hatte keinen Helm aufsetzen wollen. Immer wenn ich daran denke, werde ich so wütend, dass ich ihn glatt erwürgen würde, wenn er noch am Leben wäre. Und dann hab ich so ein schlechtes Gewissen, dass ich Skye nicht mehr ins Gesicht sehen kann.«

»Es ist doch ganz natürlich, wütend zu sein, wenn jemand stirbt, den man liebt«, sagte Drew. »Besonders wenn dieser

Jemand so idiotisch sein Leben aufs Spiel setzt. Und was er getan hat, war idiotisch, Adrienne. Du kannst doch nichts dafür, dass er so verantwortungslos war, auf dieses Motorrad zu steigen.«

»Er hat einiges angestellt, nachdem wir aus Las Vegas zurückgekommen waren. Wahrscheinlich hat er versucht, sein Scheitern dadurch wettzumachen, dass er zeigte, wie gut ihm alles andere gelang. Und wie mutig er war. Aber es war kein Mut. Es war Leichtsinn.« Adrienne seufzte. »Du brauchst mich nicht mehr zu trösten. Ich glaube, ich hab das Jammern hinter mir.«

»Du jammerst doch gar nicht.«

»O doch, und du hör auf, mich zu trösten!« Der Rücken tat ihr schon weh vor Anspannung, und sie legte sich auf den Boden. »Keine Sorge. Ich werd nicht bewusstlos. Ich versuche nur, mich zu strecken und die Verkrampfungen loszuwerden.«

»Ich stelle mich auf deinen Rücken, wenn du willst.«

»Nein, danke. Brandon würde sich gleich dazustellen, und ich glaube nicht, dass ich euch beide tragen könnte. Adrienne schloss einen Moment die Augen, da hörte sie ein fernes Geräusch in der Stille der Nacht. »Eine Sirene!« Sie fuhr auf. »Ich höre eine Sirene. Die Polizei kommt, endlich!«

Die Sirenentöne wurden fast eine Minute lang lauter, dann setzten sie aus. »Dein Auto steht ihnen im Weg«, sagte Drew. »Es hat mich auch blockiert. Die Streifenwagen kommen nicht mehr weiter, die Cops müssen den Rest der Strecke zu Fuß gehen.«

»Diese Straße«, sagte Adrienne abwesend. »Sie muss instand gesetzt werden. Lottie kann nicht noch länger in dieser Isolation leben.« Sie verstummte, hatte plötzlich einen Kloß im Hals. »Falls sie noch am Leben ist. Sie könnte ebenso gut tot im Wald liegen.«

»Lottie kennt den Wald wie ihre Westentasche. Und durch

das viele Umhergehen in all den Jahren ist sie ziemlich flink geblieben.« Drew griff im Halbdunkel nach ihrer Hand und streichelte sie. »Ich geb sie noch nicht auf, und das solltest du auch nicht tun. Es brächte ihr Unglück.«

Adrienne rang sich ein Lächeln ab. »Du hast Recht, ich muss optimistisch bleiben, das bin ich Lottie schuldig. Ich werd mich zusammenreißen, versprochen.«

Minuten später durchbohrte der Strahl einer Taschenlampe – der großen, von der Adrienne sich auf dem Weg hierher eine gewünscht hätte – die Dunkelheit vor Lotties Hütte. Sie hörten Stimmen, dann brüllte jemand: »Ist da jemand? Wenn ja, dann soll er mit erhobenen Händen rauskommen, und keine Fisimatenten!«

Drew stöhnte. »Nur unser allseits geschätzter Deputy Sonny Keller würde so eine peinliche Nummer abziehen.« Drew stand auf und ging zur Tür, öffnete sie einen Spalt breit. »Ich bin Drew Delaney. Adrienne Reynolds und ich sind die Einzigen hier. Wir sind unbewaffnet, Keller.«

»Sind Sie sicher?«

»Er fragt, ob ich sicher bin«, murmelte Drew und verdrehte die Augen. »Ja, Keller«, brüllte er zurück. »Können wir rauskommen, ohne dass uns Kugeln um die Ohren fliegen?«

»Na schön. Aber kommen Sie langsam. Mit erhobenen Händen.«

»Ist das zu fassen?«, fragte Drew. »Ein ganz Scharfer. Wenn du das vermasselst, Frau, dann legt der uns auf der Stelle um.«

Adrienne prustete los, ein Ergebnis überspannter Nerven und ratloser Verwunderung. Sie hatte gehofft, die Polizei würde sie aus der kleinen Hütte retten, in der sie knapp dem Tod entgangen war, nur hatte sie nicht damit gerechnet, dass man *sie* als die Gefahr betrachten würde. Obwohl ihr das Ganze wie eine Farce erschien, hielt sie brav die Hände hoch, als sie hinaus auf die Veranda trat. Deputy Keller kam näher und sah sie forschend an. »Was ist so komisch? Soll das irgendein Scherz sein? Denn wenn dem so ist …«

Er ließ das Grauen möglicher Konsequenzen in der Schwebe, als Drew einsprang und gnädigerweise das Sprechen übernahm. »Sie freut sich doch nur, dass Sie sie gerettet haben, Deputy. Es war mit Sicherheit kein Scherz. Jemand hat auf sie geschossen. Jemand mit einem Hochleistungsgewehr, wenn Sie mich fragen. Es ist ein Wunder, dass sie noch lebt.«

»Und auf Sie wurde nicht geschossen?«, fragte Sonny Keller.

»Adrienne war ein paar Minuten früher hier. Als ich kam, lag sie auf dem Boden der Hütte. Sie war nicht getroffen worden, aber sie hatte mächtig Angst. Das gilt für uns beide. Wir sind wirklich froh, dass Sie hier sind, Deputy Keller. Ich fühle mich jetzt schon viel sicherer, du nicht, Adrienne?«

Sie nickte. Keller sah Drew argwöhnisch an, wusste nicht recht, ob der sich über ihn lustig machte. Dann entschied er, dass sich kein vernünftiger Mensch nach dieser heroischen Rettungsaktion über ihn lustig machen konnte, und entspannte sich ein wenig.

»Kommen Sie jetzt runter von der Veranda. Könnte ja noch immer wer im Wald sein. Beißt der Hund? Nehmen Sie ihn mal an die Leine.«

»Er *ist* angeleint«, sagte Adrienne. »Aber er beißt ja eh nicht.«

»Hmmm. Für mich sieht er ganz schön bissig aus«, entgegnete Keller. Dann wandte er sich an seine Männer, die jetzt hinter ihm aus der Dunkelheit auftauchten. »Ausschwärmen!«, brüllte er in die kleine Gruppe Streifenpolizisten. »Ihr wisst Bescheid. Hier ist äußerste Vorsicht geboten. Der Täter ist bewaffnet und gefährlich. Ich wiederhole, gefährlich! Ist das klar?«

Als Antwort bekam Keller ein unwilliges Raunen, und als er den Rücken drehte ein paar hämische Grimassen, ehe die tapferen Männer in den Wald stapften. Der Typ ging Lucas gehörig auf den Geist, wie Adrienne wusste. Jetzt verstand sie auch, warum.

»Wo ist Sheriff Flynn?«, fragte sie.

»Im Einsatz«, entgegnete Keller.

»Das weiß ich, aber er sollte längst hier oben sein«, sagte Adrienne.

Keller setzte ein anzügliches Grinsen auf. »Ein kleines Rendezvous?«

Adrienne verkniff sich die sarkastische Bemerkung. »Lottie Brent hat mich angerufen. Sie muss in der Hütte gewesen sein. Ich rief Lucas an und sagte ihm, dass ich zuerst mit ihr sprechen wolle, damit sie vor lauter Angst nicht wieder weglaufen würde, er solle ein wenig später nachkommen und wir würden sie zu zweit ins Krankenhaus bringen. Das hätte ich allein nicht geschafft. Außerdem sollte Lucas wissen, dass Lottie am Leben war. Doch er ist nicht aufgekreuzt.«

Das anzügliche Grinsen verschwand aus Kellers teigigem Gesicht. »Sind Sie sicher, dass er hier heraufkommen und Sie treffen wollte?« Sie nickte. »Sind Sie sicher, dass Sie ihm auch genügend Zeit gegeben haben, um hier hochzukommen?«

»Mehr als genug.« Adrienne vermied es wohlweislich, ihm den Eindruck zu vermitteln, als würde sie das Ruder an sich reißen. »Deputy Keller, würden Sie ihn bitte auf dem Handy anrufen und herausfinden, wo er ist? Vielleicht hatte er Ärger mit dem Wagen.«

Sonny Keller runzelte die Stirn, und seine Miene zeigte die ersten Anzeichen von Intelligenz seit seiner Ankunft. »Oder der Heckenschütze hat ihn erledigt.«

Vierzehn

1

»Jetzt steig schon ein, Adrienne«, sagte Drew ungeduldig. »Es wird langsam frisch hier oben, und du bist erschöpft.«

»Ich glaube, ich sollte hier bleiben, bis sie Lucas gefunden haben.«

»Da suchen ein Dutzend Cops nach ihm.«

»Kein Dutzend.«

»Aber einige. Und nach Lottie suchen auch noch welche. Und all diese Cops sind bewaffnet, was wir nicht sind, während hier irgendein schießwütiger Verrückter durch die Gegend schleicht. Ich finde wirklich, wir sollten machen, dass wir fortkommen. Denk an deine Tochter, Adrienne.«

»O, gut, spiel ihn nur aus, den ultimativen Schuldtrumpf«, dachte sie wütend, wusste aber, dass er Recht hatte. Indem sie vor Lotties Hütte herumstand und eine mögliche Zielscheibe abgab, war niemandem gedient. »Ich kann doch meinen Wagen nicht einfach hier oben stehen lassen.«

»Warum nicht? Was soll ihm denn passieren? Und darf ich darauf hinweisen, dass er abgeschleppt werden muss. Mein Wagen dagegen ist dank seines ausgezeichneten Fahrers noch einsatzfähig. Und außerdem in vorbildlichem Zustand. Also hör auf rumzuzicken und steig ein.«

»Wie galant! Wie könnte ich einem solchen Angebot widerstehen?«

Adrienne stieg in den dunklen Camaro, der ihr in der Nacht nach dem Einbruch solche Angst gemacht hatte. Drew war angeblich nur an ihrem Haus vorbeigefahren, um sie zu beschützen. Vielleicht stimmte das ja auch, dachte sie. Es sähe ihm ähnlich, aus einer fürsorglichen Anwandlung heraus so etwas zu tun. Er hielt sich jetzt wahrscheinlich für unglaublich tapfer.

»Dieser letzte Gähner hätte dir glatt den Kiefer ausrenken können«, sagte Drew, als sie auf den Highway bogen und in südlicher Richtung stadteinwärts fuhren. »Wirst du wach bleiben, bis wir zu Hause sind?«

»Es dauert ja nur zehn Minuten. Ich werd es schon schaffen. Und du? Du siehst aus wie der junge Frühling.«

Drew musste lachen. »Es ist lange her, dass eine Frau das zu mir gesagt hat. Ich glaube, es war meine Mutter, und ich war damals zwei Jahre alt. Aber ich war schon immer ein Nachtmensch. Manchmal ist das gar nicht so gut. Führt zu Schlaflosigkeit.«

Sie fuhren schweigend durch die Vororte der Stadt und bogen dann in Adriennes Straße ein. Die meisten Häuser hatten geschmackvolle Lampen mit dezentem Licht entlang ihren Auffahrten stehen. Das Grundstück um Adriennes Haus strahlte wie ein Vergnügungspark.

»O Gott«, sagte sie. »Kein Wunder, dass die Nachbarn nicht mehr mit mir reden, seit ich die Lampen hab installieren lassen.«

»Sie können wahrscheinlich nicht mehr schlafen. Man kommt sich ja vor wie in einem Land, in dem es das halbe Jahr über hell bleibt.«

»Das Land der Mitternachtssonne. Meine Mutter würde sich in Grund und Boden schämen.«

Drew lächelte. »Deine Mutter wäre froh, dass du so vernünftig warst, ausreichend Lampen aufzustellen; die schrecken nämlich jeden Eindringling ab, der nicht völlig verblödet ist.«

Sie fuhren vor Adriennes Haus. Drew stieg aus und eilte zu ihrer Verwunderung auf die andere Seite, um ihr die Tür aufzumachen. Sie konnte sich nicht erinnern, wann ein Mann ihr das letzte Mal eine Autotür aufgehalten hatte. »Danke«, stammelte sie und wusste nichts weiter zu sagen, als er sie zur Haustür begleitete und sie erwartungsvoll ansah. »Ich bin zu Hause«, sagte Adrienne unbehaglich. »Gute Nacht.«

»Ich lasse mich nicht abwimmeln. Ich bleibe hier.«

»Wie bitte?«

»Du brauchst mir nicht zu danken. Ich tu's gern.«

»Drew, du wirst nicht die Nacht mit mir verbringen.«

»Ich lass dich doch nicht allein. Kit kannst du nicht fragen, ob sie bei dir bleibt. Sie hat bestimmt noch eine Weile in ihrem Restaurant zu tun, und hinterher ist sie zum Umfallen müde. Hat man mir gesagt.«

»Ich weiß, dass du keine direkten Kenntnisse ihrer Schlafgewohnheiten hast«, sagte Adrienne. »Sie ist wahrscheinlich die einzige Frau in der Stadt, die deinem Charme noch nicht erlegen ist.«

»Aber Adrienne, du treibst mir die Schamesröte ins Gesicht. Da Kit nicht verfügbar ist, könntest du Ellen anrufen und eine Schlummerparty veranstalten. Sie könnte dir all die gespenstischen Dinge erzählen, die sich im *Belle Rivière* ereignet haben.«

»Das hat sie schon«, sagte Adrienne unwillig.

»Oder Miss Snow von der French Art Colony. Sie ist ein wahrer Wirbelwind. Mit ihr wirst du bis zum Morgen trinken und tanzen und neue Frisuren ausprobieren.«

Adrienne seufzte. »Du bist eingeladen.«

»O, verbindlichen Dank, Mylady.«

»In der Not …«

»Ich hoffte zwar auf mehr Entgegenkommen, aber wenigstens habe ich den Fuß in der Tür.«

»Mehr aber auch nicht, mein Freund«, sagte Adrienne mit

Nachdruck. »Wenn ich nicht solche Angst hätte, dann würdest du nicht bei mir schlafen. Und wohlgemerkt, dies ist *kein* romantischer Abend. *Kein* Rendezvous. Nicht mal ein Flirt.«

»Das klingt ja immer vielversprechender. Werde ich die Jacke ausziehen dürfen, oder muss ich den Reißverschluss bis zum Hals hochziehen?«

»Hochziehen. Ich werd mich nach Skye erkundigen. Setz dich so lange mit Brandon ins Wohnzimmer. Ich hol dir gleich was zu trinken.«

»Danke. Wir nehmen zwei Margaritas. Mit Salz.«

Louise Granger versicherte Adrienne, dass Skye und Sherry vor elf zu Bett gegangen waren und jetzt vorgaben zu schlafen, obwohl sie sie in Sherrys Zimmer leise miteinander tuscheln hörte. »Hatten wir uns in dem Alter auch so viel zu erzählen?« Louise lachte. »Wenn jede Kleinigkeit, von Frisuren bis zu Filmstars, von höchster Wichtigkeit ist, dann hat man sich ein bisschen mehr zu sagen als wir Frauen mittleren Alters. Oh, ich wollte nicht sagen, dass Sie mittleren Alters sind, Adrienne. Sie sehen zehn Jahre jünger aus als ich.«

»Nein, das tue ich nicht«, sagte Adrienne ehrlich. »Hören Sie, Louise, ich kann Ihnen nicht alles verraten, was heute Nacht passiert ist, aber ich möchte Sie auch nicht völlig im Dunkeln lassen. Julianna Brent, die im *Belle Rivière* ermordet wurde, war eine langjährige Freundin von mir. Ich kannte auch ihre Mutter Lottie gut. Sie ist seit dem Mord an Julianna verschollen, doch heute Abend rief sie mich an. Sie lebt in einer primitiven kleinen Hütte in der Nähe des *Belle Rivière*, ich fuhr also zu ihr hinauf, aber sie war nicht mehr da.« Dass sie beinah erschossen worden wäre, behielt sie für sich. »Die Polizei wollte kommen und nach ihr suchen. Lottie geht es nicht gut, sie könnte krank und hilflos im Wald liegen. Ich sollte eine Weile in der Hütte bleiben, um sie zu beruhigen, falls sie sie finden und sie sich vor all den uniformierten Männern fürchten sollte.«

»Ach, die Ärmste«, sagte Louise voller Mitleid. »Ich hab von ihr gehört. Sie verkauft Kerzen, nicht? Wir vom Frauenbund haben ihr welche abgekauft. Ziemlich viele sogar. Wir tun viel Gutes im Frauenbund. Sie sind noch kein Mitglied, nicht, Adrienne? Sie sollten unserem Verein beitreten. Sicher hätten Sie eine Menge Spaß!«

Adrienne hätte sich beinah verschluckt. Von frühester Jugend an hatte sie Vereine gehasst. »Tja, ich hab im Augenblick eine Menge zu tun, aber mal sehen. Nun, ich wollte mich nur nach Skye erkundigen und Sie darüber aufklären, warum ich außer Haus war. Ich danke Ihnen vielmals, dass sie bei Ihnen übernachten darf.« Da sie spürte, dass Louise schon Luft holte, um weiterzureden, ließ Adrienne ein lautes, vorgetäuschtes Gähnen hören. »O Gott, ich bin zum Umfallen müde, kann kaum noch die Augen offen halten. Nochmals vielen Dank, Louise. Gute Nacht.«

Und bevor Louise noch einmal ein Loblied auf den Frauenbund singen konnte, hatte Adrienne bereits aufgelegt. Lieber Gott, bitte lass mich kein rückgratloser Schwächling sein und vor lauter schlechtem Gewissen diesem Weiberverein beitreten, betete sie innerlich. Sie war kein Gesellschaftstyp. Dergleichen war immer Vickys Stärke gewesen.

»Hast du Hunger?«, rief sie Drew aus der Küche zu.

»Ich könnte ein Pferd verschlingen«, antwortete der.

»Wie wär's mit Blaubeer-Muffins? Ich hab das Rezept von Vickys Haushälterin, Mrs. Pitt, bekommen und heute Nachmittag ein Blech gebacken. Ich könnte sie in der Mikrowelle aufwärmen und uns Kaffee kochen.«

»Klingt gut. Aber was ist mit den Margaritas passiert?«

»Wir wollten wach bleiben, Drew, keine Party feiern. Außerdem setzt sich Brandon nach einer Margarita immer den Lampenschirm auf den Kopf und tanzt eine Salsa.«

»Klingt vielversprechend.«

»*Wach bleiben*, Drew. Nicht vergessen!«

Zehn Minuten später trug Adrienne ein überladenes Tablett ins Wohnzimmer, redete dabei wie ein Wasserfall und lachte schrill, als sie die Milch verschüttete und ein Klümpchen Butter auf den Teppich fallen ließ.

Endlich legte ihr Drew zwei Finger auf die Lippen. »Schsch, Adrienne«, sagte er sanft. »Sei still, atme tief durch und entspann dich.«

Ihre aufgesetzte Fröhlichkeit zerplatzte wie ein Luftballon. »Ich kann nicht. Ich hab die ganze Zeit versucht, mich zusammenzureißen, eben in der Küche ging mir noch mal alles durch den Kopf, was heute passiert ist. Ich könnte tot sein –«

»Aber du bist es nicht.«

Sie ignorierte die Unterbrechung. »Und hier sitzen wir beide, reden und lachen, als wär nichts passiert, obwohl Lottie und Lucas verschwunden sind und irgendwer herumläuft und Leute erschießt, verdammt!«

»Ob er sie erschießen will, wissen wir doch gar nicht. Dich hat er auch nur ins Visier genommen –«

»Ah, so ist es recht. Ins Visier genommen. Da geht's mir gleich viel besser!«

Drew seufzte. »Dürfte ich wohl einen Gedanken zu Ende bringen, bevor du wieder wütend wirst?« Adrienne klappte den Mund zu. »Zuerst hat jemand auf dich geschossen – nicht einmal, sondern dreimal – und dich nicht getroffen. Also, entweder der Betreffende ist ein miserabler Schütze, oder er hat dich absichtlich verfehlt. Zweitens, Lottie war nicht in der Hütte. Da war kein Blut, auch keine Kampfspuren. Für sie ist es einfach, sich im Wald zu verstecken, in dem sie schließlich ihr ganzes Leben verbracht hat. Sie weiß sich zu helfen, glaub mir.«

Adrienne dachte an Lotties Versteck, das auch Ellen bekannt war. Hatte Lottie sich dorthin geflüchtet? Hätte sie den Ort Deputy Keller verraten sollen? Dass sie es nicht getan hatte, kam ihr jetzt dumm vor. Andererseits hatte sie befürchtet, von jemandem im Wald belauscht zu werden. »Drittens«, fuhr Drew fort, »ist Lucas Flynn nicht aufgekreuzt. Das ist zwar eigenartig, muss aber nicht unbedingt das Schlimmste bedeuten. Vielleicht ist ihm etwas dazwischengekommen.«

»Und was?«

»Eine Reifenpanne zum Beispiel.«

»Er geht aber nicht ans Handy.«

»Der Akku ist leer.«

»Du hast auf alles eine Antwort.«

»Aber nein, ich sage doch nur, dass es auch harmlose Erklärungen gibt. Komm schon, Adrienne, dieser neurotische Pessimismus passt doch gar nicht zu dir.«

»Woher willst du das wissen?«

»Weil ich dich kenne, seit wir sechs Jahre alt waren. Mit sieben hatte ich dich völlig durchschaut.«

Adrienne sah ihn forschend an. »Das Leben ist ein einziger großer Witz für dich, hab ich Recht?«

Zu ihrer Überraschung wurde Drew ernst. Sie hätte nicht gedacht, dass ihm eine ihrer Äußerungen wirklich zu Herzen gehen, geschweige denn ihn kränken könnte. »Nein, Adrienne, ich finde nicht, dass das Leben ein Witz ist«, sagte er ernst. »Ich glaube, das Leben ist hart und verletzend und oftmals willkürlich grausam. Deshalb sollte man auch das Gute im Auge behalten und versuchen, positiv zu denken, anstatt immer nur das Schlimmste zu erwarten. Tut man das nicht, kann einen die dunkle Seite des Lebens überwältigen. Du findest diese Philosophie wahrscheinlich genauso oberflächlich und banal wie mich, aber so denke ich nun mal.«

Er widmete sich seinem Kaffee, trank einen Schluck, zuckte zusammen, weil er so heiß war, und sah hinüber zu Brandon. Der Hund starrte kummervoll zurück.

»Ich finde dich weder oberflächlich noch banal«, sagte Adrienne endlich. »Nur warst du in der Vergangenheit so rücksichtslos. Gegen *mich*.« Sie starrte auf ihre Hände. »Ich war vor Jahren in dich verliebt. Wirklich verliebt. Und du hast das gewusst. Wenn du meine Gefühle nicht erwidern konntest, hättest du es mir sagen können. Doch anstatt auch nur einen Funken Rücksicht auf meine Gefühle zu nehmen, bist du nach dem College nach New York abgedüst, hast mich ein paar Mal angerufen, mir ein paar Briefe und Karten geschrieben und hast geheiratet! Ich musste es auch noch über Dritte erfahren. Kannst du dir vorstellen, wie mir zumute war? Ich hatte was Besseres verdient, Drew Delaney. Ich hatte was Besseres verdient!«

Drew stand auf, trat ans Fenster und starrte in den hell erleuchteten Vorgarten hinaus. »Stell dich nicht ans Fenster«, sagte Adrienne. »Du gibst eine erstklassige Zielscheibe ab, falls der Schütze uns nach Hause verfolgt hat.«

»Danke für deine Fürsorge«, sagte er abwesend und trat ohne Eile zurück. Er schien nicht im Geringsten besorgt, dass jemand auf ihn schießen könnte. Adrienne stand auf, schloss die Vorhänge und setzte sich wieder. Sie wusste nichts zu sagen.

»Adrienne, ich wünschte, ich hätte eine gute Ausrede für das, was ich damals getan habe«, sagte Drew endlich, seine Stimme war leise und zögernd. »Ich kann nur sagen, dass ich jung war und ehrgeizig und extrem egozentrisch. *Und* unerfahren. Ich hatte mein ganzes Leben in dieser Kleinstadt verbracht, und dann kam ich nach New York City.« Er sah sie an und lächelte reumütig. »Ich kam mir vor wie auf einem anderen Planeten. Dauernd war irgendetwas los. Ich war voller Ehrfurcht und stürzte mich Hals über Kopf ins Leben wie früher in den Pool des *Belle Rivière*. Es hat nicht lang gedauert, bis unsere kleine Stadt und alle ihre Bewohner unendlich weit weggerückt waren, nicht nur physisch, auch gefühlsmäßig. Ich lernte neue Menschen kennen, die mir großartiger, toller, aufregender erschienen als die Leute, die ich bis dahin gekannt hatte. Ich brauchte ein paar Jahre, bis ich die einfache Lektion gelernt hatte, dass Menschen tief im Herzen überall gleich sind, egal, wo sie leben. Nur glitzert manchmal die Fassade heller. Und als ich das begriffen hatte, beschloss ich, wieder heimzukommen und hier noch mal von vorn anzufangen.«

»Womit denn? Mit deiner Karriere?«

»Zum Teil. Vor allem mit meinem Privatleben. Ich war zweimal verheiratet, Adrienne, und hab keine meiner beiden Frauen richtig gekannt.«

»Was redest du denn da? Dass du dich hast scheiden lassen, weil du enttäuscht warst von ihnen? Waren sie denn keine guten Frauen?«

»Sie waren schon in Ordnung. Um ehrlich zu sein, habe ich keine von beiden so gekannt, wie man seine Frau kennen sollte. Es machte mir nichts aus, weil ich schnell erkannte, dass sie nicht das waren, was ich hier gehabt hatte, und das wollte ich mehr als alles andere.« Er sah sie an. »Sie waren einfach nicht wie du.«

Adrienne verstummte, sie war sprachlos. Drew trat wieder ans Fenster. Sie starrte zu Boden. Das Telefon ging los wie eine Bombe, und Adrienne wäre fast vom Stuhl gekippt.

»Um Gottes willen!«, rief sie erschreckt und rannte, um den Hörer abzunehmen. Es war Lucas.

»Bist du in Ordnung?«, fragte er.

»Ja. Ja, ich bin in Ordnung, den Umständen entsprechend. Lucas, wo warst du?«

»Im Straßengraben. Bewusstlos. Jemand hat mir in den Reifen geschossen. Ich kam von der Straße ab und landete im Wald. Dann hat man mich in die Schulter geschossen. Es dauerte eine Weile, bis Sonny Keller und seine Leute mich fanden.«

»Mein Gott«, keuchte sie. »Wie schwer bist du verwundet?«

»Der Arzt sagt, ich werd es überleben. Es war ein glatter

Durchschuss, der keinen Knochen beschädigt hat. Ich könnte guten Gewissens einen Tag frei nehmen, aber das will ich nicht. Ich würde es nicht aushalten. Ich muss rauskriegen, was in dieser Gegend vor sich geht.« Dann sagte er: »Keller hat mir erzählt, was dir zugestoßen ist.«

»Ohne Zweifel derselbe Schütze, aber woher wusste er, dass er uns beide erwischen würde? Kein Mensch wusste, dass du zu Lottie fahren würdest.«

»Ich weiß es nicht«, sagte Lucas zerstreut. Er schien Schmerzen zu haben. »Jemand muss mir hinterhergefahren sein. Und dir auch.«

Sie wusste, dass Drew ihr gefolgt war. Er hatte es offen zugegeben. Aber sie war sicher, dass *er* nicht der Schütze war. Das bedeutete, dass noch ein anderer im Spiel war, jemand, der noch immer frei herumlief und auf einen weiteren Schuss lauerte.

2

Nach Lucas' Anruf sagte Adrienne zu Drew, dass der Sheriff zwar verwundet, aber nicht ernsthaft verletzt sei, die Probleme sich etwas beruhigt hätten, er also fahren könne.

»Das glaube ich nicht«, erwiderte er gleichmütig nach kurzem Nachdenken. »Lottie ist noch immer verschwunden. Ebenso der Schütze. Deine Sicherheit ist noch genauso gefährdet wie vor einer halben Stunde. Ich werde also bis zum Morgen hier auf dich aufpassen, ob ich willkommen bin oder nicht.«

Adrienne bemühte sich sehr um eine resignierte Miene, die ihre unermessliche Erleichterung verbergen sollte. Die Schüsse in Lotties Hütte hatten sie bis ins Mark erschüttert, und die Angst, die sie in den vergangenen Tagen mit sich herumgetragen hatte, lag ihr im Magen wie ein kalter Klumpen. Sie war ein Nervenbündel, fror, war hellwach und entsprechend hibbelig. Sie konnte sich nicht vorstellen, dass sie sich jemals wieder beruhigen würde, ganz zu schweigen in dieser Nacht, und war froh, dass sie die langen dunklen Stunden bis zum Morgen nicht allein durchstehen musste.

Sie und Drew waren sich einig, dass in ihrem aufgedrehten Zustand an Schlaf nicht zu denken war, wechselten aber trotzdem von Kaffee zu Wein, in der Hoffnung, sich ein bisschen zu entspannen. Adrienne legte Musik auf, und sie saßen nur wenige Zentimeter voneinander entfernt auf der Couch. Zu ihren Füßen lag Brandon und schnarchte genüsslich.

»Hat Lucas irgendeine Ahnung, wer auf ihn geschossen hat?«, fragte Drew.

»Nein. Aber er sagte, sie hätten Miles Shaw gestern Vormittag wegen des Mordes an Margaret vernommen und heute vergeblich nach ihm gesucht. Miles scheine untergetaucht zu sein.«

»Shaw hat doch keinen Grund, Angst zu haben. Er hat ein Alibi. Mindestens zehn Leute haben ihn zur Tatzeit im Heaven's Door gesehen.«

»Zehn Leute? Woher weißt du das?«

Drew sah sie pfiffig an. »Ich hab meine Informanten, Schatz. Ich weiß genau, was Shaw während der Vernehmung gesagt hat, und weiß über jeden Schritt Bescheid, der in dieser Ermittlung unternommen wurde.«

»Du scheinst es ja wirklich faustdick hinter den Ohren zu haben«, sagte Adrienne, nur halb im Scherz. »Aber ich sollte mich nicht wundern. Schon damals an der High School warst du immer am Puls des Geschehens.«

»Es ist eine schöne, seltene Gabe«, stimmte Drew ihr feierlich zu. »Man nennt sie Neugier.«

»Viele Leute sind neugierig, aber sie erfahren trotzdem nicht, was sie wissen wollen. Du bist ein Meister darin. Kein Wunder, dass du Journalist geworden bist. Dabei wolltest du doch eigentlich den ›Großen Amerikanischen Roman‹ schreiben.«

»Das ist wahr, ich und etwa fünfhunderttausend andere Leute. Und alle landen sie stattdessen bei irgendeiner Zeitung.« Er leerte sein Glas und griff nach der Flasche, die auf dem bunten Glastisch vor ihnen stand. »Guter Wein.«

»War nicht teuer. Ich bin kein Weinkenner wie mein Schwager.«

»Philip mag wahrscheinlich gar keinen Wein. Er sammelt nur deshalb teure Spitzenweine, weil es in seinen Kreisen zum guten Ton gehört. Philip tut immer das Richtige.«

»Fast immer«, sagte Adrienne säuerlich und bedauerte ihre Worte sofort, als Drew ihr einen schnellen, wissbegierigen Blick zuwarf.

Dabei hätte Adrienne ihn zu gern gefragt, ob er über Philip und Julianna Bescheid wusste. Doch das konnte sie nicht. Sie durfte nicht vergessen, dass Drew Journalist war. Und Philip gehörte schließlich zur Familie. Zumindest technisch. Er war ihr zwar nie wie ein Familienmitglied vorgekommen, und sie wusste, dass seine Meinung von ihr alles andere als positiv war. Sie tolerierten einander bestenfalls, das war schon immer so gewesen. Juliannas Leidenschaft für ihn wunderte sie. Ebenso ihre Fähigkeit, so lange zu schweigen. Adrienne hatte nie etwas geahnt. Hatte Kit Bescheid gewusst? Drew wandte ihr den Kopf zu, und seine dunklen Augen funkelten. »Worüber denkst du nach?«

»Darüber, dass die Liebe oft seltsame Wege geht.« Er runzelte die Stirn, und sie redete weiter, wusste, dass der viele Wein sie gefährlich redselig machte, konnte sich aber nicht bremsen. »Ich meine, warum Leute sich zueinander hingezogen fühlen. Oder eben nicht. Da hat man einen Mann und eine Frau, zwischen denen es unbedingt funken müsste, meint man, aber nichts dergleichen geschieht. Dann gibt es welche, die sich logischerweise keines Blickes würdigen dürften, und schon verlieben sie sich unsterblich ineinander. Und das auf Jahre. Vielleicht sogar für immer, wenn die Liebe tatsächlich ewig hält, noch über den Tod hinaus.« Sie sah ihn an. »Ich plappere dummes Zeug.«

»Nein, tust du nicht. Du hast etwas Bestimmtes im Kopf. Ich weiß, dass dein Gerede über ewige Liebe sich nicht auf Margaret und Miles bezieht. Und ich hoffe, du hast nicht dich und Lucas Flynn gemeint.« Sie blickte zu Boden. »Du denkst an Philip und Julianna, nicht?«

Das verschlug ihr die Sprache. »Du hast es gewusst?« Er nickte. »Woher? Seit wann?«

»Woher ich es weiß? Ich beobachte die Menschen. Sehr genau, muss ich zugeben, doch keiner von beiden war ein herausragender Schauspieler. Seit wann? Seit Jahren. Seit Julianna ein Teenager war. Als ich dann aus New York zurückkam und die beiden wiedersah, war mir klar, dass ihre Gefühle füreinander nur noch tiefer geworden waren.«

»Da bin ich baff«, sagte Adrienne leise. »Ich hab gar nichts gemerkt.«

»Das glaube ich dir nicht. Du bist viel zu sensibel, als dass dir so etwas nicht auffallen würde. Du hast nur die Augen zugemacht, weil Julianna deine Freundin war und Philip der Mann deiner Schwester.«

»Du hast die beiden schon vor zwanzig Jahren durchschaut? Ehrlich?«

»Ehrlich. Es war im *Belle Rivière*, wo ja offenbar die seltsamsten Dinge geschehen. Es ist schon was dran, dass das Haus nicht ganz geheuer ist. Ellen Kirkwood liegt gar nicht so daneben, wenn sie das glaubt. Es ist eine Brutstätte für grausame, tragische oder potenziell gefährliche Liebeskonstellationen.«

»Ellen erzählte mir einmal die Geschichte des Hotels, und da hatte ich auch den Eindruck, dass sie vielleicht doch nicht ganz falsch liegt. Adrienne nahm noch einen Schluck Wein, von dem sie wusste, dass sie ihn nicht brauchte. »Glaubst du, das Verhältnis zwischen Philip und Julianna hat zu Julis Ermordung geführt?«

Drew nickte. »O ja, Adrienne. Das soll aber nicht heißen, dass Philip sie umgebracht hat, obwohl ich es nicht ganz ausschließen will – vielleicht ist er ausgerastet, weil sie zu fordernd wurde oder drohte, das Verhältnis an die Öffentlichkeit zu tragen. In der Hitze des Gefechts wäre Philip durchaus zu einem Mord fähig, denke ich.« Er überlegte. »Oder der Mord war das Resultat einer sorgfältigen Planung: Philip, oder wer auch immer, traf sich mit ihr an einem abgeschiedenen Ort, wo der Mörder genügend Zeit hätte, sich aus dem Staub zu machen. Skye und du seid ihm in die Quere gekommen. Wie auch immer, Julianna musste jedenfalls sterben – davon bin ich überzeugt –, weil sie Philip Hamilton liebte.«

»Und die anderen Morde?«

»Nebenwirkungen des ersten. Eine schreckliche Kettenreaktion, ausgelöst durch den Mord an Julianna.«

»O Gott«, stöhnte Adrienne.

»Du bist zu schlau, um nicht selbst schon daran gedacht zu haben.«

»Das ist schon wahr«, gab Adrienne zu, »doch ich war nicht so kühl und logisch wie du. Außerdem weiß ich erst seit heute Abend, dass Julianna und Philip ein Verhältnis hatten. Mir ging es wie Vicky. Ich hatte Margaret in Verdacht.«

»Vielleicht wollte Vicky dir nur einreden, dass sie das glaubte.«

»Sie hat es wirklich geglaubt, Drew. Worauf willst du hinaus? Soll ich etwa behaupten, dass ich Vicky zutraue, ihre Rivalin Julianna umgebracht zu haben?«

»Und wie steht's mit ihrer Rivalin Margaret?«

»Ich dachte nicht …«, fing sie hitzig an und sagte den Satz nicht zu Ende. Ja, beim Anblick von Vickys desolatem Zustand am Morgen, als man Margarets Leiche gefunden hatte, war Adrienne tatsächlich der Gedanke gekommen, ihre Schwester könne das Undenkbare getan haben, vielleicht mit zu viel Alkohol und Medikamenten im Blut. Adrienne holte tief Luft, und unter dem Gewicht der Erschöpfung zerbröselte ihre Abwehr, sodass sie den Kopf auf Drews Schulter legte. »Ich weiß nicht mehr, was ich denken soll, außerdem kriege ich höllisch Kopfweh.«

»Kein Wunder.« Drews rechte Hand legte sich auf ihren Nacken und massierte ihn sanft. »Hier fangen deine Spannungskopfschmerzen an. Das war früher auch schon so.«

»Ich geb's auf. Du kennst mich wirklich. Und was du da tust, fühlt sich wunderbar an.«

Adrienne trank noch mehr Wein. Drew massierte ihre verspannten Nackenmuskeln mit dem richtigen Druck. Dazu sang Don Henley leise das Lied *Taking You Home*, das von der Liebe handelte, die er fand und die anders war als alles, was er je kennen gelernt hatte. Adrienne verlor sich in den Worten, gab sich Drews sanfter, vertrauter Berührung hin. Da wurde ihr schlagartig bewusst, dass sie sich zum ersten Mal seit Tagen – vielleicht sogar seit Jahren – warm, geborgen und – kaum zu glauben – geliebt fühlte.

Sie fuhr auf. »Was ist denn?«, fragte Drew heiser, und sie spürte seinen warmen Atem auf der Wange, blickte in seine unendlich tiefen dunklen Augen. Sie konnte nicht antworten, traute ihrer eigenen Stimme nicht. Als verstehe er, was sie nicht sagen wollte, schenkte er ihr das altvertraute Lächeln, nahm ihren Kopf in beide Hände und zog ihn zu sich heran. »Keine Sorge, Adrienne«, murmelte er. »Wir sind zusammen, alles wird wieder gut. Dafür werd ich sorgen. Du wirst schon sehen. Also entspann dich, mein Schatz. Fühl dich, als wären wir beide ganz allein auf der Welt.«

Und seufzend gab sie ihm nach.

»Adrienne? Adrienne! Geht es dir gut? Adrienne, ich schwöre, wenn du tot bist …«

Adrienne tauchte langsam aus dem Schlaf und glitt dann wieder in die dunklen Tiefen des Unbewussten ab, bis die schrille Stimme es ihr unmöglich machte, sich friedlich treiben zu lassen, und sie zu den hellen Farben, dem grellen Licht und den scharfen Konturen des Wachseins zurückrief. Adrienne blinzelte, streckte sich, musste husten und begriff endlich, dass Kit von außen mit aller Kraft gegen das Erkerfenster hinter der Couch hämmerte.

»Wenn du schläfst, wach auf«, rief sie. »Lieber Gott, mach, dass sie nur schläft. Sei nicht tot, Adrienne. Wag es ja nicht!«

Adrienne schlug die Augen weit auf, sah zu Drew hinüber, dessen Kopf sich bewegte, obwohl seine Augen noch zu waren, hob den Kopf und sah die Wolldecke, die ihre nackten Körper bedeckte. Einem Reflex folgend zog sie sie höher, obwohl nur ihre Schultern zu sehen waren.

Die Vorhänge hatten sich am Couchrücken verfangen, sodass sie mindestens drei Zentimeter klafften. Adrienne lugte nach draußen und sah Kit mitten in den Ringelblumen stehen, im Bemühen, durch den Vorhangspalt zu spähen. Als Kit sah, dass Adrienne sich bewegte, stieß sie einen Freudenschrei aus und trommelte mit den Händen gegen das Glas. Adrienne stöhnte. Dann ließ sie sich von der Couch rollen, wobei sämtliche Muskeln und Gelenke in ihr rebellierten, und raffte ihre Kleider zusammen. Endlich schlurfte sie zur Haustür, fummelte mit Schlüssel und Kette und öffnete die Tür.

Adrienne blinzelte in den hellen Tag, während Kit sie an sich zog und in ihre kräftigen Arme schloss. »Gott, Adrienne, warum bist du nicht ans Telefon gegangen? Läufst einfach in der Gegend rum, wirst beinah erschossen, rennst heim und steckst das Telefon aus!«

»Stimmt ja gar nicht.« Adriennes Zunge war eindeutig zu groß für ihren Mund. »Außerdem hab ich ein Handy.«

»Zwei Telefone, keine Antwort.« Kit trat ins Haus und schloss die Tür hinter sich, sperrte das gleißende Morgenlicht gnädigerweise aus. Adrienne musterte sie aus schmalen Augenschlitzen. Kits kurzes dunkles Haar sah aus, als habe sie es mit einem feuchten Kamm traktiert, anstatt es der üblichen Wasch- und Lockenstabroutine zu unterziehen, und ihre Augen waren blutunterlaufen von zu wenig Schlaf. Sie trug eine Jogginghose zum verknitterten T-Shirt, ihre blasse Haut wirkte fahl, und ein schmaler Kratzer schlängelte sich quer über ihre Stirn. »Ich war ganz krank vor Sorge um dich.«

»Tut mir Leid. Du hast ja keine Ahnung …«

»Ganz recht!« Kit klang plötzlich wütend. »Ich hab keine Ahnung, weil du weder mich noch sonst jemanden hast wissen lassen, ob alles in Ordnung ist.« Sie warf einen Blick auf Drew, der sich auf der Couch umsah wie ein betäubtes Tier auf ungewohntem Territorium. »Na, kein Wunder, dass du keine Lust hattest, ans Telefon zu gehen.«

»Es hat nicht geklingelt, Kit«, entgegnete Adrienne gereizt. Dann kam ihr ein Schreckensgedanke: Wenn Drew aufstand, was dann? Er hatte nichts an unter der Decke. »Kaffee!« Sie brüllte fast. »Ich brauch 'nen Kaffee! Komm mit mir in die Küche.«

Kit musste grinsen. Sie rief in Richtung Wohnzimmer: »Drew, hör schon auf, mit der Decke zu kämpfen. Du siehst ja aus, als hättest du Schmerzen. Kaffee kommt gleich.«

»Gott sei Dank«, stöhnte er, als die beiden Frauen in die Küche verschwanden.

Adrienne holte die Kaffeedose heraus, und Kit setzte sich an den Küchentisch. »Bevor du mich mit Fragen bombardierst«, sagte Adrienne, »sag mir, welchem Umstand ich deinen morgendlichen Überfall verdanke? Und was hat diese schmeichelhaft laute Freude darüber zu bedeuten, dass ich nicht tot bin, und warum ärgerst du dich, dass ich nicht ans Telefon gegangen bin, das überhaupt nicht geklingelt hat?«

»Gail Brent. Sie hat mich heute Morgen angerufen. Du weißt ja, dass sie mit Sonny Keller zusammen ist, diesem Deputy. Er hat ihr erzählt, du seist in Lotties Hütte gewesen, jemand habe geschossen, du seist ungeschoren davongekommen, Lucas dagegen hätt's erwischt. Als ich dich nicht erreichen konnte, kam mir der schreckliche Gedanke, dass derjenige, der in der Hütte auf dich geschossen hat, dich am Ende doch noch erwischt hat.« Kit dachte nach. »Keller konnte ja nicht wissen, dass Drew Delaney dir Gesellschaft leistet, solange Lucas im Krankenhaus ist. Denn wenn dem so wäre, hätte er es längst in der ganzen Stadt herumposaunt. Natürlich bin ich selbst ein wenig erstaunt – ach, was sage ich –, schockiert, obwohl ich ja immer der Meinung war, dass Lucas nicht der Richtige für dich ist. Er ist zu ernst.«

»Das ist keine große Sache, Kit. Drew hat mich beschützt.«

Kit platzte vor Lachen. »Hör schon auf zu gackern«, fuhr Adrienne sie an, obwohl ihr Gesichtsausdruck nicht so streng war wie ihre Stimme. »Wir hatten eine anstrengende Nacht.«

»Glaub ich gern«, lachte Kit.

»Wirst du damit aufhören? Du hörst dich an wie fünfzehn.«

»Und ihr zwei *seht* aus wie fünfzehn, Haare zerzaust, schuldbewusste Blicke, flammend rote Wangen.«

»Flammend rote Wangen? Das bildest du dir ein. Drew ist noch nie im Leben rot geworden. Außerdem gibt es nichts, weswegen wir zwei rot werden müssten.«

»Komm schon, Adrienne, ich bin deine beste Freundin. Rück schon raus mit der Wahrheit! Fang mit den Schüssen an.«

»Danke. Ich dachte schon, *den* Teil würdest du langweilig finden. Dann hätte ich ihn übersprungen und wäre lieber gleich zum großen Augenblick mit Drew gekommen.«

»Ich will alles hören. Übrigens schüttest du viel zu viel Kaffeepulver in die Maschine.«

»Ach was! Drew und ich, wir brauchen was zum Wachwerden. Wir haben eine Menge Wein getrunken. Zur Entspannung.«

»Während er dich beschützt hat. Jaja, *jeder* gute Bodyguard trinkt im Job.«

»Hast du eine Zahnbürste für mich?«, rief Drew aus dem Badezimmer.

Kit kringelte sich vor Lachen. »Das wird ja immer besser.«

»Ach, sei still«, knurrte Adrienne und konnte sich das Grinsen nicht verkneifen. »Im Medizinschrank!«, rief sie zurück.

»Wenn er jetzt noch ein Schaumbad will, flipp ich aus«, keuchte Kit.

»Wenn er ein Schaumbad will, werf ich euch beide raus.« Adrienne schaltete die Kaffeemaschine ein. »Also, zu meiner Beinah-Ermordung gestern.«

»O ja.« Kit wischte sich die Tränen aus den Augen und probierte, eine einigermaßen entsetzte Miene aufzusetzen. »Was ist passiert?«

»Sicher hast du das Wesentliche schon von Gail erfahren.« Adrienne setzte sich an den Tisch, als die Kaffeemaschine in Aktion trat. »Lottie rief mich an. Sie hörte sich richtig krank an, weigerte sich aber, in die Stadt zu kommen. Sie wollte mir nicht mal sagen, wo sie war. Ich hab daher Lucas angerufen und ihn gebeten, mich in Lotties Hütte zu treffen. Dann fuhr ich los, und als ich die Hütte erreichte, hat jemand auf mich geschossen. Mit einem *Gewehr*, wohlgemerkt, keiner Pistole. Der Schuss ging daneben, wie man sieht. Ich warf mich zu Boden und blieb starr vor Angst liegen, bis Drew kam. Er war mir hinterhergefahren. Lottie war nicht in der Hütte. Weil Lucas nicht aufkreuzte, rief Drew die Polizei. Dann fuhr er mich nach Hause und blieb bei mir, nur für den Fall, der Killer würde ein zweites Mal versuchen, mich umzubringen. Er wollte mich nicht allein lassen. Deshalb ist er hier.«

»Den letzten Teil kannst du deiner Großmutter erzählen. Ich hab euch zwei durch den Vorhangspalt gesehen, eng aneinander gekuschelt.«

»Wir *waren* nicht aneinander gekuschelt.«

»Du hast euch zwei nicht gesehen. Wo ist übrigens Skye?«

»Bei Sherry Granger. Ich hab sie von den Grangers abholen lassen, als der Ärger anfing. Ich hoffe nur, sie hat nichts von den Schüssen mitgekriegt.« Adrienne überlegte kurz. »Du sagtest, Gail habe dich angerufen. Warum?«

»Weil du meine Freundin bist.«

»Aber keine von uns ist mit Gail befreundet. Es wäre ihr doch völlig egal, wenn mir etwas zustoßen würde.«

Kit warf ihr einen besorgten Blick zu. »Na ja, seltsam ist diese plötzliche Sorge um dich schon. Ich war so aus dem Häuschen, dass mir das gar nicht aufgefallen ist. Und weißt du was? Ich fragte sie nach ihrer Mutter, und da sagte sie in diesem gleichgültigen Ton, Lottie werde schon wieder auftauchen, keine Sorge. In Anbetracht der Schüsse ist das echt eiskalt, sogar für Gail.«

»Stimmt.« Adrienne stand auf, um ihnen Kaffee einzugießen. »Du hast einen Kratzer auf der Stirn. Wie das?«

»Was? Ach der. Ich bin heute Morgen über die Hintertreppe aus dem Haus gerannt und wäre um ein Haar im Hartriegel gelandet. Ein Zweig hat mich erwischt. Blutet es?«

»Ein bisschen. Aber es ist schon trocken. Du solltest ein bisschen Jod draufpinseln. Ich hab welches im Bad.«

»Das ist belegt.«

»Nicht mehr lange.« Adrienne stellte Kit einen Becher Kaffee hin und ging mit einem zweiten aus der Küche. »Kaffee im Badezimmer?«, neckte Kit. »Nicht ganz so gut wie Frühstück im Bett.«

»Besser geht's nun mal nicht.«

Drew kam gerade aus dem Bad. Sein Gesicht war rot vom vielen kalten Wasser, das er sich ins Gesicht gespritzt hatte, seine dunklen Augen waren genauso blutunterlaufen wie die von Kit, das Haar stand ihm wirr vom Kopf, und trotz alledem sah er zum Knutschen aus, fand Adrienne. »Hier«, sagte sie abrupt, indem sie ihm den Becher Kaffee überreichte und sich vorkam wie ein Mädchen in Skyes Alter, das sich verknallt hatte.

Drew nahm ihn dankbar an. »Ich hab gerade noch Zeit, nach Hause zu fahren, zu duschen und mich zu rasieren, aber fürs Frühstück bleibt keine Zeit. Auf Eier und Toast kann ich verzichten. Auf Koffein auf keinen Fall.« Er schlürfte den Kaffee. »Gut und stark. He, macht Kit dir das Leben schwer, weil ich hier bin?«

»Gnadenloser Spott.«

»Nun, wenn es gar zu schlimm wird, frag sie, wo Miles Shaw die letzte Nacht verbracht hat.«

»Was meinst du?«

»Ich hab ihn letzte Nacht über die Hintertreppe zu ihrer Wohnung hochgehen sehen.«

»Bevor du mir zu Lotties Hütte nachgefahren bist? Wirklich, Drew, wann kümmerst du dich eigentlich mal um deine eigenen Angelegenheiten?«

»Selten, ich geb's zu.«

»Miles Shaw?«, fragte Adrienne leise. »Bist du sicher?«

»Es ist ziemlich schwer, ihn mit jemandem zu verwechseln. Der Kerl ist ein Hüne, und seine Haare sind einen Meter lang.«

»Wahrscheinlich noch länger. Ich frage mich, was er von ihr wollte?«

»Ich weiß es nicht, aber er hatte einen Rucksack und einen kleinen Koffer bei sich.« Drew leerte seinen Becher und gab ihn ihr zurück. »Danke dir. Ich muss mich beeilen.« Er stutzte, beugte sich zu ihr hinunter und gab ihr einen Kuss auf die Wange. »Pass auf dich auf.«

Adrienne stand im Flur, und ihre Gedanken wirbelten wild durcheinander, bis sie die Haustür ins Schloss fallen hörte. Drew Delaney hatte die Nacht mit ihr verbracht. Drew Delaney hatte sie zum Abschied geküsst. Sie war kurz davor, sich wieder in Drew Delaney zu verlieben. Gütiger Gott.

»Adrienne, alles in Ordnung?«

Kit stand vor ihr, erschöpft und besorgt. »Sicher.« Das hatte nicht sehr überzeugend geklungen, wusste sie selbst. »Ich bin nur zerstreut. Es war eine lange Nacht. Ich mach mir Sorgen um Lucas und Lottie. Ich muss Skye abholen und ihr alles erzählen, bevor sie die Neuigkeit von jemand anderem erfährt.«

»Ich finde nicht, dass du heute aus dem Haus gehen solltest, nach dem was letzte Nacht passiert ist«, sagte Kit. »Wenn du mir sagst, wo die Grangers wohnen, hol ich Skye für dich ab.«

»Nett gemeint, aber die Grangers kennen dich nicht.«

»Dann ruf sie an und sag ihnen, dass ich Skye holen komme. Du bist ja noch nicht mal angezogen, Adrienne. Ich kann sie dir herbringen, bevor du wieder aus der Dusche raus bist.«

Adrienne dachte daran, wie gut sich heißes Wasser auf ihrem verspannten Nacken anfühlen würde, und dass sie für Skye viel besser aussähe mit frisch gewaschenen Haaren und ein wenig Lippenstift und Rouge. Ihre Tochter sollte sich nicht noch mehr sorgen müssen als am Abend zuvor.

»Na schön. Ich werd die Grangers anrufen. Es ist nicht weit, und sicher ist Skye schon auf. Sag ihr, dass es mir gut geht.«

Nachdem sie Kit den Weg erklärt hatte, öffnete Adrienne die Haustür. Die helle Morgensonne schien herein. »Wenigstens ist es ein schöner Tag«, sagte sie. »Ich hatte schon befürchtet, es könnte regnen, was die Suche nach Lottie noch erschweren würde.«

»Ja, und für ihre angeschlagene Gesundheit wäre Nässe auch nicht gut.« Kit trat auf die Veranda hinaus. »Bin gleich wieder da.« Adrienne wollte gerade die Tür schließen, als Kit in den Fliederbusch griff und fragte: »Was ist das?«

Adrienne machte die Tür noch einmal auf. Kit hatte einen Briefumschlag aus Manilapapier in der Hand, der zwischen den Fliederzweigen gesteckt hatte. Adrienne spähte auf die in Großbuchstaben getippte Adresse:

AN ADRIENNE

ERINNERUNGEN

»Erinnerungen?«, fragte Kit verdutzt. »Erinnerungen woran?«

Doch Adrienne hörte sie nicht, als sie den Umschlag öffnete und ein Foto herausnahm. Ihr wurde schummrig, denn sie starrte auf ein Foto ihres Mannes Trey. Er lag neben einem demolierten Motorrad, die Glieder verrenkt wie die einer kaputten Puppe; der rechte Wangenknochen stieß durch zerfetzte Gesichtshaut, der linke Arm war abgetrennt und lag etwa einen halben Meter vom Körper entfernt.

»O Gott«, murmelte Adrienne, ließ das Foto fallen und sank bewusstlos zu Boden.

Fünfzehn

1

Miles Shaw stieg aus der Dusche, halbblind vom Dampf des heißen Wassers, wie er es gern hatte, und rubbelte sich kräftig ab. Als er fertig war, wickelte er sich das Handtuch um das lange schwarze Haar und ging barfuß ins Schlafzimmer. Dort sah er Gail Brent auf dem Bett sitzen und stieß peinlicherweise einen fast mädchenhaft schrillen Schrei aus. Ihr Blick wanderte über seinen nackten Körper, ehe sie mit einem Lächeln auf den Lippen sagte: »Guten Morgen, Miles. Hast du Kit für Kost und Logis in barer Münze oder in Naturalien bezahlen müssen?«

Miles riss sich das Handtuch vom Kopf und hielt es sich vor den Schritt. Gail lachte vergnügt. »Aber Miles, wirklich! Glaub mir, so toll ist er auch wieder nicht.«

»Wie bist du hier hereingekommen?«, knurrte er und errötete unter ihrem forschenden Blick.

»Glaubst du, ich hab all die Jahre im Restaurant gearbeitet, ohne mir einen Schlüssel für diese Wohnung zu besorgen?«

»Es ist Kits Wohnung. Sie würde dich feuern, wenn sie wüsste, dass du einen Schlüssel hast.«

»Ja, das würde sie wohl«, sagte Gail gleichgültig.

»Wie lange schnüffelst du hier schon herum?«

»Nur wenn ich glaube, dass irgendetwas Spannendes abgeht. Und dass ausgerechnet du hier die Nacht verbracht hast, ist wahnsinnig spannend. Ich hatte nämlich gedacht, dass du in den vergangenen zwei Jahren ein klägliches Einsiedlerdasein gefristet hättest. Bis ich herausfand, dass du mit Margaret Taylor was Heißes am Laufen hast.« Gail setzte eine besorgte Miene auf. »Du meine Güte, Miles, ist es nicht schade, dass deine Freundinnen am Ende alle ermordet werden? Es ist richtig tragisch, wenn nicht gar unheimlich. Und jetzt bist du ganz allein. Bist du deshalb zu Kit zurückgekommen? Weil sonst keine mehr übrig ist? Oder willst du sie auch noch umbringen?«

Miles ballte die Fäuste, und seine Stimme wurde zu einem gefährlichen, beherrschten Flüstern. »Ich bringe niemanden um, und das weißt du.«

Gails Augen wurden weit. »Woher soll ich das wissen, Miles? Sollte ich denn an die Reinheit deiner Seele glauben, an die Güte, die ihr innewohnt?« Sie grinste spöttisch. »*Innewohnt*. Ich wette, Julianna kannte das Wort nicht mal. Aber was kümmert einen der Wortschatz einer Frau, wenn sie schön ist? Scheiße, die braucht doch nicht mal zu reden!«

Miles starrte sie düster an. Sein Atem ging schnell und heftig. Dann, fast augenblicklich, schien er sich zu beruhigen. Er ging zum Stuhl neben dem Bett, griff sich seine schwarze Jeans und schlüpfte hinein, schloss langsam den Reißverschluss, als wäre er allein.

»Keine Unterwäsche?«, fragte Gail prüde. »Himmel, du bist wirklich ein Heide.«

Miles sah sie aus schmalen Augen an. »Was willst du?«

»Ich will wissen, was du in Kits Wohnung zu suchen hast.«

»Das geht dich nichts an.«

»Das finde ich schon. Immerhin warst du mal mein Schwager.«

»Als ob *dir* Familienbande irgendwas bedeuten würden.«

»Selbst wenn's so wäre, du gehörst nicht mehr zur Familie.« Gail warf den Kopf zurück, lächelte triumphierend. »Ich hab's! Du versteckst dich, nicht? Aber vor wem? Nicht vor der Polizei. Du hast ein Alibi für die Zeit, als Julianna ermordet wurde. Du hast dir sogar eins für Margarets Ermordung beschafft. Die Bullen geben sich damit zufrieden, vorerst. Du stehst nicht vor der Verhaftung. Also, was ist es, Miles?«

»Vielleicht wollte ich nur bei Kit sein.«

»Dass ich nicht lache. Obwohl sie sterben würde, um dich zu kriegen.« Sie zog ein komisches Gesicht. »Oh, bitte entschuldige, dass ich in Bezug auf eine deiner Freundinnen von *sterben* spreche.«

»Kit hat keinen Grund, mich zu fürchten. Sie weiß das. Außerdem war sie letzte Nacht nicht mal hier.«

Die Schadenfreude verschwand aus Gails pausbackigem Gesicht. »Sie war nicht da?«

»Sie ging für 'ne Weile raus.« Miles wandte sich hastig ab und griff sich das Hemd.

»Wann ist sie rausgegangen? Für wie lange?«

»Ich hab nicht auf die Uhr gesehen.« Miles' Stimme klang beiläufig. »Was geht das dich eigentlich an?«

»Ich hab gehört, dass es draußen beim *Belle Rivière* Ärger gegeben hat.«

»Was für Ärger?«

»Diesen unschuldigen Blick hast du wirklich gut drauf, Miles.« Er antwortete nicht. »Die Einzelheiten weiß ich nicht. Hat was mit Adrienne Reynolds zu tun. Und meiner Mutter.«

»Ärger mit deiner Mutter? Und du kennst die Einzelheiten nicht?«

Gail zuckte die Schultern. »Meine Mutter steckt doch immer in irgendwelchen Schwierigkeiten. Ich achte schon gar nicht mehr drauf.«

»Du hast noch nie auf sie geachtet.«

»Werd nicht überheblich, Miles.«

Sein Gesicht war aschfahl. »Was zum Teufel willst du, Gail? Schnüffelst du mir oder Kit hinterher?«

Gail biss sich kurz auf die Lippe, wirkte plötzlich jung und unsicher. Dann schien wieder Zuversicht in sie einzusickern. Sie stand auf in ihrer zu engen Jeans und dem Top mit dem tiefen Ausschnitt, strich sich das dicke Haar hinters Ohr, an dem ein sternförmiger Ohrring baumelte, und warf ihm einen kühlen Blick zu. »Mag schon sein, Miles. Schließlich habt ihr beide was zu verbergen, vor allem was Julianna betrifft.«

»Ach so. Du willst den Mord an deiner Schwester aufklären. Das ist rührend, Gail. Wirklich rührend, zumal ich weiß, wie sehr du sie mochtest.«

Der ganze Hohn floss aus ihrem Gesicht und ihrer Stimme. »Nein, ich hab Julianna nicht gemocht. Und ich werd nicht so tun, als täte es mir Leid, dass sie tot ist. Doch ich hab nicht die Absicht, mich in diesen ganzen Schlamassel hineinziehen zu lassen. Keiner kann mir die Schuld an irgendwas anhängen. Nicht du, nicht Kit, nicht meine Mutter, keiner.«

»Deine Mutter? Was hat deine Mutter mit der Sache zu tun?«

»Mehr als du ahnst, Miles«, sagte Gail feierlich. »Mehr als du ahnst.«

2

»Mach die Augen auf, oder ich spritze dir kaltes Wasser ins Gesicht«, sagte Kit. »Eiskaltes Wasser. Wach sofort auf!«

Adrienne verzog das Gesicht, öffnete die Augen einen Spalt und schloss sie wieder. »Ich hab Kopfweh.«

»Kein Wunder. Du hast ihn dir angeschlagen. Ehrlich, Adrienne, du hast bald 'ne richtige Matschbirne, wenn du nicht aufhörst, sie gegen Beton zu knallen.«

»Danke für die tröstenden Worte.« Da kam die Erinnerung an das entsetzliche Foto von Trey zurück, und sie stöhnte: »O Gott, Kit. Dieses Foto. Treys Gesicht, sein Arm ...«

»Denk nicht dran«, sagte Kit energisch. »Du hast es nie gesehen. Es existiert nicht.«

»Was redest du da? Ich hatte es doch in der Hand. Es war in einem Umschlag, der im Fliederbusch gesteckt hat.«

»Du sollst dir vorstellen, dass du's nie gesehen hast. Ich hab gerade ein Buch gelesen, wie man hässliche Erinnerungen wieder aus dem Gedächtnis radieren kann. Wir versuchen es bei dir, Adrienne, aber du musst mir helfen.«

»Du solltest dein Geld zurückverlangen für dieses blöde Buch.« Adrienne setzte sich auf und fasste sich an den Hinterkopf. »Autsch.«

»Gut, dass du so viele Haare hast.« Kit teilte Adriennes Haar und besah sich ihre Kopfhaut. Wie Affen im Zoo, dachte Adrienne, die sich gegenseitig das Fell lausten. »Ich sehe kein Blut. Ich glaube nicht, dass du eine Platzwunde hast.«

»Zum Glück, dann muss sie nicht genäht werden. Morgen findet das Fest in der French Art Colony statt. Ich würde ungern mit rasiertem Schädel hingehen.« Sie blinzelte in die Morgensonne und zwang sich dann, die Augen ganz zu öffnen. »Hilf mir bitte auf. Meine Beine fühlen sich richtig zittrig an.«

Kit half ihr auf, und sie wankte zu einem Stuhl im Wohnzimmer. »Ich werd dir eine Tasse Kaffee holen«, sagte Kit, nachdem Adrienne sich zurückgelehnt und die Augen zugemacht hatte. »Oder möchtest du lieber einen Drink? Vielleicht ein wenig Wein?«

»Kit, es ist halb acht Uhr morgens. Außerdem hab ich gestern so viel getrunken, dass ich mich wahrscheinlich übergeben müsste, wenn ich die Flasche nur sehe.«

»Also, dann Kaffee. Du bleibst hier sitzen.«

»Was bleibt mir übrig.«

Der Schreck saß Adrienne in allen Gliedern, und obwohl sie sich wie gelähmt fühlte, jagte ein Gedanke den anderen, und alle vollführten wilde Kapriolen. Sie schlug die Augen auf und starrte erneut auf das Foto, das sie noch immer in der Hand hielt.

Trey Reynolds hatte in einer warmen Mainacht um zwanzig nach zehn die neue Harley-Davidson Electra Glide eines Freundes zu Schrott gefahren. Adrienne hatte sich ihm in den Weg gestellt, ihn angefleht nicht loszufahren, weil er schon etliche Bier getrunken hatte. Er hatte sie völlig ignoriert und nach dem Anlasser gesucht. Als er den Motor endlich zu dröhnendem Leben erweckt hatte und die stille Straße hinuntergebraust war, hatte sie einen Blick in den Himmel geworfen. Der Mond war voll und cremeweiß gewesen, die Sterne hatten Speere reinen weißen Lichts heruntergeschleudert, wie Glühwürmchen glitzernde Farbpunkte in die Dunkelheit gezaubert, kurzum, es war eine der schönsten Nächte, die sie je erlebt hatte.

Sie war einem fröhlichen Nachmittag gefolgt – sie hatten auf Vickys großem, schönem Rasen Skyes zehnten Geburtstag gefeiert. Trey hatte Skye mit Brandon bekannt gemacht, frisch aus dem Hundesalon, glänzend und duftend wie eine Rose mit einer roten Schleife um den Hals. Skye war überglücklich gewesen, und Brandon, froh, dem Tierasyl entflohen zu sein, hatte sich auf der Stelle mit seinen ganzen fünfzig Kilo in sein neues Frauchen verliebt. Nachdem Skye ins Bett gegangen war, voller Kuchen und Eiscreme, den neuen Hund neben sich, hatte Trey zu trinken angefangen, ein nur zu vertrautes Laster, dem er schon seit zwei Jahren frönte.

Und an diesem besonderen Tag hatte es ihn das Leben gekostet.

Das Foto zeigte Trey nach dem Zusammenstoß mit dem Sattelschlepper, sein zerschmetterter Körper war grell erleuchtet von den Blitzen der Polizeikameras. Wie schmächtig er aussah, wie er so auf der Straße lag, neben der demolierten Harley, die Beine verrenkt, ein Arm einen halben Meter vom Körper entfernt, die offenen Augen leer im zerfetzten Gesicht.

Kit kam mit dem Kaffee zurück, stellte ihn wieder neben Adrienne und nahm ihr das Foto aus der Hand. »Du hast dich genug gequält«, sagte sie und steckte das Foto zurück in den Umschlag.

»Ich bin damals nicht am Unfallort gewesen«, sagte Adrienne mit schwacher Stimme. »Ich hab Trey im Leichenschauhaus identifiziert. Er lag auf einem Tisch, unter einem Laken, die Augen geschlossen, und ein Verband bedeckte den blanken Wangenknochen. Ich wusste, dass er schwer verwundet war, aber ich hab den Schaden nie gesehen.« Tränen stiegen ihr in die Augen. »O Gott, sieh ihn dir an, Kit.«

»Ich will nicht ein zweites Mal hinsehen. Und das wirst du auch nicht. Das Foto bleibt im Umschlag, und damit Schluss.«

Adrienne zog die Beine hoch und versteckte sie unter dem Bademantel. Ihr zitterten die Hände, als sie den Becher dampfenden Kaffees an die Lippen führte, und sie spürte nicht einmal die Wärme, die ihr die Kehle hinunterlief. Sie hatte das Gefühl, als würde ihr nie mehr warm werden. Und als könnte sie den entsetzlichen Anblick ihres jungen Ehemanns auf diesem Foto nie mehr vergessen.

»Wer schickt mir denn so etwas?«, fragte sie schwach.

»Derselbe, der dich vor dem Fotoladen niedergeschlagen und dir die Handtasche gestohlen hat. Derselbe, der bei dir eingebrochen und ›geh weg oder stirb‹ auf deinen Spiegel geschmiert hat. Derselbe, der letzte Nacht auf dich geschossen hat.«

»Aber es ist ein Polizeifoto, Kit. Es stammt aus irgendeiner Akte. Wer kommt denn an so etwas ran?«

Kit hatte sich neben ihr auf dem Boden niedergelassen und saß nun mit gekreuzten Beinen da und nippte an ihrem Becher

Kaffee. Sie war einen Augenblick still und schüttelte dann den Kopf. »Ich weiß es nicht, Adrienne. Lucas bestimmt nicht.«

»Lieber Gott, nein!« Adrienne war entsetzt von dem Gedanken. »Er würde nie etwas so Grausames tun.«

»Du hast Recht. Auch wenn er wüsste, dass Drew letzte Nacht hier gewesen ist, kann ich mir nicht vorstellen, dass er dir Angst machen wollte. Er hat immer versucht, dir Mut zu machen. Sogar als es hier aussah, als hätten die Vandalen gewütet, hat er dich ermutigt, zu bleiben und nicht davonzulaufen.« Sie runzelte die Stirn. »Er kann doch nicht auf Trey eifersüchtig sein, oder?«

Adrienne hätte sich beinah verschluckt. »Eifersüchtig auf Trey! Das ist lächerlich. Trey ist seit vier Jahren tot, und ich trauere nicht andauernd um ihn. Wenigstens nicht vor anderen Menschen. Ich erzähle Skye Geschichten über ihn – gute Geschichten –, damit sie sich immer an ihren Vater erinnert. Doch ich glaube nicht, dass ich mit Lucas insgesamt mehr als fünf- oder sechsmal über ihn gesprochen habe. Außerdem würde dieses Foto ihn nicht gerade aus meinen Gedanken vertreiben.«

»Stimmt.« Kit wurde still; dann sagte sie, und ihre Stimme kam zögernd: »Adrienne, Drew ist der Chefredakteur einer Zeitung. Vielleicht hätte *er* Gelegenheit, an Polizeifotos heranzukommen.«

»Drew? Wie denn?«

»Ich weiß es nicht. Er könnte sich eine Geschichte ausgedacht haben.«

»Für wen? Einen Deputy? Und der würde ihm daraufhin einfach so die Akte überlassen?«

»Vielleicht kein männlicher Deputy.« Kit fuhr sich mit der Zunge über die Oberlippe, wie immer, wenn sie nervös war. »Drew hat ein Händchen für Frauen, wie es meine Mutter ausdrücken würde. Sein Charme haut jede um ...«

»Hör auf, dich hinter den Klischees deiner Mutter zu verstecken«, sagte Adrienne scharf. »Du meinst, Drew wäre hinterlistig genug, um irgendeiner stumpfsinnigen Polizistin den Kopf zu verdrehen, damit sie ihm die Akte überlässt? Also, ich glaube kaum, dass die Polizei für so eine dümmliche Frau Verwendung hätte, und Drew würde so etwas nicht tun. Seine Methoden, an eine Story heranzukommen, mögen ja manchmal fragwürdig sein, aber Treys Tod gibt keine Story her. Nicht nach so vielen Jahren. Und wie kommst du darauf, dass Drew mir schaden will? Um Himmels willen, Kit, er hat mir letzte Nacht das Leben gerettet!«

»Und in der Nacht, als du überfallen wurdest, auch. Ist dir noch nicht aufgefallen, dass er andauernd zur rechten Zeit am rechten Ort aufkreuzt? Wie gestern, wo er hier war, um dein Telefon auszustöpseln, damit kein Mensch dich erreichen kann, um eventuell herzukommen, dir Gesellschaft zu leisten und ihn nach Hause zu schicken?«

»Kit, die Telefone waren nicht ausgesteckt. Das im Wohnzimmer hat funktioniert, als ich Skye anrief.«

»Sicher. Während wir beide in der Küche waren, hatte er doch genügend Zeit, um das Telefon hier drin und das im Schlafzimmer wieder einzustecken. Und dein Handy lag in seinem Auto.«

»Ich hab's dort liegen lassen.«

»Und er hat es dir erst heute Morgen zurückgebracht.«

»Wir hatten einen anstrengenden Abend. Er hatte mehr zu tun, als mir mein Zeug hinterherzutragen. Und dieses Foto? Du glaubst, er hat es aus der Polizeiakte genommen. Tja, wie kam es dann in meinen Fliederbusch?«

»Er hat es dort deponiert. Letzte Nacht. Oder heute Morgen. Ich weiß nicht, wann. Er hatte ausreichend Gelegenheit, Adrienne. Das kannst du nicht bestreiten.«

Adrienne starrte Kit an, suchte verzweifelt nach Argumenten, um Kits Theorie über Drew zu widerlegen.

Aber leider fand sie keine.

»Ich bin so schnell gekommen, wie ich konnte«, sagte Adrienne. »Wie fühlst du dich?«

Lucas Flynns schwerer, muskulöser Körper sah zu groß aus für das schmale Krankenhausbett. Seine rechte Schulter war dick verbunden, und ein beachtlicher Bluterguss zierte seine linke Stirnhälfte. »Ich fühle mich besser, als ich aussehe.«

»Das hoffe ich, denn du bist sehr blass.«

»Segensreiche Schmerzmittel sind für mein körperliches Wohlbefinden verantwortlich. Und ich sehe erledigt aus, nicht blass. Blass ist was für Weicheier.« Er grinste. »Steh nicht da rum, setz dich zu mir. Ein Blick in dein schönes Gesicht ist heilsamer für mich als jede Medizin, die ich hier kriegen könnte.«

Adrienne rückte sich einen Stuhl ans Bett und setzte sich. Drew Delaney hatte bei ihr übernachtet. Sie hatte mit dem Gedanken gespielt, dass sie in ihn verliebt sein könnte. Ein zweites Mal. Und jetzt hatte sie den Verdacht, in ihrem Gesicht würde sich ihr ganzes schlechtes Gewissen spiegeln, doch Lucas schien nichts zu bemerken. Sie war nahe daran, sich bei Lucas für ihr Benehmen zu entschuldigen, verkniff es sich aber. Jetzt ihr Gewissen zu erleichtern, wäre selbstsüchtig. Lucas war letzte Nacht angeschossen worden. Er könnte jetzt tot sein, nur weil sie darauf bestanden hatte, ihn oben bei Lotties Hütte zu treffen. Das schlechte Gewissen machte ihr noch mehr zu schaffen, und so strengte sie sich an, ihn aufzumuntern, nur ja nichts zu sagen, was ihn kränken könnte, und versteckte sich hinter einer naheliegenden Frage. »Hast du eine Ahnung, wer dir das angetan hat, Lucas?«

»Noch nicht.«

»Ich möchte dich nicht quälen, aber ich weiß noch immer nicht genau, wie es passiert ist.«

Lucas griff nach ihrer Hand. »Ich war unterwegs zu dir,

da ist mir plötzlich ein Reifen geplatzt. Jedenfalls glaubte ich das zuerst. Jetzt weiß ich, dass mir jemand absichtlich in den Reifen geschossen hat. Ich wär beinah gegen einen der Bäume gefahren, die an der Straße stehen, bekam den Wagen aber noch rechtzeitig in den Griff. Ich stieg aus, um mir den Reifen anzusehen, als ein zweiter Schuss fiel.« Er verzog das Gesicht. »Im Film heißt es in so einem Fall immer, ›*es ist nur eine Fleischwunde*‹, woraufhin der getroffene Held so tut, als wäre er nur von einer Biene gestochen worden. Ich kann dir versichern, auch Fleischwunden fühlen sich ganz und gar nicht wie Bienenstiche an. Ich dachte, mir explodiert die Schulter, dann bin ich umgekippt wie ein Sack. Dabei hab ich mir den Kopf an einem Stein angestoßen und mich selbst k. o. geschlagen. Es wird lange dauern, bis sie mich im Revier nicht mehr aufziehen.«

»Hauptsache, es geht dir gut«, sagte Adrienne aufrichtig. »Es geht dir doch gut, nicht?«

»Ich bin in Ordnung. Bis zum Mittag bin ich hier wieder raus.«

»Lucas, ich hab versucht, dich auf dem Handy zu erreichen. Die Meldung sollte doch nicht über Polizeifunk laufen, damit niemand erfahren würde, wohin du fährst. Aber irgendwie *muss* der Anruf abgehört worden sein, denn der Schütze kannte unser Ziel.«

»Er ist nicht abgehört worden.«

»Wie kann das sein?«

»Darüber zerbreche ich mir schon andauernd den Kopf. Jemand könnte mir hinterhergefahren sein. Oder dir. Oder uns beiden?«

»Nein, das ergibt keinen Sinn. Außer, es waren *zwei* Täter.«

»Möglich, aber nicht sehr wahrscheinlich.« Er sah sie forschend an. »Aber genug von mir und meinem Zustand. Du bist doch auch fast erschossen worden. Und besonders gut scheint es dir heute auch nicht zu gehen. Obwohl du natürlich wie immer wunderschön bist. Verletzt bist du aber nicht?«

»Überhaupt nicht.«

»Du hast wahrscheinlich kaum geschlafen, stimmt's? Kein Wunder, nachdem man mit einem Gewehr auf dich geschossen hat!«

»Bist du sicher, dass es ein Gewehr war?«

»Keller hat ein paar leere Patronenhülsen und die dazugehörigen Kugeln gefunden. Die Ballistik wird uns Genaueres sagen. Aber du hast meine Frage nicht beantwortet. Siehst du wegen letzter Nacht so mitgenommen aus?«

Obwohl Adrienne ihn nicht aufregen wollte, musste sie ihm die Ereignisse des Morgens erzählen, zumindest einen Teil davon. »Vorhin ist etwas Schlimmes passiert. Kit kam vorbei, und wir fanden im Fliederbusch vor der Veranda einen Briefumschlag.« Sie holte tief Luft. »Im Umschlag steckte ein Foto von Trey gleich nach seinem Unfall. Schrecklich! Es war ein Polizeifoto, Lucas. Es muss aus Treys Akte stammen.«

Lucas sah sie zweifelnd an, doch seine Hand schloss sich fest um die ihre. »Das muss schlimm für dich gewesen sein. Aber so ein Unfall zieht die verrücktesten Typen an, Adrienne, das weißt du doch, und manche von ihnen haben ihre Fotoapparate dabei. Es kann kein Polizeifoto gewesen sein. Die Akten werden unter Verschluss gehalten.«

Wortlos griff Adrienne in ihre Handtasche, holte den Umschlag heraus und gab ihn Lucas. Er starrte eine Weile auf das Foto. »Verdammt«, sagte er endlich. »Das *ist* ein Polizeifoto vom Unfallort.«

»Wie ist es dann vor meine Haustür gekommen?«, fragte Adrienne ohne Vorwurf.

»Wenn ich genügend Leute hätte, die dich rund um die Uhr bewachen, wäre das nicht passiert.«

»Oh, da bin ich nicht so sicher. Wo ein Wille, da ein Weg. Offensichtlich war jemand schlau genug, um an die Akte heranzukommen. Stellt sich nur die Frage, wer. Und wem ist daran gelegen, mir Angst zu machen?« Adrienne überlegte. »Deputy Keller vielleicht?«

»Sonny Keller? Ich kann den Kerl zwar nicht leiden, aber warum hätte er das Foto herausnehmen sollen?«

»Gail Brent zuliebe?« Lucas sah sie fragend an. »Lucas, Gail trifft sich mit Sonny. Und sie hasst mich. Und ich glaube, dass Lottie sich ihretwegen verkrochen hat. Gail scheint nicht zu wollen, dass ihre Mutter gefunden wird, aber ich werde weiter nach ihr suchen. Vielleicht wollte sie mich ja auf diese Weise abschrecken, falls die Schüsse ihre Wirkung verfehlt hätten.«

Sie hatte erwartet, Lucas werde ihr mit freundlicher, geduldiger Stimme erklären, dass ihre Phantasie mit ihr durchgegangen sei. Stattdessen verdüsterte sich sein Blick, und er klingelte nach einer Schwester. Die tauchte fast augenblicklich auf. »Holen Sie mir einen Arzt her, der mich entlässt«, sagte er ohne die gewohnte Höflichkeit.

»Der Arzt wird gleich bei Ihnen sein, Sheriff«, sagte sie besänftigend und schenkte ihm ein professionelles Lächeln, »aber er muss noch ein paar andere Patienten betreuen. Vielleicht möchten Sie einstweilen ein wenig Kaffee oder Saft.«

»Ich will weder Kaffee noch Saft. Ich will hier raus. *Sofort*. Habe ich mich klar ausgedrückt?« Mit einem gepressten »Ja, Sir« eilte sie aus dem Zimmer, und Lucas wandte sich an Adrienne, das Gesicht wütend und entschlossen. »Ich werde dieser Fotogeschichte auf den Grund gehen, Adrienne, und wenn ich herausgefunden habe, wer dahintersteckt, wird derjenige mich kennen lernen, das verspreche ich dir!«

Sechzehn

1

»Seien Sie versichert, dass sämtliche Vorstandsmitglieder der French Art Colony durchaus Verständnis dafür haben, wenn Sie morgen Abend nicht an der Feier teilnehmen können«, sagte Miss Snow mit einer Freundlichkeit, die nicht überzeugend klang. »Es ist natürlich schade, aber das Leben hat nun einmal die Angewohnheit, uns hin und wieder ein Schnippchen zu schlagen.«

»Ich habe aber *durchaus* die Absicht, an der Gala teilzunehmen«, sagte Adrienne in den Hörer. »Ich möchte sie um nichts in der Welt versäumen.«

»Ach ... ist das so.« Miss Snow klang so entsetzt, dass Adrienne fast lauthals losgelacht hätte. »Tja, meine Liebe, ich gebe zwar nichts auf Klatsch, doch leider wurde mir zugetragen, dass Ihnen in letzter Zeit einige äußerst beunruhigende Dinge zugestoßen sein sollen. Ich ... wir alle sehen ein, dass Ihnen die Angst im Nacken sitzt und dass Ihnen die Anwesenheit beim Fest nur noch mehr Stress bereiten würde.«

Und du hast panische Angst, dass all die »beunruhigenden Dinge« an mir kleben und deine Gala in ein Chaos verwandeln könnten, dachte Adrienne. »Die letzten Wochen waren in der Tat ein wenig enervierend«, sagte sie, Miss Snows gestelzte Sprache imitierend, »aber die Gala ist eine höchst willkommene Abwechslung für mich. *Und* für meine Tochter.«

»Oh!« Miss Snows Laune war nun endgültig im Keller. »Sie wollen das Kind mitbringen?«

»Aber ja. Sie hat sich eigens ein neues Kleid gekauft und ist schon ganz aufgeregt.«

»Ja nun, es wird ja auch eine aufregende Veranstaltung werden. Ob sie allerdings für Kinder geeignet sein wird ...« Adrienne konnte förmlich hören, wie die Frau in ihrem verstaubten Hirn nach Argumenten stöberte, mit denen sie Adrienne von der Teilnahme abhalten konnte. »Wir erwarten eine Menge Gäste. Vielleicht ist sogar derjenige darunter, der Ihnen so viel Ungemach bereitet hat. Das möge Gott natürlich verhüten«, fügte sie nachträglich hinzu.

»Oh, ich glaube kaum, dass dieser Jemand es wagen würde, mir im Beisein so vieler Menschen Schwierigkeiten zu machen«, erwiderte Adrienne. »Außerdem wollten Vicky und Philip Hamilton mich begleiten, meine Schwester und ihr Mann. Kennen Sie die beiden?«

»Philip Hamilton? Unser künftiger Gouverneur wird auch da sein?«

»Ja. Allerdings nur, wenn ich auch komme. Sonst wird er es sich womöglich anders überlegen. Aber wenn Sie fürchten, meine Anwesenheit könne peinliche Szenen heraufbeschwören, wäre das ja vielleicht das Beste ... Ja, das wäre es wirklich.«

»Nun, meine Liebe, wir wollen nicht voreilig sein«, sagte Miss Snow schnell. »Ich bin wohl ein wenig überängstlich – meine Verwandten bestätigen mir dies –, und vielleicht habe ich unnötigerweise den Teufel an die Wand gemalt. Sie haben wahrscheinlich ganz Recht – niemand würde es wagen, Sie vor so vielen Menschen zu bedrohen oder auf andere unangebrachte Weise die Aufmerksamkeit auf sich zu ziehen. Und es wäre so schade, wenn Mr. Hamilton nicht teilnehmen würde. Oh, *Sie* würden wir natürlich auch vermissen. Sie haben ja ein Bild eingereicht.«

Ein Bild, das dich nicht die Bohne interessiert, dachte Adrienne. Dich interessiert doch nur, ob der reiche, angesehene Philip Hamilton deine Veranstaltung besucht. Aber sie war Miss Snow nicht böse. Die Frau konnte schließlich nichts dafür, dass sie ein Snob war. Sie war dazu erzogen worden und hatte dieser Tradition über achtzig Jahre lang die Treue gehalten.

»Wer war das?«, fragte Skye, als sie ins Zimmer kam.

»Nur Miss Snow, die sich vergewissern wollte, ob wir auch wirklich an ihrem Fest teilnehmen wollen.«

»Dachte sie denn, wir würden nicht kommen?« Skye sah sie verblüfft an. »Wir haben uns doch schon wochenlang darauf gefreut. Dein Bild nimmt am Wettbewerb teil. Tante Vicky und Onkel Philip und Rachel kommen auch!« Rachels Anwesenheit hatte die Sache für Skye entschieden. Keine zehn Pferde hätten sie fernhalten können.

Adrienne lächelte ihrer Tochter zu. »Willst du dein Kleid noch mal anprobieren, vorsichtshalber, damit wir sehen, ob es auch die richtige Länge hat?«

»Au ja!«, rief Skye aufgeregt. »Ich weiß noch gar nicht, welche Halskette ich tragen soll. Du musst mir sagen, mit welcher ich am erwachsensten aussehe!«

Adrienne lehnte sich erschöpft zurück. Der Angriff auf ihr Leben in Lotties Hütte und der Schreck wegen Treys Foto steckten ihr noch immer in den Knochen. Seit Lucas vor ein paar Stunden fluchtartig das Krankenhaus verlassen hatte, hatte sie nichts mehr von ihm gehört. Doch in so kurzer Zeit konnte er noch nichts herausgefunden haben. Er war auch gar nicht in der Verfassung gewesen, viel zu unternehmen. Er sollte lieber daheim bleiben und sich ausruhen. Stattdessen versuchte er, sie zu beschützen.

Sie hoffte nur, er würde sie nicht hassen und alles bereuen, was er für sie getan hatte, wenn sie ihm bald sagen würde, dass sie ihn zwar sehr mochte, aber nicht wirklich in ihn verliebt war. Sie wünschte, ihre Gefühle wären anders. Doch das Herz ließ sich nicht zwingen, dachte sie wehmütig. Und ihr albernes Herz gehörte nun einmal Drew Delaney.

2

»Darf ich mich kurz zu Ihnen setzen, Mr. Kirkwood?«

Gavin Kirkwood, der in der schummrig beleuchteten, behaglich eleganten Bar des Iron Gate saß, sah zu dem großen, blonden, attraktiven Bruce Allard auf. Die Allards waren schon seit ewigen Zeiten mit Ellen befreundet. Bis zum Tod von Jamie hatten sich die Allards und die Kirkwoods oft zum Dinner getroffen; doch Gavin hatte Bruce noch nie leiden können. Kits neuer Freund J. C. saß schon genauso lange an der Bar wie Gavin, aber J. C. hatte Respekt vor jemandem, den der Weltschmerz fest im Griff hatte, und machte nur die eine oder andere kameradschaftliche Bemerkung. Mit Bruce war das anders.

Nein, Gavin hatte heute so gar keine Lust auf Gesellschaft, schon gar nicht auf die von Strahlemann Bruce, der förmlich vibrierte vor jugendlichem Enthusiasmus. An diesem Abend fühlte Gavin sich so alt und verbraucht wie ein Neunzigjähriger, auch wenn er sich bemühte, das nicht zu zeigen.

»Zieh dir einen Hocker her, Bruce«, sagte er. »Hab dich schon eine ganze Weile nicht mehr gesehen.«

»Ich hatte viel zu tun, Sir. Sehr viel.«

Gavin mochte es nicht, wenn man ihn mit »Sir« anredete. Da fühlte er sich gleich noch älter. Der Barkeeper kam behend auf sie zu, ein verbindliches Lächeln im Gesicht, und sah Bruce erwartungsvoll an.

»Ich hätte gern einen Erdbeer-Daiquiri«, verkündete Bruce herausfordernd.

Der Barkeeper starrte ihn ungläubig an. J. C.'s Mund zuckte vor kaum verhohlener Häme. Nicht einmal Gavin konnte sich ein Grinsen verkneifen. Bruce wurde rot im Gesicht. »Wenn ich es mir recht überlege, hätte ich gern dasselbe wie Mr. Kirkwood.«

»Single Malt Whisky, kein Eis?«, fragte der Barkeeper.

Bruce schien einen Augenblick zu zaudern, ehe er zu seiner Frechheit zurückfand. »Ja. Und machen Sie einen Doppelten draus.«

J. C. sah zu Gavin hinüber und verdrehte die Augen, womit er ihm, zum ersten Mal an diesem Abend, fast ein Lächeln abnötigte. »Na Bruce, Drew Delaney hat dich wohl ziemlich hart rangenommen in letzter Zeit?«, fragte Gavin.

»Ich schufte wie ein Hund, Sir.«

»Du brauchst mich wirklich nicht ›Sir‹ zu nennen. Sag einfach ›Gavin‹.«

»Na schön, Sir. Gavin. Tut mir Leid, aber mein Vater achtet streng darauf, dass ich ältere Leute respektiere.«

»Dann tu heute mal so, als wäre ich in deinem Alter. Wie alt bist du eigentlich genau? Fünfundzwanzig?«

»Vierundzwanzig, Sir. Gavin. Fünfundzwanzig im September. Hab eine Riesenparty geplant. Werden Sie und Mrs. Kirkwood auch da sein?«

»Weiß ich nicht. Wir sind nicht eingeladen.«

»Oh, das kommt noch. Meine Eltern wollen die besten Leute dabei haben.« Der Barkeeper stellte ihm seinen Drink hin. Bruce nahm einen großen Schluck und musste gleich darauf ein Würgen unterdrücken, das ihm die Tränen in die Augen trieb. Einen Moment später brachte er mit Reibeisenstimme hervor: »Das tut verdammt gut nach einem schweren Tag.«

Der Barkeeper kehrte ihm rasch den Rücken zu. J. C. blickte zu Boden, verkniff sich das Lachen. Was hatte er verbrochen, fragte sich Gavin, um sich ausgerechnet heute die Gesellschaft dieses Kaspers einzuhandeln. »Wird Rachel auch auf deiner Party sein?«, fragte Gavin absichtlich, bevor der Junge sich vollends erholt hatte.

Bruce nickte, schluckte und räusperte sich. »Ja«, brachte er mühsam hervor. Noch ein Schlucken. »Ja, sicher. Sie ist doch mein Mädel. Hab vor, sie zu heiraten.«

»Wirklich? Weiß sie das schon?«

»Ich hab noch nicht förmlich um ihre Hand angehalten. Sie soll sich nicht Wunder was erwarten. Um ehrlich zu sein, will ich mein Geld nicht für irgendeinen Riesenklunker verschwenden, bevor es nicht sein muss.« Bruce ließ ein wieherndes Lachen hören nach dieser witzigen Bemerkung. »Aber wenn die Zeit gekommen ist, wird sie ja sagen. Sie weiß genauso gut wie ich, dass wir füreinander bestimmt sind.«

Das möge Gott verhüten!, dachte Gavin. Er hatte Rachel immer ganz gut leiden können. »Und wenn die Zeit gekommen ist, kaufst du ihr auch diesen Riesenklunker«, sagte er stattdessen.

»Na klar.«

»Verdienst du denn im *Register* so gut?«

»Keine Chance. Zum Glück gibt's Treuhandvermögen. Der Diamant soll etwa drei Karat haben. Meinetwegen auch vier. Alle sollen wissen, dass Rachel mir gehört.« Er trank noch einen Schluck. »Das Zeug wird mit jedem Schluck besser.«

»Immer langsam. Es steigt einem schneller zu Kopf als diese Erdbeer-Daiquiris.«

»Oh, das war nur 'n Witz«, log Bruce. »Ich trink das Zeug ja eigentlich nicht.«

Gavin gab sich amüsiert. »Das dachte ich mir schon. Was ein richtiger Kerl ist, der trinkt doch nichts für Mädels.«

»Da können Sie einen drauf lassen!« Bruce machte große Augen, was ihm da für ein ländlicher Ausdruck über die Princeton-gebildeten Lippen geschlüpft war. »Wie geht's denn Mrs. Kirkwood so?«

»Nicht so gut. Ihre Freundin Lottie wird vermisst. Aber das weißt du ja bestimmt.«

»Ja klar.« Bruce warf dem Barkeeper einen bedeutungsvollen Blick zu, der fragte: »Noch einen Doppelten?« Bruce nickte. Er würde heute mal so richtig den knallharten Kerl rauslassen. »Ich weiß das von Lottie Brent. Die Geschichten über sie haben mich durch die Kindheit begleitet. Sie ist ja so was wie ein Original hier in der Gegend, nicht? Sagen Sie mal, Mr. … äh … Gavin, war die Frau eigentlich immer schon gaga?«

Gavin setzte sich kerzengerade auf. »Ellen ist seit ihrer Kindheit mit ihr befreundet. Ich glaube nicht, dass sie es gut fände, wenn man Lottie als *gaga* bezeichnet.«

»Ah ja. Schon klar. Aber jetzt mal unter uns, Gavin, wie durchgeknallt ist sie wirklich?«

Gavin war Lottie vielleicht fünfmal im Leben begegnet. Sie hatten nie viel miteinander gesprochen, und was sie gesagt hatte, war bestimmt nicht der übliche Smalltalk. Aber sie war nun einmal Juliannas Mutter, und er konnte es nicht ertragen, dass diese höhnische kleine Niete sich über sie lustig machte. Trotzdem musste Gavin sich vorsehen. Er durfte sich nicht allzu sehr ins Zeug legen, wenn es um Julianna ging, sonst erregte er noch Verdacht.

»Ich glaube, Lottie Brent ist das, was Sie als exzentrisch bezeichnen würden«, sagte er, wobei er sich um einen beiläufigen Ton bemühte. »Ihre Weltanschauung unterscheidet sich von der unseren. Und sie hat ein paar traumatische Erfahrungen gemacht, als sie jung war.«

»Ah ja? Welche denn?«

»Das weiß ich nicht genau«, sagte Gavin, was nicht stimmte. Die Scheune. Die Schläge. Die Vergewaltigung. »Etwas sehr Schlimmes, vor langer Zeit. Außerdem verlor sie in jungen Jahren ihre Mutter und war einem bösartigen Vater ausgeliefert.«

»Hat er sie missbraucht? Sexuell, meine ich?«

»Nicht, dass ich wüsste«, erwiderte Gavin gereizt. Was wollte dieses Bürschchen überhaupt von ihm? »Ich hab jedenfalls nie was von Missbrauch gehört.« Er nickte dem Barkeeper zu, und zu seinem Verdruss tat Bruce es ihm gleich. »Bist du sicher, dass du noch einen von der Sorte willst?«

»Einen noch. Schmeckt gut, das Zeug.«

»Ja, das stimmt.« Gavin versuchte, freundlich zu klingen, obwohl er sich lieber keinen Drink mehr bestellt hätte. Dann hätte er die Bar verlassen können, ohne unhöflich zu erscheinen. Nicht dass es ihn sonderlich kümmerte, was Bruce Allard von ihm hielt, aber wenn Bruce sich gekränkt fühlte, würde er das bei seinem Daddy petzen, der sich daraufhin bei Ellen über ihn beschweren würde, die wiederum Gavin stundenlang die Hölle heiß machen würde. Er knurrte innerlich und durchstöberte sein Hirn nach einem neuen Gesprächsthema. »Bruce, ich glaube nicht, dass ich dich je hier drin gesehen habe.«

»Ich war schon unzählige Male drüben im Restaurant. Hab immer eine Flasche Wein zum Essen bestellt, den besten natürlich.«

»Natürlich.«

»Doch hin und wieder hab ich einfach Lust, hier bei den Jungs abzuhängen und mal was Echtes zu trinken, einen Rachenputzer, verstehen Sie.«

»O ja.«

»Und offen gestanden hab ich Sie immer für einen wirklich interessanten Burschen gehalten, Gavin, aber ich hatte nie die Gelegenheit, mit Ihnen zu sprechen, ohne dass unsere Mütter dabei gewesen wären.« Gavin sah ihn streng an, und Bruce wurde dunkelrot. »Ich meine, meine Mutter und Ihre Frau. O Mann, dieser Whiskey haut ganz schön rein.« Er starrte böse auf sein leeres Glas, als gäbe er ihm die Schuld an seinem Versprecher.

»Ich sagte dir doch, lass es langsam angehen.«

Bruce lachte laut. Gavin starrte ihn an. »Wie auch immer, jetzt zu Julianna. Wie viel wissen Sie über *sie*?«

Gavin bemerkte, dass Kit sich neben J. C. gesetzt hatte. Mit viel schauspielerischem Talent gab sie vor, sich ganz auf ihren Freund zu konzentrieren, aber Gavin wusste, dass sie mit einem Ohr dem Gespräch zwischen ihm und Bruce folgte.

»Ich weiß sehr wenig über Julianna«, sagte Gavin steif.

Ihre Drinks wurden serviert, und Bruce stärkte sich mit einem kräftigen Schluck. »Ach, kommen Sie, Gavin, Sie müssen sie doch gekannt haben, schließlich sind Sie mit Ellen verheiratet, seit Kit ein Teenager war. Und Kit und Julianna waren schon damals dicke Freundinnen.«

»Ich hab sie *gekannt*. Wir sind aber nicht miteinander um die Häuser gezogen.«

Bruce lachte. »Der war gut! Aber sonst soll sie so ungefähr mit jedem Kerl in der Stadt um die Häuser gezogen sein.«

»Und wie kommst du darauf?«

»Die Leute erzählen sich so allerhand.«

»Ich dachte, als Journalist würde man lernen, nicht jedes Gerede für bare Münze zu nehmen? Zumindest als seriöser Journalist.«

»Ja schon. Ist auch so. Deshalb will ich mir ja gerade Klarheit verschaffen. Sehen Sie, Delaney hat mich beauftragt, über die Ermittlungen im Mordfall Julianna zu berichten.«

»Soso.« Offenbar war Bruce der Meinung, Gavin würde keine Zeitung lesen und somit auch nicht sehen, dass jeder wichtige Beitrag über Julianna von Drew Delaney persönlich geschrieben war, nicht etwa von Bruce Allard. Gavin fragte: »Was hat denn Juliannas Teenagerzeit damit zu tun?«

»Die könnte doch der Schlüssel zu ihrer Ermordung sein!«

»Wie denn das?«

Bruce sah Gavin an, als wäre er begriffsstutzig. »Vielleicht hatte jemand von damals noch ein Hühnchen mit ihr zu rupfen.«

»Verstehe. Der Betreffende war seit damals wütend auf sie, und wartete … wie lange? Fünfzehn, sechzehn Jahre, um sie endlich zu beseitigen?«

»Mag schon sein.«

»Ein sehr geduldiger Mensch.«

Bruces Augen wurden schmal. »Viele Mörder haben Geduld, Gavin.«

»Wirklich? Das wusste ich nicht, aber in deinem Job kommst du ja mit viel mehr gefährlichen Menschen in Kontakt als ich.«

»Da können Sie Gift drauf nehmen. Ich hab schon ein paar richtig schwere Jungs kennen gelernt.« Bruce starrte in sein Glas, als grüble er über all die schweren Jungs nach, denen er in seinem ausgesprochen behüteten Leben bisher begegnet war. Die Erinnerung trieb ihn dazu, sich noch einen hinter die Binde zu gießen. Der Schnösel bekam allmählich glasige Augen, stellte Gavin fest, jetzt konnte es zum Glück nicht mehr lange dauern, bis er von ihm befreit wäre.

Da wandte sich Bruce plötzlich ihm wieder zu. »Also, mein Lieber, warum rücken Sie nicht endlich mit dem heraus, was Sie über Juliannas Tod wissen?«, fragte er laut. »Ich glaube nämlich, dass Sie *wissen*, wer sie umgebracht hat.«

Gavin hatte das Gefühl, als tauche er in eisiges Wasser, als sei er unfähig zu atmen, zu sehen, sich zu bewegen. Sein Mund klappte auf und wieder zu. Bildete er sich das nur ein, oder war es in der Bar tatsächlich völlig still geworden, jedes Ohr gespitzt, was als Nächstes aus seinem trockenen Mund kommen würde? Am Ende hatte er gerade genug Atemluft, um ein schwaches »Wie kommst du denn darauf?« auszustoßen.

»Indem ich Leute erforsche. Sie beobachte. Sie *kennen* lerne.« Bruce klang nicht mal mehr angetrunken. »Ich bin darin sehr gut, weil ich auch gut den Idioten spielen kann; so nehmen mich die Leute nicht für voll und werden unvorsichtig. Ich hab Sie den ganzen Sommer hindurch beobachtet, Gavin.

Bei diesen Partys im Haus der Hamiltons. Ich hab Sie Julianna anhimmeln sehen. Sie sind ihr durch die ganze Stadt nachgefahren. Sie haben ganz genau gewusst, was in ihrem Leben vor sich ging, und das bedeutet, dass Sie wahrscheinlich auch wissen, wer sie getötet hat. Wenn Sie es nicht sogar selbst waren, aus Eifersucht.«

Gavin saß da und blinzelte in das arrogante Gesicht des gut aussehenden Jungen, der ihm höhnisch grinsend gegenübersaß. Bruce Allard hätte nicht stolzer auf sich sein können, wenn er Gavin gerade gezwungen hätte, alle drei Morde zu gestehen, die in den letzten Tagen geschehen waren. Und warum hatte Bruce das getan? Weil er dachte, er käme damit durch, zumal ohnehin alle glaubten, Gavin Kirkwood hätte kein Rückgrat, keinen Mumm, kein Fünkchen Männlichkeit mehr?

Langsam stieg die Wut in Gavin auf, steigerte sich zur Weißglut. Sie baute sich in der Magengrube auf, kroch in die Brust, wo sie sich eng um die Lungenflügel legte, und erreichte schließlich seine Augen. Bruce starrte ihn noch immer triumphierend an. Doch als die Wut sich langsam in Gavins Blick zeigte, wurde Bruce unsicher. Sein Lächeln fror ein. Er wich ein klein wenig zurück, wollte nicht locker lassen, musste sich aber doch irgendwie mit dem Unmöglichen abfinden – dass er sich verrechnet hatte, zu weit gegangen war, Ärger bekäme.

Ein Gefühl des Triumphes überflutete Gavin, als er die Unsicherheit des Jungen bemerkte. Gavin hatte so etwas wie Triumph schon seit langer Zeit nicht mehr empfunden, und er genoss jede Sekunde. Er berauschte sich daran, war unbesiegbar.

Wild an seiner Wut festhaltend, am scharfen Blick, der in seinen Augen loderte, glitt er vom Hocker und trat ganz nah an Bruce heran.

»Wenn du so schlau wärst, wie du glaubst, junger Mann, dann hättest du den Mund gehalten«, sagte er mit leiser, ge-

fährlich beiläufiger Stimme. »Wenn ich tatsächlich einmal ge-
mordet habe, oder gar ein zweites oder drittes Mal, was sollte
mich daran hindern, noch einen vierten Mord zu begehen?«

Gavin konnte es nicht glauben. Sein verfluchtes Auto wollte
nicht anspringen. Er saß auf dem Parkplatz des Iron Gate in
seinem 70 000 Dollar teuren Jaguar XK, der erst ein Jahr alt
war, und drehte immer wieder den Zündschlüssel herum, nur
um ein ums andere Mal ein Klicken zu hören. Die Batterie
war leer. Vielleicht war auch die Lichtmaschine kaputt. Er
klappte die Motorhaube auf, wusste aber nicht wirklich, wo
er den Fehler suchen sollte. Er stieg wieder in den Wagen und
dachte nach. Sämtliche Werkstätten der Gegend waren nachts
geschlossen. Er könnte wahrscheinlich Ralph von R & R Auto
Repair dazu bringen, ihn abzuschleppen, hatte aber sein
Handy nicht dabei, und nach seinem dramatischen Abgang
würde er auf keinen Fall noch einmal das Lokal betreten, nur
um zu telefonieren. Schließlich beschloss er, dass der Wagen
auf dem Parkplatz gut aufgehoben wäre und er die vier Straßen bis nach Hause zu Fuß gehen würde.

Obwohl sich Ellen um sieben Uhr mit Migräne ins Bett gelegt hatte, hatte Gavin um neun zu Hause sein wollen. Stattdessen hatte er bis dreiviertel zehn in der Bar abgehangen.
Dank der Panne und dem Fußmarsch würde er jetzt noch
später heimkommen. Er war nicht sicher, ob Ellen noch wach
sein würde, und bereute, sie allein gelassen zu haben, obwohl
ihr angeblich schon das Sprechen zusetzte, wenn sie eine ihrer
Kopfwehattacken hatte, und sie ihn zum Schlafen ins Gästezimmer verbannte. Trotzdem fühlte sie sich wohler, wenn
er im Haus war und sich um sie sorgte.

Die Nacht fühlte sich an wie dunkler Samt, weich und warm
und liebkosend. Eine leichte Brise trieb hauchzarte Wolken
über den Mond und flüsterte im Laubwerk der großen alten
Bäume, die den Gehweg säumten. Normalerweise hätte ein

Abend wie dieser romantische Erinnerungen in Gavin wachgerufen, Erinnerungen an seine Jugend, als er noch hoffte, dass ihn die Liebe einer wunderbaren Frau eines Tages in einen wunderbaren Mann verwandeln würde. Julianna hätte diese Frau sein können, doch war ihm diese Hoffnung viel zu bald und auf viel zu abscheuliche Weise genommen worden. Noch immer verspürte er beim Gedanken daran einen schmerzhaften Stich.

Doch jetzt dachte er nicht an die Schönheit der Nacht. Er dachte nicht an seine Jugend und das hübsche, dunkelhaarige Mädchen, von dem er geglaubt hatte, es sei die eine. Er dachte nicht einmal an den Umstand, den er morgen mit seinem Wagen hätte. Er dachte nur an dieses Frettchen Bruce Allard.

Gavin wunderte sich, dass er sich von diesem verwöhnten Schafskopf hatte zum Narren halten lassen. Dass Bruce sich neben ihn setzte, hatte er nicht verhindern können, aber er hätte rasch sein Glas austrinken und gehen können, anstatt sitzen zu bleiben und sich von diesem arroganten Bürschchen an der Nase herumführen zu lassen, das sich so schlau und gerissen vorkam und dabei nicht die geringste Ahnung hatte.

Trotzdem war es dem Gernegroß gelungen, ihn zu provozieren, dachte Gavin verdrossen. Morgen würde die halbe Stadt erfahren, wie Gavin Kirkwood in eindeutig böser Absicht Bruce Allards Leben bedroht hatte! Gavin seufzte. Was waren die Konsequenzen? Was waren die Konsequenzen dieser Auseinandersetzung? Er hatte es gründlich satt, sich immer um die Konsequenzen zu sorgen!

Etwa dreißig Meter vor ihm, auf der anderen Straßenseite, sah Gavin mit Erleichterung die Laternen auf den Mauersäulen leuchten, die seine Einfahrt markierten. Die vier Drinks, die er sich genehmigt hatte, taten endlich ihre Wirkung, er geriet ins Taumeln und brachte sich mit den trippelnden Schritten eines alten Mannes voran. Dieser Schwindel im Kopf war lästig, wie eine Mücke, die um ihn herumsurrte. Er hätte etwas essen sollen. Stattdessen hatte er den vielen Whiskey auf leeren Magen getrunken. Er würde sich ein Sandwich schmieren, sobald er nach Hause käme. Ein herzhaftes Sandwich, dazu würde er zwei Aspirin schlucken und eine Vitamin-B-Kapsel. Hatte er nicht gelesen, dass Vitamin B den Kater bekämpfte? Und ein großes Glas Wasser. Mit einer Menge Eis darin …

Er trat vom Gehweg auf die Straße und machte sich daran, sie im Zickzackkurs zu überqueren, den Blick auf die Füße gerichtet, die er nicht allzu hoch heben konnte.

Plötzlich gingen Scheinwerfer an, sandten Strahlen die Straße entlang, die ihn einfingen. Gavin blinzelte und wandte den Blick ab. Verdammt, merkte der Fahrer nicht, dass er das Fernlicht eingeschaltet hatte? Gavin ging schneller, um dem Idioten auszuweichen, merkte plötzlich, dass der Idiot ebenfalls beschleunigte. Ein Motor dröhnte lauter, heulte auf, Reifen surrten gnadenlos über den weichen Asphalt.

Gavin sah eine dunkle Gestalt am Lenkrad sitzen – nein, über dem Lenkrad dräuen wie in hämischer Vorfreude –, als die vordere Stoßstange schon seine Unterschenkel erfasste, während der Kühler sich in seine Oberschenkel rammte. Einen Augenblick lang hatte er das Gefühl zu fliegen, dann stürzte er ab, landete mit der linken Hüfte auf der Motorhaube und krachte mit der Schulter gegen die Windschutzscheibe. Doch der Wagen bremste nicht etwa ab, sondern trug Gavin über zehn Meter mit sich, bis sich der Saum seines Hemds aus dem Scheibenwischer löste, in dem er sich verfangen hatte, sodass er von der Haube rollte und ein mit Alu-Felgen ausgestatteter Reifen ihm den Fußknöchel zertrümmerte.

Der Wagen raste weiter, ließ Gavin reglos auf der Straße liegen, in die samtweiche Nacht gehüllt.

Siebzehn

1

»Meine Güte, Kit, das ist ja schrecklich!«, rief Adrienne. »Ist Gavin schwer verletzt?«

»Eine gebrochene Hüfte, gebrochene Rippen, gebrochenes Schlüsselbein, zertrümmerter Knöchel. Er hat eine Gehirnerschütterung, und mit dem rechten Auge sieht er nur noch verschwommen. Der Arzt meint allerdings, Letzteres würde bald wieder besser werden. Was die übrigen Verletzungen angeht ...« Sie seufzte. »Er sieht ziemlich übel aus.«

Kit klang fast, nein definitiv, besorgt. Und die dunklen Augenringe kündeten davon, dass sie die ganze Nacht auf den Beinen gewesen war. Adrienne war verwundert. Nicht nur, weil Gavin Kirkwood fast getötet worden wäre, sondern auch, weil dies seiner Langzeitfeindin Kit offenbar so zusetzte. Sie war vor zehn Minuten bei Adrienne eingetroffen, in Jeans und einer blauen Satinbluse, und hatte sie um ein rasches Gespräch und eine Tasse »richtigen« Kaffees gebeten, bevor sie wieder ins Krankenhaus fuhr.

»Wie nimmt Ellen es auf?«, fragte Adrienne, während sie Kit die zweite Tasse Kaffee einschenkte und ihr einen Blaubeer-Muffin reichte, den sie allmählich als ihre persönliche Backspezialität betrachtete. »Mutter lag mit Kopfschmerzen im Bett, als es passierte«, sagte Kit mit vollem Mund. »Adrienne, das schmeckt ja köstlich! Vielleicht sollte ich dich bitten, welche fürs Restaurant zu backen. Na, jedenfalls hatte Mutter ihr Migränemittel genommen und war nicht wachzukriegen. Ich hab *meinen* Schlüssel benutzt, um ins Haus zu kommen. Sie war zunächst zu benommen, um zu begreifen, was passiert war.« Sie stockte. »Ich brauch noch einen Muffin.«

»Ich dachte, du bist nicht hungrig.«

»Mein Magen sagt was anderes. Nun, jedenfalls schien Mutter zunächst noch ganz in Ordnung zu sein, doch im Krankenhaus ist sie mir dann umgekippt. Sie kriegte kaum noch Luft, war kreideweiß im Gesicht, und jetzt haben wir zwei Patienten in der Familie. Mutter liegt im Zimmer neben Gavin. Das einzige körperliche Problem bei ihr ist ihr schwaches Herz und zu viel Stress, aber Gavins Zustand hat ihr emotional den Boden unter den Füßen weggezogen. Ich glaube, sie hat den ganzen Tag noch nicht einen Befehl erteilt. Sie starrt nur in den Fernseher und sagt: »Es ist alles meine Schuld.«

»Meint sie Gavins Unfall?«

»Das war kein Unfall.«

»Okay, der Angriff auf sein Leben. Warum sollte es *ihre Schuld* sein, wenn jemand versucht, Gavin umzubringen?«

Kit zuckte mit den Schultern. »Ich weiß es nicht. Na ja, jedenfalls tut es mir Leid, dass ich heute Abend nicht zum Fest kommen kann.«

»Ich hab auch gar nicht mit dir gerechnet. Und du hättest nicht extra herzukommen brauchen, um mir das zu erklären. Du siehst aus, als wärst du die ganze Nacht wach gewesen.«

»War ich auch, aber ich hätte so und so nicht schlafen können. Und nach dem Schock mit Treys Foto gestern wollte ich mich außerdem persönlich davon überzeugen, dass es dir wieder gut geht.«

»Das tut es, wenn man bedenkt, was alles passiert ist. Lucas weiß noch nichts Näheres, was dieses Foto angeht.«

»Dann hat also keiner im Revier freiwillig zugegeben, die Akten durchwühlt zu haben?«

»Bis jetzt noch nicht. Aber Lucas sagte, er habe schon einen Verdacht. Mehr wollte er nicht sagen. Natürlich ist er mit seiner Verletzung nicht in Bestform. Er hat Schmerzen, obwohl er es nicht zugeben will.« Adrienne schloss kurz die Augen. »In den vergangenen Wochen ist alles anders geworden, Kit. Ich habe das Gefühl, als könnte mich nichts mehr schockieren.«

»Das glaube ich dir nicht, Süße«, sagte Kit. »Wo ist eigentlich Skye?«

»Bei ihrer Freundin Sherry. Ich muss in etwa einer Stunde los, um in der French Art Colony bei den Vorbereitungen zu helfen, und Skye wollte nicht den ganzen Nachmittag dort verbringen. Da die Grangers heute Abend ohnehin zum Fest kommen, hat Louise mir vorgeschlagen, Skye solle den Nachmittag bei ihnen verbringen und sie dann begleiten. Wenn man bedenkt, was mir alles um die Ohren fliegt in letzter Zeit, ist meine Tochter derzeit bei fremden Leuten besser aufgehoben. Es ist schrecklich, sich das einzugestehen.«

Kit berührte Adriennes Hand, eine für sie eher untypische Geste der Zuneigung. »Das weiß ich. Hör zu, Adrienne, ich will dir ausgerechnet heute bestimmt keine Angst machen, aber du hast Recht. Du bist noch immer in Gefahr, und deine Tochter ebenso. Deshalb finde ich, dass du morgen die Stadt verlassen solltest. Ich weiß, dass du dir wegen deines Jobs Sorgen machst, aber Mutter hat eine Menge Einfluss. Genau wie dein Schwager, wenn er nur ein einziges Mal etwas für dich anstatt für sich selbst tun würde.«

Adrienne blickte zu Boden. »Du meinst, es war unverantwortlich von mir, so lange hier auszuharren.«

»Du hättest in Lotties Hütte getötet werden können«, sagte Kit leise. »Was wäre dann aus Skye geworden? Adrienne, du bist die beste Mutter auf der ganzen Welt. Aber du machst dir übertriebene Sorgen um deinen Job, weil du befürchtest, nicht genügend Geld zu haben, um deine Tochter zu unterstützen, und diese Sorge hat dich dazu verleitet, Risiken einzugehen.

Zum Teil bin ich selber Schuld, weil ich dir kein Geld angeboten habe, damit du die Stadt verlassen kannst, aber ich dachte, du würdest eh nichts annehmen.«

»So ist es auch.«

»Du bist genau wie Lottie, und ich respektiere deine Prinzipien, aber du musst dir helfen lassen – wenn nicht von mir, dann von Vicky –, und hör endlich auf, die Tapfere zu spielen.«

»Die Blöde, meinst du.«

»Nun … ja. Was Gavin passiert ist, war kein Zufall, was nur beweist, dass die Gefahr noch lange nicht gebannt ist.« Kits Griff um Adriennes Hand wurde fast schmerzhaft fest. »Sei vorsichtig heute Nacht, Adrienne, und dann hau ab. Nimm deine Tochter und verlasse die Stadt, bis alles vorüber ist. Wenn du das nicht tust, setzt du euer beider Leben aufs Spiel.«

2

»Gott sei Dank, endlich habe ich im Restaurant alles im Griff«, rief Kit, als sie in ihre Wohnung eilte und die Tür hinter sich zuschlug. »Dann auf ins Krankenhaus, Besucherstunde. Ich werd's aber kurz machen. Dann können wir ein bisschen Zeit miteinander verbringen.« Sie verstummte. »Was ist los?«

Miles Shaw stand vor ihr im Wohnzimmer, einen Lederkoffer neben sich, eine Leinentragetasche über der Schulter. »Heute Abend geh ich, Kit.«

»Du gehst?«, wiederholte sie langsam und lächelte dann erleichtert. »Ach so, zurück in deine Wohnung. Das brauchst du nicht. Du fällst mir nicht zur Last.«

»Ich geh nicht zurück in meine Wohnung. Ich verlasse die Stadt.«

»Die Stadt?« Sie blinzelte. »Wohin gehst du? Warum?«

»Ich kann es dir nicht sagen. Du musst mir einfach glauben, dass ich gehen muss.« Er lächelte. »Kit, ich weiß wirklich zu schätzen, dass du mir nach der Ermordung Margarets und dem Ärger mit der Polizei Asyl gewährt hast, aber …«

»Asyl gewährt? Darum ging's dir?«

»Äh … vor allem. Ich hab es dir von Anfang an gesagt. Mag ja sein, dass ich mich etwas anders ausgedrückt habe …«

»Mag sein? Du hast dich ganz bestimmt etwas anders ausgedrückt.« Kits Stimme wurde schrill, ihr Gesicht lief rot an. »Du hast dich völlig anders ausgedrückt. Es klang mehr nach ›Du bist der einzige Mensch, dem ich vertraue‹ und ›ich brauche dich mehr, als ich dachte.‹«

»Schluss jetzt!«, sagte Miles bestimmt. »Ich war ziemlich fertig. Vielleicht hab ich Dinge angedeutet, die ich nicht hätte andeuten sollen.«

»Zum Beispiel, dass Margaret eins der vielen dummen Techtelmechtel gewesen ist, nachdem Julianna dich verlassen hatte, und du erst jetzt kapiert hast, dass du mit jemandem zusammen sein willst, der dir wirklich etwas bedeutet? Jemand wie ich?«

Miles fühlte sich allmählich in die Enge getrieben. »Kit, du weißt, wie viel du mir bedeutest. Das war schon immer so. Es ist nur so, dass ich jetzt die Stadt verlassen muss.«

»Warum? Du hast doch ein Alibi.«

»Schon, aber da ist noch etwas. Das kann ich dir nicht sagen.«

»Du spielst immer den Geheimnisvollen, Miles.« Ihre Stimme begann zu zittern. »Du bist seit Jahren von Juli geschieden. Jetzt ist sie … fort. Und ich weiß, dass du Margaret nicht geliebt hast. Ich dachte, wir hätten endlich eine Chance.«

»Vielleicht haben wir auch eine. Nur nicht jetzt, Kit. Bitte lass mich gehen, ohne dass du klammerst und bettelst und nervst.«

»Ich klammere, bettle und nerve? So siehst du mich also?«

»Na ja, das tust du doch gerade. Hab ein bisschen Vertrauen zu mir, Kit.«

»Vertrauen? Warum sollte ich Vertrauen zu dir haben?«

»Weil du mich liebst?« Sie starrte ihn an. »Denn du liebst mich wirklich, Kit. Ich weiß es. Und weil du eine starke Frau bist mit einer Menge Stolz.«

»Ich dachte, ich würde klammern.«

Miles schloss kurz die Augen. »Ich kann mich jetzt nicht mit dir streiten, Kit. Und ich werde mich nicht mit dir streiten. Ich gehe. Ich melde mich später bei dir. Versprochen.«

Er beugte sich zu ihr hinunter, um ihr einen Kuss zu geben, aber sie wich ihm aus. Er sah Tränen in ihren Augen – und Zorn. Er ging an ihr vorbei und zur Tür hinaus.

Als Miles über die Hintertreppe auf die Straße eilte, spürte er, dass sie im Fenster stand und ihn beobachtete. Er dachte daran, sich umzudrehen und ihr zuzuwinken, aber er wusste nicht, ob sie das als Aufmunterung oder als Kränkung auffassen würde. Und weil er sie nicht noch wütender machen wollte, ging er einfach weiter, denn er musste fort aus dieser Stadt. Noch heute Nacht.

Doch vorher gab es noch eine Sache zu erledigen.

3

»Trinken Sie nicht schon vorher alles weg, Adrienne«, wies Miss Snow sie zurecht. »Schließlich erwarten wir viele Gäste heute Abend und wollen auch in ausreichenden Mengen Erfrischungsgetränke bereitstellen. Es wäre doch peinlich, wenn wir von einer Sorte nicht mehr genügend anbieten könnten.«

»Keine Sorge, diese Cola habe ich mir von zu Hause mitgebracht, ich gehe bestimmt nicht an die Bowlenschüssel!«, erwiderte Adrienne gereizt. Sie arbeitete jetzt seit drei Stunden unter Miss Snows Regiment, und die Anstrengung hinterließ allmählich ihre Spuren. Zwei weitere Personen waren gekommen, um bei den Vorbereitungen zu helfen, aber Miss Snow hatte sie wieder fortgeschickt, weil sie ihren Ansprüchen nicht genügten. Und dass Miles Shaw sich weder blicken ließ noch angerufen hatte, stimmte Miss Snow äußerst verdrießlich, was sie allerdings zu verbergen suchte, indem sie Ausreden für ihn fand. Adrienne hatte sich oft gefragt, wie in Miss Snows vorsintflutlicher Moralauffassung ein Objekt erotischer Phantasie Platz fand – Miles. Diesen Mann betete sie an. Und der wusste das, so viel war sicher. Miles wusste immer, über welche Frauen er Macht hatte, und nutzte es schamlos aus.

Miss Snow sah auf die Uhr, die über ihrer flachen Brust hing. »Die Gala beginnt in weniger als zwei Stunden. Solange die Jury berät, werden die Ausstellungsräume geschlossen.«

»Ich weiß«, entgegnete Adrienne. »Deshalb habe ich mich ja auch in die Küche zurückgezogen.«

»Ich würde vorschlagen, Sie ziehen sich nach Hause zurück und wechseln die Kleidung. Oder wollen Sie etwa in diesem Aufzug bleiben?«

Sie musterte entsetzt Adriennes Jeans, T-Shirt und die abgestoßenen weißen Turnschuhe. »Aber ja, ich habe diese Garderobe eigens für heute Abend zusammengestellt.« Miss Snow machte ein finsteres Gesicht. »Ich brauche nicht eigens nach Hause zu fahren, um mich umzuziehen«, sagte Adrienne geduldig. »Ich sagte Ihnen doch, dass ich meine Kleider im Auto liegen habe. Ich werde mich im Badezimmer frisch machen.«

»Sie werden ein Bad nehmen?«

»Eine schnelle Dusche. Dazu ist die Dusche doch da. Ich verspreche Ihnen, das Badezimmer gründlich zu reinigen, bevor die Gäste ankommen. Ich möchte nur nicht nach Hause fahren und dann auf dem Rückweg im Abendverkehr stecken bleiben.«

»Ach so.« Miss Snows Miene hellte sich auf. »Dann wird Ihre Tochter also nicht teilnehmen?«

»O doch, sie kommt später.« Miss Snow sah so geknickt drein, dass Adrienne fast Mitleid mit ihr hatte. »Natürlich wird auch mein Schwager Philip Hamilton mit Familie kommen«, erinnerte sie die Frau.

Miss Snow, die in ihrem Kummer über die Abwesenheit von Miles Shaw Philip offenbar ganz vergessen hatte, war bei der Erwähnung seines Namens augenblicklich getröstet. »O ja, Mr. Hamilton. Wie schön, dass er auch kommen wird.« Ganz zu schweigen von den finanziellen Vorteilen und der günstigen Presse, die sein Erscheinen mit sich bringt, dachte Adrienne säuerlich. »Ich war eng befreundet mit seiner Großtante Octavia, müssen Sie wissen.«

»Das überrascht mich nicht.« Miss Snow sah sie argwöhnisch an, nicht sicher, ob sie eben beleidigt worden war oder nicht. Um es sich mit der Frau nicht vollständig zu verderben, noch ehe der Abend richtig begonnen hatte, fügte Adrienne hinzu: »Octavia soll ja eine Dame mit erstklassigem Geschmack gewesen sein.«

»O ja, das war sie«, gluckste Miss Snow. Ihre Augen glänzten in seliger Erinnerung. »Einmal gingen wir gemeinsam in die Oper. Es war eine der anregendsten Erfahrungen meines Lebens.«

Du musst ja ein mächtig tolles Leben geführt haben, wenn ein Opernbesuch mit diesem hochmütigen, knochentrockenen Besen von einer Frau ein Highlight war, dachte Adrienne traurig, rang sich jedoch ein Lächeln ab. »Ich werde mal meine Tochter anrufen.«

»Warum rufen Sie nicht auch die Hamiltons an und sagen ihnen, wann genau das Fest beginnt. Ich freue mich sehr, dass sie kommen. Ob einige der Gemälde Philip gefallen werden?«, murmelte sie und trippelte davon, um sicherzustellen, dass die Galerie auch tipptopp in Ordnung war für die Ankunft der hohen Herrschaften.

Adrienne rief Skye auf ihrem Handy an und war überrascht, als Vicky sich meldete. »Skye ist hier bei uns«, sagte Vicky vergnügt. »Sie und Rachel spielen Tennis. Skye hat ihr Telefon auf der Küchentheke liegen lassen, also hab ich es einfach aufgehoben, als es geklingelt hat.«

»Sie sollte doch bei den Grangers sein«, sagte Adrienne streng.

»Mr. Granger hat offenbar Probleme mit dem Herzen. Glaubt *er* zumindest. Seine Frau ist außer sich. Sie hat Skye hierher gebracht, um dann mit ihrer Tochter am Bett ihres sterbenskranken Mannes auszuharren. Das Mädchen schien ziemlich angepisst zu sein, wie Rachel sagen würde.«

»Vielleicht ist er tatsächlich krank«, sagte Adrienne besorgt.

»Er wirkt aber erstaunlich gesund für einen Herzpatienten«, sagte Vicky. »Er wollte nicht mal einen Krankenwagen. Womöglich hatte er bloß keine Lust, sich für die Gala heute Abend schick anzuziehen. Aber mach dir keine Sorgen, Schatz. Wir werden da sein!«

Vicky klang nicht nur gut gelaunt, sondern auch nüchtern. Zumindest diese Last war Adrienne von den Schultern genommen. »Wie geht's Skye?«

»Gut. Sie hat ihr Outfit für heute Abend mitgebracht, hinreißend. Wie dem auch sei«, erzählte Vicky weiter, »sogar Philip scheint sich auf heute Abend zu freuen. Die Aufregung wegen Margaret hat sich ein wenig gelegt. Vermutlich wird sie wieder aufleben, wenn ihre Leiche zum Begräbnis freigegeben wird, aber darum mache ich mir Gedanken, wenn es soweit ist. Im Augenblick genieße ich es einfach, wieder ein normales Familienleben zu führen, ohne Margarets Kommandogehabe.« In Vickys Stimme schwang noch immer der alte Hass auf die Frau mit, und wieder regten sich in Adrienne leise Zweifel, ob nicht ihre Schwester eine Rolle gespielt hatte bei Margarets Ermordung. Sie bekämpfte ein mulmiges Gefühl, kam sich vor wie eine Verräterin und wechselte rasch das Thema.

»Ich weiß, dass Philip ungern pünktlich ist«, sagte Adrienne. »Dazu genießt er den Auftritt viel zu sehr. Aber kommt nicht allzu spät, Vicky. Nicht erst, wenn das Fest schon halb vorbei ist.«

»Wir kommen nicht zu spät. Jedenfalls nicht sehr«, versprach ihr Vicky. »Und viel Glück heute Abend. Ich hoffe, dass dein Bild gewinnt.«

»Ich auch, aber ich rechne nicht damit. Übrigens, eine der Damen im Stiftungsvorstand, Miss Snow, war mit Großtante Octavia befreundet. Sie würde glatt in Ohnmacht fallen vor Freude, wenn Philip ein wenig um sie herumscharwenzeln würde. Sie ist groß, normalerweise dunkel gekleidet, hat streng aus der Stirn gekämmtes weißes Haar und ist etwa 120 Jahre alt.«

Vicky lachte. »Ich werde Philip vorwarnen. Er wird sie auf jeden Fall becircen, selbst wenn sie gar nicht für ihn stimmen kann, weil sie aus Ohio stammt.«

»Aber Freunde von ihr leben in West Virginia und könnten für ihn stimmen. Danke, dass du dich um Skye gekümmert hast.«

»Kein Problem. Bis später.«

Adrienne legte auf, versuchte, dem Abend mit Zuversicht entgegenzusehen. Skye in Vickys Obhut zu wissen, hätte sie entspannen sollen. Doch der Verdacht gegen ihre Schwester und ihren Schwager, der sie in letzter Zeit quälte, hatte sich schon viel zu tief eingegraben.

Sie war beunruhigt, und das Gefühl wollte nicht weichen.

Miles verließ den Highway und fuhr langsam die Straße zum *Belle Rivière* hinauf. Er hielt direkt vor dem stattlichen alten Hotel und sah es sich an. Die Abendsonne wurde langsam schwächer, wechselte von Safrangelb zu blankem Gold. Die Venus, oft als Abendstern bezeichnet, glitzerte direkt über dem Gebäude wie ein Leuchtturm, der ihm die Richtung wies.

Er war erleichtert, den Ort verlassen vorzufinden. Keine Schaulustigen, die zur Kulisse zweier Tatorte gepilgert waren. Essenszeit, dachte Miles. Wenn im Fernsehen heute Abend nichts Interessantes lief, würden die Leute schon kommen, halb aufgeregt, halb ängstlich, ob nicht noch mehr geschehen war in diesem Haus, das neuerdings alle das »verfluchte Hotel« nannten. Ellen Kirkwood würde ihre Freude daran haben, dachte er. Die Einwohner der Stadt hielten sie nun nicht mehr für verrückt, sondern dachten, sie habe die ganze Zeit Recht gehabt mit ihrer Behauptung, das Haus habe eine böse Aura.

Miles parkte ein wenig abseits auf der Rückseite des Hotels, wo dichtes Buschwerk den Wagen verdeckte. Er stieg aus und stellte sich vor das Hotel, studierte jeden Balkon, jede Balustrade, jede Tür und jedes Fenster. Und jeden Schatten, denn obwohl es noch früh am Abend war, schien dieser Ort voller Schatten zu sein. Es lag wohl an der Architektur, dachte er und schämte sich ein wenig, dass diese Schatten ihm zu denken gaben. Er würde nicht zulassen, dass sie ihm Angst machten. Adrienne Reynolds war nach dem Mord an Julianna mehr als einmal zum Malen hier gewesen! Wenn sie keine Angst hatte, brauchte *er* erst recht keine zu haben. Er hatte laut mit sich selbst geredet, und als er sich dabei ertappte, klappte er prompt den Mund zu und wurde rot. Zum Glück war keiner da, der ihn hätte hören oder sehen können.

Miles holte den Rucksack aus dem Kofferraum und ging zum Hintereingang des Hotels. Seit dem Brandanschlag auf

Claude hatte die Polizei die Tür mit gelbem Klebeband versiegelt. Miles beschloss daher kurzerhand, ein Fenster einzuschlagen. Vandalismus war nicht sein Stil, aber in knapp einem Monat würde das *Belle* ohnehin abgerissen werden, was schadete da ein kaputtes Fenster?

Miles nahm einen Hammer aus dem Rucksack und zerschlug die Scheibe einer Balkontür. Das Glas splitterte nicht wie Kristall. Es zerbarst und fiel zu Boden. Ohne sich um die Alarmanlage zu scheren, fasste er hinein und entriegelte die Tür. Er wusste von Kit, dass Ellen die Alarmanlage schon vor Monaten ausgeschaltet hatte, in der Hoffnung, jemand möge einbrechen, Feuer legen und so dem Abriss zuvorkommen.

Miles griff sich den Rucksack und wagte sich langsam ins Haus. Er hatte die Balkontür eines Büros zerbrochen. Aus Neugierde öffnete er ein paar Schubladen, aber sie waren leer. Miles setzte sich an den schönen Mahagonischreibtisch des Geschäftsführers. Er sollte vor dem Abriss des Hotels versteigert werden. Aufs Geratewohl öffnete er eine Schublade und fand ziemlich weit hinten das zerknitterte, vergilbte Foto eines jungen Mädchens, das am Brunnen vor dem Hotel saß. Ein Mädchen mit rotbraunem Haar.

Miles besah sich das Bild genauer, kniff die Augen zusammen. O Gott, das war ja Julianna! Sie konnte nicht älter als sechzehn gewesen sein, trug Shorts, die ihre langen, gebräunten Beine sehen ließen, und ein enges T-Shirt ohne BH darunter. Sie sah herausfordernd und unschuldig zugleich aus. Und sie war wunderschön. Dieses Foto musste mindestens zwanzig Jahre alt sein, dachte Miles, irgendjemand hatte es seither aufgehoben. Der aufrechte, bigotte Schleimer Duncan, der das Hotel ein Vierteljahrhundert lang geleitet hatte, bis es dicht gemacht hatte, überlegte Miles. Ausgerechnet er, der unentwegt mit gespitzten Lippen sein selbstgerechtes Missfallen zum Ausdruck gebracht hatte, war im Geheimen scharf gewesen auf Julianna. Sogar *ihn* hatte sie also becirct!

Anstatt das Foto wieder in die Schublade zurückzulegen, steckte Miles es behutsam ein. Dann schulterte er seinen Rucksack, trat vom Büro des Hotelmanagers in die riesige, mit Marmor ausgelegte Eingangshalle und stieg die Wendeltreppe hinauf in den ersten Stock.

Tageslicht schien noch immer durch die deckenhohen Fenster an jedem Ende der Halle, und er brauchte die Taschenlampe nicht, um das richtige Zimmer zu finden. Nummer 214. Julianna hatte gesagt, dass es für den Valentinstag am 14. Februar stehe, der zugleich ihr Geburtstag war. Hier hatten sie ihre Hochzeitsnacht verbracht. Hier war sie ermordet worden. Miles zeichnete mit dem Zeigefinger jede Ziffer nach. Dann riss er das gelbe Klebeband ab. Die Spurensicherung hatte das Zimmer bereits gründlich durchsucht, aber Juliannas Mörder lief noch immer frei herum.

Miles legte die Hand auf den Türknauf und zögerte. Er hatte zwar gewusst, dass er dieses Zimmer noch einmal aufsuchen würde, aber nicht damit gerechnet, dass er die ehemals so schöne Kulisse seiner Hochzeitsnacht so zaudernd, ja zimperlich betreten würde. Er hatte dort mit Julianna Champagner getrunken und die Gläser in den Kamin geschleudert. Sie hatte ein erlesenes Négligé aus blauem, spitzenbesetztem Satin getragen. Sie hatten Musik gehört und zu *Sweet Dreams* getanzt. Immer und immer wieder. Sie hatten gelacht, sich umarmt und sich stürmisch ewige Liebe geschworen. Ein abgedroschenes Versprechen, aber hübsch.

Leider hatte nur einer von ihnen es ehrlich gemeint.

Miles trat ans Bett, zwang sich dazu, es anzusehen. Decke und Laken waren fort, doch die Matratze war noch da. Der Anblick der großen, rostfarbenen Flecken im oberen Drittel drehte ihm den Magen um. Juliannas Lebenssaft war durch ihren Hals in die Matratze gesickert, übrig geblieben waren bräunliche Sprenkel. War sie noch einmal zu sich gekommen, nachdem sie in den Hals gestochen worden war? Wenn ja, hatte sie gewusst, dass sie sterben musste? Was waren ihre letzten Gedanken gewesen? War er ihr auch nur einmal in den Sinn gekommen?

Miles sah ein, dass es auf diese Fragen niemals eine Antwort geben würde. Sich die sterbende Julianna vorzustellen war genauso sinnlos wie sie zu ergründen, als sie noch lebte.

Mit einem Seufzer trat Miles an die Balkontür und zog die Vorhänge auf. Die Sonne stand jetzt noch tiefer, goss ein herrlich flammendes Kupferrot über den Himmel. Er öffnete die Balkontür, ließ frische Luft in den Raum. Dann setzte er sich auf den weichen blauen Teppich davor, schnürte seinen Rucksack auf und holte drei Kerzen in Kristallbehältern heraus. Er zündete sie an, und der süße Duft von Jasmin begann ihn langsam einzuhüllen. Als sie noch mit ihm zusammen war, hatte Julianna fast ständig Kerzen mit Jasminduft angezündet. Er würde den Duft immer mit ihr in Verbindung bringen. Es war eine angenehme, tröstliche Erinnerung.

Miles schloss die Augen und dachte daran, wie er auf dem Hotelgrundstück fast fünfzig Fotos von Julianna gemacht hatte. Sie hatten ihm später als Grundlage für Miniaturporträts von ihr gedient – eins davon hatte er in ein Amulett gesteckt und Lottie zum Geburtstag geschenkt. Er erinnerte sich an die Ehrfurcht in Lotties ehemals schönen Augen, als sie das winzige Bild betrachtet hatte. Und an den Hass in Gails Augen.

Er wischte diese Gedanken fort, trug den Rucksack hinaus auf den Balkon, holte einen tragbaren CD-Spieler heraus, legte *Sweet Dreams* von den Eurythmics ein und setzte sich Kopfhörer auf. Dann nahm er sich eine dieser kleinen Flaschen Brandy Alexanders, wie man sie an Bord eines Flugzeugs bekam. Brandy Alexanders war Juliannas Lieblingsmixgetränk gewesen. Er schraubte den Verschluss ab und hielt die Flasche in den berückenden Abendhimmel.

»Auf dich, Julianna. Du bist und bleibst meine einzige Liebe.«

Er legte den Kopf in den Nacken und ließ sich die süße Flüssigkeit in die Kehle laufen. Er war so vertieft in seinen Trinkspruch, in den Geschmack von Juliannas Lieblingsdrink, den Sound von Annie Lennox' eindringlicher Stimme, dass er nicht hörte, wie jemand von hinten auf ihn zu gerannt kam. Er spürte nur noch den kräftigen Stoß im Rücken, bevor er über die Brüstung taumelte und vom ersten Stock zu Boden fiel – auf die stabilen, scharfen Zinken eines Laubrechens.

Achtzehn

1

Miss Snows missbilligender Blick hatte Adrienne begleitet, als sie mit ihrem Kleid, dem Kulturbeutel und dem Lockenstab zum Badezimmer im ersten Stock hinaufgegangen war. Die Frau verstand unter Zurechtmachen wohl eine Art Travestie. Wozu, fragte sich Adrienne, wäre ein Badezimmer, komplett mit Dusche und Wanne, wohl sonst eingerichtet worden, wenn nicht für Notfälle wie diesen? Warum konnte Miss Snow das nicht einsehen? Miss Snow lebte nur zwei Häuser von der Galerie entfernt und war zu Fuß nach Haus gegangen, um ein dunkles Kleid gegen ein anderes einzutauschen.

Im Augenblick genoss Adrienne sowohl Miss Snows Abwesenheit als auch das warme Wasser, das aus dem Duschkopf auf ihre schmerzenden Schultern strömte. Sie hatte heute etliche Bilder gehoben und diverse schwere Möbel verrückt. Miles Shaw hätte sich bestimmt keinen Zacken aus der Krone gebrochen, wenn er mit angepackt hätte, dachte sie übellaunig. Wahrscheinlich schob er sein Erscheinen auf später, wenn die Ausstellung schon in vollem Gange wäre, er, der große Künstler, der es nicht für nötig befand, sich mit den Vorbereitungen die Finger schmutzig zu machen. Und mit welcher Frau würde er aufkreuzen?, fragte sich Adrienne, während sie ihr Haar shampoonierte. Mit Kit? Nein, Kit war verhindert, wegen ihrer Mutter und Gavin. Margaret war tot. Vielleicht würde er allein kommen, aber sie konnte sich nicht vorstellen, dass er das Fest sausen ließ. Er war viel zu süchtig nach den Lobeshymnen, die seine Werke stets hervorriefen.

Adrienne stieg aus der Dusche und wickelte sich in ihren Frotteemantel. Dann öffnete sie die Tür einen Spalt, damit der Dampf abziehen konnte. Sie sah ja nicht einmal ihr eigenes Spiegelbild. Sie kramte in ihrer Tasche nach einer Föhnlotion, die sie in ihr langes Haar kneten konnte, um die Krissellocken zu bändigen, und traktierte es anschließend mit dem Föhn.

Nach zwanzig Minuten war sogar Adrienne verblüfft, welche Verwandlung sie bewerkstelligt hatte. Das türkise Kleid, zu dem Skye sie überredet hatte, »weil es die Farbe deiner Augen hat, Mom«, passte wie angegossen. Es reichte bis knapp oberhalb der Knie und hatte einen runden Halsausschnitt, der ihre Perlmuttkette aufs Hübscheste zur Geltung brachte. Sie hatte die Haare hochgesteckt, um ihre baumelnden Perlmuttohrringe zu zeigen. Auch die Pumps mit den zehn Zentimeter hohen Absätzen, wieder Skyes Auswahl, waren nicht zu unbequem.

In fünfundvierzig Minuten würde das Fest beginnen. In der Küche war bereits ein Catering-Team zugange, sorgte dafür, dass der Champagner richtig gekühlt war, und bereitete *Petits fours* und *Hors d'œuvres*. Vielleicht hätte ich ein paar Blaubeer-Muffins mitbringen sollen, dachte Adrienne. Miss Snow hätte sicherlich die Nase gerümpft.

Sie beschloss, Vicky anzurufen, um sicherzugehen, dass bei den Hamiltons auch alles nach Plan verlief. Sie war überrascht, als Skye sich meldete. »Hi, Mom«, sagte sie fröhlich. »Bist du schon angezogen?«

»Na sicher. Ich sehe nicht übel aus, wenn ich das so sagen darf, aber hoffentlich falle ich in diesen Schuhen nicht die Treppe hinunter.«

»Aber nein. Ich möchte wetten, du siehst toll aus. Ich kann's kaum erwarten, dich zu sehen.«

»Und ich kann's kaum erwarten, dich zu sehen, aber warum gehst *du* ans Telefon? Ist sonst niemand zu Hause?«

»Nö.« Adrienne wurde nervös. »Onkel Philip ist gleich, nachdem du vorhin angerufen hast, weggefahren. Er sagte, er hätte ein paar Dinge zu erledigen und wäre rechtzeitig zurück, um sich umzuziehen. Er hatte es Tante Vicky versprochen. Doch dann hat sie gewartet und gewartet und wurde allmählich nervös. Also ist sie vor etwa zwanzig Minuten ebenfalls weggefahren, um ihn zu suchen. Sie sagte, sie wüsste, wo er wäre, wollte es aber Rachel und mir nicht verraten. Als dann Rachel und ich uns anziehen wollten, ist ihr Lieblingslippenstift zu Boden gefallen und abgebrochen. Ist das zu glauben? Sie sagte, diese Farbe würde als Einzige zu ihrem Kleid passen, also ist sie mal eben zum Drogeriemarkt gefahren, um sich einen neuen zu kaufen, in derselben Farbe. Ich konnte nicht mit, weil ich in der Badewanne saß.«

»Aber sie ist noch nicht wieder da.«

»Sie ist erst ein paar Minuten weg, Mom. Den richtigen Lippenstift auszusuchen, kann dauern«, sagte Skye, als hätte sie darin Erfahrung.

»Und Philip und Vicky sind auch weg. Wie steht's mit Miss Pitt?«

»Die hat heute ihren freien Tag.«

»Dann bist du ganz allein im Haus?«

»Mom, bleib cool.« Adrienne hörte die Empörung in Skyes Stimme. »Ich bin kein kleines Kind mehr! Ich hab alle Türen abgesperrt. Außerdem ist Brandon bei mir. Er kann mich beschützen.«

»Er ist doch der Erste, der unter dem Bett verschwindet, falls wirklich etwas passiert.« Skye musste kichern. »Tja, ich kann's nicht ändern, aber es passt mir gar nicht, dass du ganz allein im Haus bist. Wenn ich wollte, dass du allein bist, hätte ich dich auch zu Hause lassen können.«

»Werd nicht böse, Mom. Es ist ja nur für kurze Zeit. Rachel wird jeden Moment zurückkommen. Tante Vicky und Onkel Philip auch. Ich bin vierzehn«, sagte Skye, als wäre sie vierzig. »Ich kann gut auf mich selbst aufpassen. Hör zu, Mom, ich bin rasch aus der Badewanne gehüpft, um ans Telefon zu gehen. Ich muss mich anziehen. Wir sehen uns heute Abend, alles wird gut, ich versprech's dir.«

Bevor Adrienne ihrer Sorge mit weiteren Sicherheitsinstruktionen Ausdruck verleihen konnte, legte Skye den Hörer auf. Adrienne seufzte und steckte ihr Handy wieder ein. Sie musste einfach darauf vertrauen, dass alles gut ginge heute Abend. Und morgen würde sie Kits Rat befolgen und die Stadt verlassen, bis die Gefahr, in der sie in letzter Zeit schwebte, endgültig vorbei wäre.

Doch im Augenblick hatte sie andere, schlichtere Sorgen. Miss Snow war eben zurückgekommen, von Kopf bis Fuß im besten Abendschwarzen, und sie sah aus, als würde sie gleich platzen vor Wut.

2

»Miss Snow, was ist los?«, fragte Adrienne beunruhigt. »Geht es Ihnen gut?«

»Das tut es ganz gewiss nicht.« Miss Snow hatte ihre Garderobe mit einer meterlangen Kette aus falschen Perlen ergänzt und zerrte so heftig daran, dass Adrienne befürchtete, sie könne reißen. »Ich habe Miles Shaw angerufen, um mich zu vergewissern, dass er heute Abend auch käme. Doch wie es aussieht, hat er die Stadt verlassen! Das ist doch nicht zu glauben! Ausgerechnet heute hat dieser Mann die Stadt verlassen! Für immer! Ist einfach weggezogen!«

Es klang, als hätte Miles mindestens das Gerichtsgebäude in die Luft gesprengt. Miss Snow zückte einen alten schwarzen Fächer, sank auf einen Stuhl mit gerader Lehne, gleich neben der Tür, und fächelte ihrem hochroten Gesicht wütend Luft zu. »Noch nie in der Geschichte der French Art Colony ist etwas derart *Infames* vorgefallen! Und *ich* war die Organisatorin. Man wird *mir* die Schuld geben!« Sie fächelte stärker. »Mein Wort darauf, das werde ich diesem Mann niemals verzeihen!«

Junge, Junge, jetzt hat er den Salat, dachte Adrienne und musste sich das Lachen verkneifen. Der Verdacht, Margaret Taylor auf niederträchtige Weise ermordet zu haben, konnte unmöglich so schlimm sein wie Miss Snows ewiger Zorn. Würde er Miles verfolgen wie eine Langstreckenrakete, egal, wohin ihn seine Vermessenheit führte? Wenn dem so war, dann sollte Miles sich besser daran gewöhnen, denn Miss Snow würde dem Frevler niemals vergeben.

Adrienne wagte es, der zerbrechlichen alten Dame die Hand auf die Schulter zu legen. »Sie scheinen ziemlich erregt zu sein, Miss Snow. Soll ich Ihnen ein Glas Wasser holen?«

»Nein«, bellte die Gekränkte. »Ich könnte einen guten, steifen Brandy vertragen. Und trödeln Sie nicht.«

»Jawohl, Ma'am.« *Ma'am?* Adrienne konnte sich nicht erinnern, wann sie zum letzten Mal ›Ma'am‹ gesagt hatte, aber sie hastete davon wie ein ängstliches Zimmermädchen, lief in die Küche und bat um einen Kognakschwenker und eine Flasche Brandy. »Nicht für mich«, setzte sie unnötigerweise hinzu. »Miss Snow steht kurz vor einer Ohnmacht.« Oder vor einem Schlaganfall, dachte sie, hin und her gerissen zwischen Sorge und Schadenfreude.

Eine halbe Stunde später war Miss Snow wieder auf der Höhe und bellte nach allen Seiten Befehle. Adrienne wusste, dass Miss Snow allein ein großes, zweistöckiges Haus bewohnte, das einmal eine kinderreiche Familie beherbergt hatte, und sie fragte sich, ob die Frau sich der Stille überließ, sobald sie die Haustür hinter sich geschlossen hatte, oder im Geheimen längst verblichene Verwandte herumkommandierte. Adrienne meinte, vor etwa einem Jahr einen Wellensittich im vorderen Fenster erspäht zu haben, aber Sittiche waren bekanntermaßen keine geeigneten Befehlsempfänger. Trotzdem wäre der unglückliche Vogel zumindest jemand, mit dem Miss Snow reden konnte.

»Was stehen Sie hier herum und halten Maulaffen feil?«, fauchte es hinter Adrienne, sodass sie zusammenzuckte. »Das Fest beginnt offiziell in fünfzehn Minuten. Bald werden die ersten Gäste eintreffen.«

»Pünktlich zu kommen ist unfein«, sagte Adrienne.

»Zu meiner Zeit war das anders. Pünktlichkeit ist gottgefällig, pflegte mein Vater zu sagen.«

Mit finsterer Miene entschwebte Miss Snow in die Küche zum Zweck einer letzten Inspektion. So hab ich sie wenigstens eine Weile vom Hals, dachte Adrienne. Wäre sie Miss Snows Sittich, dann würde sie alles daransetzen, dem Käfig zu entfliehen, und wenn es das Leben kostete.

Adrienne drückten die Schuhe, als zwanzig Minuten später die ersten Gäste eintrafen. Sie hatte an einem der Fenster gestanden und beobachtet, wie ein Ehepaar im Wagen sitzen blieb, bis ein zweites Paar auf die Galerie zusteuerte. Erst dann waren sie aus dem Mercedes gestiegen und hatten sich dem ersten furchtlosen Paar zugesellt, um eine vergnügte Vierergruppe zu bilden. In ihrer Hast, an die Tür zu kommen, um die vier überschwänglich zu begrüßen, hätte Miss Snow Adrienne um ein Haar zu Boden gestoßen. Unter mädchenhaftem Kichern verteilte sie Broschüren und setzte die teuren Parfums der beiden Damen mit ihrem aufdringlichen Lavendelwasser außer Kraft.

Weitere sechs Leute waren aufgekreuzt, als Drew Delaney, unwiderstehlich in seinem Smoking, durch die Tür geschlendert kam, Miss Snow einen schelmischen Blick zuwarf und sagte: »Miss Petunia, wie elegant Sie heute aussehen!«

Petunia? Miss Snows Vorname lautete Petunia?, dachte Adrienne ungläubig.

Miss Snow vergalt ihm das Kompliment mit einem eisigen Blick. »Wie geht es Ihnen, Mr. Delaney? Werden Sie persönlich über unsere kleine Veranstaltung berichten?«

»Jawohl, Ma'am, und es ist mir eine Ehre. Da ich nicht wusste, welchen meiner Reporter ich mit dieser verantwortungsvollen Aufgabe betrauen sollte, entschloss ich mich kurzerhand, selbst herzukommen.«

»Was verstehen Sie denn von Kunst!«, stellte Miss Snow düster fest.

»Nun ja, ich habe ein wenig aufgeholt, seit meine Großmutter mich mit zehn Jahren zu Ihren Porzellanmalstunden schickte.«

Porzellanmalen? *Drew*? Adrienne hätte sich beinah am Champagner verschluckt, als Miss Snow sie gebieterisch zu sich winkte.

»Ich bin heute Abend ziemlich beschäftigt, Mr. Delaney. Hoffentlich nehmen Sie es mir nicht übel, wenn ich Sie den tüchtigen Händen von Ms. Reynolds überlasse.«

»Ich betrachte es als eine Ehre und große Freude, mich in die Hände von Ms Reynolds zu begeben«, sagte Drew und setzte ein anzügliches Grinsen auf. Ein neuer Hustenanfall schüttelte Adrienne und hinderte sie daran, Drew streng zurechtzuweisen.

»Sie sollten lieber Wasser trinken, wenn Sie keinen Alkohol vertragen, Adrienne«, tadelte Miss Snow. »Wenn Sie sich erholt haben, möchte ich Sie bitten, Mr. Delaney durch die Räume zu führen.«

»Ich glaube, er kennt sie schon«, brachte Adrienne heraus.

»Dann zeigen Sie sie ihm noch einmal.« Miss Snows Stimme war härtester Stahl. »Bitte.«

»Ja, bitte, Adrienne«, sagte Drew mit kläglicher Stimme. »Ich kann mich nicht mehr erinnern.«

»Ach, halt den Mund«, murmelte sie, als Petunia wieder gen Eingang entschwunden war und Drew sie grinsend ansah. »Willst du was trinken?«

»Ich glaube kaum, dass ich den Abend nüchtern durchstehen werde«, anwortete Drew.

»Dann sind wir schon zwei.«

»Wirklich? Du siehst aus, als wäre schon das erste Glas eins zu viel gewesen.«

»Es war doch nur der Schreck über Miss Snows Vornamen und über deine Porzellanmalerei. Wirklich, Drew. *Porzellan?*«

»Es war der Sommer, in dem meine Eltern sich überlegten, ob sie sich scheiden lassen sollten oder nicht. Sie verreisten und ließen mich bei Großmutter. Die schickte mich zu ihrer Freundin Petunia und zwang mich, Malunterricht zu nehmen. Nie war mir etwas so peinlich gewesen. Alle meine Freunde spielten Baseball. Fußball war erst später der Renner. Na ja, jedenfalls lebe ich seither in der beständigen Angst, das mit dem Porzellanmalen könnte herauskommen, und schon ist es passiert, und das in Gegenwart des hübschesten Mädchens diesseits des Mississippi.«

»Ich sehe dich jetzt mit völlig anderen Augen, Drew«, sagte Adrienne mit gespieltem Ernst. »Warst du denn gut?«

»Miserabel. Du hast Petunia ja gehört. Ich verstehe nicht das Geringste von Kunst.«

Ein Ober trug ein Tablett voller Gläser vorbei, und Adrienne nahm sich zwei, eins für sich und eins für Drew. »Dass sie Petunia heißt, schockiert mich fast genauso wie deine Porzellanmalerei.«

»Du hast nicht gewusst, dass sie Petunia heißt?« Adrienne schüttelte den Kopf. »Den Umstand verdankt sie einer ganz süßen Geschichte«, sagte Drew mit boshaftem Zwinkern. »Wie's scheint, war sie eine schwere Geburt, deshalb war ihr

Gesicht von der Anstrengung leuchtend rosa, als sie endlich draußen war. Sie wickelten die Kleine in eine weiße Decke und gaben sie ihrem Daddy, der sagte: ›Was bist du nur für ein hübsches kleines Mädchen. Und so fröhlich. In all die weiße Wolle gewickelt, siehst du aus wie eine Petunie im Schnee! Und so wirst du heißen: Petunia Snow!‹ Ist das nicht das Niedlichste, was du je gehört hast?«

Adrienne bog sich vor Lachen. Als sie aufblickte, sah sie, dass Miss Snow ihr giftige Blicke zuwarf, weil sie die Aufmerksamkeit einiger Leute auf sich zog. Drew indes stand harmlos neben ihr und hatte nur die Spur eines höflichen Lächelns im gebräunten Gesicht.

»Ich glaube, Miss Snow kommt gleich her und versohlt mich, wenn ich nicht bald ernst werde«, sagte Adrienne, noch immer lachend. »Ich führe dich durch die Räume und zeige dir die Bilder.«

»Mich interessiert nur ein Bild. Das deine. Wie lautet sein Titel? Ach ja, *Herbstlicher Exodus*.«

»Woher kennst du den Titel?«

»Ich bin Journalist«, sagte Drew geheimnisvoll. »Ich finde *alles* heraus.«

Adrienne führte ihn vor das Bild und wartete nervös auf sein Urteil, auch wenn sie wusste, dass er kein Kunstexperte war. Schließlich äußerte er seine Begeisterung und fragte, wo ihr Erster Preis sei.

»Sie haben die Gewinner noch nicht bekannt gegeben«, sagte sie und freute sich über die aufrichtige Bewunderung, die sie in seinen Augen sah. »Allerdings rechne ich nicht damit, unter die ersten drei zu kommen, auch wenn Miles Shaw in diesem Jahr nichts eingereicht hat.«

»A propos, wo ist denn unser unwiderstehlicher langhaariger Mr. Shaw?«, fragte Drew.

»Erwähne bloß nicht seinen Namen, wenn Miss Snow in der Nähe ist«, sagte Adrienne mit gespieltem Entsetzen und warf einen verstohlenen Blick hinüber zu ihr, die gerade um den Bürgermeister von Gallipolis herumscharwenzelte. »Er ist bis jetzt nicht aufgekreuzt. Hat angeblich die Stadt verlassen. Für immer.«

Drew sah verdutzt drein. »Die Stadt verlassen? Das kann nicht sein. Er hat sich doch gerade bei Kit eingenistet.«

»Das glaube ich nicht. Miss Snow hat ihn angerufen, da war seine Leitung tot. Ich bin sicher, dass er seine Rechnungen pünktlich bezahlt hat. Und ich bezweifle außerdem, dass er umgezogen ist. Er liebt seine Wohnung, in der er mit Julianna gelebt hat.«

»Du glaubst also nicht, dass er zu Kit gezogen ist?«

Adrienne schüttelte den Kopf. »Ich glaube, dass Kit wirklich etwas für ihn empfindet, aber sie ist nicht so verrückt, nach nur ein oder zwei Nächten eine so enge Bindung einzugehen.«

»Im Gegensatz zu dir kann sie sehr spontan sein.«

»Ich kann durchaus auch spontan sein!«

»Das wüsste ich aber.«

»Tja, du hast relativ wenig von mir mitgekriegt in den vergangenen Jahren.«

Drew schenkte ihr das vertraute warme Lächeln, das ihr schon als Teenager den Kopf verdreht hatte. »Du hast Recht. Ich hab bei weitem nicht genug von dir mitgekriegt. Und weil du immer nur das Schlechteste von mir annimmst, meinst du bestimmt, ich hätte diese Bemerkung sexuell gemeint. Das stimmt aber nicht. Obwohl ich gegen das Sexuelle auch nichts einzuwenden hätte.«

Adrienne spürte, wie sie rot wurde, und weil sie das kindisch fand, errötete sie noch mehr. »Du wirst dich nie ändern, Drew.«

»Ich *hab* mich geändert. In jeder Hinsicht, die maßgeblich ist. Na ja, in fast jeder. Vor allem, was die Erkenntnis angeht, dass ich nur *eine* Frau im Leben will. Und diese Frau bist du.«

371

»Und was ist mit Skye?«

»Sie ist noch keine Frau. Darf ich noch eine Ergänzung machen? Ich will eine Frau und ein Mädchen, das, wenn es erst einmal groß ist, eine ebenso starke, begabte und schöne Frau sein wird wie seine Mutter. Wenn ich nicht ein solcher Idiot gewesen wäre, hätte ich das schon viel früher eingesehen.«

Drews typisches schelmisches Lächeln verblasste, und er sah ihr so tief in die Augen, dass sie das Gefühl hatte, als könne er ihr direkt in die Seele schauen. »Willst du wieder meine Freundin werden, Adrienne?«

Adrienne wurde es schwindelig, und es lag nicht am Champagner. Sie wollte, dass Drew sie in die Arme nahm, wollte durch ihr dünnes Kleid die Wärme seines Körpers spüren, in seinem Kuss ertrinken, alle Gäste auf dem Fest vergessen.

Stattdessen wich sie einen Schritt zurück und sagte zitternd: »Ich will darüber nachdenken.« Sie lächelte nervös und fragte dann: »Wo bloß Skye und die Hamiltons bleiben?«

»Nun, *eine* Frage kann ich dir beantworten«, sagte Drew. »Deine Schwester steht direkt hinter dir.«

Vicky tippte ihr auf die Schulter. Als Adrienne sich umdrehte, umarmte sie Vicky. »Hi! Ich hab dich noch nie so sexy gesehen!«

»Danke. Skye hat das Kleid ausgesucht.«

»Sie hat uns ungefähr zwanzigmal erzählt, dass sie dich zu diesem Kleid überredet hat.«

Adrienne sah sich um. »Wo ist sie?«

»Sie und Rachel kommen nach. Rachel ist wohl in letzter Minute losgefahren, um einen Lippenstift zu kaufen, als hätte sie nicht schon ein Dutzend. Philip wollte nicht länger auf sie warten – er muss anschließend noch zu einer anderen Veranstaltung, deshalb wollte er los. Also fragte ich Skye, ob es ihr recht sei, ein paar Minuten später nachzukommen, mit Rachel und Bruce, und sie war einverstanden.«

»Bruce Allard? Vicky, du hast mir nicht erzählt, dass Rachel heute Abend verabredet ist.«

»Ich dachte, das wüsstest du. Rachel ist doch immer verabredet.« Vicky zögerte. »Na ja, Bruce hat sich gewissermaßen aufgedrängt. Ich hörte, wie Rachel versuchte, ihn abzuwimmeln, aber Bruce ist ziemlich überzeugend, wie du weißt.«

»Er ist aufdringlich«, sagte Adrienne ungehalten. »Vicky, ich dachte, ihr alle, du, Philip, Rachel und Skye, würdet gemeinsam herkommen. Wenn ich gewusst hätte, dass Skye mit Bruce fährt, hätte ich sie schon längst bei euch abgeholt.«

»Jetzt mach kein solches Gesicht. Du kriegst ja Falten zwischen den Augenbrauen.« Adrienne sah ihre Schwester forschend an. Sie war zu aufgedreht, ihr Teint zu rosa. O Gott, ausgerechnet heute muss sie trinken, dachte Adrienne gereizt. Sie sollte doch auf meine Tochter aufpassen. »Bruce ist immer pünktlich. Er dürfte vor etwa zehn Minuten bei uns zu Hause eingetroffen sein«, plapperte Vicky weiter. »Ich wette, sie sind schon auf dem Weg. Und mach dir keine Sorgen, Bruce ist ein guter Fahrer, ein sehr guter Fahrer.«

»Nicht, wenn er vergangene Nacht Gavin Kirkwood überfahren hat«, murmelte Drew.

Adrienne sah ihn entsetzt an. »Was redest du denn da?«

»Gavin und der junge Mr. Allard haben sich gestern Nacht in der Bar des Iron Gate böse gestritten; gleich darauf ist Gavin auf die Straße und wurde überfahren. Der Unglücksfahrer beging Fahrerflucht.«

»Was?« Adriennes Stimme war so laut, dass sich etliche Leute nach ihr umdrehten. »Kit hat mir kein Wort davon erzählt, als sie heute Nachmittag bei mir vorbeikam.«

»Vielleicht hatte sie andere Dinge im Kopf«, schlug Vicky vor.

»Andere Dinge?«, fragte Adrienne. »Was könnte wichtiger sein?«

Vicky tätschelte ihr zum Trost den Arm. »Du regst dich über

nichts und wieder nichts auf. Bruce hat nichts dergleichen getan. Das ist ja verrückt!«

Adrienne sah Drew voller Angst an. »Wusstest du, dass Bruce und Gavin eine Auseinandersetzung hatten?«

»Ja, aber sie haben nur gestritten, nicht gerauft. Und nachdem Gavin die Bar verlassen hatte, telefonierte Allard. Dann trank er aus. Mehrere Leute können bezeugen, dass er zum Zeitpunkt von Gavins Unfall noch an der Bar gesessen hat. Vicky hat Recht – Allard kann Gavin nicht überfahren haben. Sonst hätte man ihn zumindest vernommen, was aber nicht der Fall war. Nach kurzer Pause fragte Drew: »Hat Lucas dir nichts erzählt?«

»Nein«, sagte Adrienne, plötzlich wütend auf Lucas. Wieso erfuhr sie nichts? Ausgerechnet heute Abend musste Skye mit Bruce im Wagen fahren. Andererseits konnte Lucas ja nicht ahnen, dass Bruce Rachel und Skye zur Gala begleiten würde. Nicht einmal *sie* hatte es gewusst.

»Das gefällt mir nicht«, sagte sie emphatisch. »Ich habe ein schlechtes Gefühl …«

»Ach du und deine schlechten Gefühle«, sagte Vicky wegwerfend. »Schon als Kind hattest du diese mieeesen Gefühle.«

Adrienne ignorierte ihre Schwester. »Ich werde jetzt Skye anrufen und ihr sagen, dass sie unter keinen Umständen zu Bruce in den Wagen steigen darf.«

»Sie ist wahrscheinlich schon auf dem Weg«, sagte Vicky. »Sicher hat Bruce sie und Rachel mittlerweile abgeholt. Hör schon auf, dir Sorgen zu machen. Du bist eine fürchterliche Glucke.«

Adrienne funkelte Vicky wütend an. »Ist mir egal, ob ich eine Glucke bin. Ich kann nicht glauben, dass ich dir meine Tochter anvertraut habe. Allerdings konnte ich auch nicht ahnen, dass du ausgerechnet heute Nachmittag deinen Verstand vertrinken würdest!«

»Ich kann durchaus noch klar denken«, knurrte Vicky. »Ich hatte ein einziges Glas, um die Nerven zu beruhigen. Wie kannst du mir vorwerfen, ich sei betrunken und fahrlässig!«

Philip tauchte neben ihnen auf, ein angespanntes Lächeln im vornehmen Gesicht. »Wenn ihr beiden nicht auf der Stelle leiser sprecht«, zischte er, »werde ich euch nach draußen zerren. Ihr blamiert mich ja vor allen Leuten.« Er sah Drew finster an. »Was tun Sie denn hier, Delaney?«

»Eindrücke sammeln, für einen Artikel«, sagte Drew beiläufig. »Und es geht viel lebhafter zu, als ich dachte. Guter Lesestoff für die morgige Ausgabe.«

»O Gott«, stöhnte Philip leise.

In diesem Moment kam Miss Snow herangesegelt, und ihr Lächeln war beinahe so steif wie das von Philip. »Gibt es ein Problem?«

»Nein«, sagte Vicky laut. »Adrienne ist wieder mal zickig.«

»Adrienne hat ein Talent dafür«, sagte Miss Snow mit falscher Liebenswürdigkeit. Sie hatte ein perlenbesticktes Abendtäschchen in der Hand. »Es lag auf dem Tisch neben der Tür. Gehört es Ihnen, Adrienne?«

»Ja. Ich vergaß, es mit nach oben zu nehmen.«

»Nun, dann tun Sie es jetzt, bitte. Es klingelt immerzu. Das ist sehr störend.«

Adrienne griff sich die Tasche und holte ihr Handy heraus, das in der Tat klingelte. Die Nummer auf dem Display war die von Skye. Adrienne meldete sich und rief: »Skye? Wo bist du?«

Zuerst hörte Adrienne nur ein Schluchzen. Ein verängstigtes, herzzerreißendes Schluchzen. Dann rief Skye: »Mami, du musst zum *Belle Rivière* kommen. Schnell! Mr. Shaw – Miles – ist verletzt. Ich glaube, er stirbt. Ich hab solche Angst …« Sie schluchzte erneut: »Nein! Nicht!«

Dann brach die Verbindung ab.

Neunzehn

1

Adrienne rief immer und immer wieder: »Skye? Skye?«, bis ihr Drew endlich das Telefon aus der zitternden Hand nahm.

»Was ist?«, fragte er angespannt.

»Sie sagte, ich müsste zum *Belle Rivière* kommen, Miles Shaw wäre verletzt, vielleicht tot. Ich sollte mich beeilen, sie hätte Angst. Dann rief sie ›Nein, nicht‹ … und die Leitung war tot.« Adrienne zitterte am ganzen Leib. »Warum ist sie mit Miles Shaw im *Belle Rivière*?«

Vicky schlug die Hände vors Gesicht. »Ist Rachel bei ihr?«, rief sie.

»Das ist doch bestimmt ein Streich«, behauptete Philip. »Nach all den Mordfällen fanden die Kinder es vielleicht lustig, uns Angst einzujagen, auch wenn es nicht gerade von gutem Geschmack zeugt. Und Rachel und Bruce müssten es besser wissen in ihrem Alter …«

»Es ist kein Streich!« Adrienne brüllte fast. »Du hast Skyes Stimme nicht gehört. Ich muss zum *Belle*!«

»Ich werd dich fahren«, sagte Drew und kramte bereits nach dem Autoschlüssel. »Ihr könnt inzwischen die Polizei rufen.«

»Die Polizei!« Philip sah entsetzt drein. »Wenn es nur ein schlechter Scherz ist und Rachel steckt mit drin, weißt du, was für einen schlechten Eindruck das macht?«

»Halt den Mund, Philip.« Vicky sah plötzlich nüchtern und

unerbittlich aus. »Denk nur *ein*mal im Leben an Rachel statt an deinen unersättlichen politischen Ehrgeiz. Adrienne hat Recht. Etwas stimmt hier nicht. Kommst du jetzt mit, oder sollen all diese Menschen erfahren, dass du lieber hier bleibst und Leuten die Hand schüttelst, während deine Tochter in Gefahr sein könnte?«

Philip wirkte einen Augenblick niedergeschlagen. Zu Adriennes Entsetzen schien er kurz mit sich zu ringen, wie er sich entscheiden sollte. Dann packte er Vicky am Arm: »Nun gut, fahren wir zum Hotel.«

Nach ein paar Worten zu einer verdutzten Miss Snow, die um ihren sorgfältig geplanten Abend bangte, rannten sie zu viert aus dem Gebäude, auf ihre Wagen zu.

Um neun Uhr war der Himmel kobaltblau und amethystfarben, mit einem korallenroten Streifen am Horizont. Philip hatte Adrienne gar nicht erst gefragt, ob sie mit ihm und Vicky fahren wolle, vermutlich weil Drew sich erboten hatte, sie zu begleiten. Drew bugsierte Adrienne zu seinem Camaro. »Leg den Gurt an. Wir werden keine Zeit verlieren«, sagte er.

Als er losfuhr, wählte Adrienne erneut Skyes Nummer. Das Telefon war ausgeschaltet. »O Gott, Drew, was ist da bloß passiert?« Sie war den Tränen nah.

»Ich habe keine Ahnung, aber du solltest lieber Lucas verständigen.«

»Ich bin so durcheinander, dass ich gar nicht an ihn gedacht habe.« Frenetisch tippte sie seine Handy-Nummer ein, erreichte aber nur seine Mailbox. Sie rief im Revier an, doch seine Sekretärin Naomi sagte, sie habe ihn seit Stunden nicht mehr gesehen. »Stimmt etwas nicht, Mrs. Reynolds?«, fragte sie mit bebender Stimme. »Es ist doch nichts Schlimmes passiert? Ihnen oder Ihrer Tochter oder … nun ja, Rachel?«

»Rachel?«, fragte Adrienne scharf. »Wie kommen Sie darauf, dass Rachel etwas passiert sein könnte? Ich wusste nicht mal, dass Sie sie kennen.«

»Oh, sie kommt hin und wieder her und versucht, ein paar Neuigkeiten zu erfahren. Es ist ja eigentlich Bruce Allards Revier, aber Sie kennen ja Rachel. Immer auf der Suche nach *der* Story.«

»Aber warum glauben Sie denn, dass ihr etwas zugestoßen sein könnte?« Lucas hatte Adrienne ein paar Mal von Naomi erzählt. Er mochte sie nicht, traute ihr nicht und wollte sie so bald wie möglich loswerden. »Wissen Sie etwas über Rachel, Naomi? Wenn dem so ist, müssen Sie es mir sagen, denn möglicherweise *ist* etwas passiert.«

»O Gott.« Adrienne hielt fast den Atem an. Naomi war kurz davor, etwas Wichtiges zu sagen. Dann änderte sie ihre Meinung. »Ich weiß nichts. Ganz bestimmt nicht. Weder über fehlende Akten noch über Fotos. Ich weiß nicht, warum ich Rachel überhaupt erwähnt habe, außer, dass wir Freundinnen sind. Hören Sie, ich mache hier Überstunden und gehe bald nach Hause, aber ich werde dem Sheriff ausrichten, dass Sie ihn suchen, falls er anruft.« Sie legte auf.

»Naomi stellt sich dumm, aber nicht mal das kann sie richtig. Sie hat von fehlenden Akten und Fotos gesprochen«, sagte Adrienne tonlos.

»Naomi? Naomi im Präsidium? Naomi kann Kaugummi kauen und enge Kleider tragen. Das ist aber auch schon alles.«

»Sie hält sich für Rachels Freundin.«

Drew lachte auf. »Das ist ein Witz. Rachel ist nur nett zu Naomi, um ihr Informationen abzuluchsen.« Nach einer Pause stöhnte er: »Fehlende Fotos.«

»Naomi hat Rachel Treys Foto gegeben.«

»Du weißt nicht, ob sie das getan hat, Adrienne. Das Polizeipräsidium ist Bruces Revier.«

»Und ich hab meine Skye diesem Bruce überlassen«, fuhr Adrienne wie versteinert fort.

»Das hast du nicht. Du hast sie deiner Schwester überlassen.«

378

»Der Alkoholikerin.«

»Sie wirkte nicht betrunken, als sie Philip aus dem Festsaal zerrte. Vicky ist nicht verantwortungslos und auch keine Alkoholikerin. Sie hat Kummer in letzter Zeit und versucht ihn im Alkohol zu ertränken. Gott, sie ist deine Schwester. Kannst du sie nicht so sehen, wie sie wirklich ist?«

Adrienne schlug die Hände vors Gesicht. Sie wollte weinen, doch es kamen keine Tränen. »Nein, ich weiß nicht, wie meine Schwester ist. Ich weiß überhaupt nichts mehr, nur dass hier ein Killer frei herumläuft und mein kleines Mädchen in Gefahr ist. Du hast ihre Stimme am Telefon nicht gehört, Drew. Sie hatte panische Angst.«

»Aber sie war am Leben. Versuch's bei Lucas zu Hause, und wenn du ihn nicht erreichst, ruf noch einmal Naomi an und sag ihr, sie soll Sonny Keller oder ein paar andere Deputys zu uns rausschicken.« Sie sah ihn trostlos an. Er machte ein finsteres Gesicht und sagte barsch: »Schau nicht so hilflos drein, verdammt. Ruf schon an!«

Drews strenger Ton weckte sie schlagartig auf. Er hatte völlig Recht. Für Hysterie war keine Zeit. Sie musste stark sein. Schließlich konnte das Leben ihrer Tochter davon abhängen.

2

Skye Reynolds dachte, der unheimlichste Moment ihres ganzen Lebens sei der gewesen, als ihre Mutter und sie die ermordete Julianna Brent in einem Bett des *Belle Rivière* gefunden hatten. Aber dem war nicht so. Sie hatte ihn in dem Moment vergessen, als sie sich über den schwer verwundeten, aber noch lebenden Miles Shaw beugte und voller Entsetzen die scharfen Zinken sah, die sich in seinen Bauch bohrten. Automatisch hatte sie nach ihrem Handy gegriffen und wie ein kleines Mädchen ihre Mutter angerufen. Während sie frenetisch redete, hatte sie in Miles' Gesicht gestarrt. Im selben Moment weiteten sich seine grünen Augen. Ein Gefühl, so schmerzhaft wie ein elektrischer Schlag durchzuckte sie, sie hatte sich umgedreht, und da war der Lauf einer Pistole auf sie gerichtet gewesen; jemand riss ihr das Handy aus der Hand. Jemand, der ihr vertraut war. Den sie liebte.

»Tut mir Leid, dass das passieren musste, Skye.«

Noch immer in der Hocke, die rechte Hand, mit der sie Miles angefasst hatte, voller Blut, fragte Skye ungläubig: »Rachel, was *tust* du denn da?«

»Ich will ja gar nicht, aber jetzt muss ich es tun.« Rachel verstummte, und Traurigkeit erfüllte ihre blauen Augen, während der Wind ihr das seidige aschblonde Haar um das schöne Gesicht wehte. »Steh auf, Skye.«

»Rachel, ich weiß, dass das irgendein Jux ist, aber er ist nicht komisch. Mr. Shaw ist wirklich schwer verletzt. Und du machst mir Angst. Bitte ziel nicht mit der Pistole auf mich.«

»Steh auf, Skye!«

»Aber …«

»Wird's bald!« Rachels Gesicht war leichenblass, ihre Augen wurden kalt und hart. »Verdammt, Skye, mach es nicht noch schlimmer, als es so schon ist. Tu, was ich sage!«

Skye stand auf. Rachel zielte noch immer auf ihren Kopf, und Skye hatte das mulmige Gefühl, dass ihre Cousine den Verstand verloren hatte. Oder Drogen genommen hatte. Skye klammerte sich wie eine Ertrinkende an diesen Strohhalm. Das war es. Jemand hatte Rachel unter Drogen gesetzt. Sie wusste nicht mehr, was sie tat.

Vorhin war Bruce gekommen, um Rachel abzuholen, aber sie war noch nicht zurück gewesen, obwohl sie doch nur einen Lippenstift hatte kaufen wollen. Es war über eine Stunde vergangen. Bruce hatte eine halbe Stunde gewartet, bevor er explodiert war und gesagt hatte, er wisse verdammt genau, wo Rachel wäre. Sie sei ja neuerdings wie besessen von diesem Ort. Wütend war er zum Wagen gerannt, und weil Skye sich Sorgen machte um ihre Cousine, hatte sie ihn begleitet. Er war mit Vollgas in Richtung des *Belle Rivière* gerast, und Skye hatte schon befürchtet, nicht heil dort anzukommen.

Vor dem Hotel hatte Bruce erst einen Blick auf Miles geworfen und war dann ins Haus gerannt. Skye dachte, sie hätte ein Geräusch gehört, das an einen Knallfrosch erinnerte, hatte aber nicht weiter darauf geachtet und war zu Miles gegangen. Entsetzt über seine Verletzung hatte sie ihre Mutter angerufen. Und jetzt richtete Rachel eine Pistole auf sie.

Offenbar stand sie unter Drogen. Skye wusste nicht, wie es hatte passieren können, aber es war die einzige Erklärung. Sie wollte Rachel helfen, merkte aber, dass das Mädchen keine Kontrolle über sich hatte. Menschen unter Drogeneinfluss, das wusste Skye, hatten keine Ahnung von dem, was sie taten. Skye wusste außerdem, dass sie Rachel auf keinen Fall reizen durfte, weil ihre Cousine in ihrem Wahn zu Taten fähig wäre, die ihr normalerweise in einer Million Jahren nicht in den Sinn kämen. Sie konnte Rachel nur helfen, indem sie ihr das sichere Gefühl gab, alles sei cool.

»Ist ja gut, Rachel«, sagte sie mit ihrer sanftesten Stimme. »Ich tu alles, was du sagst. Aber könnten wir nicht Hilfe holen für Mr. Shaw? Ich glaube, er hat große Schmerzen.«

Rachel sah auf Miles hinunter, ohne eine Spur von Mitleid in den Augen. »Er hat seine Schmerzen verdient.«

»Ach so.« Skye hatte verstanden. »Du glaubst, er hat Julianna umgebracht.«

Rachel sah sie einen Moment lang fragend an. »Wie kommst du denn *darauf*?« Dann lächelte sie ihr wunderschönes freundschaftliches Lächeln. »Nein, Skye. Miles hat Julianna nicht umgebracht. *Ich* war das.«

»Ich hab die Polizei angerufen«, sagte Adrienne zu Drew, als sie ihr Handy ausgeschaltet hatte. »Ich hoffe, sie schicken jemanden, und wenn's Keller wäre.« Adriennes Hände schwitzten. »Ich verstehe nicht, wieso meine Tochter im *Belle* ist.«

»Weil Bruce und Rachel sie dorthin mitgenommen haben.«

»Warum? Sie sollten doch zum Fest kommen. Was haben sie im Hotel zu suchen?«

Drew war eine Weile still, als müsse er nachdenken. »Wie wär's damit: Einer von ihnen hat gehört, Lottie Brent sei in der Nähe des Hotels gesehen worden. Lottie Brent wird vermisst, Bruce und Rachel sind Reporter und wittern eine spannende Story. Vielleicht bildeten sie sich sogar ein, sie würden sie selber fangen.«

»Aber warum haben sie dann Skye mitgenommen?«

»Skye ist vierzehn. Glaubst du, sie würde brav zu Hause bleiben und die zwei in ein Abenteuer brausen lassen? Meine Vermutung ist, dass sie sich selbst ins Auto gepflanzt hat und keine zehn Pferde sie mehr herausbekommen haben.«

»Das sähe ihr ähnlich«, sagte Adrienne zögernd, weil sie wusste, dass sie sich an einen Strohhalm klammerte. »Sie glaubt, sie sei erwachsen. Und liebt die Gefahr. Zumindest liebt sie die Aufregung.«

»Na siehst du.« Drew lächelte. »Geheimnis gelöst.«

»Ach, Drew, das ist es nicht«, sagte Adrienne verzweifelt. »Wir haben nur geraten.«

»Ich finde, das machen wir ganz gut.«

Adrienne schloss die Augen. Das letzte Tageslicht schwand. »Ich hoffe es, denn wenn Skye irgendetwas zustieße, wäre es allein meine Schuld. Und damit könnte ich nicht leben. Damit *will* ich nicht leben.«

»Komm mit, Skye«, sagte Rachel sanft. »Ich muss dir ein paar Dinge erklären.«

Skye warf einen Blick auf Miles Shaw. Seine Augen waren geschlossen, aber er atmete noch. Bitte, lieber Gott, lass ihn leben, bis meine Mom herkommt, betete sie. Und lass mich das Richtige tun, um Rachel zu helfen.

Wie eine Schlafwandlerin stand Skye auf und bewegte sich langsam auf den Haupteingang des Hotels zu. Sie wusste, dass Rachel die Pistole auf sie gerichtet hatte, war aber nicht sicher, ob sie tatsächlich abdrücken würde. Skye stieg die Stufen zur breiten Veranda hinauf. »Die Polizei hat die Türen versiegelt«, sagte sie. »Hast du sie aufgemacht, Rachel?«

»Ja. Warum?«

»Ich hab mich nur gewundert. Ich würde mich nicht trauen, eine Tür aufzumachen, die die Polizei versiegelt hat, aber du warst schon immer mutiger als ich.«

»Das war kein Mut«, sagte Rachel wegwerfend. »Ich hab es nur getan, weil ich es wollte.«

»Genau, das ist cool. Buffy, die Vampirjägerin, würde das auch tun, oder die Hexen in *Charmed*.« Skye blieb zögernd vor dem Eingang stehen. »*Da* soll ich rein?«

»Genau. Drinnen können wir uns hinsetzen. Das ist bequemer. Keine Sorge. Du kriegst keinen Ärger. Ich lass nicht zu, dass man dich bestraft.«

»Danke, Rachel. Du warst immer schon meine allerbeste Freundin, nicht nur meine Cousine. Ich weiß, dass du auf mich Acht geben wirst. Du hast immer zu mir gehalten, obwohl ich jünger bin als du.«

»Ich mag dich. Vermutlich lieb ich dich sogar, wie die kleine Schwester, die ich nie hatte.« In der dunklen Eingangshalle stieß sich Skye das Bein an einem Tischchen. »Sei vorsichtig«, sagte Rachel. »Geh einfach geradeaus, auf die Treppe zu. Wir gehen in den ersten Stock.«

Wir gehen doch hoffentlich nicht *da* hinein, dachte Skye entsetzt. Das geht nicht. Doch oben im ersten Stock sah sie Kerzenlicht, das aus einem der Zimmer in den Flur flackerte – dem Zimmer, in dem Julianna Brent ermordet worden war. Skye schauderte, hoffte, Rachel möge es nicht bemerkt haben, weil sie ohne Zögern weiterging. Sie musste tun, was Rachel von ihr verlangte. Sie hatte keine Wahl.

Als sie die Tür erreichten, blieb Skye stehen. Zu wissen, was Rachel von ihr wollte, war das eine. Ihren Körper zur Mitarbeit zu bewegen, das andere. »Rachel, können wir nicht einfach hier draußen über alles reden?«, fragte sie. »Ich meine, na ja, dieses Zimmer weckt ziemlich böse Erinnerungen.«

»Wir müssen da rein.« Rachels Stimme klang geduldig, aber entschlossen. »Da drin ist keiner. Und Erinnerungen können dir nichts tun. Geh rein, Skye. Wir reden, und alles wird gut.«

Skye hatte die Befürchtung, Rachel könne hören, wie sie in Gedanken laut nach ihrer Mutter schrie: »Mami! Wo bist du? Hilf mir!« Doch das konnte Rachel natürlich nicht hören. Außer, sie konnte Gedanken lesen. Auch Adrienne konnte sie nicht hören. Aber hatte sie ihr nicht erzählt, dass es manchmal telepathische Verbindungen gab zwischen Mutter und Kind? Oder bildete sie sich das in ihrer Angst nur ein? Sie wusste es nicht mehr. Sie wusste nur, dass ihre Mami nicht da war und Rachel eine Waffe hatte. Ihre wachsende Angst bezwingend, sagte Skye: »Die Kerzen sind hübsch, Rachel.«

»Miles hat nur drei angezündet, aber ich hab noch welche in seinem Rucksack gefunden. Ich kann Jasminduft nicht ausstehen, aber ich hab sie trotzdem angezündet. Wenigstens sehen sie hübsch aus. Kein Wunder, dass Julianna sie überall verteilt hatte. Frauen sollen ja angeblich hübscher aussehen bei Kerzenlicht. Julianna hat das wahrscheinlich gewusst, zumal sie älter wurde und nicht wollte, dass man ihre Falten sieht.«

»Aber Julianna hatte keine Falten«, widersprach Skye und merkte sofort, dass sie einen Fehler begangen hatte. »Na ja, sie war genauso alt wie meine Mom. Sie *muss* Falten gehabt haben. Vermutlich hat sie sie nur weggeschminkt. Models wissen, wie man mit dem Make-up tricksen kann.«

»Julianna kannte *viele* Tricks, Skye. Viel mehr, als du dir vorstellen kannst.«

»Wirklich? Na ja …« Plötzlich wuchs Skye die Situation über den Kopf. Sie hatte das Gefühl, gleich umzukippen. Oder loszuheulen. Oder zu schreien. Jeder Ausbruch dieser Art konnte fatale Folgen haben. »Setzen wir uns hin, Rachel?«, fragte sie süß. »Du hast gesagt, wir würden reden, aber ich kann nicht mal dein Gesicht sehen, wenn du hinter mir stehst. Du brauchst dir keine Sorgen zu machen. Ich werd nicht weglaufen. Das ist so was wie ein Abenteuer.«

»Ich bin froh, dass du es so siehst«, sagte Rachel freundlich. »Na schön. Setzen wir uns auf den Boden, wie in meinem Zimmer zu Hause. Ich wünschte, wir hätten Cola und Kartoffelchips.«

»Stimmt«, sagte Skye schwach, als sie taumelnd zu Boden sank. Cola und Kartoffelchips. Knabberzeug wäre jetzt genau das Richtige. Mann, Rachel, dachte sie. Wie verdreht bist du eigentlich?

»Wo ist Bruce?«, entfuhr es Skye in einem Anflug von Panik.

»Och, irgendwo im Haus«, sagte Rachel vage. »Denk nicht an ihn. Er ist es nicht wert. Ich hab ihn eigentlich noch nie gemocht, weißt du. Ich hab mich nur mit ihm getroffen, weil meine Eltern es so wollten.«

»Ich mag ihn auch nicht besonders«, stimmte Skye ihr zu. »Er ist irgendwie fies.« Ihr Kommentar blieb unerwidert. Rachels Blick wanderte im Zimmer herum, fast schien es, als hätte sie vergessen, dass Skye bei ihr war. Unfähig, noch länger ruhig dazusitzen, platzte Skye heraus: »Warum hast du Julianna umgebracht?«

Rachels blauer Blick bohrte sich in ihren. »Ich hatte meine Gründe. Ich weiß, du hast sie gemocht, Skye, aber sie war kein guter Mensch. Überhaupt nicht gut.«

Skye konnte das nicht glauben, fand es aber klüger, zu nicken. »Verstehe. Was hat sie denn getan?«

»Sie hatte eine Affäre mit meinem Vater«, sagte Rachel böse. »Vermutlich hat Dad sich mit ihr eingelassen, weil sie so schön war und weil er und Mom nicht sonderlich glücklich miteinander sind, aber es war ein Fehler.« Ihre Wahrnehmung schien sich nach innen zu kehren, als suche sie nach einer Erklärung, wie früher, wenn sie versuchte, Skye nach dem Zubettgehen mit unheimlichen oder romantischen Geschichten zu unterhalten. Sie war richtig gut im Geschichtenausdenken, fand Skye. »Es war ein Fehler von Dad, mehr nicht, ein Fehler, den er wieder gutmachen wollte«, fuhr Rachel fort. Dann trat Leben in ihre Augen, als hätte sie eine Inspiration. »Er wollte Schluss machen mit Julianna, aber sie gab ihn nicht frei. Sie drohte ihm, Skye. Wenn er nicht mehr mit ihr zusammen sein wolle, sagte sie, würde sie allen Leuten erzählen, dass er eine Affäre hätte, und damit wäre seine Karriere ruiniert.«

»Oje«, sagte Skye gefügig, als glaube sie ihr jedes Wort, obwohl sie immer merkte, wenn Rachel schwindelte.

»Aber es kam noch schlimmer.« Rachels Stimme hatte an Geschwindigkeit und Lautstärke zugelegt. »Dad sagte nämlich, es wär ihm egal, wem sie es sagte – Mom und ich wären ihm wichtiger als seine Karriere. Er brauche nicht Gouverneur zu werden, er wolle nur seine Familie zusammenhalten, mehr als alles in der Welt. Daraufhin ... daraufhin sagte Julianna, wenn er nicht bei ihr bliebe, würde sie Mom *töten*!«

»Julianna sagte, sie würde Tante Vicky umbringen?« Skye hoffte sehr, ihr vorgetäuschtes Entsetzen klang überzeugend.

»Dass Julianna jemanden umbringen würde, hätte ich nicht gedacht.«

Rachels Augen wurden schmal. »Du hast dich von ihr täuschen lassen, wie alle andern. Sie war böse, Skye. Sie hätte es getan. Dad war ein Nervenbündel. Deshalb war er in letzter Zeit auch so gemein. Er saß in der Falle, weißt du. Entweder er blieb bei Julianna, die er mittlerweile hasste, oder er riskierte, dass sie Mom tötete. Es war schrecklich für ihn!«

Skye starrte sie nur an, todunglücklich. Rachel log ihr ins Gesicht. Sie waren Cousinen und Freundinnen, und Rachel hatte gesagt, Skye sei wie eine kleine Schwester für sie, trotzdem erzählte sie ihr diese verrückte Geschichte und erwartete von Skye, dass sie ihr glaubte.

»Eines Nachts ging ich zu Juliannas Wohnung. Ich hatte sie schon einmal zur Rede gestellt, aber diesmal wollte ich ihr wirklich drohen. Ich hatte sie den ganzen Abend verfolgt, um mir Mut zu machen. Sie wusste, dass ich sie verfolgte, und schloss sich in ihrer Wohnung ein, aber ich hatte einen Ersatzschlüssel. Er lag in Dads Schreibtischschublade. Ich ging also einfach zu ihr rein. Wir stritten uns. Sie sagte, ich solle sie in Ruhe lassen, sonst … sonst würde sie Mom und mich umbringen. Außerdem wäre jemand zu ihr unterwegs, ein Mann, der sie beschützen würde, aber sie log, weil nie jemand kam. Doch um sicherzugehen, blieb ich etwa bis Mitternacht. Ich dachte, ich hätte ihr genügend Angst eingejagt, um sie von Dad fernzuhalten.« Rachel schüttelte den Kopf. »Doch dem war nicht so. Ich folgte Dad, und er fuhr zum *Belle Rivière*, wo er sich immer mit ihr traf.«

»Warum kamen sie immer hierher?«, fragte Skye.

»Privatsphäre. Außerdem hatte Julianna von Kits Mutter Ellen einen Schlüssel ergattert, ohne dass Ellen etwas ahnte. Sie war wirklich hinterhältig.«

Skye fand es auch von Rachel ziemlich hinterhältig, dass sie den Schlüssel ihres Vaters zu Juliannas Wohnung gestohlen hatte, aber sie sagte es nicht. Sie saß vollkommen still, in der verzweifelten Hoffnung, ihre Mutter möge kommen – ihre Mutter und ein Haufen Polizisten –, um sie zu retten. Bis dahin musste sie Rachel zuhören.

»An dem betreffenden Morgen wartete ich, bis Vater gegangen war, dann schlich ich mich ins Zimmer. Ich griff mir die Lampe neben dem Bett und schlug sie Julianna auf den Kopf. Ich bin kräftig, wie du weißt, vom vielen Sport. Du hast ja meinen mörderischen Aufschlag heute Nachmittag miterlebt, als wir Tennis spielten. Jedenfalls war der Fuß der Lampe schwer und sie nach dem Schlag bewusstlos.

Ich beugte mich über sie, aber sie atmete noch«, fuhr Rachel fort. »Die Hexe atmete immer noch. Also sah ich mich um. Auf dem Boden stand eine Weinflasche. Und daneben lag ein Korkenzieher. Ein langer Korkenzieher mit einer sehr scharfen Spitze.« Rachels Augen begannen zu glänzen. »Ich hob diesen fiesen Korkenzieher auf, strich Julianna das Haar aus dem Gesicht und rammte ihr mit aller Gewalt den Korkenzieher in den Hals, direkt in die Schlagader.« Skye zuckte zusammen, und heißes Wasser schoss ihr in den Mund. »Da war so viel Blut, ich konnte es kaum glauben. Es war überall, auf den Laken, in ihren Haaren, auf der Schulter. Ich wartete eine Weile, sah zu, wie das Blut aus ihr herausfloss.« Rachel lächelte. »Und dann zog ich vorsichtig den Korkenzieher raus, und alles war vorbei. Einfach so!«

Skyes Magen rebellierte heftig. Jetzt bloß nicht kotzen, dachte sie. Das würde Rachel gar nicht gefallen. Sie wäre gekränkt. Der Brechreiz ließ sich ja angeblich mit einem Lächeln unterdrücken, fiel ihr zum Glück ein – sie hatte es in einer Fernsehshow gehört –, und so lächelte sie Rachel strahlend an, lächelte und lächelte, und Rachel verstand es als Zeichen der Anerkennung. »Ich wusste, du würdest es verstehen«, sagte Rachel. »Du hast mich ja immer verstanden, Cousinchen. Alles wäre bestens gewesen«, fuhr Rachel fort, »wenn nicht unten auf dem Highway dieser blöde Unfall passiert wäre. Der Krach hat Claude Duncan aus der Hütte gelockt, und dieser Vollidiot lief überall herum. Ich saß also fest, kam nicht auf die Straße zurück, ohne gesehen zu werden. Hügelaufwärts konnte ich auch nicht, weil da Lottie Brent wohnt, und frühmorgens ist sie immer unterwegs. Also hab ich mich im Wald versteckt. Dann seid ihr auch noch aufgekreuzt, deine Mom, Brandon und du. Gott, alle Welt schien plötzlich zu glauben, die Gegend hier wäre der Nabel der Welt. Brandon kam mir in den Wald nachgelaufen. Er hielt das Ganze wohl für eine Art Spiel.«

»Deshalb war er so komisch!«, sagte Skye plötzlich. »Er sprang herum wie ein Welpe. Es war wegen dir! Er hat dich gern!«

»Ich mag ihn ja auch, aber in dieser Situation hätte ich lieber auf ihn verzichtet. Und um alles noch schlimmer zu machen, musste Tante Adrienne auch noch ihren Fotoapparat zücken, als gäb's nichts Wichtigeres auf der Welt.« Sie sah Skye traurig an. »Deshalb musste ich irgendwie versuchen, an den Film heranzukommen, bevor sie ihn zum Entwickeln brachte. Es hätte ja sein können, dass man mich auf einem der Fotos erkennt.«

»*Du* hast sie überfallen, als sie zum Fotoladen unterwegs war?«

»Ja. Tut mir Leid, Skye. Ich wollte ihr nicht wehtun. Ich liebe Tante Adrienne. Aber ich musste diesen Film bekommen.«

»Ja klar, das verstehe ich«, sagte Skye, die noch immer vorgab, für alles Verständnis zu haben, was Rachel getan hatte.

Eine der Kerzen erlosch mit einem seltsamen Zischen. »Warum das wohl passiert ist?«, überlegte Rachel.

Eine fremde Stimme sagte: »Wasser im Wachs.«

Beide Mädchen blickten auf und sahen Lottie Brent in der Tür zum Hotelzimmer stehen, in dem ihre Tochter ermordet worden war.

Zwanzig

1

Das Kleid zerlumpt, das weiße Haar offen und strähnig, heftete Lottie den düsteren, bernsteinfarbenen Blick auf Rachel. »Du böses, missratenes Mädchen«, sagte sie mit ihrer glockenhellen Stimme. »Was du über meine Tochter gesagt hast, ist alles gelogen.«

Skye stand vor Überraschung der Mund offen, und das Herz schlug ihr bis zum Hals. Rachel stand auf, und Skye war sicher, dass sie die Pistole auf Lottie richten und die Frau erschießen würde. Stattdessen wurde sie kreidebleich, und die Waffe zitterte ein wenig in ihrer Hand. Dann holte sie tief Luft und schien sich wieder in den Griff zu bekommen.

»Sie sind Juliannas Mutter. Sie würden alles sagen, um sie zu verteidigen. Aber sie hatte eine Affäre mit meinem Vater!«

»Das weiß ich«, sagte Lottie ruhig. »Sie hat mir alles erzählt. Sie sagte mir auch, dass sie deinen Vater aufrichtig liebte, und Julianna hätte jemandem, den sie liebte, niemals drohen oder Angst machen können. Sie hätte grundsätzlich niemandem gedroht.«

Rachel warf einen Blick auf Skye, als wollte sie ihre Reaktion einschätzen. Dann wandte sie sich wieder Lottie zu und sagte böse: »Sie hätte meine Mutter umgebracht. Ich habe Julianna getötet, um meine Mutter zu beschützen!«

»Das ist absurd, und Skye weiß, dass es absurd ist. Ich sehe es in ihren Augen«, sagte Lottie, die Stimme fest und voller Zuversicht. »Rachel, du hast Julianna umgebracht, weil dein Vater sie mehr liebte als sonst jemanden auf der Welt. Du warst eifersüchtig!«

»Mein Vater hat diese Hure nicht geliebt!«, schrie Rachel und richtete die Waffe auf Lottie. »Auf keinen Fall!«

»Ich habe dich an dem Morgen gesehen, nachdem du sie getötet hattest«, fuhr Lottie mit seltsam sanfter Stimme fort. »Ich war mit bösen Vorahnungen wegen Julianna aufgewacht. Ich wusste, wo sie war. Ich kam her, um sie zu warnen. Doch dann sah ich dich, beziehungsweise eine Frau, die etwa deine Größe und deine Haarfarbe hatte. Meine Augen sind nicht mehr so gut. Der graue Star. Du hattest sogar einen Jogging-anzug an, wie meine andere Tochter ihn trägt. Ich war sicher, du wärst Gail.« Sie schloss die Augen. »Ich kam ins Hotel und fand Julianna. Da ich sie nicht mehr retten konnte, wollte ich sie wenigstens präsentabel aussehen lassen. Ich deckte sie also ordentlich zu, steckte ihr eine Spange ins Haar und küsste sie auf die Stirn.« Eine Träne lief Lottie über die blasse Wange. »Es war ein Abschiedskuss. Dann verließ ich das Hotel. Ich konnte doch nicht zur Polizei gehen und sagen, Gail habe ihre eigene Schwester umgebracht. Doch ich wusste, dass die Person, die ich für Gail hielt, mich gesehen hatte. Gail ist ein seltsames Mädchen, genauso herzlos wie ihr Vater. Ich hatte Angst, sie würde auch mich töten, und versteckte mich des-halb. Vor ihr, wie ich dachte. Dabei warst *du* das. Ich hab mich vor dir versteckt.« Sie hielt Rachels Blick stand. »Du hättest auch mich umgebracht, nicht wahr?«

»Ich hab's versucht. Als ich auf Tante Adriennes Terrasse stand und hörte, wie sie den Sheriff anrief und ihm erzählte, dass Sie in Ihrer Hütte seien, bin ich sofort losgefahren, doch Sie waren schon fort, als ich dort ankam. Sie sind eine raf-finierte alte Lady. Genauso raffiniert und verschlagen wie Julianna.«

Skye erschrak über den hässlichen Unterton in der Stimme ihrer Cousine. Sie hatte Rachel noch nie so grausame Sachen sagen hören. Sie klang fast nicht mehr menschlich, und so viel Bosheit aus dem Mund ihrer Cousine zu hören, machte Skye ganz krank. Am liebsten wäre sie aufgewacht, um erleichtert festzustellen, dass sie schlecht geträumt hatte, aber sie wusste, dass dem nicht so war.

»Und was ist mit Claude?«, fragte Lottie. »Hat er dich auch gesehen?«

»Ja. Scheint so, als wäre die ganze Welt an diesem Morgen hier oben gewesen. Aber er hatte bessere Augen als Sie, Lottie. Er wusste, wer ich war. Und er beschloss, mich zu erpressen.« Sie schüttelte den Kopf. »Er war noch dümmer, als er aussah, wenn er glaubte, sich mit mir anlegen zu können. Man nehme eine Dosis Numorphan – ich hatte sie bei den Medikamenten gefunden, die noch von Großtante Octavia übrig waren –, dann eine ausreichende Menge Bourbon und schließlich ein Streichholz oder zwei. Das Cottage hat gebrannt wie Zunder.«

»Du hast einen Menschen bei lebendigem Leib verbrannt, Rachel«, sagte Lottie kalt.

»Daran ist er selbst schuld.« Rachels Kiefer wurde hart. »Was hast du eigentlich hier zu suchen?«

»Ich sah Miles' Truck draußen stehen. Ich wusste, er würde herkommen, wahrscheinlich in Juliannas Zimmer. Miles liebte Julianna. Er hätte ihr niemals wehgetan, egal, was die Leute über ihn sagten. Das wollte ich ihm sagen. Doch kaum war ich im Hotel, kamst du. Ich versteckte mich zuerst, doch dann ging ich dir hinterher. Ich erkannte schließlich, dass du nicht Gail bist, und sah, wie du Miles vom Balkon gestoßen hast.«

»Ich habe Miles geliebt«, rief Rachel. »Ich hab ihn in der Nacht, als Margaret starb, unter einem Vorwand ins Heaven's Door bestellt, um ihm ein Alibi zu verschaffen.«

»Hast du denn Margaret auch getötet, Rachel?«, fragte Skye mit dünner Stimme.

»Was blieb mir denn übrig? Sie wusste, dass ich Julianna umgebracht hatte. Sie wusste es von Anfang an, aber sie sagte nichts. Sie hatte immer befürchtet, dass Vaters Affäre mit Julianna ans Licht käme und seinen Wahlkampf ruinieren würde. Diese Sorge hatte ich ihr vom Hals geschafft. Doch dann fing sie an, mir mit ihrem Wissen Angst zu machen.« Nach kurzer Pause sagte Rachel: »Sie hatte es auf Miles abgesehen. Den konnte sie aber nicht haben. Ich wusste vom ersten Moment an, als ich ihn sah, dass er mir gehörte. Bevor sie diese letzte Wahlkampfreise mit Mom und Dad unternahm, sagte sie zu mir, sie wüsste genau, was ich für Miles empfinde, ich würde mich lächerlich machen, und wenn ich nicht aufhörte, ihm nachzulaufen wie ein liebeskrankes Hündchen, würde sie jedem erzählen, dass ich Julianna umgebracht hätte. Sie hätte Beweise, sagte sie, wollte aber nicht sagen, welche. Wahrscheinlich hatte sie gar nichts, aber ich konnte nicht sicher sein. Also *musste* ich sie umbringen.

Ich wartete, bis ich sicher war, dass Miles zum Heaven's Door gefahren war, zog alles aus, schlüpfte in Hausschlappen, um keine Spuren zu hinterlassen, stülpte ein Haarnetz über, zog einen Slip an und brachte sie um. Dann fuhr ich wieder heim. Fast *nackt*.« Rachel musste grinsen. »Ich stieg in die Dusche, um mir das Blut abzuwaschen. Schlappen, Haarnetz und Slip hatte ich auf dem Weg nach Hause in einen Abflusskanal geworfen.«

Rachels Augen wurden traurig. »Aber Mom hörte mich durchs Fenster klettern. Sie kam zu mir ins Badezimmer und öffnete die Tür zur Dusche. Sie sah das Blut an meinen Beinen und im Abfluss. Ich sagte: ›Ich hab meine Tage bekommen.‹ Sie schien mir nicht recht zu glauben, sagte aber kein Wort. Am Morgen darauf, nachdem sie von Margarets Ermordung erfahren hatte, sah sie schrecklich aus. Sie ahnte die Wahrheit. Mrs. Pitt sagte, ich solle Tante Adrienne anrufen, damit sie zu uns nach Hause käme. Ich befürchtete schon, Mom würde Adrienne von ihrem Verdacht erzählen. Aber das tat sie nicht.«

»Sie schwieg, so wie ich Gail zuliebe geschwiegen habe«, sagte Lottie. »Das ist Mutterliebe. Sie bringt einen dazu, sogar die schlimmsten Verbrechen zu verschweigen, die das eigene Kind begeht. Aber es war nicht richtig, Rachel. Ich wollte endlich der Polizei verraten, wessen ich Gail verdächtigte. Ich rief daher heute Abend Sheriff Flynn an und sagte ihm, ich hätte ihm etwas Abscheuliches zu gestehen. Jetzt werde ich ihm wohl eine andere Geschichte zu erzählen haben. Über dich.«

Rachels Gesicht wurde böse, fast raubtierhaft, und Skye zuckte zusammen, hatte panische Angst. »Du wirst keinem mehr etwas erzählen, alte Frau, weil du nämlich tot sein wirst. Wenn du da unten neben Miles liegst, werden die Leute glauben, du hättest ihn für Juliannas Mörder gehalten, über die Balkonbrüstung gestoßen und wärst dann selbst hinuntergefallen.«

»Und deine Cousine? Was wird aus ihr?«, fragte Lottie leise. »Ich weiß zwar, dass du nicht viel Liebe in dir hast, Rachel, aber Skye hast du doch gern. Was wird aus ihr?«

Rachel sah Skye verzweifelt an. »Skye versteht mich. Sie versteht, warum ich all diese Dinge tun musste. Sie wird mich nicht verraten. Du hältst zu mir, nicht wahr, Skye? Du wirst mich beschützen, genau wie ich dich beschützen würde.«

»Ich … ich kann nicht …« Tränen strömten über Skyes Gesicht. »Ich will nicht, dass man dir wehtut, Rachel, aber all die schrecklichen Dinge, die du getan hast …« Sie schluchzte so heftig, dass ihr die Luft ausging. »Bitte, Rachel, sag mir, dass du das alles nicht wolltest. Sag, dass du auf Drogen warst oder einen Gehirntumor hast und ins Krankenhaus kommst und wieder gesund wirst und …«

»Ins Krankenhaus?«, schrie Rachel. »Spinnst du? Ich geh nirgendwo hin, außer zurück aufs College, und dann werd ich einfach weiter mein Leben leben, genau wie ich's geplant hab, genau wie's sein soll.«

»Das geht doch nicht«, sagte Skye weinend. »Rachel, das geht so nicht. Du musst es jemandem sagen. Du musst dir von jemandem helfen lassen, der was davon versteht, einem Psychiater vielleicht. Du musst damit aufhören!«

»Ich muss gar nichts«, knurrte Rachel. »Kein Mensch kann mich dazu bringen aufzuhören. Nicht nach allem, was ich durchgemacht habe.«

»*Ich* kann dich dazu bringen.« Lucas Flynn stand in der Tür, eine Pistole auf Rachel gerichtet. »Und ich werde dich dazu bringen aufzuhören.«

»O nein, das können Sie nicht«, fauchte Rachel.

»Ich muss«, sagte Lucas traurig. »Es ist meine Pflicht, nicht nur, weil ich der Sheriff bin. Auch unseretwegen.«

Rachel starrte ihn einen Moment lang an, und ihre Augen wurden glasig. Dann sagte sie mit erstickter Stimme: »*Du* bist das also. Ausgerechnet *du* bist mein richtiger Vater.«

2

Drews Camaro wirbelte Staub auf, als sie die Straße zum *Belle Rivière* hinaufrasten. Vor dem Hotel stand Bruce Allards schwarzer GTO. Leer. »Wo sind sie?«, rief Adrienne.

Drew antwortete nicht. Sein Blick war auf etwas geheftet, das auf dem Boden lag. Ohne ein Wort zu sagen, stieß er die Wagentür auf und fing an zu laufen. Adrienne folgte ihm auf dem Fuß, blieb dann aber zurück, als sie Miles Shaw da liegen sah, mit durchbohrtem Unterleib. Drew beugte sich über ihn und rief: »Er lebt noch. Ruf den Notarzt, Adrienne.« Sie stand wie angewurzelt da, zu keiner Bewegung fähig, und starrte auf den großen Mann, der stöhnend und blutüberströmt auf dem Boden lag.

Wo ist Skye?, schrie sie innerlich. Wo ist meine Tochter?

»Adrienne, ruf den Notarzt, bevor er verblutet!«, rief Drew. »Mach schon!«

Adrienne erwachte aus ihrer Starre, als Drew sich von Miles abwandte und auf das Hotel zulief. Sie fingerte in ihrer lächerlich kleinen Tasche nach dem Handy und ließ es prompt fallen. Sie bückte sich danach.

Als sie es aufheben wollte, schlug Miles die Augen auf. Sein Blick war so intensiv, dass sie erstarrte. »Miles?«, sagte sie sanft. »Miles, du kommst wieder in Ordnung. Ich weiß nicht, was passiert ist, aber …«

»Rachel«, brachte er heraus, und sein Gesicht verzerrte sich vor Schmerz. »Rachel hat's getan. Ich wusste es zuerst nicht … als ich dahinterkam, bekam ich Angst vor ihr. Ich hab mich zuerst bei Kit versteckt, dann bin ich weggelaufen wie ein Feigling …«

»*Rachel?*«, keuchte Adrienne. Ihr Verstand sperrte sich gegen die Unmöglichkeit dessen, was er ihr sagte. »Miles, du phantasierst. Du weißt nicht, was du sagst. Sei still. Ich rufe den Notarzt …«

Er packte mit blutiger Hand ihren Arm. Instinktiv versuchte sie, sich loszureißen, aber er hielt sie mit bemerkenswerter Kraft fest. »Sie hat Skye, Adrienne. Rachel ist im Hotel und hat Skye. Sie wird sie umbringen.«

3

»Was sagst du da?«

Adrienne hatte sich so auf Miles konzentriert, dass sie nicht gehört hatte, wie Philip und Vicky vorgefahren waren. Doch jetzt stand Vicky hinter ihr, griff an ihr vorbei und versuchte, Miles zu packen, während Adrienne noch einmal rief: »Was sagst du da von meiner Tochter?«

Philip zerrte Vicky zurück. Adrienne stand auf und legte

Vicky die Hände auf die Schultern. »Er sagt, Rachel halte Skye drinnen fest.«

»Und will sie umbringen?«, kreischte Vicky. »Er ist verrückt!«

»Philip, halt sie von Miles fern«, befahl Adrienne. »Ich muss ins Hotel.«

Adrienne konnte nicht begreifen, woher sie diese Kommandostimme nahm, während sie am ganzen Leib zitterte vor Schreck. Was Miles gesagt hatte, klang in der Tat verrückt, aber wenn er Recht hatte …

Sie schleuderte die hochhackigen Schuhe von sich und rannte ins Hotel. Die Dunkelheit in der Eingangshalle machte sie blind. Drew rief ihr zu: »Ich stehe hinter der Empfangstheke. Ich taste nach dem Lichtschalter. Hoffentlich ist der Strom noch nicht abgeschaltet.«

»Nein.« Adrienne hatte sich gerade daran erinnert, wie Skye und sie das Licht angeschaltet hatten, bevor sie die tote Julianna gefunden hatten. Im selben Augenblick erblühte der schöne Lüster über ihnen zu neuem Leben, erhellte die orientalischen Teppiche und eleganten Queen-Anne-Möbel in der Lobby. Drew rannte die Treppe hinauf in den ersten Stock. Adrienne folgte ihm, hörte hinter sich Philip und Vicky.

Adrienne dachte kurz an den verletzten Miles. In ihrer Angst um Skye hatte sie vergessen, den Notarzt zu rufen, und hoffte inständig, Naomi möge die Polizei verständigt haben. Aber ihre Tochter war ihr wichtiger.

Sie holte Drew auf der Treppe ein. Er packte ihren Arm und zerrte sie mit sich, damit sie Schritt halten konnte. Im ersten Stock schlug Adrienne der Jasminduft entgegen. Geschmackvoll abgetönte Deckenlampen leuchteten unter Kugeln aus facettiertem Kristallglas, trotzdem sah Adrienne das Flackern von Kerzen aus einem der Zimmer – dem Zimmer, in dem Julianna hatte sterben müssen.

»Drew«, wimmerte sie und deutete nach vorn.

»Ich sehe es«, sagte er, halb flüsternd. »Hör zu. Wir müssen uns dem Raum langsam und leise nähern und uns ruhig verhalten, wenn wir ihn erreicht haben. Falls Rachel Skye als Geisel hat, wollen wir sie nicht erschrecken. Sie hat vielleicht eine Waffe.«

»Eine Waffe!«, rief Adrienne aus, fasste sich aber gleich wieder. Drew hatte gesagt, sie solle sich ruhig verhalten. Im Augenblick war er der Beherrschtere von ihnen beiden. Sie fühlte sich sicherer, wenn sie sich auf sein Urteil verließ.

Trotzdem war sie nicht auf die Szene gefasst, die sie im Zimmer 214 erwartete. Skye kauerte auf dem Boden, das Gesicht tränennass, die Augen panisch geweitet. Über ihr stand Rachel und zielte mit einer Pistole mal auf Lottie, mal auf Lucas. Der wiederum hatte einen noch größeren Revolver auf Rachels Kopf gerichtet.

Adrienne rang verzweifelt nach Luft. Sie klammerte sich an Drews Arm, das Einzige, was sie vom Fallen abhielt. Entsetzt starrte sie auf das bizarre Gemälde, brachte aber kein Wort heraus. Da stöhnte Vicky hinter ihr: »Um Gottes willen.«

Rachel sah ihre Mutter an. »Warum hast du mir nie die Wahrheit gesagt, Mom?«

»D-die Wahrheit?«, stammelte Vicky. »Welche Wahrheit?«

»Dass Philip Hamilton gar nicht mein richtiger Vater ist.«

Sie hat den Verstand verloren, dachte Adrienne. Rachel ist völlig durchgeknallt. Doch Vicky fing an zu weinen und fragte: »Wie hast du's rausgefunden?«

»Blut«, antwortete Rachel tonlos. »Als ich vor zwei Jahren den Autounfall hatte, da brauchte ich eine Transfusion. Ich hab herausgefunden, dass du Blutgruppe A hast und Dad Blutgruppe 0. Ich hab AB. Aber Eltern mit den Blutgruppen A und 0 können unmöglich ein Kind mit Blutgruppe AB haben.«

»Der Arzt sollte es dir nicht sagen«, sagte Vicky leise. »Er hatte es versprochen.«

Rachel lächelte wehmütig. »Oh, er hat sein Versprechen gehalten. Aber die Krankenschwester, diese Hexe, deren Tochter ich eine Woche zuvor beim Tennis besiegt hatte, sagte es mir, aus Rache. Gott, war das ein Triumph für die Frau!« Rachels Lächeln schwand. »Aber ich wusste es längst. Ich glaube, ich hab's immer gewusst.«

Sie sah Philip an, der zu Granit erstarrt zu sein schien. »Ich hab dich immer vergöttert, Daddy. Aber wenn wir nicht gerade in der Öffentlichkeit standen, hast du mich entweder ignoriert oder behandelt wie den letzten Dreck. Du konntest mir kaum in die Augen sehen. Ich hab mich so angestrengt, dir zu gefallen. Aber ich hab's nicht geschafft – nicht mit dem guten Aussehen, das ich von allen bescheinigt bekam, nicht mit guten Noten, nicht mit sportlichen Leistungen, nicht mit all den Belobigungen in der Schule. Nichts schien dich zu interessieren. Ich war *so* gekränkt. Ich fühlte mich wie ein Nichts, schlimmer als ein Nichts.

Nachdem ich herausgefunden hatte, dass ich nicht deine biologische Tochter sein konnte, versuchte ich mir einzureden, ich sei adoptiert. Aber ich kann gut recherchieren. Es dauerte nicht lange, bis ich herausgefunden hatte, dass ich nicht adoptiert worden war. Mom hatte mich geboren, aber ich war nicht von *dir*. Deshalb hast du mich nicht geliebt. Und jetzt will ich von euch wissen, was genau passiert ist. Wie bin ich entstanden, Mom?«

»Rachel, ich kann nicht … tu mir das nicht an, *bitte*«, jammerte Vicky.

Rachel richtete die Waffe auf sie. »Steh bloß nicht so da, so zerbrechlich und hilflos! Sag nur einmal im Leben die Wahrheit. Sag mir, wie du Dad mit einem anderen Mann betrogen und dessen Kind zur Welt gebracht hast. Lucas Flynns Kind!«

Adrienne und Lucas starrten sich an. Sie konnte nicht glauben, was sie da eben gehört hatte, bis sie in seinen grauen Augen sah, dass es die Wahrheit war. Sie spürte kaum, wie Drews Hand die ihre berührte. Er versucht mich zu trösten, dachte sie. Er glaubt, ich sei verletzt. Aber ich bin nur überrascht.

Adrienne riss sich von Lucas' Anblick los und sah Skye an, die auf dem Boden kauerte, verweint und verzweifelt. Adrienne hätte das Mädchen so gern in die Arme genommen, aber sie wusste, dass jede hastige Bewegung gefährlich sein konnte, also versuchte sie einfach, inmitten des Sturms, der um sie herum losgebrochen war, ruhig dazustehen.

»Sag es mir, Mutter!«, befahl Rachel erneut.

»Also schön!«, schluchzte Vicky. »Also schön. Versuch mich zu verstehen, Rachel. Ich hab dich lieb. Immer.« Rachel funkelte sie wütend an, und Vicky holte tief Luft. »Philip und ich waren drei Jahre verheiratet. Ich hatte schon begriffen, dass er mich nicht liebte. Er war nie gemein zu mir. Es wäre mir fast lieber gewesen, er hätte mich geschlagen. Das hätte wenigstens bedeutet, dass er *irgendetwas* für mich empfand. Aber da war nichts, nur diese unverbindliche Freundlichkeit, besonders in der Öffentlichkeit. Ich konnte es nicht mehr ertragen, Rachel. Ich war am Boden zerstört, weil ich ihn doch so sehr liebte. Ich dürstete nach Zuneigung – nach Liebe –, und da war Lucas. Er gehörte zum Team, das Philips Kampagne organisierte. Wir waren viel zusammen, haben viel geredet. Ich mochte ihn sehr gern. Und er hat mich geliebt. Ich wusste es, bevor er es sagte. Und eines Abends – wir hatten beide ein wenig getrunken –, nun, den Rest kannst du erraten.«

»Ach so, du warst wieder mal betrunken«, sagte Rachel sarkastisch. »Als Nächstes wirst du noch behaupten, er hätte dich vergewaltigt.«

»Nein. Nicht im Mindesten. Um ehrlich zu sein … nun ja, ich gab vor, Philip verlassen zu wollen. Ich weiß nicht, was in mich fuhr. Ich war so wütend, so verletzt …«

»So *bedürftig*, wie immer«, fauchte Rachel.

»Ja. Lucas und ich waren einige Male zusammen, dann sagte ich ihm, ich hätte einen Fehler gemacht. Damit verletzte ich Lucas, aber ich brachte es nicht über mich, Philip zu verlassen. Nur leider hatte ich zu spät bemerkt, dass ich schwanger war.«

Rachel sah ihre Mutter verächtlich an. »Du hattest doch Dad schon betrogen. Konntest du mich nicht für *sein* Kind ausgeben? Dafür warst du wohl zu ehrlich?«

»Nein«, sagte Vicky schwach. »Ich war nicht ehrlich. Ich sagte ihm, dass ich schwanger sei. ›Ist das nicht wunderbar?‹, sagte ich, ›wir werden ein Kind haben!‹ Und er maß mich mit diesem kalten, versteinerten Blick und sagte: ›Ich bin steril. Ich weiß es seit Jahren.‹ Er wurde nicht wütend, fragte nicht, wer der Vater sei, zeigte keinen Funken Emotion. Er ging nur einfach aus dem Haus. Nach zwei Tagen kam er zurück und sagte: ›Wir wollen einfach so tun, als sei es mein Baby. Ich will nicht, dass du's deiner Mutter oder deiner Schwester sagst. Keiner soll es erfahren. Und ich will nicht wissen, wer der Vater ist. Ende der Diskussion.‹« Vicky lachte verzweifelt. »Ende der Diskussion! Ist das zu glauben? Für mich nicht.«

»Aber du hast getan, was er sagte.« Rachel wandte sich an Philip. »Warum, Dad? Oder sollte ich Philip zu dir sagen? Warum hast du dieses Theater aufgeführt? Und lüg mich nicht an, nicht nach allem, was du mir zugemutet hast. Sag mir die Wahrheit, oder ich jag dir eine Kugel in den Kopf.«

Philip besann sich kurz, ehe er mit steifer, rauer Stimme sagte: »Ich hatte eine politische Karriere geplant, seit ich ein kleiner Junge war. Wenn ich mich von meiner schwangeren Frau hätte scheiden lassen, hätte ich meine Ziele nicht verwirklichen können. Der Skandal, den ich damit ausgelöst hätte, hätte das Aus bedeutet.«

»Nicht unbedingt«, sagte Rachel. »Wenn du so fest entschlossen warst, dich nicht scheiden zu lassen, warum hast du nicht auf einer Abtreibung bestanden? Sie hätte doch alles für dich getan, und wenn es ihr noch so schwer gefallen wäre.«

»Abtreibung war mir schon immer ein Gräuel.«

»Seit wann denn das?«, fragte Rachel verächtlich. »Wenn ich mich recht erinnere, warst du immer für die freie Entscheidung, auch wenn du als überzeugter Republikaner solche Ansichten nicht herumposaunt hast.«

Noch eine Pause, dann sagte Philip: »In der Theorie ist das Thema Abtreibung etwas anderes als im konkreten Fall, bei der eigenen Frau. Ich wollte nicht, dass deine Mutter das durchmachen muss.«

Rachels Augen wurden schmal, und ein sardonisches Lächeln umspielte ihre Lippen.

»Du bist sehr überzeugend, wenn du die Öffentlichkeit belügst, Dad, aber nicht, wenn du's bei mir versuchst. Ich kann sehen, wenn du lügst. Da ich beabsichtige, niemanden gehen zu lassen, bevor meine Fragen nicht zu meiner Zufriedenheit beantwortet wurden, würde ich vorschlagen, du versuchst es mal mit der Wahrheit.«

Die Stille im Zimmer wuchs ins Unermessliche, bis Adrienne glaubte, gleich laut schreien zu müssen. Merkte Philip denn nicht, dass Rachel vor dem Abgrund stand, zu allem fähig war, ihn sogar erschießen konnte? Warum gab er ihr keine Antwort? Was würde geschehen, wenn er ihr die Antwort verweigerte? Sie schloss die Augen und spürte Drews Griff um ihre Hand fester werden. Sie klammerte sich an diese Hand, als wäre sie das Einzige auf der Welt, das sie noch retten konnte. Sie und Skye.

»Antworten Sie ihr, Philip«, sagte Drew endlich mit stählerner Stimme. »Wenn Sie nicht antworten und all diese Menschen weiterhin gefährden, dann erwürge ich Sie, bevor Rachel eine Chance hat, Sie zu erschießen.«

»Halten Sie den Mund, Delaney«, sagte Philip, kochend vor Wut. »Das geht Sie gar nichts an.«

»Antworten Sie ihr!«, befahl Lucas.

Philip sah ihn mit unverhohlenem Hass an. »Du mieses

Schwein. Ich hab dir einen Job gegeben. Ich war gut zu dir. Ich hatte keine Ahnung ...«

»Das ist jetzt völlig unwichtig«, sagte Lucas kalt. »Sagen Sie Rachel, was sie wissen will.«

Adrienne hörte Philip hinter ihr heftig atmen. Er hatte sich in seinem ganzen Leben bestimmt noch nie so in die Enge getrieben und hilflos gefühlt. »Also schön, Rachel. Wenn du die Wahrheit wissen willst, dann sollst du sie kriegen. Ich will keine Details erzählen, aber als ich vierzehn war, da wurde ich verletzt. Es war eine sehr intime Verletzung, die mir niemand anders als Großtante Octavia beigebracht hat. Ich hatte eine ihrer chinesischen Vasen zerbrochen. Es war nicht das erste Mal, dass sie den Rohrstock zum Einsatz brachte, aber diesmal verdrosch sie mich schlimmer als je zuvor. Ich habe nie ein Wort darüber verloren, auch nicht über die anderen Züchtigungen, weil ich mich schämte, dass eine alte Frau mir so etwas antun konnte. Wem hätte ich mich auch anvertrauen sollen? Meine Eltern waren tot. Sie war meine einzige nahe Verwandte. Sie erzählte mir oft Geschichten darüber, wie grausam es in Pflegeheimen und Waisenhäusern zuginge.« Sein Kopf senkte sich leicht. Adrienne war nicht ganz sicher, meinte aber, einen Funken Angst in seinen Augen zu sehen. Einen Augenblick später hatte er wieder seine ausdruckslose Miene aufgesetzt. »Später, als der Schmerz in der Leistengegend nicht weggehen wollte, bekam ich Angst und ging zum Arzt. Bei der Untersuchung stellte sich dann heraus, dass ich unfruchtbar bin.«

Dass Philip seiner herrischen Tante Octavia mit den grausamen Augen so treu ergeben war, hatte Adrienne immer gewundert. Jetzt erkannte sie, dass das, was sie für Ergebenheit gehalten hatte, in Wahrheit Angst gewesen war. Und er war im zarten Alter von sechs Jahren in die Obhut dieser alten Hexe geraten.

»Ich schämte mich, keine Kinder zeugen zu können«, fuhr

er fort. »Und ich hoffte immer noch auf ein Wunder. Doch auch nach drei Jahren Ehe wurde deine Mutter nicht schwanger. Da wusste ich, dass es stimmte. Und ich wusste auch, dass andere Menschen sich fragen würden, woran es lag. Vielleicht glaubten sie ja, dass Vicky unfruchtbar sei, aber wenn sie *mich* verdächtigten, was dann? Wäre ich in ihren Augen dann kein richtiger Mann?«

Du meine Güte, dachte Adrienne. Diese Idee hat ihm sicher Octavia eingepflanzt. Sie hat ihn an seiner Männlichkeit zweifeln lassen, deshalb versucht er wie besessen, sie zu beweisen.

»Als Vicky mir also erzählte, sie sei schwanger, wusste ich, dass das Kind nicht von mir sein konnte. Mein erster Impuls war, es loszuwerden. Aber nachdem ich ein paar Tage darüber nachgedacht hatte, beschloss ich, auf diese Weise meinen guten Ruf zu retten. Die Leute würden denken, mit mir wäre alles in Ordnung. Ich hatte ja schließlich ein Kind, nicht wahr? Meine Ehe bliebe bestehen und ich hätte ein Kind. Ich wäre der perfekte Politiker – der Mann mit der blütenreinen Weste. Ein Familienmensch.«

Rachel sah ihn ungläubig an. »Du hast dich mit mir abgefunden, weil du dachtest, ich würde deiner Karriere nützen?«

»Ja«, sagte Philip schlicht. »Der Gedanke lag nahe.«

»Du lieber Gott«, flüsterte Vicky. »Nicht einmal *ich* habe geahnt, warum du das Baby behalten wolltest. Du hattest Angst, die Leute würden denken, du seist kein *Mann*!«

»Du hast doch wohl nicht im Ernst gedacht, dass mir etwas an diesem Baby liegen könnte, oder?«, fragte Philip bösartig.

»Ich dachte, du wolltest mir wirklich die Abtreibung ersparen, weil ich die Vorstellung so schrecklich fand. Und ich hoffte, du würdest das Kind eines Tages lieben können«, sagte Vicky schwach.

»Lieben? *Die da?*« Philip schnaubte verächtlich. »Immer wenn ich sie ansah, musste ich daran denken, was du getan hattest. Du hattest *mich*, Philip Hamilton, und hast dich trotzdem mit einem anderen eingelassen. Ich wusste nicht, dass es Lucas war, aber dass er mir unterlegen sein musste, war mir klar.« Oder *über*legen, dachte Adrienne, immerhin war *er* imstande, ein Kind zu zeugen. »Und dann kam der ärgerlichste Teil von allem«, fuhr Philip fort. »Ich musste zusehen, wie aus dem Kind eines anderen etwas Besonderes wurde. Wie es schön wurde. Klug. Auf allen Gebieten überragende Leistungen erbrachte. In der Musik. Im Tennis.« Er lachte rau. »Sogar in diesem blöden Schützenverein, dem sie eine Weile angehörte.«

Der Schützenverein, dachte Adrienne. Sie hatte ganz vergessen, wie besorgt Vicky gewesen war, Rachel könnte sich beim Umgang mit all den geladenen Waffen verletzen. Stattdessen war sie eine Meisterschützin geworden. Eine Meisterschützin, die auf Lucas und sie geschossen und sie beinahe getötet hatte.

»Daddy«, sagte Rachel kläglich, »ich hab doch nur versucht, *dir* zu imponieren. Wenn du auf mich stolz sein könntest, dachte ich, dann würdest du mich irgendwann auch lieben.«

»Dich lieben?«, spottete Philip. »Du hast Claude und Margaret umgebracht, und was am schlimmsten ist, Julianna. Julianna war der einzige Mensch in meinem Leben, den ich jemals geliebt habe!« Vicky schwankte, als würde ihr der Boden unter den Füßen weggezogen, aber Philip würdigte sie keines Blickes. »Du hast auch versucht, Gavin Kirkwood umzubringen, stimmt's? Ich weiß, dass Bruce dich angerufen hat, bevor du aus dem Haus gelaufen bist; hinterher hast du behauptet, du hättest einen Unfall mit Blechschaden gehabt und den Wagen in die Werkstatt gebracht. Bruce hat dich angerufen, um dir zu sagen, er hätte von Kirkwood Informationen bekommen, nicht? Informationen, die dir vielleicht schaden konnten. Wo zum Teufel *ist* Bruce eigentlich? Hast du ihn auch umgebracht?«

»Nein … ich …«

»Es ist mir egal!«, schrie Philip sie an. »Ich hatte dich die ganze Zeit richtig eingeschätzt, es war richtig, dich nicht zu lieben, denn du bist ein Fehler der Natur. Ich verachte dich! Du bist eine Schande!«

»Nein, Daddy, bitte …«, schluchzte Rachel.

»Ich bin nicht dein Daddy«, spuckte Philip. »Gott sei Dank bin ich nicht dein Vater, denn ich hasse dich mit jeder Faser meines Herzens, bis ans Ende meiner Tage!«

»Philip!«, rief Vicky, aber er brüllte weiter auf das Mädchen ein, das zitternd und heulend vor ihm stand und in seine Einzelteile zu zerfallen schien.

Lucas meldete sich zu Wort. »Rachel, hör nicht auf ihn«, flehte er. »Du bist keine Schande. Du bist ein schönes, begabtes Mädchen mit psychischen Problemen. Wir bekommen Hilfe für dich. Ich besorge dir Hilfe. *Ich* bin dein Vater, nicht Philip Hamilton. Und ich liebe dich, egal, was du getan hast. Ich lasse nicht zu, dass dir etwas geschieht.«

Rachel sah ihn wütend an. »Hilfe, für mich? Wie soll die denn wohl aussehen? Ich habe Leute umgebracht. Ihr seid Zeugen. Ich werde für den Rest meines Lebens im Gefängnis sitzen. Ich bin keine Jugendliche mehr. Ich muss in die Todeszelle! Auf den elektrischen Stuhl!«

»Nein«, sagte Lucas verzweifelt. »Es gibt andere Möglichkeiten, solche Dinge zu regeln.«

»Ein Irrenhaus. Du steckst mich ins Irrenhaus, und da bleibe ich, bis ich verfaule. Nein, da mache ich nicht mit! Lieber sterbe ich. Ich werde sterben! Es ist der einzige Ausweg. Aber ich tue es auf meine Weise!«

Rachel hob die Pistole und schoss in die Decke. Alle duckten sich, und sie nutzte die Schrecksekunde, um an ihnen vorbei auf den Flur zu rennen. Lucas bewegte sich als Erster, rannte ihr hinterher, auf die Treppe zu. Sie rannte nach oben. Drew folgte Lucas, während Adrienne ihre Tochter in die Arme schloss. Doch die riss sich los. »Sie wird sich umbringen, Mom!«, kreischte sie, sprang überraschend behende auf und rannte aus dem Zimmer. Wie benommen rappelte Adrienne sich auf. Auch Vicky war hinter Rachel hergerannt. Allein Philip regte sich nicht, sah ausdruckslos zu, wie Adrienne sich an ihm vorbeischob und den anderen hinterherrannte.

Sie hörte Lucas rufen, Rachel solle stehen bleiben. Sie hörte Skye weinen, hörte, wie sie Rachel ihre Zuneigung beteuerte. Sie hörte Drew rufen, Lucas solle Rachel einfangen und ihr die Waffe abnehmen, als bemühe Lucas sich nicht schon nach Kräften, eine sportliche Frau einzuholen, die über zwanzig Jahre jünger war als er. Von Vicky hörte sie nur den rasselnden Atem.

Adrienne hatte das Gefühl, als dauerte die Jagd in den obersten Stock eine halbe Ewigkeit. Das Hotel war zur Kulisse eines Albtraums geworden, eines wirren Durcheinanders von Stimmen, einer frenetischen Jagd auf Rachel, die bewaffnet war. Sie passierten den zweiten Stock und stolperten weiter zum dritten. Als Adrienne und Vicky oben ankamen, sahen sie Rachel am Ende des Flurs. Eine Lampe beleuchtete von außen das großartige, raumhohe Fenster, und einen Moment lang schien Rachel unschlüssig davorzustehen, in Licht gebadet, eine tragische Schönheit, die noch vor wenigen Stunden ein herrliches Leben vor sich zu haben schien. Sie drehte sich um, sah ihre Mutter an und sagte: »Grüß Daddy von mir.«

Vicky schrie aus Leibeskräften, als Rachel auf das Fenster zulief. Sie war schnell und kräftig, und das Glas zerbarst in tausend Stücke, als sie sich gegen die dünne Scheibe warf. Lucas sank auf die Knie, das Gesicht in stummem Entsetzen verzerrt, als der Körper seiner Tochter mit einem dumpfen Schlag auf dem Betonboden vor dem Haus landete.

Epilog

»Es ist zwar erst Ende August, aber ich kann schon den Herbst in der Luft riechen«, sagte Kit.

Sie, Adrienne, Drew und Brandon saßen im Pavillon des Iron Gate. Um elf Uhr vormittags hing über ihnen ein wolkenloser saphirblauer Himmel, und eine warme Brise wehte durch den Pavillon, angereichert mit dezenten Gerüchen, die Brandons Nase in wilde Zuckungen versetzte. Als Drew das sah, sagte er: »Haben Katzen eigentlich eine genauso feine Nase wie Hunde?«

Kit lachte. »Ich hab keine Ahnung, aber wo wir gerade von Katzen sprechen, ich vermisse Calypso, ehrlich. Ich wollte nie ein Haustier haben, aber an sie hatte ich mich schon nach wenigen Tagen gewöhnt. Das hab ich Lottie allerdings nicht gesagt, als ich sie ihr brachte. Ich kenne Lottie, sie hätte mir die Katze bestimmt geschenkt, aber sie braucht Calypsos Gesellschaft im Augenblick dringender als ich.«

»Wenigstens ist sie in Sicherheit. Und hat noch immer ein schlechtes Gewissen wegen der Schüsse in ihrer Hütte. Dabei kann sie doch gar nichts dafür. Schließlich hatte sie mir nicht gesagt, wo sie war, und mir fast schon verboten, nach ihr zu suchen.« Adrienne nippte an ihrem Drink, hatte ein fast dekadentes Gefühl der Erholung. Skye war den ganzen Tag bei Sherry. Mit Sherrys Hilfe und der des gut aussehenden Joel, in den Skye verknallt war, schien sie langsam aus der tiefen

Depression herauszukommen, in die sie durch den Tod ihrer Cousine vor fünf Wochen verfallen war. »Zum Glück hat die arme Lottie die vielen Tage im Wald bis auf eine harmlose Bronchitis heil überstanden.«

»Sie ist eben zäh«, sagte Drew lächelnd. »Du wirst einmal genauso.«

»Ich soll allein in einer Hütte im Wald leben und Visionen haben?«, fragte Adrienne in gespieltem Entsetzen.

»Zäh und gerissen«, verbesserte Drew.

»Ich fühle mich weder zäh noch gerissen. Ich fühle mich wie ein einziger, riesiger Bluterguss. Ich kann nur ahnen, wie Vicky zumute ist, aber sie wollte nicht, dass ich sie nach Kanada begleite. Wenn ich dabei wäre, sagte sie, würden wir nur über Rachel sprechen und ihre Seele würde nicht einmal ansatzweise heil werden. Sie brauche Zeit für sich, meinte sie.«

»Und wo ist unser ehemaliger Anwärter für das Gouverneursamt?«, fragte Kit. »Ich weiß, dass er gleich nach Rachels Begräbnis, zu dem er glaubte, erscheinen zu müssen, aus der Stadt geflohen ist.«

»Er tourt durch Europa«, sagte Adrienne. »In seiner öffentlichen Erklärung machte er viel Trara um die Tatsache, dass er nicht in derselben Stadt bleiben könne, in der ›seine geliebte, aber gestörte Tochter‹ zu Tode gekommen sei, aber in Wirklichkeit ist er untergetaucht.«

Drew schnaubte verächtlich. »Versteckt sich wahrscheinlich vor den Allards. Die wollen ihn auf Schmerzensgeld verklagen, wegen ihres Lieblings Bruce.«

»Aber er ist doch am Leben, oder?«, fragte Adrienne sarkastisch.

»Rachel hat ihm immerhin ins Bein geschossen. Er wird möglicherweise ein Leben lang hinken.«

»Was ihn zweifellos drastisch beeinträchtigen wird, wenn er einmal die Geschäfte seines Vaters übernimmt, unter anderem die Zeitung.« Adrienne sah grinsend zu Drew hinüber. »Sieh mal an. Dann wird Bruce Allard in absehbarer Zeit dein Boss sein.«

»Am selben Tag werde ich meine Tätigkeit als Chefredakteur niederlegen und meinen ›Großen Amerikanischen Roman‹ schreiben.«

»Schade, dass Miles nicht so viel Glück hatte wie Bruce«, sagte Kit traurig. »Wenigstens ist er über den Berg, auch wenn es noch Monate dauern wird, bis er sich vollständig erholt hat.«

Adrienne wusste nichts darauf zu sagen. Kit hatte Miles geliebt und würde ihn immer lieben. Vielleicht würde sich Miles irgendwann Kit zuwenden, aber Juliannas Schatten stünde wohl immer zwischen ihnen.

»Aber ein Gutes hat das Ganze«, sagte Kit plötzlich. »Gavins Unfall hat meiner Mutter den Kopf zurechtgerückt. Endlich hat sie erkannt, wie viel sie noch immer für ihn empfindet. Die zwei benehmen sich wie zwei verliebte Teenies. Schlecht könnte es einem werden, wenn man nicht so froh wäre, dass Mutter so glücklich ist. Ich hatte gar nicht gemerkt, wie sehr ihre Depression auch mich beeinflusst hat. Mein Leben ist einfacher geworden, seit ich mir nicht mehr andauernd Sorgen machen muss um sie.«

Brandon hob den Kopf und bellte. Sie drehten sich um und sahen Lucas Flynn vorbeigehen. Er lächelte, winkte ihnen zu und ging weiter. Er sah gut aus in seiner Uniform, doch sogar auf diese Entfernung war die Traurigkeit in seinen grauen Augen zu erkennen.

»Wie peinlich!«, murmelte Kit.

Adrienne schüttelte den Kopf. »Eigentlich nicht. Wir hatten ein langes Gespräch nach Rachels Tod.« Sie wandte sich an Drew. »Ich hab dir noch gar nicht erzählt, was er alles gesagt hat, aber jetzt ist es an der Zeit, meine ich.«

Sie nahm seine Hand. »Lucas wusste, dass Rachel von

ihm war, aber weil Vicky ihn nicht wollte, ging er von hier weg. Er konnte aber nie aufhören, an Vicky und Rachel zu denken, und kam irgendwann nach Point Pleasant zurück, um ihnen nah zu sein. Er durfte nicht hoffen, dass Vicky seinetwegen Philip verlassen oder sie Rachel sagen würde, wer in Wahrheit ihr Vater war. Er wollte nur an ihrem Leben teilhaben.«

Adrienne lächelte wehmütig. »Und jetzt komme ich ins Spiel. Wir lernten uns kennen und fanden einander auf Anhieb sympathisch. Er mochte Skye und mich wirklich. Nicht auf dieselbe Weise wie Vicky und Rachel, aber auf eine warme, fürsorgliche Art. Und Skye und ich waren allein. Er dachte, er könnte uns helfen, uns ein wenig mehr Geborgenheit geben. Aber der eigentliche Grund, warum er sich zu uns hingezogen fühlte, war, dass wir zu Vickys und Rachels Leben gehörten. Ihnen wollte er nah sein, auch wenn es ihm zu diesem Zeitpunkt noch nicht ganz klar war.«

In Drews dunklen Augen lag Verständnis. Und Liebe, dachte Adrienne vergnügt. Früher mochte Drew egoistisch und rücksichtslos gewesen sein, aber seitdem waren knapp zwanzig Jahre vergangen. Sie hatten ihn verändert. Er war zum Mann gereift. Zu einem großzügigen Mann, der aufrichtiger Liebe fähig war, in dessen Herz auch für Skye Platz war.

»Es tut mir Leid um Lucas«, sagte Kit sanft. »Ich weiß, dass er dir viel bedeutet hat.«

»Das tut er noch immer«, sagte Adrienne. »Aber ich liebe ihn nicht, und er liebt mich nicht. Er wird immer Teil unseres Lebens sein – anders würde ich es nicht wollen, und Drew versteht das –, aber es gibt nur *einen* für mich.«

Kit lächelte. »Nichts gegen Trey Reynolds, Adrienne, aber für dich hat es immer nur diesen einen hier gegeben.«

Drew beugte sich zu Adrienne hinüber und küsste sie. Der zarte und doch leidenschaftliche Kuss war ihr nicht im Mindesten peinlich, obwohl ihre Mutter öffentliche Liebesbezeigungen als vulgär bezeichnet hätte. Dann lehnte Drew sich zurück und schenkte ihr ein breites Lächeln. »He, Kleines, wir haben ganz vergessen, warum wir eigentlich hier sind!«

»Weil du es keinen Tag länger ohne mich ausgehalten hättest, dachte ich!«, witzelte Kit.

»Ja, deswegen auch, aber da ist noch etwas«, sagte Adrienne. »Schau dir meinen Van an.«

»Den Van?«, sagte Kit verblüfft. »Wann hast *du* dir einen Van zugelegt?«

»Ich hab ihn zu einem bestimmten Zweck gemietet«, sagte Adrienne. »Es ist der rote da vorn.«

»Es ist der Einzige da vorn«, sagte Kit. Sie sah Brandon zu ihren Füßen schlafen. »Ich störe ja ungern deinen wohlverdienten Schlaf, aber lass uns mal nachsehen, was Adrienne in ihrem Mietwagen versteckt hat.«

Sie gingen hinaus auf die Straße, Drew öffnete die Kofferraumtür und wandte sich an Kit. »Ich fürchte, ich werde für das Ding jemanden zum Ausladen brauchen, also komm rein und schau es dir an.«

Kit machte ein misstrauisches Gesicht. »Seid ihr sicher, dass ihr nicht irgendwas Scheußliches da drin versteckt habt? Etwas, das mich zu Tode erschreckt, nur so zum Spaß?«

»Ich schwöre es«, sagte Adrienne und legte die Hand aufs Herz. Dann versetzte sie Kit einen kleinen Schubs. »Rein mit dir!«

Kit stieg vorsichtig in den Van und brauchte einen Moment, bis sich ihre Augen an das gedämpfte Licht gewöhnt hatten, das zum Fenster und der offenen Hintertür hereinkam. Endlich konnte sie einen länglichen Gegenstand ausmachen, der von einem Tuch verdeckt war. Mit einem Freudenschrei schlug sie das Tuch zurück und enthüllte ein zwei auf einen Meter großes Ölbild vom *Belle Rivière*.

»O Adrienne, es ist wunderschön!«, rief Kit begeistert. »Du hast seit Wochen nicht mehr davon gesprochen, und da dachte ich, du hättest das Projekt aufgegeben. Als Mutter das Hotel dann vorige Woche hat abreißen lassen, hab ich jede Hoffnung aufgegeben.«

Adrienne stieg in den Van und stellte sich neben Kit, die verzückt das Bild betrachtete. »Dort ist zwar viel Schlimmes passiert, doch es gab auch wunderbare Momente. Das *Belle* war ein fabelhaftes altes Hotel. Ich konnte nicht zulassen, dass es unvergessen verschwindet.«

Aufrichtige Freude stand Kit im Gesicht.

Auch Adrienne betrachtete das Bild. Sie besah sich die anmutige Silhouette des Hauses, die Glaskuppeln, in denen sich Sonnenstrahlen spiegelten, die Wetterfahnen, die große Uhr mit den römischen Ziffern auf dem Türmchen, die langgezogenen Balkone, üppig mit bunten Blumen geschmückt, das schimmernde Milchglas der Flügeltüren. Und einen Augenblick lang hätte Adrienne schwören können, dass das Hotel zu neuem Leben erwachte, die Eingangstür sich öffnete und Gäste in seinen herrlichen, spukgeplagten Hallen willkommen hieß.

Anmerkung der Autorin

In der Vergangenheit habe ich imaginäre Orte in West Virginia als Kulissen für meine Romane gewählt. Diesmal habe ich mich für meine Heimatstadt Point Pleasant entschieden, die am Zusammenfluss des Kanawha und des Ohio River gelegen ist. Aus romantechnischen Gründen habe ich die Bevölkerung vergrößert und ein paar Örtlichkeiten hinzugefügt, die es hier gar nicht gibt, wie das Photo Finish, das Heaven's Door und – am wichtigsten – das unheimliche Hotel *La Belle Rivière*.

Manchmal jedoch, wenn ich nachts am Ohio entlang in nördliche Richtung fahre, blicke ich den Hügel hinauf und möchte schwören, dass ich die anmutige Silhouette eines alt-ehrwürdigen georgianischen Hotels durch den Nebel blitzen sehe. Es scheint über dem Boden zu schweben wie eine Fata Morgana.

Carlene Thompson

Schwarz zur Erinnerung
Roman
Aus dem Amerikanischen von Ann Anders
Band 14227

Sieh mich nicht an
Roman
Aus dem Amerikanischen von Anne Steeb
Band 14538

Heute Nacht oder nie
Roman
Aus dem Amerikanischen von Anne Steeb
Band 14779

Im Falle meines Todes
Roman
Aus dem Amerikanischen von Anne Steeb
Band 14835

Kalt ist die Nacht
Roman
Aus dem Amerikanischen von Irmengard Gabler
Band 14977

Fischer Taschenbuch Verlag

fi 555 002 / 3 / a

Carlene Thompson

Vergiss, wenn du kannst
Roman
Aus dem Amerikanischen von Irmengard Gabler
Band 15235

Glaub nicht, es sei vorbei
Roman
Aus dem Amerikanischen von Irmengard Gabler
Band 15946

Fischer Taschenbuch Verlag

fi 555 002 / 1 / b